KB035756

TARA DUNCAN

Les Sortceliers

타라 덩컨

1 아더월드와 마법사들

타라 덩컨

1 아더월드와 마법사들

펴 낸 날 | 2014년 5월 15일 초판 1쇄

지 은 이 | 소피 오두인 마미코니안
옮 긴 이 | 이원희
펴 낸 이 | 이태권
펴 낸 곳 | (주) 태일소담
서울시 성북구 성북동 178-2 (우)136-020
전화 | 745-8566~7 팩스 | 747-3235
e-mail | sodam@dreamsodam.co.kr
등록번호 | 제2-42호(1979년 11월 14일)

ISBN 978-89-7381-831-0 04860
978-89-7381-830-3 (세트)

• 책값은 뒤표지에 있습니다.
• 잘못된 책은 구입하신 곳에서 교환해드립니다.
• 이 도서의 국립중앙도서관 출판시도서목록(CIP)은 서지정보유통지원시스템 홈페이지(http://seoji.nl.go.kr)와 국가자료공동목록시스템(http://www.nl.go.kr/kolisnet)에서 이용하실 수 있습니다.(CIP제어번호: CIP2014013891)

www.dreamsodam.co.kr

TARA DUNCAN
Les Sortceliers

타라 덩컨

1 아더월드와 마법사들

소피 오두인 마미코니안 지음 | 이원희 옮김

소담출판사

얼마나 다정하고 코믹하고 지적인지
말로 다 형언할 수 없는 내 남편 필리프에게 이 책을 바칩니다.
숙련되지 않은 작가의 불안을 유머 넘치는 인내로 견뎌주었던
남편에게 고마움을 보내면서.
그리고 "너희들 왜 아직까지 숙제 안 했어?" 하고 잔소리하는 나에게
"그러는 엄마는 오늘 쓸 거 다 썼어요?"라는 말로 복수하던 나의 두 딸,
원고를 일곱 번이나 수정하는 동안 눈살 한 번 찌푸리지 않고
즐겁게 읽어주었던 디안과 마린에게 이 책을 바칩니다.

— 소피 오두인 마미코니안

파트로크
왕 국
키크로크
안 계 대 양
타트란
시티빌
아쿠아리아
왕 국
트리톤의 나라
오소르
비리디스
보리아 강
포르미아
살테렌스
사 막
티란
메우스
테수르
케키디
살라
푸아브레트
셀
바스크리트
라스본
스파디비아
피어
데무아
테스
팅가푸르
레스피트
탕즈 강
오무아 제국
투대륙
남

북
서
동
남
NORD
EST
SUD
OUEST
해
멘알리르 평원
크라살비 왕국
브라
크리아
크랑카르
비트 왕국
미나트
빌렌 왕국
히믈리아
칼라도 산맥
타뉴
프로가데크
숨
포라트
타도르 산
제오폴
사로
왕 국
스몰컨트리
간디스
에르소
베르티스
블루 대양
미카일 해
아 더 월 드
서쪽면
Échelle 1:52 500 000
0
1417,5 km

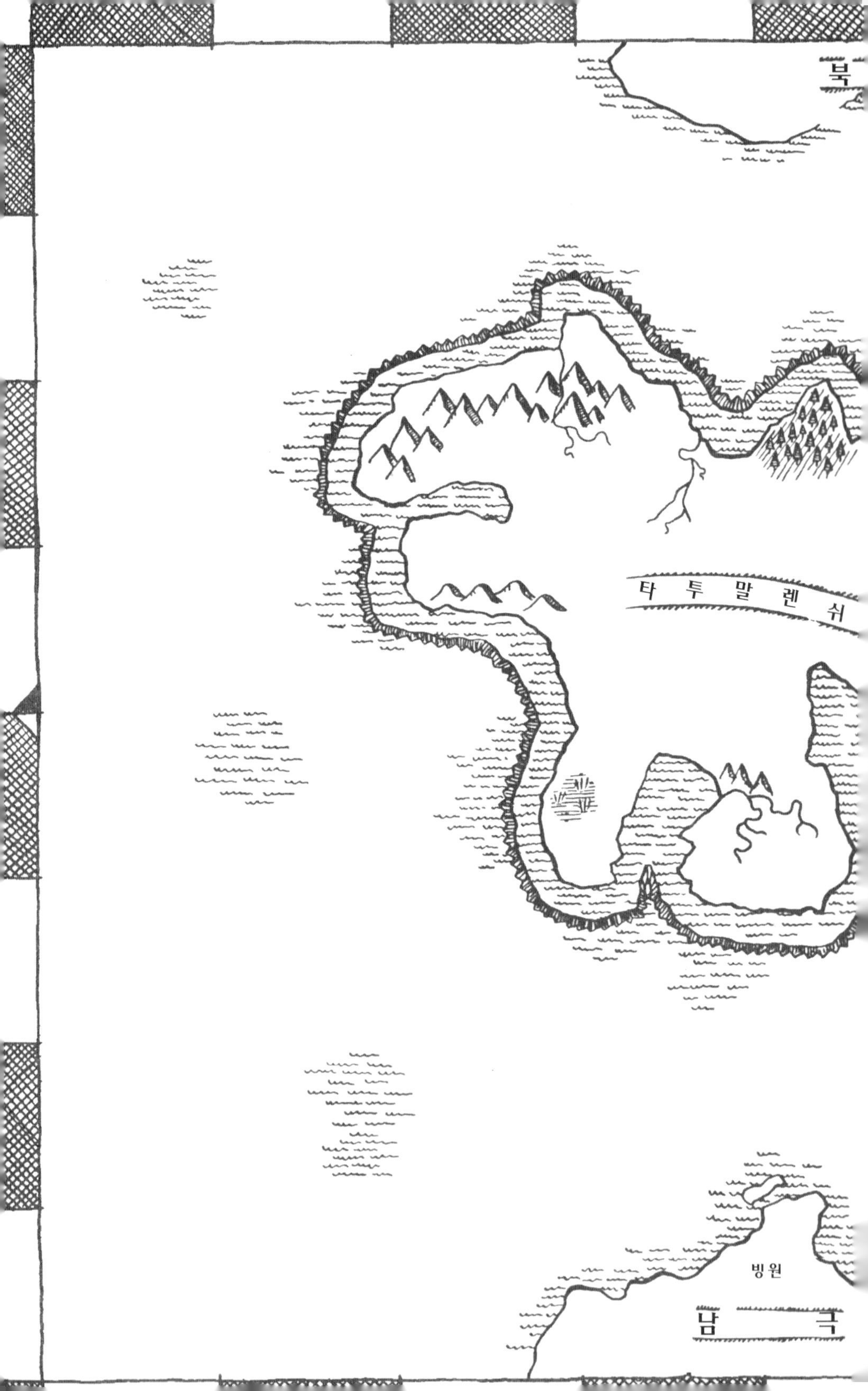
북
타 투 말 렌 쉬
빙원
남 극

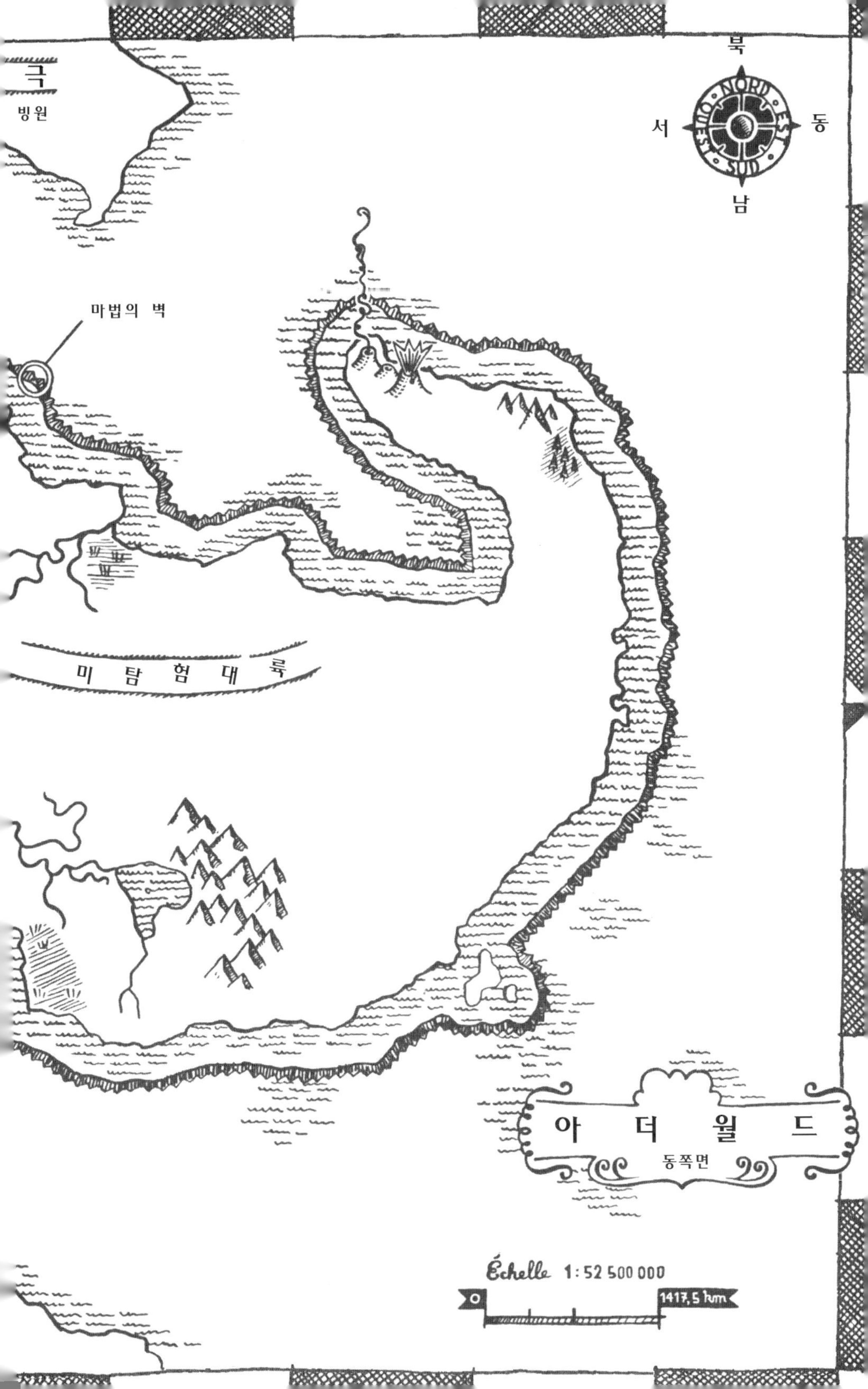
북
서
동
남
NORD
EST
SUD
OUEST
극
빙원
마법의 벽
미탐험대륙
아더월드
동쪽면
Échelle 1 : 52 500 000
0
1417,5 km

TARA DUNCAN
Les Sortceliers

타라 덩컨

❶ 아더월드와 마법사들 | 차례

1 아더월드와 마법사들

마법 능력과 거짓말

*

이건 꿈이야……. 타라는 꿈을 꾸는 거라고 생각했다. 잠옷 바람으로 그것도 500미터 상공에 떠 있다니, 이건 아무래도 정상적인 상황이 아니야…….

발 밑으로 차례로 지나가는 야릇하고 희한한 풍경에 가슴이 콩닥콩닥 뛴다. 왜 이렇게 낯익을까? 오른쪽은 야생 유니콘들이 사는 푸른 나라 멘탈리르*, 왼쪽은 뱀파이어들이 삼엄하게 지키는 땅 크라살비*, 난쟁이 대장장이들의 나라 히믈리아*, 그 옆에 돌을 먹는 거인들의 나라 간디스*, 마침내 눈앞에 펼쳐지는 랑코비트* 왕국의 수도 트라비아! 웅장한 황금 성이며 색색가지 지붕의 신기한 집들에 홀려 있을 때, 난데없이 나타난 거대한 손이 그 풍경을 지운다. 어느새 그 손에 붙들려서 타라가 와 있는 곳은 고속도로 상공이다! 이제 타라는 일정한 속도로 스르르 달리는 시커먼 리무진 위를 날고 있다. 어두운 밤, 프랑스 남서부 지방의 잠든 도시와 마을들은 달빛에 잠겨 있다. 자동차 안에 얌전히 앉은 시커먼 형체 넷, 그들은 또 다른 형체의 침묵에 주눅이 들어 있는 듯하다. 느닷없는 웃음소리에 그들이 화들짝 놀란다.

"드디어!" 남자는 희희낙락했다. "그 잘나빠진 이사벨라 덩컨을 없애버리게 돼서 기분이 아주 끝내주는군! 이제 몇 시간만 있으면 우리는 타공에 도착한다. 내일 밤에 공격이다. 너희들도 정신 바짝 차려!"

타라는 심장이 멎는 줄 알았다. 이사벨라 덩컨이라고? 할머니 이름이잖아? 시커먼 자동차에서 풍기는 위협을 어렴풋이 느낀 타라는 잠을 깨려고 몸부림쳤지만, 그 꿈은 이미 싹 지워지고 어딘가로 떠밀려갔다.

타라가 침대로 돌아와 있는 사이에 수십 킬로미터를 달려온 검은 자동차는 타공 마을을 눈앞에 두고 있었다. 아스팔트 위를 미끄러지는 타이어가 중얼거린다. 아자, 아자, 아자…….

*

타라를 놓친 까치는 자책하듯 잠시 깍깍거렸다. 빨간 테가 둘러쳐진 금빛 눈이 적의에 찬 광채로 번뜩였다. 계집애가 또 감시를 따돌리고 도망쳐버리다니! 가슴이 철렁한 까치는 그 하얗고 까만 날개 아래로 지나가는 타공 마을을 두리번거렸다. 만약 계집애를 빨리 찾지 못하면 통닭구이 신세가 될 텐데……. 까치는 무슨 일이 있어도 그 꼴만은 면하고 싶었다.

갑자기 까치가 날개를 좌우로 파드닥거렸다. 휴! 살았다. 들판을 뛰어가는 작은 실루엣, 타라를 발견한 것이다. 헛간의 문을 확 열어젖히고 뛰어들어가는 타라를 보며 까치는 깍깍거렸다. 이런! 이제 어쩐다? 헛간 주위를 두 바퀴 빙빙 돌던 까치는 타라를 뒤쫓아온 소년을 발견했다. 녀석이 쏜살같이 헛간으로 뛰어드는 틈에 스리슬쩍 따라들어간 까치는 굵직한 들보에 내려앉았다. 모든 장면을 한눈에 내려다볼 수 있으니 구경하기에 딱 좋은 장소였다. 까치는 날개를 펼치면서 느긋하게 자리를 잡았다.

수북한 건초 더미 속에 꼭꼭 숨은 타라는 숨을 죽이고 있었다. 뒤쫓는 녀석이 언제 들이닥칠지 모를 일이었다. 그때 낡은 헛간이 삐걱거렸다.

들키면 안 되는데! 타라는 나오려는 재채기를 꾹 참으면서 건초 더미 속에서 몸을 좀더 웅크렸다. 별안간 귀청이 떨어져 나가게 카랑카랑 울리는 소리에 타라는 까무러칠 뻔했다.

"여기 숨어 있다는 거 다 알아." 씩씩거리는 목소리가 소리쳤다.

"냄새가 난단 말야! 너, 잡히기만 해봐!"

위에서 그 장면을 내려다보고 있는 까치는 입이 근질근질하지만 코웃음을 꾹 참았다. 웃기고들 있네! 특석에 앉았으니 어떻게 끝날지 어디 구경이나 한번 해볼까나.

방금 큰소리치던 녀석은 아직 타라를 찾지 못하고 있었다. 옷 색깔 덕분에 타라는 쉽게 발견되지 않았다.

단념했는지 돌아서는 발이 보이는 순간, 들쥐 한 마리가 타라의 왼쪽 신발을 타고 올라왔다. 뒤늦게 자기가 오르는 산이 살아 있는 물체라는 걸 깨달은 들쥐가 조그맣게 이크, 하고 소리를 내지르기도 전에 꺅! 하는 외마디 소리와 함께 타라가 건초 더미에서 미사일처럼 솟구쳐 올랐다. 그러고는 타라가 곧장 소년의 품으로 떨어지는가 싶었는데…… 어라, 오히려 소년이 지상에서 3미터 높이로 날아가더니 공중에 거꾸로 매달린 채 팔다리를 버둥거리는 것이 아닌가!

그건 순간적으로 위기를 느낀 타라의 반사적이고, 순전히 본능적인 행동이었다.

그 즉시, 소년이 따지듯 소리쳤다.

"타라! 약속했잖아!"

"네 잘못이야." 타라는 되려 큰소리쳤다. "그러게 누가 그렇게 겁을 주래?"

"그래, 맞아. 파브리스, 아주 쌤통이다, 너!" 등뒤에서 쫑알거리는 목소리에 타라는 화들짝 놀랐다.

"베티!" 타라가 소리쳤다. "그렇게 불쑥 나타나면 어떡해? 간 떨어지는 줄 알았잖아."

갈색머리 뚱보소녀는 배시시 웃었다. 베티는 그 덩치치고는 놀라울 정도로, 마치 고양이처럼 동작이 날렵했다.

"타라!" 여전히 공중에서 버둥거리고 있는 파브리스가 악을 썼다. "빨리 내려줘!"

타라는 숱진 금발에 희한하게 섞인 제비초리 모양의 흰 머리털을 움켜잡고 질겅질겅 씹었다.

"그런데 문제는 어떻게 하는지를 모른다는 거야!"

"뭐라고? 어떻게 하는지를 몰라?" 간이 콩알만해진 파브리스는 눈앞으로 흘러내리는 금발을 연신 쓸어넘기면서 외쳤다. "무서워 죽겠단 말야! 빨리, 어떻게 좀 해봐!"

타라는 정신을 집중하면서 두 손을 흔들어도 보고, 눈살을 찌푸려도 보고, 숨을 죽여도 보고, 짙은 파란색 눈을 찡그려도 봤지만…… 아무 일도 일어나지 않았다.

베티는 터져나오려는 웃음을 꾹꾹 누르면서 해결책을 궁리하기 시작했다.

타라는 겁먹은 얼굴로 베티를 돌아봤다.

"어떡하지? 파브리스를 움직이지도 못하겠어!"

구경하던 까치는 웃고 싶은 마음이 싹 달아났다. 타라가 상대를 공중으로 날려버렸을 때, 까치는 눈알이 튀어나올 뻔했다. 맙소사, 계집애에게 그 능력이 있다니! 아이고, 미치겠네! 골치 아픈 일이 터지겠어. 게다가 저 꼬마들은 벌써부터 알고 있었다는 얼굴이잖아!

힘이 빠졌는지 더는 몸부림도 치지 않은 채, 파브리스는 타공 소녀들의 마음을 두근거리게 만드는 속눈썹이 긴, 그 매력적인 까만 눈으로 타라를 노려보고 있었다.

"타라, 어떤 느낌이 들었을 때 파브리스를 밀쳤는지 잘 생각해봐." 베티는 차분하게 말했다.

타라는 곰곰이 생각했다.

"겁이 나고 화가 났어. 음…… 그리고 내 다리를 건초다발로 착각한 쥐한테도 화가 좀 났었어."

"나를 빨리 내려놓지 않으면 온 동네 사람이 너의 능력을 다 알게 될 거야. 그러면 넌 해부실의 개구리 신세가 될 텐데 그래도 좋아?" 파브리스가 외쳤다.

"그래도 방법을 모르는 건 마찬가지야." 타라는 이를 악물면서 응수했다.

구불구불한 갈색머리를 설레설레 흔들던 베티가 갑자기 눈을 반짝이며 못에 걸어 놓은 밧줄을 가리켰다.

"저 밧줄을 사용하는 게 어떨까? 파브리스를 저기까지만 끌어당기면 되겠는데. 그리 멀리 떨어져 있지도 않잖아."

파브리스는 헛간 2층에서 조금 떨어진, 아버지의 소작인들이 곡식자루를 쌓아 놓은 곳간 부근에 둥둥 떠 있었다.

"그래, 그러면 되겠다. 한번 해보자." 타라가 대답했다.

두 소녀는 밧줄을 몇 차례 던진 끝에 파브리스의 허리를 감아서 아주 조심스럽게 끌어당겼다. 파브리스는 가까스로 자신의 체중을 실을 만한 나무에 이르기는 했지만 하마터면 나가동그라질 뻔했다. 아찔한 순간을 잘 넘기고 날렵하게 내려온 파브리스는 난처해서 흰 머리털을 질겅질겅 씹는 타라 앞에 버티고 서서 소리쳤다.

"타라, 우리가 놀이를 시작할 때 뭐라고 했었지?"

"공중에 떠오르게 하거나 초능력을 사용하지 않기." 타라는 순순히 대답했다.

"그럼 설명해봐. 내가 3미터 공중에 떠 있었던 건 뭔데?"

"그야 공중에 떠오르게 하기에 걸린 거지, 뭐."

베티는 키득키득 웃었다.

"타라, 내 말 똑똑히 들어." 파브리스는 흥분하지 않으려고 애쓰면서 말을 이었다. "네가 아무래도 돌연변이인 것 같다고 털어놨을 때, 우리는 그 비밀을 지키겠다고 맹세했어. 하지만 네가 그 능력을 사용할 때마다 문제가 생겼잖아. 헛간을 부쉈고, 또 트랙터를 망가뜨렸단 말야."

"하지만 그건 내 잘못이 아니었어. 트랙터를 운전한 건 너였잖아!" 타라는 받아쳤다.

"그래, 그래서 내가 벌을 받았어. 그때는 너한테 일어나는 일을 알기 위해서 내가 시험해보자고 했으니까. 하지만 놀이를 할 때는 아니잖아!"

타라는 눈물이 그렁그렁해서 털썩 주저앉았다.

"어떻게 해야 할지 모르겠어! 난 평범하고 싶어. 이런 능력 따위는 원치 않아. 특히 두려움을 느끼는 순간에 사람들을 공중으로 날려버리고 싶지 않단 말야!"

파브리스는 타라를 달래기로 마음을 고쳐먹었다.

"야아, 울지 마, 너의 능력이 얼마나 대단한 건데. 난 부럽기만 하다, 뭐. 그리고 지금은 그 능력이 네 말을 잘 듣지 않지만 곧 달라질 거야. 내 생각에는 날마다 훈련을 해보는 게 좋을 것 같아. 방학이 끝나려면 2주일이나 남았잖아. 그때까지도 어떻게 해야 할지 모르면 할머니한테 가서…… 모든 걸 고백하는 거야."

"그건 절대로 안 돼!" 타라는 매몰차게 대답했다. "할머니는 내가 가장 이 사실을 알리고 싶지 않은 사람이야."

"왜?" 타라가 벌컥 화를 내는 것에 당황한 파브리스가 물었다.

"너 브루투스 알지?"

"심술쟁이 뚱보 파스칼 장타르 말야? 물론 알지. 그 뚱보가 나한테 덤비려고 까불다가 내가 만만치 않은 걸 알고 그 뒤로는 내 앞에서 설설기거든. 그런데 뚱보는 왜?"

"뚱보가 4학년 때였는데 걔는 여학생들의 머리칼을 자르고 달아나는 것이 취미였어. 내 머리칼도 자르고 싶어서 안달이었지."

"그래서?" 솔깃해진 파브리스가 물었다.

"그래서 뚱보가 내 머리채를 잡으려고 하는 순간 홱 돌아서서 밀쳐버렸어."

"아까 나한테 했던 것처럼?"

"똑같지는 않았지. 그때는 아홉 살이었으니까 내 능력은 그리 세지 않았어. 그래도 2미터쯤 떨어진 곳에 나가동그라져서 엉덩방아를 찧더라고."

"아하, 이제야 알겠다!" 파브리스는 우스워죽겠다는 얼굴로 말했다. "그래서 뚱보가 마치 너를 괴물 보듯이 쳐다보는 거구나."

"응. 그런데 문제는 내가 공연히 친구를 폭행했다고 벌을 받게 되었다는 거야."

"쯧쯧!" 파브리스는 자기 일처럼 안타까워했다.

"그래서 어떻게 됐어?"

"그래서 할머니한테 갔지. 학교에서 징계를 받게 된 이유를 설명하려고."

"근데 물론 할머니는 타라의 말을 듣지도 않으셨지!" 그 사건의 전모를 알고 있는 베티가 톡 나서서 말했다.

"친구와 싸웠다는 이유로 엄청나게 야단만 맞았어."

그때를 생각하면 지금도 속이 상하는지 타라는 우울하게 말을 이었다.

"할머니는 내 이야기를 아예 들으려고도 하지 않는 거야. 그때부터 할머니한테는 내 능력에 대해 절대 말하지 않겠다고 다짐했어."

"그러면 우리 아버지한테 가자." 파브리스는 자신만만하게 말했다. "아버지는 무슨 방법을 아실 거야! 어차피 여기 이러고 있다고 무슨 수가 나는 것도 아니잖아! 그리고 얼른 성으로 돌아가는 게 좋겠어. 솔직히 너의 그 두려움이 이 헛간마저 무너뜨릴까 겁도 나고. 자꾸 아버지의 건물을 부셔버리면 결국에는 의심하실 거야!"

까치는 날개를 매끈하게 가다듬으면서 생각에 잠겼다. 그러니까 타라는 아홉 살 때부터 자기 능력을 알고 있었다는 거잖아! 깜찍한 계집애. 어린 나이인데도 그런 능력이 있다는 걸 감쪽같이 숨겨왔다니. 할 수 없지! 이젠 보고할 때가 되었어. 까치는 감시를 소홀히 한 데 대한 질책을 면치 못하리라는 걸 알고 있었다. 큰난리가 날 거란 생각에 툴툴거리면서 푸르륵 날아오른 까치는 슬그머니 헛간을 나갔다.

푸짐한 간식을 뚝딱 먹어치우고 난 뒤에 타라와 베티는 파브리스의 아버지 브주아 지롱 백작의 성을 떠났다. 두 소녀는 장밋빛 돌로 지은 오래된 저택을 향해 천천히 발길을 옮겼다. 부모님이 돌아가신 뒤에 타라와 할머니 이사벨라가 살고 있는 집이었다.

"요즘은 할머니와 사이가 어때?" 베티가 물었다.

"늘 똑같지 뭐." 타라는 한숨을 내쉬었다. "할머니는 오직 내 성적에만 관심이 있어. 성적이 좋으면 아무 말씀도 안 하시고, 성적이 나쁘면 잔소리를 퍼붓지. 그게 우리의 유일한 대화야."

"와, 그건 진짜 심하다." 베티는 얼굴을 찡그렸다. "네 부모님에 대해서는 물어봤어?"

"물어봐야 소용없어." 타라는 시무룩하게 대답했다. "내가 물어볼 때마다 할머니는 조개처럼 입을 딱 다물어버리는데, 뭐. 이제껏 내가 얻어들은 얘기는 '돌아가셨다', '아마존 정글에서 고고학 연구를 하던 중에 치명적인 바이러스에 걸려 돌아가셨다', 그게 다야. 언제나 그 말뿐이니까. 내가 그 바이러스를 박멸하는 생물학자가 되겠다고 말했을 때 할머니가 뭐라고 하셨는지 알아?"

"글쎄."

"과학자가 되고 싶으면 수학 공부를 열심히 해야지, 딱 그 한 마디로 끝이야."

"그럴 수가!"

베티는 더는 할 말이 없었다. 친구 때문에 우울해진 베티는 정원 입구에서 타라와 헤어졌다. 하지만 타라는 베티와 얘기를 하다 보니 이상하게도 용기가 생겼다. 낙천적인 성격의 타라는 매정한 할머니에게 다시 한 번 얘기를 꺼내기로 마음먹고 저택을 향해 뛰어갔다.

타라를 뒤쫓아온 까치는 열려 있는 창문으로 살며시 들어가 익숙하게 몸을 돌려 체육관으로 날아갔다. 마네킹을 상대로 눈이 돌아갈 정도로 빠르게 맨손 공격을 가하고 있던 젊은 여자가 담갈색 눈을 쳐들자, 까치는 마치 뭔가를 설명하는 듯이 요란하게 날개를 파드득거리기 시작했다. 젊은 여자가 소스라치게 놀라면서 딸꾹질을 억누르려고 손으로 얼른 입을 틀어막는 것으로 봐서 놀라운 사실을 알게 된 것이 틀림없었다. 바로 그 순간, 타라는 그 방 앞을 질풍처럼 지나갔다. 하얗고 까만 대리석 복도에서 씽씽 미끄럼을 타며 달려가던 타라는 노란색 응접실에서 얼른 자세를 바로하고 할머니의 사무실로 들어갔다.

평소에는 세계 곳곳에서 온 손님들로 북적였는데, 이날은 다행히, 밝은 목재로 꾸민 커다란 방에 이사벨라가 혼자 있었다.

책장을 넘기고 있던 이사벨라는 타라가 불쑥 나타나자 책을 얼른 덮었다. 그렇지만 타라는 할머니가 그 책을 치우는 순간에 『판데모니움 데모니쿠스(악마의 소굴)』라는 책제목을 볼 수 있었다. 키가 큰 이사벨라는 은발에 초록빛의 고양이 눈을 하고 있었고, 그 나이에도 불구하고 얼굴에는 주름살이 별로 없었다.

"그 버릇, 아직도 못 고쳤구나!" 할머니는 호통을 쳤다. "타라틸랑넴! 집 안에서는 뛰어다니지 말라고 내가 그렇게 일렀거늘!"

타라는 얼굴을 찡그렸다. 어찌나 이상한지…… 친구들에게도 감추고 있는 그 이름, 할머니가 타라틸랑넴이라고 부르는 것이 싫었던 것이다.

"죄송해요, 할머니. 잠깐 이야기해도 될까요? 제 친구 파브리스에 관한 거예요."

"한가하지는 않다만 어디 해보렴. 무슨 일이 있었니? 너희들 싸웠니?"

"아니에요. 그만한 일로 할머니를 방해하진 않아요. 저기, 사실은 부모님에 대한 얘기를 나눴거든요. 파브리스의 어머니가 돌아가셨고, 아버지와 성에서 단 둘이 살고 있다는 건 할머니도 아시죠?"

"그래, 알아."

"파브리스의 아버지는 틈만 나면 어머니에 대해 말해준대요. 그런데 할머니는 부모님에 대해 입을 꾹 다물고 계시잖아요. 난 부모님에 대해 아는 게 없다는 것이 그렇게 슬플 수가 없어요. 그래서 생각해봤는데 할머니가 뭔가를 숨기고 있는 것 같아요."

할머니는 숨을 죽이고 있는 것 같았다. 책상 가장자리를 어찌나 꽉 쥐고 있는지 할머니의 손이 하얗게 되는 걸 보면서 타라는 그런 확신이 들었다.

하지만 할머니는 아주 평온하게 느껴지는 목소리로 냉정하게 대답했다.

"난 아무것도 숨기는 게 없어, 타라틸랑넴."

"그럼 왜 할머니는 나하고 부모님 얘기를 하지 않으려고 해요? 그 얘기를 꺼낼 때마다 할머니는 나를 방으로 쫓아버리거나 딴청을 피우면서 다른 얘기로 돌리곤 했어요. 그럴 때마다 정말 얼마나 슬펐는지 몰라요! 난 이제 네 살배기 어린애가 아니란 말예요!"

할머니는 거의 고통스러워하면서 책상을 잡고 있던 손을 놓았다. 이어서 손가락들을 구부려서, 정교하게 쪽매붙임을 한 책상 위를 토닥였는데, 그때마다 그 손가락들이 나무판에 탄 자국 같은 걸 남기는 걸 보며 타라는 흠칫 놀랐다. 하지만 그 자국들은 잠시 후 언제 그랬냐는 듯이 감쪽같이 사라졌다.

타라는 할머니에게로 다시 눈길을 옮겼다.

"넌 겨우 열두 살이야, 타라틸랑넴. 말을 해주든, 안 해주든 그건 이 할머니가 알아서 결정할 일이니, 너와 상의할 필요가 없어."

하지만 할머니에게서 물려받은 고집인데 어련할까, 타라는 물러서지 않았다.

"왜요? 물론 할머니의 딸이지만 내 엄마이기도 하잖아요. 달랑 사진 몇 장을 가지고 있을 뿐 엄마에 대한 기억이 전혀 없어요. 할머니는 왜 그 추억을 나와 함께 나누지 않는 건데요?"

이사벨라는 해묵은 슬픔이 다시 밀려오는 걸 느끼면서 한숨을 내쉬었다. 타라틸랑넴은 사랑하는 딸을 어쩌면 저리도 빼닮았는지! 의지가 밴 턱선 하며 반듯한 코, 지적인 이마는 제 엄마를 꼭 닮았고, 독특하게도 하얀 머리털이 섞인 금발과 쪽빛 눈은 영락없이 제 아버지를 닮았다. 이사벨라는 그런 타라를 볼 때마다 가슴이 미어졌다. 그 아픔이 손녀딸에게 느끼는 애정을 몰아내면서 의무와 책임감…… 그리고 망명 생활의 고통만 남게 했다.

"너한테 설명해줄 필요를 느끼지 않으니까 네 방으로 가거라." 할머니는 매정하게 말했다.

타라는 실망스러웠다. 꼬리를 물고 밀려오는 의문이 입에서 맴돌았다. 부모님이 결혼했는데 어째서 외할머니의 성을 따르고 있는 걸까? 할머니는 어째서 그 점에 대해 말해주지 않는 걸까? 왜 부모님의 무덤이 없는 걸까? 할머니의 직업은 도대체 뭘까?

사실 따지고 보면 이상한 점이 한두 가지가 아니었다. 타라는 달러와 유로가 가득 든 가방들을 보았다. 그리고 서재 창문을 통해 농부들과 저명인사들뿐만 아니라 대형 리무진들과 수행원들, 허리춤에 권총을 찬 보디가드들을 수없이 봐왔다. 게다가 할머니는 집을 자주 비웠고, 마을 처녀 두 명이 날마다 와서 집 안 청소를 했다.

이 넓은 저택에는 타라와 할머니 외에도 세 사람이 함께 살았다. 데리아와 타쉴, 망구스. 그런데 타라의 뒤를 그림자같이 따라다니는 데리아는 타라를 보호하기 위해서 있는 보디가드 같단 생각이 이따금 들었다.

매력적인 데리아에게서는 야릇한 아우라, 뭐랄까 야성적인 분위기가 풍겼는데 시종일관 경계를 늦추지 않는 데리아는 꼭 고양이 같았다. 그녀를 깜짝 놀라게 하거나 넘어뜨린다는 건 불가능한 일이었다. 날마다 체력 단련을 해서인지, 데리아는 타쉴도 얼굴을 일그러뜨릴 정도로 무거운 것들을 거뜬히 들어올렸다. 키다리 타쉴은 광적인 정성으로 정원을 가꾸었다. 그러면서도 언제나 나무토막을 끼고 다니며 조각을 해대더니 어느새 그 커다란 저택을 자신의 작품 전시장으로 만들어 놓았다. 인생은 아름다운 거라며 늘 실실거리는 땅딸보 망구스는 부엌을 책임지고 있는데 이따금 기막히게 맛있는 요리를 만들어내기도 했다. 베티와 파브리스는 정원사에 요리사까지 두고 사는 걸 이상하게 여겼지만, 타라는 그들에게 정이 들어 있었다. 만약, 그들이 어느 날 훌쩍 떠나버린다면 아마도 너무 그리워서 눈물을 펑펑 쏟을 것 같았다.

그때 등뒤에서 무슨 소리가 들렸다. 언제 들어왔는지 어깨에 얌전히 앉은 까치와 함께 데리아가 손님이 왔다고 알렸다. 살금살금 다니는 게 영락없는 고양이라니까. 대화를 끝내게 된 것을 몹시 반기는 할머니를 보자, 타라는 화가 치밀었다.

"미안하구나, 타라틸랑넴. 손님을 만나야 하니까 넌 나가 보거라. 나중에 보자꾸나."

고집을 부려봐야 소용없다는 걸 잘 아는 타라는 어깨를 으쓱 올리고는 방을 나왔다. 풀 죽은 모습으로 발을 질질 끌며 자기 방으로 올라간 타라는 침대에 벌렁 누웠다.

저택은 낡은 고성을 19세기에 보수한 것이라서 상당히 넓고 쾌적했다. 타라는 특히 두 곳을 아주 좋아했다. 하나는 왼쪽 탑 안에 있는 자신의 방이었다. 방은 널찍하고 아주 밝은데다 완만한 경사를 이루며 가까운 숲까지 이어지는 잔디밭 쪽으로 나 있었다. 이른 아침이나 해질녘에는 이따금 다람쥐나 사슴, 또는 배짱 좋게 기슭을 어슬렁거리는 멧돼지까지 볼 수 있었다. 또 하나는 서재였다. 아주 어릴 적부터 책 읽는 걸 좋아한 타라는 특히 미지의 세계로 데려가는 신비한 모험 이야기라면 사족을 못 썼다.

침대에서 일어나려는 순간 울리는 전화벨 소리에 타라는 소스라치게 놀랐다. 전화를 바꿔준 사람은 데리아였다.

"타라?"

전화기 속의 목소리는 소곤거리고 있었다.

"파브리스?" 타라도 본능적으로 소곤거렸다. "무슨 일이야?"

"내 말을 믿지 못할 거야! 네가 나한테 전염시켰어!"

"뭘?"

"너의 그 능력말야. 나도 해냈어!"

"무슨 소리야, 파브리스? 장난치는 거라면……."

"장난이 아냐!" 소년의 목소리는 흥분으로 떨고 있었다. "복구작업이 막 끝난 북쪽 탑을 보러 갔는데 임시로 만든 다리가 허술했는지 내가 그 밑을 지나가는데 와장창 무너져버렸어."

"어머나! 그래서 어떻게 됐어? 넌 다치지 않았어?"

"응, 난 괜찮아. 그러니까 너한테 전화를 하지! 너한테서 전염된 게 틀림없어. 내 위로 떨어지는 무시무시한 쇠파이프들을 보는 순간, 너처럼 했는데 그게 통했다니까! 무너져 내리던 쇠파이프랑 나무판자들이 몽땅 날아오르는 거 있지. 하지만 비명이 나올 정도로 머리는 되게 아프더라."

간이 콩알만해진 타라는 침대에서 벌떡 일어났다.

"너, 너 정말 내가 전염시켰다고 생각해?"
"모르겠어. 너보다도 내가 더 어리둥절한데, 뭐. 그러니까 만나야 해. 아버지가 다 보셨거든!"
타라는 한숨을 내쉬었다.
"그래서 너네 아버지는 뭐라셔?"
"그 순간부터는 정말이지 모든 게 이상하게 변하고 말았어. 나를 끌어안고 엉엉 우시는 거야. 그러고는 아버지의 인생에서 가장 멋진 날이라면서 내가 최고의 선물을 주었다고 감격해하셨어."
타라는 멍하니 입을 벌린 채 아무 말도 못하고 있었다.
"타라!" 파브리스는 불안한 듯 소리쳤다. "듣고 있는 거야? 어떻게 하면 좋을까? 아버지한테 너에 대해서도 말할까?"
타라의 반응은 본능적이었다.
"안 돼! 내일 만나서 얘기하는 게 좋을 것 같아. 9시에 우리집 앞에서 보자. 전화로는 더는 한 마디도 하지 마, 알았지?"
"알았어."
그 목소리엔 실망한 기색이 역력했다. 하지만 파브리스는 더는 꼬치꼬치 캐묻지 않았다.
파브리스가 전화를 끊자마자, 타라는 흰 머리털을 움켜잡아서 질겅질겅 씹기 시작했다. 파브리스의 말대로 전염시켰다면 어쩌지? 타라는 10여 분 동안 그렇게 이런저런 생각을 하다가 한숨을 푹 내쉬었다. 고민해봐야 무슨 소용 있겠어. 내일이면 알게 될 텐데. 그렇다고 방에 처박혀 있을 필요는 없었다. 타라는 서재에 가서 생각을 바꿔줄 책이나 골라 읽기로 했다.
타라는 무수히 많은 책들이 있는 방 앞까지 그림자처럼 걸어갔다. 서

재에 발을 들여 놓자 흡족한 탄성이 저절로 나왔다. 서재 안에 있는 책장을 맹꽁이 자물쇠로 채워 놓았다는 건 정말 웃기는 일이었다(할머니는 책들이 도망치거나 어떻게 될까 봐 겁내고 있는 건가?). 타라는 책이 가장 많이 꽂힌 책장 앞으로 갔다.

살금살금 걸으면서 익숙한 책제목들을 대충 훑고 있을 때, 어디선가 말소리가 들려왔다. 타라는 가만히 멈춰 섰다. 분명히 무슨 소리가 나고 있었다.

솔깃해진 타라는 그 소리가 벽난로 위쪽에서 나고 있다는 걸 확인했다.

그건 바로, 집 안이 쩌렁쩌렁 울릴 정도로 노발대발한 할머니의 목소리였다! 하지만 할머니가 하는 말을 똑똑히 알아들으려면 한 3미터쯤 위로 올라가, 소리가 나는 쪽으로 다가가야 했다.

선반 꼭대기의 책들을 꺼내는 데 사용하는 사다리가 눈에 띄었다. 레일 위를 미끄러져 움직이는 사다리였다. 타라는 재빨리 사다리를 타고 올라갔다. 대리석 벽난로 선반 쪽으로 몸을 숙이고 팔을 쭉 뻗어서 조각 장식을 움켜잡고 기어오른 타라는 몸을 웅크린 엉거주춤한 자세였지만, 대화를 들을 수 있었다.

"브주아 지롱, 당신은 문을 지키는 사람이란 말이오!"

할머니는 호통을 치고 있었다.

"아들에게 진실을 밝히는 것이 당신에게는 금지되어 있어요. 그건 용납할 수 없는 일이오!"

이런, 브주아 지롱 백작이 호된 질책을 받고 있잖아! 그런데 갑자기 귀를 바짝 세우고 들어야 할 정도로 할머니의 목소리가 작아졌다. 아마도 백작이 무슨 변명을 한 모양이었다.

"그 아이가 어떻게 우리와 같을 수 있단 말이오?" 할머니는 격앙된 어조로 쏘아붙였다.

"농담하지 마시오!"

"……."

"그 아이가 뭘 어쨌다고요? 그 아이가 자기 위로 떨어지는 비계를 떠밀었다 그 말이오? 그럼 가스는? 어떤 가스였소?"

"……."

할머니의 목소리는 너무 심하다 싶을 정도로 위협적이었다.

"그러니까 당신의 말은 '비마'의 신분으로 그 오랜 세월 동안 문지기 가문의 혈통을 잇는 당신의 아들 파브리스가 마법사라는 말인데…… 그럼 그 문의 가스가 당신의 아내에게 닿기라도 했단 말이오? 900년 동안 한 번도 일어나지 않았던 일이 하필 왜 지금?"

타라는 하마터면 숨이 멎을 뻔했다. 이게 무슨 소리야?

할머니는 여전히 격앙된 목소리로 말을 이었다.

"내가 타라에게 아무 말도 하지 않은 것은 그 아이를 보호해야 하기 때문이란 말이오! 타라가 잠재적인 마법사라는 걸 아는 사람이 아무도 없어야 안전하기 때문이란 걸 모르진 않잖소. 게다가 지금까지 그 아이는 마법이라곤 기미도 보이지 않고 있어요."

"……."

"말도 안 되는 소리요. 그 아이에게 진실을 말해주고 마구스 최고위원회에 소개한다는 건 도저히 있을 수 없는 일이오. 그 아이의 아버지가 죽기 전에 난 그 모든 일을 비밀로 할 것이며, 어떤 경우에도 그 약속을 지키겠다고 맹세했소. 어쨌든 난 두 아이가 더는 만나지 않길 바라오. 파브리스를 당장 아더월드*로 보내시오. 아! 한 마디 덧붙이겠는데 이건 충고가 아니라 명령이오!"

꽝 하고 수화기를 내려 놓는 소리가 들렸다. 방금 들은 놀라운 사실에 귀가 윙윙거리는 타라는 미끄러운 대리석에 더 찰싹 달라붙었다.

할머니도 알고 있었다는 것인가! 나에게 마법의 능력이 잠재되어 있다는걸! 마법사라니! 이게 어떻게 된 일인가? 파브리스도 마법사인 게 분명했다. 그런데 파브리스의 경우는 뜻밖의 일인 것 같았다. 백작은 어떤 문을 지키는 문지기라고 했고, 그 문에서는 무슨 가스를 분출한다고 했다. 하지만 어디로 들어가는 문이라는 것일까? 그 최고위원회라는 건 또 뭐고?

갖가지 의문들로 머리가 윙윙거려서 타라는 어찌할 바를 몰랐다. 갑자기 할머니가 낯선 사람처럼 느껴졌다.

타라는 벌떡 일어났다. 베티! 타라가 털어놓은 얘기를 한 번도 발설하지 않았던 베티는 가장 절친하고 가장 믿음직한 친구였다. 베티에게 말해야 해. 그러니까 나는 돌연변이였던 게 아니라 마법사였던 것이고, 초능력이 아니라 마법을 사용한 것이라고!

타라는 몸을 숙여 사다리를 움켜잡고 아주 조심스럽게 다리를 뻗어 벽난로에서 사다리로 체중을 옮기기 시작했다.

그런데 타라는 한 가지 잊고 있었다.

사다리 맞은편에 책장이 있다는걸. 까딱 잘못해서 사다리가 책장 쪽으로 미끄러졌다가는 끝장이었다.

아니나 다를까, 사다리가 미끄러지는 걸 느낀 타라는 너무 놀라서 딸꾹질까지 나왔다. 타라는 재빨리 다리를 빼고 본능적으로 사다리를 붙잡고 늘어졌다. 결과적으로 두 발은 벽난로 위에, 두 손은 필사적으로 사다리를 움켜잡고 있게 되면서 타라의 몸은 구름다리처럼 휘어져버렸다.

타라는 어떻게도 할 수 없는 불안한 상태로 그렇게 한동안 매달려 있었다.

문제는 중심을 잡으려고 몸을 비틀고 있는 소녀의 체중을 책장이 지탱할 수 없다는 것이었다.

어디선가 덜커덕하는 소리에 순간적으로 책장 위쪽을 쳐다본 타라는 피가 얼어 붙는듯 파랗게 질렸다. 우지끈하는 소리가 나는가 싶더니 책장을 고정시키는 강철못들이 벽에서 하나둘 빠지고 있었다!

등줄기를 따라 땀이 주르륵 흘러내렸다. 맙소사! 이를 어쩌지? 끔찍한 일이 벌어지기 전에 어떻게 해서든 벽난로 위로 다시 올라가야 했다. 휘둥그레진 눈앞에서 마지막 못들마저 떨어져나가더니 덜컥덜컥 책장이 아주 천천히 기울어지기 시작했다. 기어코 타라가 벽난로에서 떨어지는 순간, 책들도 기다렸다는 듯이 와르르 미끄러지면서 쏟아졌다. 우당탕! 우당탕퉁탕!

그런데 순식간에 일어난 타라의 추락이 이상하게도 아주 길었다. 마치 타라를 떠받쳐줄 정도로 공기가 두꺼워진 듯이. 흰 머리털이 전류에 닿은 것처럼 찌지직거리는 걸 느끼는 찰나 기적처럼 두 발로 선 타라는 자기를 향해 떨어지는 반 톤의 책들을 보았다.

공포에 질린 타라는 방어하기 위해 두 팔을 뻗었다. 그 순간 이상한 일이 일어났다. 엄청난 책의 물결이 완벽한 원을 그리며 기적처럼 멈추는 것이 아닌가! 그것도 타라의 발 위 바로 약 50센티미터 떨어진 공중에. 어떻게 이런 일이!

그 뜻밖의 상황 앞에서 입을 다물지 못한 타라의 입에서는 외마디가 흘러나올 뿐이었다.

"휴!"

타라는 한숨을 푹 내쉬면서 덧붙였다.

"쫓겨나게 생겼어……. 할머니가 가만두지 않을 테니!"

그때, 문 쪽에서 나는 헛기침 소리에 타라는 가슴이 철렁해서 돌아섰다. 이상한 소리에 달려온 망구스가 얼이 빠진 얼굴로 그 광경을 쳐다보고 있었다.

타라는 망구스를 향해 멋쩍은 미소를 지어 보였다.

"미안해요, 망구스. 사다리를 타고 올라갔다가 미끄러지는 바람에 그만 이렇게 됐어요."

"그렇군요, 아가씨." 그렇게 대답은 했지만 망구스는 책들이 엉망으로 흩어져 있는 아수라장을 모른 체하기가 힘들었다.

"그래서 원하는 책은 찾았습니까요, 아가씨?"

평소 같으면 망구스의 구식 말투에 웃음이 나왔겠지만, 반쯤 머리가 벗겨진 땅딸보가 이번에는 재미있기보다는 무시무시하게 보였다.

"네, 망구스, 기대했던 것 이상으로요. 베티네 집에 갔다 올게요. 할 말이 있었는데 깜빡 잊었거든요. 이건 돌아와서 내가 정리할게요. 약속해요."

타라의 운동화 자국이 나 있는 벽난로 선반, 사방에 흩어진 책들, 동그란 책의 물결 속에서 무사히 화를 면한 타라, 망구스는 차례로 눈길을 옮기다가 말했다.

"미안합니다요, 아가씨!"

망구스는 그 통통한 손을 위아래로 휘저으면서 외쳤다.

"*포쿠스의 이름으로* 나 너를 움직이지 못하게 한다. 지체없이 우리를 곤경에서 구해주기를!"

그 즉시 타라는 마치 마비된 것처럼 꼼짝도 할 수 없었다. 머리를 움직이고, 말을 할 순 있었지만 신체의 다른 부분은 말을 듣지 않았다. 타라는 숨을 쉬고 있긴 해도 호흡을 조절할 수 없었고, 서 있긴 해도 다리를 마음대로 움직일 수 없었다.

"나를 어떻게 한 거예요?" 타라는 악을 썼다. "사람 살려! 사람 살려, 할머니!"

책들에 이어 책장이 쓰러졌을 때, 코끼리가 줄넘기라도 하는 듯이 어찌나 우당탕퉁탕 소리가 요란한지 이사벨라는 이미 층계를 오르고 있었다. 그 때문에 서재에 들이닥치기까지는 2초밖에 걸리지 않았다. 손녀딸을 위협하는 자를 박살내버릴 작정인지 이글거리는 눈빛의 이사벨라는 두 손을 흔들어 파란빛을 번쩍이며 들어섰다. 망구스와 타라, 흩어진 책으로 난장판이 된 서재를 보는 순간 이사벨라는 아연실색한 얼굴로 우뚝 멈춰 섰고, 손에서 번쩍이던 빛도 사라졌다.

"아가씨가 벽난로에 올라가서 마님의 대화를 엿들은 것 같습니다." 망구스는 차분히 설명했다. "아가씨가 친구 베티를 만나러 나가려고 했는데 그게 아무래도 꺼림칙해서요. 그리고 아가씨는 엉겁결에 능력을 사용한 것 같습니다. 벽난로에서 떨어졌는데도 다치지 않은 걸 보면요."

"고맙네!" 이사벨라가 외쳤다.

"아주 잘 했어. 그래서 마비시키는 포쿠스 주문을 걸었는가?"

"네, 마님. 아가씨가 워낙 재빨라서 도망칠까 봐 걱정이 됐습니다."

그사이에도 타라는 몸을 움직여보려고 발버둥치고 있었다. 그러나 몸이 말을 안 듣는 것에 당황한 타라는 할머니에게 화풀이를 했다.

"할머니는 거짓말쟁이예요! 내가 아주 어릴 적부터 할머닌 거짓말을 했어요. 하지만 나도 그랬어요. 엉겁결에 내 능력을 사용했던 것이 아니거든요. 내가 능력을 쓴 건 오래 되었고, 우리가 어떤 사람들이라는 것도 알고 있어요. 우린 평범한 사람들이 아니라 좀 별난 사람들, 그러니까 우리는…….”

“마법사들이지!”

손녀딸이 능력을 이미 알고 있었다고 말할 때 얼굴이 일그러지던 할머니의 거침없는 답변에 이번에는 타라의 기세가 한풀 꺾였다.

1 대 1.

타라는 침을 꼴깍 삼켰다.

“진짜 ……마법사란 말이죠?” 타라는 떠듬떠듬 말했다.

“그래, 마법사들이야. 원래는 ‘마법의 주문에 도통한 자’ 들이란 긴 이름이었지. 우리가 비마법사, 또는 줄여서 ‘비마’ 라고 부르는 보통 사람들이 어디서 주워들었는지는 몰라도 정확한 용어 대신에 마술사 또는 마녀라고도 부르고 있다만. 그건 그렇고, 너를 포쿠스 주문에서 풀어주면 도망치지 않겠다고 약속하겠니?”

“모든 진실을 말해주겠다고 맹세하면 도망치지 않겠어요.” 이 기회를 최대한 이용할 생각으로 타라가 말했다.

할머니의 얼굴이 굳어졌다.

“모든 것을 말해줄 수는 없다. 따라서 맹세도 할 수 없어. 하지만 너와 관련된 것 몇 가지는 자세히 말해주마. 받아들이든지 말든지 마음대로 하거라. 그 이상의 협상이란 있을 수 없어.”

타라는 고집불통 할머니와의 협상이 더는 불가능하다는 걸 알기에, 일단은 순순히 할머니가 말해주겠다는 얘기를 듣는 것으로 만족하기로 결정했다.

“도망치지 않을게요. 그러니까 포쿠스 주문이라는 거나 빨리 풀어주세요, 제발.”

망구스가 주문을 풀려고 하자, 이사벨라가 "잠깐!" 하며 손을 내저었다.
망구스는 주문을 잠시 멈추고 진지한 얼굴로 이사벨라를 쳐다보았다. 할머니는 타라에게 말했다.

"타라틸랑넴, 네가 뭘 할 수 있는지 어디 한번 보자꾸나. 두 눈을 감고 네가 청록색 그물 같은 걸 뒤집어쓰고 있다고 상상해봐."

타라는 시키는 대로 했다. 타라는 눈을 감고 있다가 깜짝 놀랐다. 청록색 그물에 갇혀서 꼼짝도 못하는 자신의 모습이 보였던 것이다. 눈을 뜨자 영상이 사라졌고, 얼른 눈을 도로 감자 영상이 다시 나타났다. 마치 어떤 목소리가 소곤소곤 알려주는 듯한 묘한 느낌이 들었다.

타라는 심호흡을 하면서 그물이 사라졌다고 상상했는데 이번에는 그 상상이 실현되었다.

우지끈거리는 소리에 놀라는 순간, 몸이 다시 자유로워졌다.

타라가 눈을 떠보니 망구스는 얼이 빠진 얼굴로, 할머니는 대견해하는 얼굴로 쳐다보고 있었다.

"넌 주문을 외울 필요조차 없구나! 네 능력은 그 나이치고는 굉장히 강력한 거야. 정말이지 난처하구나! 하지만 약속은 약속이니까 내가 아무리 말해주고 싶어도 그 약속은 깨뜨릴 수가 없어."

"할머니, 한 가지 의문이 있어요! 우리는 왜, 어떻게 마법사가 된 거죠? 할머니는 우리에게 능력이 있다고 하셨고, 문이랑 문지기, 가스, 파브리스와 백작, 무슨 위원회에 대해서도 말씀하셨어요. 그리고 그 약속이라는 건 또 뭔데요?"

"맙소사." 할머니는 얼굴을 찡그렸다. "네가 그렇게 많은 걸 들었는지는 몰랐구나. 그걸 다 말하려면 수천 년의 역사를 설명해야 하는데 넌 이제 겨우 열두 살이야. 네가 이해할 수 없는 것이 너무 많아." 할머니는 타라가 따지려는 순간 얼른 덧붙였다. "네가 영리하지 않아서가 아냐. 아직은 네가 너무 어려서 그래. 미안하구나. 지금 내가 이러는 건 다 너를 위해서야."

타라가 반응하기 전에 할머니는 마치 그림을 지우듯이 손을 내저으면서 말했다.

"*민투스의 이름으로* 너는 기억을 상실한다. 지금의 기억은 간힐지어다!"

기억상실 주문의 채찍을 얻어맞고 휘청거리던 타라가 털썩 주저앉는 순간, 망구스는 재빠르게 소녀를 붙잡았다.

갑자기 엄청난 피로를 느낀 이사벨라는 소파 등받이에 기대고 섰다. 잠시 후 다시 꼿꼿이 서서 그녀는 말했다.

"망구스, 데리아에게 타라를 침대에 눕히라고 하게. 기억상실 주문을 걸었으니 오늘 일어났던 일은 기억하지 못할 게야. 나는 서재를 원래 상태로 되돌려놔야겠어."

"마님은 지치셨습니다. 그동안 너무 힘드셨어요. 아주 영리한 아이에요. 그냥 자신의 길을 가게 내버려 두는 것이 타라를 위해서도 마님을 위해서도 훨씬 수월한 길이 될 겁니다."

이사벨라는 슬픈 미소를 머금었다.

"하지만 선택의 여지가 없어, 망구스. 난 아이의 아버지에게 타라는 평온한 생활을 하고, 가능한 한 평범한 인간으로 살아가게 하겠다고 약속했네. 지금껏 해왔던 대로 타라를 지켜주면서 안전하게 보호해야 해."

"하지만 오랫동안 숨길 수는 없을 겁니다. 타라의 능력은 굉장히 강력합니다. 나의 포쿠스 주문에서 그렇게 빨리 빠져나오는 마법사는 보질 못했어요. 더구나 훈련이라곤 받아본 적도 없는 아이가. 어쨌든 타라의 능력은 본능적인 것 같습니다."

"알고 있네. 그래서 시험해봤던 건데 자네만큼 나도 놀랐네. 걱정하지 말게. 모든 게 잘 되겠지. 데리아에게 그 아이를 맡기게. 내일 아침에 일어나면 정상으로 돌아올 게야."

이사벨라가 손짓을 하자 책장이 벽에 고정되었고, 또 한 번 손짓을 하자 책들이 얌전히 각자의 구역으로 향했다.

"안 돼!" 갑자기 이사벨라가 소리쳤다. "그쪽이 아니잖아! B로 시작하는 책들과 C로 시작하는 책들, 정신차리지 못할까!"

줄지어 선 B와 C로 시작하는 책들이 허둥지둥 서두르다 이리 쿵! 저리 쿵! 충돌하면서 몇 권의 책이 페이지 몇 장을 잃어버리는 사고를 당했다. 이윽고 책들의 열이 각자 제자리로 되돌아갔고, 고아가 된 페이지들은 자기 책을 찾느라고 하얀 새처럼 온 방 안을 날아다녔다. 어떤 것들은 갇혀 있는 책들 속으로 들어가려고 애를 썼지만, 유난히 공격적인 백과사전 한 권에게 하마터면 잡아먹힐 뻔했다. 질겁한 페이지들은 그 부근에서 어슬렁거리는 것이 위험하다는 걸 깨닫고 B와 C의 책들이 꽂힌 칸을 향해 날아갔다.

이사벨라는 하늘을 올려다보면서 주문을 외웠다.

"*데미데루스의 이름으로* 책들이 최소의 지능이나마 가지고 있다고 생각하기를!"

마침내 모두 제자리로 돌아갔고, 추락 사고의 흔적이라곤 더 이상 남아 있지 않았다.

"이제 나가보게."

이사벨라가 망구스에게 말했다.

"알겠습니다, 마님."

망구스는 군소리를 하지 않았다. 그가 생각하기에 이사벨라는 정말 낙천적이었다. 그는 타라가 어떤 방법으로 주문에서 벗어나는지 보았고, 추락하는 순간 타라가 방어하기 위해 본능적으로 능력을 사용하는 것도 똑똑히 보았다. 타라는 분명히 오랫동안 통제할 수 있는 아이가 아니었다.

2

악몽 같은 어느 여름밤

침대에서 이불로 몸을 포근히 감싼 채 타라는 자고 있었다. 창가에서 보초를 서는 강아지 인형 타로스, 개구리 인형 케르미트, 커다란 곰 인형 윈니. 어스름 속에 하이파이 오디오 세트가 은은하게 반짝이고 있었고, 방학중인지 책상에는 공책과 책들이 보이지 않았다.

갑작스런 돌풍에 방긋이 열린 창문이 쾅, 하고 닫히면서 하얀 커튼이 날아오르더니 비명소리가 울렸다.

그 소리에 눈을 번쩍 뜬 타라는 두근거리는 가슴으로 귀를 기울였다. 어떻게 해서 침대에 누워 있게 되었지? 기억이 전혀 나지 않지만, 무슨 이상한 소리를 들은 것은 분명했다.

또다시 울리는 비명소리에 타라는 벌떡 일어났다. 후닥닥 창가로 달려간 타라는 창문을 통해 악몽 같은 광경을 보았다. 타쉴과 망구스가 덤벼드는 네 개의 시커먼 형체에 맞서 필사적으로 저항하고 있었다.

타라는 공포의 비명을 지르면서 무작정 방을 뛰쳐나갔다. 할머니도 이미 층계를 내려오면서 뒤쫓아오고 계셨다. 현관 밖으로 나갔을 때, 타쉴과 망구스는 이미 땅바닥에 널브러져 있었다. 그들 위로 몸을 숙이고 있다가 벌떡벌떡 일어나는 네 개의 검은 형체, 그 험악한 모습에 타라는 다리가 후들후들 떨렸다. 인간이 아닌 괴물들! 온몸이 털로 뒤덮이고, 발에는 강철처럼 무시무시한 갈퀴발톱이 나 있었다. 울툭불툭한 근육질에 등에 혹까지 있는 기형의 검은 형체들은 다리가 너무 짧아서 제대로 서 있지도 못할 것 같았는데…… 믿어지지 않는 속도로 타라와 이사벨라에게 달려들었다.

하지만 그 위협에 끄떡도 하지 않고 할머니는 파란빛이 번쩍이는 두 손을 번쩍 쳐들고 주문을 외웠다.

"*레트로두스의 이름으로* 나 너희들을 추방하니, 너희는 지옥에서 생을 마칠지어다!"

할머니의 손에서 발사된 파란 광선에 얻어맞은 괴물들이 부풀어오르더니 캑캑 비명을 지르면서 몸을 비틀었다. 이어서 주문이 작용한 걸까, 발악을 하며 할머니를 공격하던 괴물들은 그 무시무시한 발톱으로 하얀 잠옷자락을 스치면서 피식! 하고 연기처럼 사라졌다.

그런데 그때 난데없이 스르르 모습을 드러내는 또 하나의 형체가 있었으니!

할머니는 미처 방어할 겨를이 없었다. 짙은 잿빛 옷차림에 번쩍거리는 반사경 마스크를 뒤집어쓰고 불쑥 나타난 사내를 보지 못했던 것이다. 사내는 소리쳤다.

"*리지디푸스의 이름으로* 마녀는 죽을지어다. 그리고 카르보누스는 내 명을 따를지어다!"

꺄악! 타라는 비명을 질렀다. 그 순간 할머니는 사내가 발사한 광선에 맞았고, 덕분에 할머니가 타라에게 걸었던 기억상실 주문도 산산조각이 났다. 이럴 수가, 갑자기 타라는 모든 것이 기억났다! 할머니는 철퍼덕 주저앉았고, 광선은 핏빛으로 변했다. 타라는 어떻게 해서든 그 시뻘건 광선의 방향을 돌려놔야 한다는 생각밖에 없었다. 그 시뻘건 광선을 한 손으로 낚아챈 타라는 잽싸게 사내의 얼굴을 향해 되던졌다. 으아아악!

그 광선에 얼굴을 정통으로 맞은 사내는 분노와 고통의 숨넘어가는 괴성을 지르면서 비틀비틀 뒷걸음질쳤다. 잠시 후 대기하고 있던 검정 리무진이 귀청을 찢을 듯이 요란하게 타이어 소리를 내면서 줄행랑쳤다.

타라는 부리나케 할머니에게 뛰어갔다. 할머니를 건드리는 순간, 타라는 꼭 석상을 만지는 느낌이 들었다. 대리석 조각상처럼 차갑고 딱딱해진 할머니! 이럴 수가! 가슴이 철렁한 타라는 울음을 터뜨렸고, 그 울음소리에 놀란 데리아가 헐레벌떡 달려왔다.

데리아는 침착했다. 그녀는 이사벨라에게 달려가서 몸을 주무르기 시작했다.

이어서 데리아는 두 하인의 몸도 주무른 뒤에 이사벨라에게 돌아왔다. 그녀는 타라를 뚫어져라 쳐다보면서 말했다.

"타라! 울음을 그치고 내 말 잘 들어. 네가 도와줘야 해!"

"데리아, 이게 대체 무슨 일이에요? 왜 이런 일이 일어난 거죠?"

데리아는 비통하게 대답했다.

"내가 멍청했어. 너무 피곤해서 깜빡 잠이 들었나 봐. 내가 보호자 역할을 게을리했던 거야. 울음소리를 듣고 뛰어왔는데 너무 늦었어. 그러니까 무슨 일이 일어났는지는 네가 설명해줘야만 해."

타라는 어물어물 말했다.

"보, 보호자라니요?"

"그래, 난 말하자면 보디가드야. 너를 보호하기 위해 네 할머니가 나를 고용하셨거든. 네가 알다시피 아주 감쪽같이. 말벌이나 모기, 살무사 따위로부터는 멋지게 너를 지켜주었지만 내가 할 수 있는 건 고작 그게 다였나 봐."

데리아의 자책이 어찌나 심한지 타라는 제법 어른스럽게 그녀의 어깨를 다정하게 토닥였다.

"데리아, 이제 그만해요. 24시간을 내리 지켜줄 수는 없는 거잖아요. 무시무시한 갈퀴발톱이 나 있고, 등에 혹이 난 괴물들이 타쉴과 망구스를 공격하고 있었어요. 할머니가 나와서 그 괴물들을 물리쳤는데, 잿빛 옷차림에 얼굴 없는 남자가 숨어 있다가 할머니에게 광선을 쏘는 거예요. 그래서 내가 그 광선을 낚아채서 되던졌는데 그자의 얼굴에 정통으로 맞아서 그자는 비명을 지르면서 도망쳤어요."

"뭐, 네가 광선을 낚아채서 되던졌다고? 그럴 수가, 난 그런 얘긴 들어본 적이 없어!"

"그자가 할머니에게 무슨 짓을 한 거죠? 할머니가 왜 돌처럼 굳어버린 거냐고요? 그리고 타쉴과 망구스는?"

"죽었냐고? 아니, 그냥 정신을 잃은 거야. 대체로 괴물들은 살아 있는 먹이를 좋아하거든. 네가 아니었다면 그들은 뼈도 못 추릴 정도로 호되게 당했겠지. 그들의 목숨을 네가 구해준 거야! 그자가 하잘것없는 마법사들에게는 마법을 쓰지 않았던 걸 보면 네 할머니를 노렸던 게 분명해. 음, 생각을 좀 해봐야겠어. 아마도 불의 마법을 사용한 것 같은데……. 그 광선이 무슨 색이었는지 봤니? 경험이 없는 마법사에게는 어려운 일이라는 건 알지만, 그래도 꼭 기억해내야 해."

타라는 서슴없이 대답했다.

"처음에는 흰색이었다가 빨간색으로 변했으니까……, 빨간 광선이었어요!"

데리아는 날카로운 눈길로 쳐다봤다.

"뭐, 빨간색? 이런, 새로운 종류의 석화—탄화 마법인 모양이군. 그렇다면 상황의 전모가 들어맞아. 네가 그 광선을 되돌려보내는 틈을 이용해서 그자는 할머니를 돌처럼 굳어버리게 했고, 할머니는 미처 방어 주문을 외울 수 없었던 거야. 그자는 할머니를 새까맣게 태워 죽이려고 했는데, 네가 되던진 그 광선에 얼굴을 맞았으니……. 너도 짐작하겠지만 그자가 입은 상처는 절대로 낫지 않을걸. 죽는 날까지 그 얼굴이 탈 테니까. 네가 주문을 취소하거나 네가 죽지 않는 한……."

타라는 잠자코 있었지만, 묘한 희열을 느꼈다.

"이제부터 내 말을 잘 들어. 할머니는 돌아가신 게 아냐. 하지만 상태가 심각해서 할머니를 그냥 여기 둘 수는 없어. 그리고 난 도움을 청해야겠다. 우선 할머니와 하인들을 옮기기 위해서 내가 공중부양 주문을 쓸 거니까 넌 내가 하는 걸 잘 보고 있다가 똑같이 따라하렴."

타라는 흠칫 놀랐다.

"무슨 주문이라고요?"

"공중부양 주문. 그건 손도 대지 않고 몸을 들어올릴 수 있다는 뜻이야. 내가 타쉴과 망구스에게 공중부양 주문을 거는 걸 보여줄 테니까 너는 할머니에게 해봐."

너무 떨려서 아무 생각도 할 수 없는 타라는 잠자코 있었다.

데리아가 설명했다.

"들어올리는 몸짓을 하고 이렇게 말해. *레비투스의 이름으로* 나 너를 들어올리니 복종하고 일어나라!"

어리둥절한 타라의 눈앞에서 타쉴과 망구스의 뻣뻣한 몸들이 단박에 둥둥 떠올랐다! 데리아는 그들을 저택으로 향하게 했고, 타라는 할머니에게 돌아섰다.

아무리 생각해도 미친 짓인 것 같았다. 자신의 능력이란 것이 어느 정도인지 경험상 잘 알고 있는 타라는 큰 확신이 없었지만 들어올리는 동작을 하면서 뻣뻣한 몸이 둥둥 떠오르는 모습을 상상했다. 자신이 별로 없었기에 타라는 주문을 읊는 것도 까맣게 잊었다.

어랏, 이게 꿈이야 생시야, 할머니가 진짜 떠오르네! 그것도 지상에서 1미터 높이가 아니라 훨씬, 훨씬 더 높이 오르는 게 아닌가! 저러면 안 되는데! 등골이 서늘해진 타라가 멈춰 세울 사이도 없이 할머니는 이미 나무꼭대기를 넘어 달을 향해 하늘 높이 올라가고 있으니! 질겁한 타라는 소리쳤다.

"할머니, 도로 내려와요, 내려오란 말예요!"

그 아찔한 짧은 순간 동안 타라는 할머니가 처음에는 자신의 주문을 거부하는 것 같단 느낌이 들었다. 그러나 곧 할머니의 몸은 순순히 하강해서 바로 눈앞까지 내려왔다. 콩닥콩닥 뛰는 심장을 진정시키려고 애를 쓰면서 타라는 침을 한 번 꼴깍 삼켰다. 그러고는 아주 조심스럽게 할머니를 집 쪽으로 떠미는 시늉을 했다. 할머니의 몸은 저항하지 않았다. 자신도 모르게 얍! 하며 손짓의 강도를 높이자 몸이 반응을 보이면서 원하는 방향으로 움직이기 시작했다. 현관에서 커브를 돌 때는 좀더 힘이 들었고, 층계를 오르는 순간에는 두려움이 앞섰다.

"할머니를 침실로 모셔, 타라!" 데리아가 소리쳤다. "타쉴과 망구스를 침대에 눕혀 놓고 얼른 갈게!"

"알았어요!" 할머니의 몸이 난간에 부딪힐까 봐 잔뜩 긴장한 타라가 대답했다.

할머니의 몸이 마침내 침대 덮개 위에 얌전히 떠 있게 되어서야 비로소 타라는 안도의 숨을 내쉬었다. 그대로 눕히면 발은 베개 위에, 머리는 침대발치에 있게 될 판이지만 타라는 몸의 방향을 바꿀 엄두가 나지 않았다. 방으로 들어오면서 거리를 잘못 재는 바람에 하마터면 할머니를 활짝 열린 창 밖으로 내보낼 뻔했으니.

데리아는 그리 오래지 않아서 달려왔다. 할머니를 거꾸로 눕혀 놓고서도 혹시 잘못될까 봐 건드리지도 못하고 있는 타라를 보면서, 데리아는 심각한 상황임에도 불구하고 웃음이 나왔다.

할머니의 널찍한 방은 책이며 종이들, 악기들, 천장에 매단 박제 동물들, 크리스털 글라스들, 고만고만한 크기의 단지들, 서류가 산더미처럼 쌓인 두 개의 탁자, 긴 의자와 세 개의 안락의자 등등 온갖 잡동사니로 어지러웠다. 또 하나 할머니의 개 마니투도 빠트릴 수 없다. 이 난리법석에도 아랑곳없이 제 바구니 안에서 코까지 골면서 쿨쿨 자다니! 귀도 까딱하지 않고 24시간을 잘 수 있는 저런 별난 개는 세상에 하나밖에 없을 거야.

"기다려!" 그 외침에 데리아가 들어오는 기척을 듣지 못하고 있던 타라는 화들짝 놀랐다. "내가 도와줄게."

그들은 할머니를 다시 제대로 눕혀 놓았다. 이어서 데리아는 타라에게 자기가 해야 할 일을 설명했다.

"우리는 이 주문을 풀 수가 없어. 그래서 셈나샤오비로다인트라쉬부를 불러와야 해. 그분은 분명히 할머니를 석화 상태에서 벗어나게 할 수 있을 거야."

"셈나…… 뭐라고요?" 이름을 알아듣지 못한 타라가 물었다.

"셈나샤오비로다인트라쉬부. 그분은 마구스 최고위원회의 멤버야.

마구스란 가장 강력한 최고의 마법사를 가리키는 말이거든. 문제는 그 분에게 연락하려면 문을 통과해야 하는데 너를 혼자 여기 두고 갈 엄두가 나지 않아."

"하지만 할머니를 이대로 둘 수는 없어요. 그리고 할머니를 공격한 자는 불에 타고 있다면서요. 그러면 당장 돌아오지는 못하겠죠. 서두를수록 그만큼 빨리 그 셈나라는 최고 마법사를 데리고 돌아올 수 있잖아요. 그 문이란 게 브주아 지롱 성에 있는 거 맞죠?"

데리아는 놀랍다는 듯이 날카로운 눈길을 던졌다.

"네가 아주 영리한 아이라는 거 아니? 그래, 네 말이 맞아. 그 문은 거기 있어. 분명히 그게 네가 바라는 거지?"

타라는 한숨을 푹 내쉬었다.

"이 어처구니없는 사태를 반도 이해하지 못하고 있는 내가 어떻게 현명한 결정을 내리기를 바라죠? 나한테는 선택의 여지가 없는 것뿐이라고요. 할머니는 깨어나셔야 한다는 거. 그러니까 제발 가요, 데리아. 빨리요! 난 하나도 무섭지 않으니까."

"그래, 알았어, 타라. 성까지 가는 데 5분, 문을 통과해서 셈나샤오비로다인트라쉬부를 불러서 함께 돌아오는 데 약 10분이 걸릴 거야. 지금 나랑 내려가서 이 집의 창문과 덧문을 모두 걸어 잠그자. 그리고 너는 다시 할머니 방으로 올라와서 방문을 안에서 열쇠로 잠가야 해. 나는 타쉴과 망구스에게 지시 사항을 남겨 놓을게. 깨어나는 즉시 그들이 응접실로 가서 집 안에 아무도 들어오지 못하게 막을 거야."

"그들은 어때요?" 충직한 하인들을 까맣게 잊고 있었던 것이 약간 부끄러운 타라는 걱정스럽게 물었다.

"머리가 깨질 것처럼 아파서 몇 시간 동안은 아마 주문을 걸지 못하겠지. 하지만 그것만 빼면 괜찮을 거야."

타라는 타쉴과 망구스의 몸이 얼른 회복되기를 바랐다. 어린애 혼자서 뭘 할 수 있겠어!

"자, 시작하자."

타라는 데리아를 따라 내려갔다. 데리아는 현관문 앞에 서서 주문을 외웠다.

"*카데나수스의 이름*으로 문과 창문은 모두 닫히고 이제부터는 아는 사람에게만 열리거라!"

철커덕, 철커덕 하면서 모든 창문과 문이 닫히더니 이어서 덧문들도 덜그럭거리면서 닫혔다.

"이제 됐어. 집의 문이란 문은 다 잠겼어. 내가 나간 뒤에 걸어 잠가야 할 현관문을 빼고는. 빗장이 맞물리는 즉시 주문이 걸릴 것이고, 그러면 네 허락 없이는 아무도 들어올 수 없어. 걱정하지 마. 빨리 돌아올게."

타라는 고개를 끄떡끄떡했고, 데리아가 나가자마자 자물쇠를 채웠다. 할머니 방으로 올라온 타라는 방문도 자물쇠로 채웠다.

이제는 타라 혼자였다. 아니, 그 저택에서 유일하게 의식이 있는 사람이 되어버린 타라는 완전히 버려진 느낌이 들었다. 데리아에게 무섭지 않다고 말한 것은 허풍을 떤 것이었다. 실은 무서워서 죽을 지경이면서!

어두워지면서 갑자기 모든 것이 달라지는 것 같았다. 밖에서는 보름달이 뿌리는 휘황한 은빛이 시커먼 숲을 비추면서 나무들이 해골 같은 형상을 또렷이 드러내고 있었다. 으스스한 느낌에 타라는 소름이 끼쳤다. 으윽, 떨린다, 갑자기 공포영화의 주인공이 된 기분이잖아!

그 순간 어깨 너머로 느껴지는 기척에 타라는 등골이 오싹했다. 뭔가가 살금살금 다가오는 느낌. 심장이 터지기라도 할 듯 어찌나 점점 더 빨리 뛰는지 몸이 덜덜 떨렸다. 타라는 숨을 죽이면서 아주 천천히 돌아섰다. 느닷없이 달려드는 시커먼 덩치에 놀란 타라는 꺄악! 하고 비명을 질렀다, 타라가 피하려고 침대로 펄쩍 뛰어오르는 바람에 할머니는 장롱에 꽝 부딪혔다가 나가동그라졌다. 그 순간 덤벼들었던 형체의 정체를 알아챈 타라는 냅다 소리를 질렀다.

"마니투! 이런 멍청한 개 같으니라고! 야, 이 바보멍텅구리야! 그렇게 달려들면 어떡해? 심장마비 일으킬 뻔했잖아! 이 정도로 바보인 줄은 정말 몰랐다! 머저리!"

떠드는 소리에 이미 잠을 깨 있던 개는 새로운 놀이라고 생각하고 장난을 쳤던 모양이다. 그런데 타라가 어찌나 심하게 놀라던지 개는 한쪽 구석으로 슬금슬금 물러나서 파란색과 초록색 카펫에 발을 올려놨다.

아니, 저게 뭐야? 카펫이 있던 자리에서 큼직한 구멍이 나타나더니 타라가 미처 붙잡을 겨를도 없이 마니투는 사라지고 말았다. 눈 깜짝할 사이에 카펫이 다시 나타나면서 비밀통로는 흔적조차 없이 사라졌다.

타라는 또다시 공중에 떠 있는 할머니를 향해 돌아서서 외쳤다.

"할머니, 뭐라고 말 좀 해봐요. 이젠 정말 둘이서 진지하게 대화를 좀 나눠야겠어요!"

타라는 조심스럽게 할머니의 뻣뻣한 몸을 침대에 다시 눕혔다.

"숨기고 거짓말하는 것, 이젠 정말 싫어요! 앞으로 거짓말은 절대로 용납 못해요. 나더러는 거짓말하면 안 된다느니, 정직하게 말해야 한다느니 하면서 온갖 잔소리를 퍼부으시더니! 갖은 수를 다 써서 할머니가 마법사라는 것도, 데리아와 타쉴, 망구스가 마법사들이라는 것도 속였어요. 그렇다면 마니투도……."

타라는 생각을 바꿨다.

"아냐…… 마니투는 아냐. 그 개는 너무 멍청해서 마법사일 수가 없어. 그 많은 것들을 감쪽같이 내게 숨겨왔다니 정말 할머니가 미워죽겠어요. 할머니 방에 비밀통로들이 있는 걸 보면 백작의 성에도 있겠네요! 그런데도 난 또 아무것도 모르고 있었고요. 언제나 그랬듯이. 하지만 이젠 끝이에요! 할머니가 또 나한테 망각의 주문을 걸려고 하겠지만 앞으로는 뜻대로 안 될걸요. 내 능력은 강력하거든요. 그걸 알아차리는 순간 결국은 그까짓 주문쯤은 당장 풀어버릴 테니까."

야단맞을 걱정 없이 속시원하게 말할 수 있는 것이 통쾌한 타라는 꼼짝도 못하는 할머니에게 마구 퍼붓고 있었다. 그때 갑자기 밖에서 무슨 소리가 들렸다. 자동차 소리?

타라는 재빠르게 창가로 달려갔다.

덧문이 닫혀 있긴 해도 유리창에 얼굴을 바짝 들이대자 창살을 통해 밖이 내다보였다. 타라는 눈앞의 광경에 소름이 돋았다. 또 그놈의 검정 리무진이잖아!

한 남자가 차에서 내렸다. 좀 전의 남자와 똑같이 반사경 마스크에 가려서 얼굴은 볼 수 없었지만 키가 굉장히 컸다. 달빛을 받아 거의 꺼멓게 보이는 아주 짙은 잿빛 옷을 뒤집어쓰고 있고, 가슴팍에는 빨간색 커다란 원이 그려져 있었다. 남자가 저택 현관 앞에서 멈춰 섰다. 부드러우면서도 빈정거리는 듯한 물기 어린 목소리가 올라왔다.

"꼬마 덩컨을 만나러 왔단다! 네가 거기 있다는 거 알아, 타라. 숨어 있지 말고 나오렴! 이리 나오면 상을 줄게. 사탕 좋아하지? 아주 많이 갖고 있단다!"

타라는 입을 삐쭉거렸다. 나를 바보로 아나? 사탕이라니……, 네 살배기 아이도 그런 뻔한 수작에는 안 넘어가겠네요!

타라는 신경질적으로 하얀 머리털을 잡아채서 질겅질겅 씹기 시작했다. 미치겠네! 어떻게 해야 하지? 망구스와 타쉬은 싸움을 할 수 없고, 할머니도 마찬가지였다. 게다가 데리아마저 어느덧 약속한 15분을 넘기고 있었다.

그 순간 뭔가 움직이는 것이 눈길을 끌었다. 카펫이 부글부글거리더니 구멍이 나타나고 마니투가 톡 튀어나왔다. 창가에 쪼그리고 있는 타라를 보고 반가운지 달려온 개는 목덜미에 차가운 코를 마구 비벼댔다. 타라는 개를 끌어안고 늘 들어왔던 할머니의 말투로 중얼거렸다.

"트레비두스여, 우린 지금 궁지에 빠졌습니다! 데리아가 빨리 최고 마법사를 데리고 오지 않으면 우린 끝장입니다! 오, 굽어살피소서!"

타라는 유리창에 얼굴을 찰싹 붙였다. 마스크의 남자 뒤쪽의 자동차 안에서 뭔가가 움직이고 있었다. 둘, 셋, 넷, 우악스럽게 큰 턱에다 무시무시한 이빨을 드러낸 털북숭이들이 나와서 남자 주위를 껑충껑충 뛰어다녔다. 아까 덤벼들었던 괴물들과는 전혀 다른 놈들이었다.

얼굴을 가린 마스크에도 불구하고 타라는 남자가 몹시 화가 나 있다는 걸 느꼈다.

"멈추거라! 머저리 진흙먹보들아! 이 집을 포위해, 어서! 아무도 나오지 못하게 하란 말이다, 알았나?"

"옙, 주인님, 주인님, 다정하신 주인님, 집을 포위하라, 아무도 나오지 못하게 하라, 포위하라!"

그런데 진흙먹보들은 남자의 주위를 떠나지 않았다.

"뭘 꾸물대고 있는 거야?" 하고 남자가 소리치는 순간, 마스크가 그의 감정과 분노를 드러내는 빨간색으로 변하기 시작했다.

진흙먹보들 중 하나가 발을 질질 끌면서 물었다.

"저, 그런데 '포위하라'는 게 무슨 뜻입니까?"

남자의 감정이 폭발할 거란 타라의 예상대로 마스크는 새빨갛게 되었다. 진흙먹보들도 느꼈나, 부동자세를 하고 벌벌 떨면서 멀뚱히 쳐다보고 있는 걸 보면.

"포위하라는 것은 아무도 나오지 못하게 집을 빙빙 돌라는 뜻이야, 알았나?"

"알겠습니다, 뛰어나신 주인님, 잘 알겠습니다!"

"이런 꼴통들, 그럼 어서 가봐!"

털북숭이 괴물들이 침을 질질 흘리면서 저택으로 향하다가 모퉁이로 사라졌다.

에휴, 하는 한숨. 이어서 남자의 마스크는 서서히 원래의 번쩍거리는 잿빛을 되찾았다.

"타라, 대답해봐! 난 너를 해치려는 게 아냐. 난 마법사야. 상그라브들의 보스 마지스터란다! 네 부모님과 할머니에 대해 말해주려는 거야. 네 할머니는 거짓말을 하면서 너를 감쪽같이 속이고 있어. 네 유산을 가로챘거든! 타라, 네 할머니가 아무 말도 해주지 않았지? 너를 보호하기 위해서라고 주장하겠지만 그건 거짓이란다. 네 능력이 자기보다 강력하고, 또 네가 '마법사 여제'가 되리라는 걸 알기 때문이지. 그걸 원치 않으니까!"

타라는 마니투를 더 꼭 끌어안았다. '마법사 여제' 운운하는 것은 황당한 말이지만, 상그라브가 하는 말이 다 틀리는 것은 아니었다. 실은 궁금해서 미칠 지경이었다. 부모님은 어떤 분들이었을까? 할머니, 데리아, 타쉴, 망구스는 어디서 왔을까? 하지만 상그라브에게 한 마디라도 대꾸했다가는 위치를 알아내겠지. 그러면 할머니를 해칠 거야. 틀림없어.

상그라브들의 보스가 현관문 앞까지 와서 손잡이를 잡는 걸 보면 타라가 움직일 생각이 없다는 걸 눈치챈 것 같았다. 찰칵하는 소리가 나자 마지스터는 욕지거리를 했다. 그는 몇 걸음 뒤로 물러서서 침을 퉤퉤 뱉었다.

"네가 그 안에 있는 거 다 알아, 타라! 집 안에 의식이 있는 너의 정신이 느껴진단 말이다. 잠금 주문은 나한테는 통하지 않아. 난 능력이 있고, 강력한 힘이 있으니까. 잘 봐라!"

그 위급한 상황에 귀중한 시간을 허비하며 타라가 얼이 빠져 쳐다볼 정도로, 그가 보여주는 행동은 영화 속의 못된 마법사와 똑같았다.

상그라브는 두 손을 높이 쳐들어 망토를 거대한 박쥐 모양으로 만들었다. 그러고는 뭐라고 중얼중얼하자, 한 줄기의 광선이 현관문을 내리쳤다.

타라는 마치 자신이 집과 일체가 되어 있는 것처럼 지금은 버티고 있지만, 그리 오래 가지 못하리라는 걸 느꼈다. 그래서 골똘히 생각한 끝에 계획을 바꿨다.

벌떡 일어난 타라는 벽에 쿵쿵 부딪히는 할머니를 가까스로 잡아끌면서 방문의 자물쇠를 풀고는 서둘러서 타쉴과 망구스의 방으로 갔다. 그들은 아직 잠들어 있었다.

타라는 데리아가 했던 말을 떠올렸다. 하지만 주문이 기억나지도 않거니와 이번에도 그건 필요하지 않았다. 들어올리는 시늉을 하면서 떠오르는 몸을 상상하는 것만으로 두 몸뚱이가 공중으로 둥둥 떠올랐던 것이다. 오예! 됐어!

자, 이제는 이들을 숨기려면 어떻게 한다? 의식이 있는 내 정신을 느낀다고 말했단 말야. 그럼 집 안에서 의식 있는 정신이 더 이상 느껴지지 않는다면 조용히 물러갈 수도 있다는 거네. 의식이 없는 세 사람을 숨겨 놓기만 하면 되는 거야. 머릿속이 바쁘게 돌아가고 있었다.

커튼을 발견한 타라는 가위로 싹둑싹둑 잘라서 엮은 끈으로 할머니와 두 하인을 한데 꽁꽁 묶었다. 이어서 공중에 떠오른 세 사람의 몸이, 다락방을 향해 층계를 올라가는 타라를 뒤따랐다. 지붕이 하도 높아서 어두컴컴한 다락방에 이르자, 타라는 빗자루로 전구를 깨뜨린 다음에 잠든 마법사들을 바라보면서 혼잣말을 했다.

"좋았어. 저 위로 올려보내면 감쪽같겠지?"

두 손을 쳐든 타라는 머릿속으로 천장에 달라붙어 있는 이사벨라와 타쉴, 망구스를 그렸다. 그 순간 순순히 복종하면서 천장을 향해 날아오르는 세 몸뚱이는 어둠에 휩싸이면서 모습이 전혀 보이지 않았다.

"야호! 기발한 생각이었어! 그 보스라는 자가 대개의 사람들처럼 천장쪽을 쳐다보지 않기만 바라자. 이젠 내 차례야!"

쏜살같이 할머니 방으로 다시 내려간 타라는 문을 잠갔다. 타라는 집을 지키는 주문이 서서히 깨져가고 있음을 느꼈다. 얼른 카펫을 향해 뛰어간 타라는 마니투가 올라섰던 데를 밟았다. 하지만 카펫은 끄떡도 하지 않았다. 그때 찰칵하면서 잠금 주문이 풀리는 소리가 들렸다. 상그라브가 소리쳤다.

"타라, 내가 왔다!"

타라는 하늘을 올려다봤다. 공포에 떨면서도 타라는 상그라브들의 보스라는 자를 내심 얕잡아보고 있었다. 그러고는 전혀 협조를 해주지 않는 카펫을 다시 내려다봤다. 여전히 아무런 미동도 없는 카펫……. 타라는 생각에 잠겼다.

"왜 이럴까? 카펫은 내가 인간이기 때문에 열리려고 하지 않는 거야. 그럼 내가 개라면? 마니투, 이리 와봐!"

침입자가 들어오는 소리를 들으면서 으르렁거리던 마니투는 순하게 가까이 왔다.

"마니투, 우린 도망쳐야 해. 지금 당장, 네가 비밀통로를 열어야 해, 알았지?"

검둥개는 끙끙거리다가 얼른 혀로 타라의 얼굴을 핥아주고는 문 쪽으로 달아났다. 상그라브는 타라를 부르면서 아래층을 뒤지고 있는 판인데.

"이리 와, 이 멍청아!" 타라는 버럭 소리를 질렀다. "구멍을 열어달란 말야!"

개는 타라를 돌아보면서 짖었다. 개 짖는 소리에 가슴이 철렁한 타라는 상그라브가 보일 반응에 귀를 기울였다.

아니나 다를까, 상그라브는 아래층을 뒤지는 걸 그만두고 계단을 오르고 있었다.

"타라, 어디 숨어 있는지는 몰라도 네가 멀리 있지 않다는 건 알고 있어. 꼬마야, 겁내지 말고 이리 나와."

타라가 끔찍하게 싫어하는 것이 하나 있다면 그건 누군가가 '꼬마' 라고 부르는 것이었다. 타라는 개를 뚫어져라 쳐다보다가 잽싸게 목덜미를 움켜잡아서 카펫까지 잡아끌었다.

이어서 타라는 죽어라 하고 뻗대는 개의 다리를 잡아서 강제로 카펫에 올렸다.

하지만 괜한 헛수고였다. 몸을 비비꼬다가 도망친 개는 숨바꼭질 놀이라고 생각한 모양이다. 침대로 펄쩍 뛰어올랐다가 탁자 밑으로 들어가기도 하고 다시 카펫 위로 돌아와서는 놀리기라도 하듯 신 나게 꼬리를 흔들어댈 뿐이었다.

계단을 올라오는 상그라브가 층계참에 이르는 소리가 들렸다. 타라는 진심으로 애원했다.

"마니투, 너라도 도망쳐야 해. 착하지, 마니투? 빨리 가!"

검둥개는 주의 깊게 듣고 있는 것처럼 머리를 숙였다. 그런데 다리를 움직이던 개가 무심코 카펫 위에 발을 올려 놓는 순간, 기적이 일어났다! 절묘한 타이밍! 방문의 자물쇠가 상그라브의 주문에 열리는 바로 그 순간 카펫이 사라졌으니!

재빨리 개를 붙잡은 타라가 비밀통로 안으로 미끄러지자마자 구멍이 닫혔다. 터널 속으로 굴러 떨어진 타라는 밖으로 밀려나갔다. 손에 닿는 돌이 따뜻하고 이상하게도 물컹물컹했다. 타라는 꿈틀거리는 창자 같은 느낌에 섬뜩했지만, 더는 생각하지 않기로 마음먹었다.

저택 뒤편 숲 기슭의 풀밭에 이른 타라는 숨을 죽인 채 진흙먹보가 덤벼들기를 기다렸다. 어느 모로 보나 상대하기는 마법사보다야 털북숭이 동물이 낫겠지. 그런데 열을 지은 진흙먹보들이 타라에게 등을 보이며 그냥 집 앞으로 향할 때는 정말 어이가 없어서 웃음이 나왔다. 푸헤헤! 보아 하니 상그라브들의 보스가 포위한다는 건 집을 빙빙 돌라는 뜻이라고 했지 숨어서 지켜야 한다는 말은 하지 않은 모양이었다. 그래서 진흙먹보들은 15분 전부터 명령대로 이행한답시고 저렇게 빙빙 돌고 있는 것이었다. 참, 대단한 꼴통들이네!

타라는 터져 나오려는 웃음을 간신히 참으면서 잽싸게 숲 속으로 도망쳤다. 어둠 속이라도 타라가 훤히 알고 있는 숲이었다. 이제는 집안을 아무리 뒤져봐야 보스란 작자는 나를 찾아내지 못해. 쌤통이다, 쌤통!

그때 별안간 분노의 고함소리와 폭발하는 굉음이 들렸다. 화가 머리끝까지 난 보스가 저택의 지붕을 날려보낸 것이다. 타라는 불길에 휩싸인 저택을 보면서 경악했다.

어린 타라에게는 너무 심한 충격이었다. 철퍼덕 주저앉아서 흐느껴 우느라고 타라는 알아채지 못하고 있었다. 마스크가 시커멓게 변한 상그라브들의 보스가 광선을 쏘아 진흙먹보들 중 한 놈을 지글지글 태우는 것도, 나머지 놈들을 자동차에 태우고는 부르릉부르릉 요란하게 차를 몰고 내빼는 것도.

타라는 할머니와 망구스, 타쉴이 참혹한 죽음을 맞은 건 자신 때문이라는 생각 외엔 아무 생각도 할 수 없었다.

소녀를 어떻게 달래야 할지 몰라서 쩔쩔매던 마니투는 아주 조그맣게 부르는 소리에 귀를 쫑긋 세웠다. 개는 하염없이 울고만 있는 타라를 두고 소리나는 방향으로 내달렸다.

얼마쯤 지났을까, 개는 옆구리 쪽이 트이고, 은빛 드래곤들이 그려진 파란색 튜닉고대 그리스 사람들이 입었던 소매 없는 헐렁한 웃옷 차림의 우스꽝스런 남자와 함께 돌아왔다. 가발처럼 덥수룩한 백발이 두상을 뒤덮고 있는 데다 금빛 눈이 반쯤 가려져 있어서 꼭 늙은 올빼미 같은 노인인데 거기다 파란 물결무늬가 있는 번들번들한 은빛 구두까지 신고 있었다.

"타라? 나를 좀 봐, 제발."

타라는 소스라치게 놀랐다. 맙소사, 너무 슬퍼서 경계를 늦추고 있는 사이에 상그라브에게 발각된 건가! 덤벼들 기세로 빨개진 눈을 쳐들던 타라는 자신을 내려다보고 있는 남자의 부드러운 눈과 마주쳤다. 어, 처음 보는 사람이잖아. 아군일까? 적군일까?

눈을 희번덕거리다가 그 요상한 남자 뒤에 서 있는 데리아를 발견한 타라는 냅다 퍼붓기 시작했다.

"왜 더 빨리 오지 않았죠? 당신 때문에 할머니, 타쉴, 망구스가 죽었단 말예요. 상그라브가 나를 붙잡으려고 했단 말야. 당신은 나를 버렸어. 당신이 미워!"

"상, 상그라브라고? 하지만…… 하지만." 타라의 분노에 당황한 데리아는 더듬거렸다. "타라, 그만 진정해. 제발!"

"심한 충격을 받았으니 이 아이는 우선 좀 쉬어야 할 것 같군. 질문은 나중에 하세. *솜놀루스의 이름으로* 명하노라, 이제 너는 잠들지어다!" 하고 읊으면서 늙은 올빼미는 마치 타라에게 모래 한줌을 휙 뿌리는 듯한 시늉을 했다.

자신에게 주문을 건다는 걸 느낀 타라는 두 주먹을 불끈 쥔 채 홱 돌아봤다. 흥, 어림없지! 난 잠이 필요한 게 아니라 답변이 필요하다고요! 그것도 한두 가지가 아니라 무지무지 많은 답변이.

필사적으로 버티면서 타라는 분노와 슬픔에서 끌어낸 강한 의지로 밀려오는 졸음과 싸웠다.

어처구니가 없는 얼굴로 쳐다보는 늙은 올빼미와 데리아 앞에서 타라는 꼿꼿이 버티고 있었다.

"이래봐야 소용없어요!" 타라는 쏘아붙였다. "난 자고 싶지 않으니까요. 할머니와 두 사람이 나 때문에 죽었어요. 그러니까 이제는 당신들이 대답할 차례에요. 난 누구죠? 대체 이게 무슨 일이고, 또 왜 그 마법사가 나를 죽이려고 하죠?"

놀라움으로 눈이 휘둥그레진 늙은 올빼미는 명쾌하게 대답해주었다.

"타라, 그 마법사가 너를 정말 죽이려고 했다면 넌 죽었을 거야. 내 생각에 그자의 목적은 그게 아니었어. 그자가 원한 것은…… 에헴, 그러니까 너를 납치…… 그래, 바로 그거야, 너를 납치할 생각이었던 것 같구나."

타라는 입을 멍하니 벌리고 있었다. 타라의 흥분이 가라앉은 것 같아서 마음이 놓인 데리아도 한마디 거들었다.

"셈나샤오비로다인트라쉬부의 말씀이 맞아, 타라. 그 말을 믿고 이제는 무슨 일이 있었는지 말해줘야 해. 불이 난 걸 보고 우리는 네가 다쳤거나 더 나쁜 일을 당했을까 봐 걱정했는데 이렇게 무사해서 천만다행이야. 그런데 네 할머니와 내 동료들이 죽었다니 그게 무슨 말이니? 너를 공격했던 자가 그들을 죽였단 말야?"

그러니까 그렇게 마법이 강력하다는 그 셈나…… 뭐라고 하는 최고 마법사가 이 노인이란 말인가? 타라가 상상하고 있던 최고 마법사의 모습과는 딴판이었다.

머리털은 헝클어져 있질 않나, 옷에는 먹다 흘린 자국이 있질 않나, 아무리 훑어봐도 그 괴물 같은 상그라브와 맞닥뜨리면 1분도 버티지 못할 것 같은데……. 데리아가 대답을 기다리고 있는 걸 보면서 타라는 자초지종을 들려주기 시작했다.

세 사람을 다락방에 숨겨 놓은 뒤에 개의 비밀구멍으로 도망치게 된 과정도 상세히 묘사했다. 이어서 약이 바짝 오른 상그라브들의 보스가 집을 폭발시켰는데, 그자가 온데간데없이 사라진 걸 보면 아마도 그들이 오는 걸 알아채고 도망친 것 같다는 말을 하고 있을 때였다. 그들과 보름달 사이로 이상한 물체 하나가 휙 지나갔다. 둥둥 떠다니는 구름……. 어, 어? 타쉴이다!

타라는 가슴을 졸이면서 숲 밖으로 달려나갔다.

폭발할 때의 충격으로 분리된 세 사람의 몸이 바람 따라 이리저리 떠다니고 있었다. 아뿔싸, 그냥 내버려 뒀다가는 구름처럼 저 멀리 마을 상공으로 두둥실 흘러갈 판이었다! 무슨 수를 써서라도 그것만은 막아야 하는데……. 타라는 정신을 집중해서 몸들에게 내려오라고 명했다.

눈살을 찌푸리고 있던 늙은 마법사는 소녀가 손가락 하나 까딱하지도, 입도 뻥끗하지 않은 채 숯검정을 뒤집어쓴 몸들을 내려오게 하는 것을 보았다.

하지만 그는 뒤늦게 숲에서 나오는 바람에 그 장면을 보지 못한 데리아에게는 아무 말도 하지 않았다.

"이 사람들이……?" 늙은 마법사가 그들을 꼼꼼히 살피는 동안 타라는 떨리는 목소리로 물었다.

"죽었냐고? 아니다. 네가 이 사람들을 한데 묶어서 공중에 띄워 놓은 덕분에 위험을 면할 수 있었어. 그 상그라브가 집을 폭발시킬 때 먼저 지붕을 날려보냄으로써 본의아니게 그들의 목숨을 살려주게 된 것이지. 그게 다 네가 천장에 숨겨 놓았기 때문에 그런 행운이 있었던 거야. 이 사람들은 내가 맡을 테니 지켜보렴."

늙은 마법사는 그 몸들이 자기에게 복종하도록 주문을 걸어 타라의 의지에서 떼어냈다. 늙은 마법사가 능숙하게 일을 처리하는 모습을 보고 타라는 조금 마음이 놓였다. 하지만 눈앞에 펼쳐진 광경을 바라보는 늙은 마법사는 벌레 씹은 얼굴이었다. 상그라브들의 보스가 날려버린 지붕이 땅바닥에 떨어져서 반은 부서져 있었다. 폭발할 때의 강한 충격으로 창문이란 창문은 모조리 박살이 나 있고, 불길은 여기저기서 혀를 널름거리며 남은 것들마저 집어삼키고 있었다.

늙은 마법사는 침울한 얼굴로 헝클어진 머리를 설레설레 내젓다가 심호흡을 하고 나서 외쳤다.

"*엘레멘투스의 이름으로* 네가 있다는 걸 알고 있으니 냉큼 나타날지어다!"

을씨년스런 저택의 한 곳으로 즉시 불길이 한데 뭉쳐졌다.

"아니, 저건……!" 깜짝 놀란 데리아가 휘파람을 불었나. "불의 원소잖아! 맙소사, 골치 아픈 일이 벌어지게 생겼네!"

"저, 저게 뭐죠?" 타라가 더듬거리며 물었다.

"불의 정령이야. 불, 흙, 물, 바람의 4원소를 지배하는 수많은 정령들이 있거든. 불의 정령에게 도움을 청한 걸 보니 그 상그라브가 아주 박살을 낼 작정이었네. 영리하면서도 파괴력이 있는 불이라고 상상해봐. 불의 원소, 이제 그 위력을 실감하게 될 거야!"

무슨 말인지 어안이 벙벙한 타라였지만 불이 빨간색의 거대한 형체로 변하는 것을 뚫어져라 지켜보았다. 머리와 팔 두 개가 어렴풋이 보이는가 싶더니 급기야는 인간의 모습이 되는 게 아닌가! 훨훨 타는 불의 원소는 자기에 비해 쥐방울만하게 작은 마법사를 발견하고는 꼭 불꽃처럼 삐죽삐죽한 이빨들을 드러내면서 넙죽 허리를 굽혔다.

"아하, 셈나샤오비로다인트라쉬부! 불에 홀라당 타버릴 늙은 지팡이 같은 당신이 무슨 일로 감히 내 식사를 방해하는 거요?"

"내 허락도 없이 감히 나타나다니!" 최고 마법사는 호통쳤다. "이 저택을 가만 내버려두지 못할까!"

"이봐요 늙은 지팡이, 나를 부른 사람은 당신이 아니란 말이오. 아직 다 먹지도 못했는데 벌써 나를 추방하면 안 되지!"

불의 원소는 천연덕스럽게 벽 한 덩어리를 덥석 움켜잡아서 입 속에 쑤셔넣고는 순식간에 사라졌다.

"불의 원소, 경고한다." 최고 마법사는 침착하게 응수했다. "지금 당장 물러가지 않으면 응분의 대가를 받을 것이야!"

타라는 비명을 질렀다. 아무런 경고 없이 불의 원소가 최고 마법사를 향해 불을 확 내뿜었던 것이다. 옷에 불이 붙으면서 최고 마법사는 구름 같은 연기 뒤로 사라졌다. 타라가 급히 달려가려 할 때, 은빛 팬티 차림에 파란 양말을 신은 최고 마법사가 격분한 얼굴로 나타났다.

"빌어먹을! 제일 좋은 옷이었고, 최고로 좋은 마법의 구두였는데! 물어내라, 이놈아!"

최고 마법사가 멀쩡하게 다시 나타난 것에 흠칫 놀란 불의 원소는 재빨리 응수했다.

"웃기고 있네. 그런데 이를 어쩌나, 여긴 나를 해칠 만큼의 물이 없으니! 이 촌구석에는 물의 원소라곤 없단 말씀이야!"

"물은 필요 없을걸!" 하고 응수한 뒤에 최고 마법사는 저택을 향해 손을 휘저으면서 외쳤다. "*보미투스의 이름으로* 너는 벽과 벽돌을 토해내라. 집과 유리창들을 복원할지어다!"

최고 마법사가 주문을 내뱉자마자, 불의 원소는 딸꾹질을 심하게 하더니 토해내기 시작했다. 이어서 그 입에서 쏟아져 나온 잔해들이 저택을 향해 날아갔다. 토해낼수록 불의 원소는 점점 작아지고 있었다.

"멈춰, 제발! 딸꾹. 멈춰 줘! 딸꾹." 불의 원소는 숨넘어가는 소리로 사정했다.

하지만 최고 마법사는 인정 사정없이 밀어붙였다. 불의 원소가 아주 조그맣게 줄어들었을 때, 그가 새로운 주문을 읊자, 손에 광천수 한 병이 나타났다. 이어서 그 악독한 불에 물을 확 뿌리자마자 물병과 불의 원소는 피식! 하며 사라졌다.

최고 마법사는 흡족한 얼굴로 두 손을 비볐고, 팬티 차림이라는 걸 전혀 알아채지 못한 채 의젓하게 또 하나의 주문을 읊었다.

"*픽수스의 이름으로* 날아오를지어다. 다시 지붕이 될지어다!"

그러자 공중으로 날아오른 지붕이 저택 위에 올라앉았다.

타라는 원래의 상태로 돌아온 저택을 멍하니 바라보고 있었다. 저택 입구에 패인 웅덩이를 제외하고는 불이 났던 흔적이라곤 남아 있지 않았다. 와우, 대단한 솜씨인걸!

데리아도 감동했다.

"굉장한 마법사야." 데리아가 타라에게 말했다. "어떤 주문을 사용하는지 들었지?"

"네, 보미투……."

"쉿, 멈춰!" 데리아는 기겁하면서 타라의 말을 막았다. "네 능력을 조절할 수 있다면 몰라도! 큰일날 수도 있어. 그리고 밥 먹은 걸 다 토해낼 생각은 없단 말야. 네가 메스껍지 않다고 해도."

"웩……, 큰일날 뻔했네. 미안해요. 그러면서 왜 나한테 들었냐고 물어봐요?"

"고단수의 전략이었다는 걸 알게 해주려고. 일반적으로 불의 원소를 물리치려면 굉장히 많은 물이나 물의 원소를 이용해야 하거든. 그런데 최고 마법사는 물을 이용하지 않고 불의 약점을 찔렀던 거야."

"약점이요?"

"응. 불은 자기가 태워버린 걸 먹고 살아. 그러니까 그 원소가 그렇게 커진 건 저택의 절반을 집어삼켰기 때문이었어. 그래서 셈나샤오비로다인트라쉬부는 불이 삼켰던 걸 강제로 몽땅 토해내게 해서 약해졌을 때 식은 죽 먹기로 물리칠 수 있었던 거야. 정말이지 교묘한 수법이었어."

"그래도 등골이 쭈뼛했어요." 불에 휩싸이던 최고 마법사를 생각하면 아직도 몸이 부들부들 떨리는 타라가 중얼거렸다.

"아, 그거! 그래 맞아, 그건 좀 어처구니가 없긴 했어." 데리아는 아주 느긋하게 평했다. "강력하기로 이름난 마구스가 불길에 홀랑 타 죽을 뻔했으니. 그것도 머저리 깡통한테!"

"에잇, 오만 방자한 것들! 더 따끔한 맛을 보여줬어야 하는 건데." 아직도 분을 삭이지 못한 최고 마법사는 부르르 떨면서 말했다. "대충 정리된 것 같으니, 이제는 사건을 하나하나 재검토해보자."

늙은 마법사는 한 손을 쳐들면서 내뱉었다.

"*메모루스의 이름으로* 과거를 보여줄지어다! 무슨 일이 일어났는지 알아야 하느니!"

별안간 흐느적거리는 형체들이 불쑥불쑥 나타나더니 모습이 명확해졌다. 어라! 눈앞에 있는 것들은 좀 전에 공격했던 괴물의 유령들이잖아! 마법의 힘으로 몇 분 전에 일어났던 장면이 재연되었다. 갑자기 이사벨라를 공격하던 괴물들이 비틀거리다가 사라져버렸다. 최고 마법사가 다시 나타나게 하려고 애를 썼지만 허사였다. 붉으락푸르락해진 최고 마법사는 투덜거렸다.

"젤리소르의 충치에 걸고 한 주문이 전혀 통하질 않다니! 메모루스 주문도 통하질 않으니 어쩔 수가 없구나. 타라, 네가 사건의 전모를 아주 자세히 설명해줘야겠다. 그걸 알아야 네 할머니를 깨어나게 할 수 있으니까."

막 입을 열던 타라는 멀리서 울리는 사이렌 소리에 고개를 돌렸다.

"어머, 큰일났네!" 데리아가 소리쳤다. "소방차야! 연기를 본 게 틀림없어!"

타라는 번개같이 머리를 굴렸다.

"데리아, 불의 원소를 부르지 않고서도 불을 만들 수 있죠?"

"그야 물론이지. 보통 불이야 언제든 부를 수 있지. 불의 원소에 도움을 청하는 게 훨씬 더 힘들거든. 그런데 그건 왜?"

"연기를 보고 출동한 거니까 소방수들에게 불이 난 걸 보여줘야 하잖아요."

데리아의 눈이 똥그래졌는데, 어쩌면 이렇게 깜찍할까 싶을 정도의 얼굴이었다.

"그래, 맞다! 잠깐이면 돼. *플라무스의 이름으로* 불은 냉큼 나타나거라!"

저택의 숲에서 멀찍이 떨어진 풀밭에 한 무더기의 장작이 이내 나타나더니 시커먼 연기를 풀풀 피우면서 신 나게 타오르기 시작했다.

"완벽해요. 난 이제 들어갈 거니까 새벽 2시에 우리 정원에 불이 난 이유는 데리아가 알아서 소방수들에게 설명해요. 그럼 이따 봐요."

최고 마법사는 세 사람의 몸을 앞세우고 이미 저택으로 들어가 있었다. 뒤따라 들어간 타라는 흐리멍덩한 눈으로 계단에 앉아서 두 손으로 머리를 감싸고 있는 타쉴과 망구스를 보았다.

"깨어났군요!" 기뻐서 어쩔 줄을 모르는 타라가 소리를 빽 지르자, 두 하인은 얼굴을 찡그리면서 귀를 틀어막았다.

"무, 무슨 일이죠, 아가씨?" 느닷없이 품에 달려든 타라 때문에 숨이 막힌 타쉴이 더듬거렸다.

"데리아가 설명해줄 거예요. 소방수들이랑 얘기를 끝내고 들어오는 대로……." 그렇게 말하면서 타라는 몸을 가누지 못하고 비틀거리는 망구스도 와락 끌어안았다. "두 사람 다 무사해서 정말 기뻐요. 이제는 할머니를 보러 가야겠어요."

어리벙벙해 있는 두 하인을 두고 타라는 할머니의 방으로 뛰어들어갔다.

뭐야, 아무도 없잖아.

타라는 잠시 생각해보다 방을 나와 지하실로 향했다. 예상 적중! 최고 마법사는 할머니를 데리고 화학 실험실에 들어가 있었다.

타라는 할머니가 때로는 요란한 소리를 내기도 하고, 때로는 구역질 나는 냄새까지 풍기면서 이상한 화학실험을 하는 그곳을 아주 싫어했다. 햇빛이 완전히 차단된 원형 방, 그래서인지 거기 있는 가구란 가구는 모두 둥글둥글했다. 방바닥 한복판에서 희미하게 반짝이는 별 문양을 제외하고 각진 것이라곤 눈 씻고 봐도 없었다.

평소에는 원형 양탄자가 가리고 있어서 이제껏 한 번도 본 적이 없는 별 문양이었다. 내가 모르고 있는 게 이렇게 많다니!

"휴!" 타라는 흰 머리털을 신경질적으로 잡아채면서 소곤소곤 말했다. "제가 도와드릴 게 있을까요?"

최고 마법사는 돌아보면서 타라를 지그시 쳐다봤다.

"아니, 그럴 필요 없어. 하지만 내가 네 할머니를 치료하는 동안 바닥에 서 있으면 안 되니까 탁자 위에 올라가 있거라."

우와, 신 나라! 그럼 나야 더 좋지요! 타라는 군소리 없이 냉큼 올라갔다.

그제야 남세스럽게 팬티만 달랑 입고 있다는 걸 알아차리셨나, 최고 마법사는 불의 원소에 대해 구시렁거리면서 '오만 방자한 것, 따끔한 맛……' 하면서 똑같은 말을 되뇌고 있는 것 같았다. 주문을 걸자, 검푸른 옷이 휘휘 몸에 휘감기고, 은빛 구두가 신겨졌다.

별 문양 쪽으로 조심스럽게 이동한 최고 마법사는 이사벨라의 뻣뻣한 몸을 별 한복판으로 밀어넣고 나서 구두와 양말을 벗었다.

호기심이 가득한 얼굴로 그 과정을 지켜보던 타라는 깜짝 놀랐다. 갑자기 최고 마법사가 떠오르더니 할머니의 몸 위에 둥둥 떠 있었다. 최고 마법사가 두 손을 휘저으면서 주문을 외우자, 열 손가락과 열 발가락에서 솟구치는 스무 개의 광선이 별을 후려쳤다.

진짜 흥미진진한 광경이었다.

"*트란스포르무스의 이름으로* 나 당신에게 빛을 주노라, 이사벨라!"

말끝마다 별이 점점 더 번쩍번쩍 빛나고 있었다.

"*일루미누스의 이름으로* 나 당신을 바꾸노라, 이사벨라!"

이번에는 섬광이 어찌나 강한지 타라는 선글라스가 없는 것이 유감스러웠다.

"*리지디푸스는 물러가라!*"

그 순간 빛이 장밋빛으로 변했고, 늙은 마법사는 꼼짝도 하지 않은 채 그 빛을 뚫어져라 응시했다. 핏빛으로 변할 때까지 기다렸다가 최고 마법사는 두 팔을 쳐들고 외쳤다.

"*비부스의 이름으로* 이 주문이 맞아떨어지기를!"

고막을 째는 듯한 폭발음이 울리더니 이사벨라의 몸이 번쩍했고, 이어서 어두컴컴해졌다.

타라는 약간 겁에 질려 있었다. 캄캄해지면서 쥐 죽은 듯이 조용했다.

갑자기 약간 성가셔 하는 목소리가 정적을 깨트렸다.

"오, 데지도루스여! 누가 불을 켜느냐?"

"할머니!" 기뻐서 미칠 지경이지만 늙은 마법사의 명 없이는 감히 움직일 수가 없는 타라가 외쳤다.

"타라틸랑넴? 거기 있니? 무슨 일이……?"

어둠 속에서 최고 마법사의 목소리가 울렸다.

"잠깐. 램프를 켜서 이 방을 밝히는 걸 허락해주시오."

최고 마법사의 명에 따라 빛이 확산되다가 강렬해지면서 방이 훤해졌다. 이사벨라는 별 문양 한가운데에 앉아 있었다.

"셈?(이사벨라의 목소리가 놀라움으로 떨고 있었다) 그런데 당신이 여긴 어쩐 일입니까?"

"그러니까 그게……."

"할머니의 목숨을 구해주셨어요." 타라가 끼어들었다. "선생님(타라는 그를 뭐라고 호칭해야 할지 모르고 있었다. 아무리 생각해도 선생님이 가장 적당하게 느껴지는 경칭이었다), 이제는 여기서 내려가도 되나요?"

"뭐라고? 아, 그래, 물론이지."

타라는 펄쩍 뛰어내려서 할머니를 꼭 끌어안았다.

그 애정표현에 약간 당황한 할머니는 마지못해 타라의 등을 토닥였다. 늙은 마법사는 그 모습을 지켜보면서 눈살을 찌푸렸다. 손녀가 사랑을 표시하고 있건만 할머니란 사람은 냉랭했다. 아니, 속내를 표시하지 않고 있었다.

그런데 셈나샤오비로다인트라쉬부는 아이에게서 사랑을 빼앗는 것이 얼마나 위험한 일인지 잘 알고 있었다. 그는 이사벨라에게 말해주어야 한다고 생각했다. 빠르면 빠를수록 좋아.

최고 마법사가 생각에 잠겨서 그 희한한 구두를 다시 신는 동안, 타라는 할머니에게 일어난 사건을 자세히 말씀드렸다. 다 듣고 난 이사벨라는 손녀딸을 와락 끌어안았다. 그 장면을 보면서 늙은 마법사는 다시 한 번 눈살을 찌푸렸다. 가망이 아주 없는 건 아니군 그래!

하지만 이사벨라는 이내 냉정함을 되찾았다. 왜냐하면 벌떡 일어나다가 휘청하던 이사벨라는 타라의 부축을 받고 중심을 잡았지만 언제 그랬냐는 듯 쌀쌀맞게도 손녀딸의 손을 뿌리치고 혼자 걸어갔기 때문이다. 늙은 마법사는 소녀의 슬픈 눈빛을 보면서 한숨을 내쉬었다.

데리아와 타쉴, 망구스가 무사한 걸 확인한 뒤에 이사벨라는 자신의 사무실로 향했다. 타라와 최고 마법사도 뒤를 따랐다.

"타라틸랑넴, 네 방으로 가주겠니? 셈과 나는 중요한 얘기를 해야 하거든."

타라가 무슨 말을 하기 전에 최고 마법사가 얼른 말했다.

"아니, 이사벨라, 이 아이도 있게 해요."

이사벨라는 반박하려고 하다가 너무 지쳐서 기력이 없어서인지 최고 마법사를 노려보는 것으로 그쳤다.

"타라, 이리 와봐. 네 할머니가 뭘 가르쳐줬는지 좀 보자꾸나."

타라는 최고 마법사에게 다가서서 대답했다.

"할머니는 아무것도 가르쳐주지 않으셨어요, 선생님. 저는 마법사들이니 공격이니, 트릭이니, 무슨 원소니 하는 것들에 대해서도 전혀 아무것도 몰라요."

"하지만 우리가 마법사들이라는 걸 알고 있잖니?"

"이해는 하고 있다고 생각해요." 타라는 원망이 담긴 어조로 말했다. "그래서 솔직히 말하면 할머니가 저에게 망각의 주문을 걸려고 했을 때, 그리고 그 괴물이 우리를 죽이려고 했을 때 나의 마법 능력을 실험해봤던 거예요."

최고 마법사는 당황한 얼굴을 하고 있었다.

"음…… 그래, 좋아. 그건 나중에 알아보자꾸나. 지금은 기초부터, 아주 기본적인 것에 대해 시작해보자. 하늘 아래 온 세상에는 그럭저럭 사이좋게 지내며 사는 수많은 종족들이 존재한단다. 인류와 마찬가지로 그 종족들에게도 자식, 부모, 조부모, 증조부모, 고조부모…… 등이 있고, 그 역사 또한 상당히 오래되었어. 본질적인 욕구와 어쩔 수 없이 꼭 해야만 하는 것들은 어디나 똑같단다. 먹고, 자고, 일하고…….”

그쯤이야 나도 안다고요! 타라는 셈 마법사의 말을 중단시켰다.

“텔레비전에 나오는 것처럼 마법사 학교가 있나요?”

셈 마법사는 눈살을 찌푸렸다.

“아아, 텔레비전! 아니, 마법사 학교란 없어. 마법서적들을 읽고 머릿속에 영원히 새겨두면 되니까. 우리는 배울 필요가 없단다.”

타라는 눈이 동그래졌다. 으응? 공부할 필요가 없어? 와! 베티가 알면 진짜 좋아하겠다!

이사벨라는 늙은 마법사를 흘겨보면서 끼어들었다.

“하지만 우리라는 존재가 이 세상을 파멸시키거나 위험에 빠뜨리고 있는 건 아닌지 확인하려면 끊임없이 공부할 필요가 있어요. 공부를 많이 해야 하지요. 전문기술은 책에서 배우는 것이 아니라 실천을 통해서 익히는 것이니, 따라서 공부는 해도, 해도 끝이 없는 겁니다.”

하지만 늙은 마법사는 이사벨라의 말을 못 들은 듯 태연하게 말을 이었다.

“얘야, 텔레비전이나 영화에 나오는 마법사들을 보면서 어떻게 생각했는지 말해주겠니?”

정말 엉뚱한 노인이네. 이럴 땐 뭐라고 말해야 하지? 타라는 난감했다.

“언제나 연기가 피어나는 냄비들이 있고, 또 마법사들은 묘약을 만들어요. 그리고 해로운 마법과 이로운 마법이 있고, 또…….”

우거지상이 되는 최고 마법사를 보면서 타라는 거의 기어들어가는 목소리로 말꼬리를 흐렸다.

"마법 능력이 없는 사람들은 항상 마법사들이 하는 것은 뭐든 좋은 것이니 나쁜 것이니 규정하려고 드는데 참 부질없는 생각이란 말야." 늙은 마법사는 불만을 토로했다. "그건 아무래도 상관없어! 그래, 냄비들과 묘약이 있긴 하지. 하지만 그건 중요한 게 아냐. 우리는 마법을 거는 주문의 대가들이란다. 그리고 이로운 마법이나 해로운 마법이란 없어. 마법은 그냥 도구일 뿐이야. 모든 것은 마법을 쓰는 사람에게 달려 있는 거란다. 네가 칼로 빵을 자르면 그건 이로운 것이고, 칼로 사람을 찌르면 그건 해로운 것이지. 하지만 칼 자체는 이로운 것도 해로운 것도 아냐. 그건 그냥 칼일 뿐이야. 빌어먹을! 그러니까 네 할머니는 너한테 아무것도 가르쳐주질 않았단 말이로구나!"

"네, 그게 바로 문제예요! 그런데 상그라브들이 누군지 그건 왜 아직 말해주지 않는 거죠?"

최고 마법사의 얼굴이 일그러지는 걸 보면 타라가 민감한 문제를 지적한 모양이다.

"상그라브들은 자기들의 마력이 세계를 지배할 수 있을 정도로 강하다고 믿는 오만하고 건방진 마법사들이야. 그들은 잿빛 옷을 입고 아무도 알아보지 못하도록 마스크로 얼굴을 가리고 다니지. 그들은 우리의 적이라고 선언하면서 우리 세계를 지배하려고 끊임없이 싸움을 걸어오고 있단다."

이번에는 타라가 얼굴을 찡그렸다.

"그런데 왜 그렇게 이름들이 이상해요?"

"원래는 '마법의 주문에 도통한 자들' 이라는 아주 긴 이름이었지. 그런데 세월이 흐르면서 한참 걸리긴 했지만 '마법도사' 에서 다시 '마법사' 로 짧아진 거란다. 우리의 능력을 가지고 있지 않은 사람들은 '비마법사' 라고 불렸고, 그것 역시 짧아져서 '비마' 가 되었지. 그러던 중 드루이도르 상그라브라는 마법사가 '비마' 들은 우리의 노예가 되어야 한다고 주장하고 나섰고, 엘프 사냥꾼들이 출동해서 그를 몰아냈지. 하지만 이미 많은 추종자들이 그를 따르고 있었던 게 문제였어. 그 추종자들이 바로 드루이도르에 대한 경의의 표시로 자칭 상그라브라고 하는 자들이란다. 우리와 맞서 싸우기로 결정했을 때 잿빛 마법사들이 그 우스꽝스러운 이름을 생각해낸 건데…… 빌어먹을! 이사벨라, 당신은 그래도 최소한 타라에게 상그라브들에 대한 경계는 시켰어야 했소."

이사벨라는 반박했다.

"나는 타라틸랑넴을 마법사가 아니라 정상적인 생활을 하는 평범한 애로 키우겠다고 저 아이의 아버지에게 맹세를 했어요. 그래서 아무것도 가르쳐주지 않은 겁니다. 그리고 내 손녀딸을 보호하기 위해서 나는 최고위원회에 저 아이의 능력을 숨길 마음까지 먹고 있었소."

"뭐라고요(늙은 마법사는 하마터면 의자에서 튕겨 나올 뻔했다)? 그건 용납할 수 없는 일이오! 당신이 어떻게 그런 일을 계획할 수 있소? 그건 금지사항이오!"

이사벨라는 이제 주문에 걸려 있는 대리석상이 아니건만 딱딱하게 굳은 얼굴로 응수했다.

"나는 그렇게 맹세했단 말입니다."

"그건 이유가 안 됩니다. 우리에게는 지켜야 할 법이 있어요, 이사벨라. 그 법은 '비마' 들을 보호하고, 또 우리를 보호하기 위해서 만들어진 것이오. 우린 무법자들이 아니란 말이오. 우린 상그라브가 아니란 말이오! 타라가 받을 정신적 충격은 생각이나 한 겁니까?"

"하지만 그런 일은 일어나지 않았어요!"

"그만두시오! 당신에겐 변명의 여지가 없소! 당신이 법 위에 군림한다고 생각하는 거요? 이사벨라, 당신이 셈샤나아쉬최고위원회의 지시를 거부한 마법사들라도 된단 말이오?"

이사벨라는 채찍이라도 얻어맞은 듯 움찔했다.

"물론 그건 아닙니다! 난 한 번도 최고위원회의 지시를 어길 생각을 해본 적이 없어요. 내가 위원회의 지시대로 움직이고 있다는 건 당신이 누구보다도 잘 알고 있어요. 하지만 셈, 난 피의 맹세를 했단 말입니다!"

이번에는 늙은 마법사의 얼굴이 얼어붙었다.

"피의 맹세? 농담하는 게요?"

이사벨라는 소매를 걷어올리고 팔찌를 풀었다. 양 손목에 누운 8자형으로 패인 붉은빛 흉터 두 개가 반들거렸다. 최고 마법사는 파랗게 질린 얼굴로 뒷걸음질쳤다.

"천만의 말씀." 이사벨라는 그 흉터를 가리면서 대답했다. "타라틸랑넴이 마법사가 되면 나는 죽어요!"

타라는 눈이 똥그래져서 할머니를 쳐다봤다. 할머니가 대체 무슨 말을 하고 있는 거지?

늙은 마법사가 어찌나 골똘히 생각하는지 타라는 그의 귀에서 연기가 풀풀 나오리라고 예상하고 있었다.

"그럼 얘기가 달라지지. 난 모르고 있었소. 그 일이 일어났을 때 당신이……."

"맞아요." 하고 얼른 말을 자르면서 이사벨라는 손녀 쪽으로 고갯짓을 했다. 타라는 이미 눈치를 채고 있건만.

또 그놈의 비밀! 할머니는 아직도 몇 가지는 타라가 아는 걸 원치 않고 있었다. 타라는 이제부터 가족을 둘러싼 비밀이란 비밀은 모두 밝혀내리라 마음먹었다. 허락하든 안 하든.

"그렇다면 문제가 심각한데……." 최고 마법사는 무슨 냄새라도 맡는 듯 킁킁거리면서 걱정스러운 얼굴로 이사벨라를 뚫어져라 쳐다봤다. "이 저택과 손녀를 지키는 데 시간이 얼마나 필요하겠소?"

"파디모와 글리볼을 지원해주면 기껏해야 열흘이면 됩니다. 다만 이곳에는 꼭 필요한 원료들이 없는 게 문제예요."

"음…… 타라를 데려가는 건 너무 위험한 일이니 내가 한 가지 제안을 하겠소. 그 열흘 동안 내가 손녀딸을 데리고 있겠소. 아더월드의 트라비아 왕궁으로 데려가서 보호하고 있다가 돌려보내겠소."

최고 마법사는 허공에 대고 이상한 몸짓을 하더니 손을 앞으로 내밀고는 목소리를 높였다.

"내 말은 이것으로 끝났으니 이로써 명령이 되었다!"

그때 어디선가 들려오는 카랑카랑한 목소리, 어찌나 빠른지 말들이 서로 달라붙는 듯이 톡톡 튀어나오고 있었다.

"잘알았다최고마구스, 위원회는그결정을접수하였다. 그의견은최고위원회관보에공시될것이다."

최고 마법사는 얼굴을 일그러뜨리면서 귀를 비비더니 손으로 뭔가를 조작했다.

"아니, 나는 이 결정이 비공개로 기록되기 바란다. 아이가 아더월드에 있는 걸 모든 사람에게 알릴 필요는 없다. 위원회의 다른 회원들과 우리 비밀정보국 국장 탕딜루스 망질에게만 통지해주기 바란다."

이번에는 지독하게 낮은 목소리가 아주 느리게 말했다.

"아아아아알았다 최고오오오 마아아아구스 그러러러렇게 하아아아겠다."

최고 마법사는 한숨을 푹 내쉬면서 좋지 않은 통신상태를 못마땅해했다. 그가 손을 도로 내리고 호주머니에 찔러넣는 순간, 반짝이는 섬광을 보면서 타라는 늙은 마법사가 일종의 수정구를 사용해서 통신하고 있음을 알아차렸다.

그동안에 타라의 할머니는 꼼짝도 하지 않고 있었다.

"내가 데리고 있어도 타라틸랑넴은 지킬 수 있어요." 이사벨라는 침착하게 말했다. "이제는 상그라브들의 수법을 잘 아니까 물리칠 수 있답니다."

늙은 마법사는 눈 주위가 거무튀튀한 이사벨라의 초췌한 얼굴과 파르르 떨리는 손을 눈여겨보면서 말했다.

"내가 보기에 당신은 아주 많이 지쳐 있소, 이사벨라. 아이는 내가 데리고 가는 게 낫겠소. 아이 걱정을 하지 않으면 부담이 적어질 게요."

이사벨라는 잠시 망설이다가 역부족이라는 걸 인정했다. 그녀는 심호흡을 하고 나서 타라를 쳐다봤다.

"내 마음을 다 표현할 수는 없다만 나, 난 너를 깊이 사랑한단다. 난 네가 잘되기만 바라고 있어. 하지만 최고 마법사의 말씀이 옳구나. 현재로서는 너를 보호해줄 수가 없어."

타라의 눈에 눈물이 그렁그렁했다. 타라는 할머니가 그 나름의 방식으로 사랑하고 있다는 걸 알고 있긴 했다. 하지만 그걸 알고 있다는 것과 막상 사랑한다는 말을 직접 듣는다는 것은 엄청난 차이가 있음을 알았다.

"나도 사랑해요, 할머니."

할머니가 애정표현을 별로 좋아하지 않는다는 걸 알기 때문에 타라는 가만히 있었지만, 할머니가 두 팔을 벌리자 냉큼 안겼다.

"좋아, 좋아, 좋아." 최고 마법사는 아주 만족스러워했다. "이제야 됐군. 자, 타라, 아직 이른 시간이니까 넌 가서 한잠 푹 자거라. 조금 있다가 우린 아더월드로 떠나야 하니까. 어서 가서 자."

이사벨라가 놓아주자, 타라는 의문이 가득한 머리로 순순히 방을 나갔다. 최고 마법사가 내일 나를 어디론가 데려간단 말이지? 다른 세상이라고? 어째서 다른 세상으로 데려가겠다는 걸까? 이상할 정도로 너무 피곤해서 최고 마법사에게 따질 힘이 없었다. 할머니와 남아 있겠다고 딱 부러지게 말하는 건 내일 해도 늦지 않을 거야. 이제부터는 그 누구도 나한테 이래라 저래라 할 수 없어!

손님 방으로 올라간 최고 마법사도 그날 밤사이에 이것저것 생각할 게 많았다.

상그라브가 연이어 덩컨 가족을 공격했던 것이 과연 우연의 일치였을까? 신고되지 않은 어린 마법사에 대해서는 최고위원회조차 전혀 모르고 있던 일이 아닌가. 그리고 타라는 어떻게 치명적인 광선의 방향을 바꿀 수 있었을까?

최고의 경지에 오른 마법사만 그 공격을 받아칠 수 있었다. 이사벨라조차 피하지 못한 것이었건만.

게다가 타라는 자신의 '잠재우기' 주문도 멋들어지게 버텨냈다. 물론 2주 동안이 아니라 2시간 정도만 잠에 빠지게 하려고 강도 높은 주문을 보낸 것은 아니었다. 그렇긴 해도 타라는 도저히 믿어지지 않을 정도로 꼿꼿이 서 있지 않았던가!

그 저주받은 상그라브들은 타라를 원하고 있었다. 그 아이를 노렸던 게 분명했다. 납치하기 위해서 두 명이나 보낼 정도로. 그렇다면 이건 아주 흥미로운 일이었다. 정말 흥미로운 사건이 아닐 수 없었다.

3
공간 이동의 문

눈을 떴을 때, 타라는 한순간 얼떨떨했다. 그리고 잠시 후 한밤의 공격, 상그라브, 최고 마법사, 벼락을 맞은 할머니……. 끔찍했던 지난밤이 기억났다. 한쪽 다리를 마저 바지에 집어넣는 순간 불현듯 의혹이 스쳤다. 설마 꿈은 아니겠지? 몸이 뻣뻣해진 타라는 바지가랑이에 다리 하나가 걸린 엉거주춤한 자세로 토끼뜀을 뛰어야 했다. 허겁지겁 옷을 갈아입고 타라는 1층으로 뛰어내려갔다.

주방에서 핫 초코 한 잔씩을 앞에 놓고 타쉴과 데리아, 망구스와 이야기를 나누는 늙은 마법사를 발견한 타라는 휴, 하고 안도의 숨을 내쉬었다. 아이고, 살았다. 정신병원으로 실려가는 줄 알았는데 다들 그대로 있네, 뭐.

타라는 스스럼없이 옆에 앉아서 커다란 사발에 핫 초코를 따랐다.

"안녕, 데리아, 망구스, 타쉴. 안녕하세요, 셈나…… 선생님!" 그렇게 긴 이름을 어떻게 기억하냔 말야, 타라는 최고 마법사의 이름을 슬쩍 얼버무렸다.

"안녕, 타라, 몸은 괜찮니? 뻐근하지 않아?"

그 말을 듣고 나서야 타라는 온몸이 욱신거리는 걸 깨달았다. 아주 조금만 움직여도 지금까지 그 존재조차 의식하지 못했던 근육들이 어찌나 땅기는지 얼굴이 저절로 찡그려졌다.

"아야! 왜 이렇죠?"

"어제 여러 가지 일로 네가 에너지를 많이 소모해서 그래. 네가 할머니를 공중으로 떠오르게 한 것은 네가 실제로 들어올리는 것과 똑같아. 그런데 너는 들어올리고 뛰어다니기까지 하면서 힘을 썼으니 오죽하겠어. 어쨌든 능력을 타고나지 않은 우리들끼리는 가급적 마법을 쓰지 말아야 해. 에너지가 너무 많이 소모되기 때문에 기진맥진해서 자칫하다간 죽을 위험이 있거든."

"하지만 마법이 아니었다면 나보다 훨씬 더 무거운 할머니를 절대 들어올릴 수 없었겠죠." 타라는 당차게 반박했다.

"누가 그 할머니의 손녀딸 아니랄까 봐! 그래, 논리적으로 생각하면 맞는 말이다. 가령 손수레라도 있었다면 넌 할머니를 거기에 실어 날랐겠지. 그러니까 마법은 손수레와 비슷한 거야. 우리에게 있어 마법은 일종의 도구니까. 마법은 열두 살 소녀의 힘을 열 배로 배가시켜주지. 네 능력을 사용하기 위해서 넌 무의식적으로 우리 주위에 존재하는 힘에서 에너지를 얻은 거야. 보통 사람들이 할 수 없는 것, 즉 주변에 있는 생명의 힘을 자기의 것으로 사용할 수 있는 게 마법사니까."

아하! 영화 〈스타워즈〉에서 제다이 기사가 "힘이 함께하기를" 하고 외치던 말, 그 말이 이제야 도움이 되는 대목이네. 그런데 이 마법사들이 하는 이야기 속의 〈스타워즈〉는 한술 더 뜨잖아!

타라는 흥미진진했다. 그러니까 그게 그렇게 작동하는 거란 말이지! 타라는 자신이 이해한 것을 시각화하려고 머리를 쥐어짰다.

"그러니까 우리는 일종의…… 엔진이고, 우리 주위에 있는 보이지 않는 힘은 발동기용 연료란 거죠? 그걸로 우리는 작동할 수 있는 거고, 더 많은 힘을 가질 수 있는 거고요. 엔진이 좋을수록 힘은 더 세지고요."

최고 마법사는 입이 함박만해졌다. 그는 너무 기쁜 나머지 타라의 등을 툭 쳤다가 하마터면 타라를 핫 초코 사발에 처박을 뻔했다.

"훌륭해! 훌륭해! 타라! 넌 아주 복잡한 문제를 간단하게 정의하는 데 탁월한 재능을 가졌구나. 오! 파디모가 속이 쓰리겠는걸, 마법의 본질을 설명하다가 이런저런 상황에 부딪쳐서 결국은 본질을 놓치기 일쑤였으니! 엔진과 연료라! 바로 그거야! 우리가 찾고 있던 기막힌 은유로구나."

그 시끌벅적한 소리에 이사벨라가 무서운 눈초리로 들어왔다.

"또 무슨 일입니까?"

"또 무슨 일이야 있겠소." 최고 마법사는 싱글벙글했다. "그저 당신의 손녀딸이 어찌나 영리한지 감탄하는 중이오. 정말이지 대단한 아이오!"

타라는 최고 마법사가 자신이 한 비유를 높이 평가해주는 것에 우쭐하면서도 과장이 좀 심하다고 생각했다. 다른 행성에 대한 얘기를 꺼낼 절호의 기회였다.

"이제 그 얘기를 해야지요, 선생님?"

"그래, 해보렴." 최고 마법사는 미소를 지었다.

"선생님을 따라가고 싶지 않아요."

이 말에 늙은 마법사의 얼굴에서 미소가 싹 사라졌다.

"그 말은 여기 남아 있겠다는 뜻이니?"

"네, 맞아요. 할머니와 같이 있을래요. 내가 다른 행성으로 간다는 건 말도 안 되요!"

휴, 말하고 나니 속이 다 후련하네!

"다른 행성이 아니라 아더월드야. 그런데 불행히도 지금으로서는 그 상그라브가 나보다 더 강하구나." 이사벨라는 이를 부드득 갈면서 말했다(그걸 보면 할머니는 누군가가 자기보다 더 강하다는 걸 인정하기가 몹시 불쾌한 것이 분명했다).

"일시적일 뿐이니까 걱정하지 말거라. 할머니를 믿으렴. 곧 대책을 세울 거야. 하지만 지금 당장 그자가 다시 공격해 온다면 당해낼 수가 없어!"

이런, 잠재적 동맹군이 꼬리를 내리고 발뺌을 하다니!

게다가 늙은 마법사까지 덧붙였다.

"너 혼자 가는 게 아니다. 데리아가 아더월드의 트라비아 궁전으로 같이 갈 거야. 데리아가 너의 보디가드 임무를 계속하겠다고 주장했거든. 데리아는 이미 마구스 수련을 끝냈기 때문에 우리는 그녀를 왕궁의 기상관측 마법사로 고용했단다. 네 할머니의 조수들인 망구스와 타쉴은 여기 남아서 저택을 지킬 것이고."

"좋아요." 타라는 항복했다. "그럼 이제 나는 뭐 하면 되죠?"

"우선 아침식사를 끝내야지. 그다음에 데리아가 짐 싸는 걸 도와줄 게다. 그러고는 문을 통과해서 트라비아 궁전으로 가는 거야. 아참! 네 증조할아버지를 데려가는 게 유익할 것 같구나. 현재의 모습이면 탐지되지 않으니까 패밀리어로 나무랄 데가 없어."

이건 또 무슨 황당한 말인가! 타라는 눈이 똥그래져서 최고 마법사를 멍하니 바라보고만 있었다.

"맙소사! 이사벨라, 설마하니 당신 아버지에 대해서도 타라가 모르고 있다는 말은 하지 않겠지요?" 늙은 마법사는 고함을 질렀다.

"물론 모르고 있어요!" 이사벨라는 퉁명스럽게 대답했다. "마니투, 이리 와!" 할머니가 별안간 낭랑한 목소리로 개를 부르는 소리에 타라는 깜짝 놀랐다.

그 즉시 뚱보 검둥개가 불쑥 나타났다.

이사벨라는 검둥개를 끌어안더니 개의 얼굴을 타라 쪽으로 돌리면서 말했다.

"타라, 네 증조할아버지를 소개할게. 마니투, 타라의 패밀리어로 행세하면서 같이 아더월드로 가세요. 그러면 타라 곁에 머물면서 계속 지킬 수 있을 거예요. 해낼 수 있죠?"

검둥개는 꼬리를 치면서 컹컹 짖었다.

"이거야 원, 산너머 산이로군!" 늙은 마법사는 한숨을 내쉬었다.

"할 수 없이 이번에도 내가 수습하는 수밖에. *인터프레투스의 이름으*로 우리가 서로의 말을 이해하고 자연스럽게 대화할 수 있기를!"

이럴수가! 개가 컹컹 짖는가 싶었는데 이번에는 인간의 목소리로 바뀌었다.

"아이고 살았다! 물론 아이와 같이 가고 싶구나. 이 빌어먹을 놈의 개는 나보다 힘이 센 데다 개의 본능에 눌려서 꼼짝할 수 없다만 최선을 다하마. 아더월드의 마력이 인간의 정신을 유지하도록 도와줄 테지…… 그걸 바라는 수밖에."

타라는 검둥개 앞에 꿇어앉았다.

"마니투? 저기…… 할아버지라고 부르고 싶은데, 괜찮죠, 증조할아버지?"

"마니투라고 부르거라. 그게 간단해. 인간처럼 생각하고 말할 수 있다는 건 더할 수 없는 기쁨이란다. 어쩌다가 정신이 들었을 때, 너와 얘기할 수 없는 걸 내가 얼마나 괴로워했는지 안다면!"

이사벨라는 시무룩한 얼굴로 입술을 실룩거렸다.

"죄송해요. 아직은 아무도 그걸 풀어주는 주문을 찾지 못하고 있어요. 둔갑할 때의 충격으로 아버님이 기억을 잃어버렸기 때문에 우린 계속 주문을 연구하는 수밖에 없어요."

마니투는 고개를 끄덕였다.

"그래, 알고 있다. 이런! 개의 본능이 돌아오고 있어. 타라, 정원에서 기다리고 있으마. 이따 보자."

여전히 얼떨떨해 있는 타라에게 주둥이를 비벼대고 나서 개는 밖으로 뛰쳐나갔다.

"하지만, 하지만, 하지만……." 타라는 울먹였다.

"가슴아픈 사연이 있어." 최고 마법사가 침울한 어조로 말했다.

"저분은 영생하는 마법의 주문을 고안하기에 이르렀지. 그런데 문제는 그게 개로 변하는 것이었단다. 그래서 네 증조할아버지는 죽지 않는 대신에 사냥개의 모습으로 살게 된 거란다. 불행히도 넌 그를 평범한 개로 데려갈 수는 없어. 궁전은 패밀리어들만 받아들이거든."

"패밀리어가 뭐예요?"

"마법사들은 누구나 데리고 다니는 동물이 있어. 그러니까 패밀리어는 말하자면 그 마법사를 상징하는 징표라고 할 수 있지. 마법사는 패밀리어와 교감을 한단다. 네 할머니 이사벨라의 패밀리어였던 호랑이는 네 아버지, 어머니랑 같이 죽었어. 너도 알다시피 네 할머니는 그 뒤로 호랑이를 대신하는 패밀리어를 두지 않고 있었단다."

타라는 눈을 똥그랗게 떴다.

"호랑이요?"

"걱정하지 마. 패밀리어들은 마법사에게 해를 끼치지 않으니까. 데리아의 까치 마니도 그녀의 패밀리어야. 데리아가 쫓아다닐 수 없을 때는 까치가 너를 지키는 임무를 맡고 있었지. 타라, 아침식사를 끝낸 것 같은데 이젠 네 방으로 올라가서 떠날 채비를 해야지?"

특별한 점이 있는지 보려고 까치를 유심히 살피고 있던 타라는 눈이 돌아갈 뻔했다. 진짜 장난이 아니네! 까치가 식탁으로 날아가더니 둥근 빵 위에 내려앉는 시늉을 하다가 양 날개를 접으며 꾸벅 인사를 하는가 싶더니…… 눈 깜짝할 사이에 빵 한 조각을 훔치는 것이 아닌가.

"와우! 봤어요? 우와! 대단해요" 하고 경탄하면서 타라는 할머니를 돌아봤다.

"할머니?"

"왜 그러니, 타라틸랑넴?"

"내가 알아야 할 게 또 있나요?"

이사벨라는 잠시 망설이다가 말했다.

"아니, 없다. 한 시간 후에 난 떠날 거야. 저택을 지키려면 마법 도구들을 사용해야 하는데 불행히도 갖고 있는 게 없어서 페루에 가서 구해와야 하거든. 망구스와 타쉴은 여기 남아 있을 거야. 하지만 걱정하지 말거라. 셈나샤오비로다인트라쉬부는 나와 연락하는 방법을 알고 있으니까."

타라는 마음이 편치 않았다. 페루는 굉장히 먼 곳인데! 타라가 이런저런 생각을 하는 사이에 이사벨라는 말을 이었다.

"네가 일시적이나마 최고 마법사의 보호를 받게 되어 기쁘다는 말도 하고 싶구나. 궁전이 네 마음에 들 거라고 확신해. 랑코비트의 전하와 왕비마마는 멋진 분들이라서 편히 지낼 수 있을 게다. 그러니까 다른 나라에 놀러가서 방학을 보낸다고 생각하면 되는 거야!"

타라는 궁금한 게 한두 가지가 아니었지만 할머니의 눈빛을 보면서 꼬치꼬치 묻는 걸 단념했다. 머릿속으로는 별의별 생각을 다 하면서도 타라는 심드렁하게 대답했다.

"그러길 바라요, 할머니. 그럼 조금 이따 뵐게요."

데리아가 도와준 덕분에 떠날 채비는 빠르게 끝났다. 늙은 마법사가 해준 말에도 불구하고 타라는 집을 떠난다는 건 엄청난 실수라는 느낌이 어렴풋이 들었다. 그게 바로 그 흉악한 상그라브가 원하는 것이라면? 하지만 할머니의 거무튀튀한 눈자위, 파르르 떨리는 손을 보지 않았던가. 그래서 타라는 본능과 싸우다가 이성에 굴복했다.

타라가 여행가방과 배낭을 들고 나가려 할 때, 데리아가 말했다.

"아니, 그것들은 그냥 여기에 놔둬. 내가 이따가 성으로 가져갈게. 네가 어디로 떠난다는 걸 아무도 알면 안 되거든. 가방을 보면 금방 눈치 채잖아."

"그럼 그냥 내려가요?"

"그래, 먼저 내려가. 나도 금방 따라갈게."

타라는 마지못해서 내려갔다. 늙은 마법사와 할머니가 기다리고 있었는데, 할머니는 사뭇 엄한 표정을 짓고 계셨다. 하지만 할머니가 사랑한다고 고백한 이상, 타라는 그것이 속마음을 감추기 위한 가면이라는 걸 알고 있었다.

타라는 할머니에게 입맞춤을 하면서 꼭 끌어안았다. 몹시 당황한 이사벨라는 포옹을 하고 나서 얼른 뒤로 물러서서 말했다.

"랑코비트 왕국의 수도 트라비아에 가게 되는 거야. 궁정의 예절은 다행히 아더월드에서 인간이 지배하는 가장 큰 제국 오무아*만큼 엄격하지는 않아. 네가 잘하리라 믿는다, 타라틸랑넴! 덩컨 가문의 이름에 먹칠을 하면 안 돼. 넌 영광스런 우리 가문의 일곱 번째 마법사라는 걸 절대 잊지 말거라!"

울지 않겠다고 엄숙하게 맹세했건만 어느새 눈물이 타라의 볼을 타고 주르륵 흘러내렸다.

"이렇게 헤어지는 게 분명히 좋은 생각은 아닌 것 같아요. 할머니가 정말 너무 보고싶을 거예요. 할머니를 사랑해요."

남몰래 눈물을 훔치고 있는 늙은 마법사를 향해 성난 눈초리를 던지면서 이사벨라는 중얼거렸다.

"나도 그래, 타라틸랑넴. 그럼 이젠 떠나거라."

"쯧쯧, 안됐지만 더는 지체할 수가 없어" 하고 입속말처럼 중얼거리면서 늙은 마법사는 엄청나게 큰 손수건을 확 펼치고는 춤추던 드래곤들이 후닥닥 비켜서자, 그 파란 천에 코를 휑 풀면서 훌쩍거렸다.

타라는 의심스러운 눈으로 최고 마법사를 쳐다봤다. 지금까지 보여준 마법은 홀딱 반할 만한 수준이 아니었다. 그런 정도의 마법을 보고 할머니, 친구들, 지금껏 자라온 정든 집을 꼭 떠나야 하나? 아무리 훑어봐도 늙은 셈 선생님은 그 흉악한 상그라브들의 보스로부터 자신을 지켜줄 수 없을 것 같았다.

타라는 번개나 천둥이 친다거나 연기처럼 훽 사라져버리는, 뭐 그런 그럴싸한 장면을 기대하면서 늙은 마법사를 향해 돌아섰다. 뭐야, 이거! 되게 시시하네! 늙은 마법사는 그냥 타라의 손을 잡고 브주아 지롱성으로 향했고, 쫄랑쫄랑 뒤따라오는 마니투는 괜히 미친 듯 짖어대고 있었다.

"정말 독한 사람이로다. 작별인사를 하는 순간에도 슬픈 내색조차 하질 않다니! 내가 짜증이 다 나네." 옆에서 늙은 마법사가 못마땅해 죽겠다는 얼굴로 중얼거렸다.

타라는 브주아 지롱 백작의 성까지 가는 동안 한 마디도 하지 않았다.

문득 타라는 벽난로 위에 쭈그리고 앉아서 들었던 얘기가 생각났다. 할머니는 파브리스를 아더월드로 보내라고 충고, 아니 명령했었다. 그럼 운이 좋으면 파브리스를 만나게 될지도 모르잖아!

그들은 브주아 지롱 성에 도착했고, 늙은 마법사가 초인종을 누르지도 않았는데 철책 문이 스르르 열렸다.

"마법이에요?" 타라는 눈을 반짝이면서 물었다.

"아니." 늙은 마법사는 성의 철책 문 앞에 장착된 두 개의 감시카메라를 가리켰다.

브주아 지롱 백작은 현관에서 기다리고 있었다. 홀랑 벗어진 대머리와 거만해 보이는 큰 코가 아주 인상적인 백작은 흡사 털 빠진 늙은 매 같았다.

"어서 오세요, 최고 마구스! 벌써 돌아가십니까?" 백작이 늙은 마법사와 일행에게 말했다.

"유감천만이오!" 솀나샤오비로다인트라쉬부는 한숨을 쉬었다. "보르도산 포도주라면 자다가도 벌떡 일어나는 내가 입에도 못 대보고 그냥 돌아가게 생겨서 우울증에 걸리기 일보 직전이오. 하지만 어쩌겠소, 타라와 마니투를 아더월드로 데려가야 하니. 백작의 아들은 이미 가 있겠지요?"

"여부가 있겠습니까! 두 시간 전부터 거기 가 있는 걸요." 싱글벙글하는 백작의 목소리에 뿌듯함이 그득했다.

"그럼 됐소. 이제 문으로 갑시다. 우린 갈 길이 멀어요."

문은 골짜기가 한눈에 내려다보이는 탑 꼭대기의 방들 중 하나에 있었다.

〈스타게이트〉의 열렬한 팬인 타라는 '아더월드로 연결되는 문', 특수 장비, 득시글대는 기술자들과 발전장치들을 찾아보았지만…… 그런 건 눈 씻고 봐도 없었다. 텅 빈 커다란 방에 있는 것이라곤 각각 신화 장면을 그린 다섯 장의 태피스트리벽을 장식하는 융단밖에 없었다. 하나는 유니콘들과 난쟁이들을 묘사한 태피스트리, 돌덩어리를 후벼파고 있는 (그러고는…… 먹는 건가?) 거인들을 묘사한 태피스트리, 귀가 뾰족한 초록빛 인간들을 묘사한 태피스트리, 할머니의 실험실에 있는 것과 똑같은 별 문양에 둘러선 잿빛 또는 파란 옷차림의 마법사들을 묘사한 태피스트리, 마지막 것은 왕홀 위에 올라서 까불거리는 색색가지 난쟁이들을 묘사한 태피스트리였다.

"가운데로 들어가세요." 백작이 말했다.

"마니투," 타라가 불렀다. "이리 와."

언제나 청개구리 같은 마니투가 이번만은 얌전하게 굴었다. 타라의 가녀린 손이 긴장하는 걸 느낀 최고 마법사는 안심시키기 위해 미소를 지어 보였다.

백작이 방으로 들어가더니 난쟁이들을 묘사한 태피스트리 밑에 가서 섰다. 이어서 백작이 손에 쥐고 있던 왕홀을 태피스트리에 그려진 왕홀 그림에 갖다댔는데 꼭 들어맞았다. 그가 황급히 인사를 하고 방을 나가자 문이 닫혔다.

찰칵, 하고 걸쇠가 잠기자마자 왕홀이 반짝이기 시작했다. 나머지 넉 장의 태피스트리들에서 나오는 각기 다른 빛깔의 광선들이 무지개를 이루면서 그들의 몸을 건드렸다.

그 순간 늙은 마법사가 우렁찬 목소리로 "트라비아 왕궁!" 하고 외쳤고…… 그들은 사라졌다.

타라는 어찔하면서 멀미를 느꼈을 뿐, 좀 전과 똑같은 방에 돌아와 있었다. 하지만 거기 있는 사람은 백작이 아니었다. 넙수룩한 오렌지색 머리털에 키가 족히 2미터는 되는 외눈 거인이 네 개나 되는 팔 중의 한 손에 종이를 들고 흔들고 있었다. 질겁한 타라가 물러서려고 했지만, 늙은 마법사는 소녀의 손을 꽉 붙잡았다.

파란색과 은색이 어우러진 제복 차림의 경비병들이 그들을 노려보고 있었는데, 침입자들이라면 무조건 찌를 듯한 자세로 창을 겨누고 있었다. 타라는 그 매서운 눈초리 앞에서 침을 꼴깍 삼키면서 그들이 허락을 내리기 전에는 눈곱만큼도 움직이지 않겠다고 마음먹었다.

"최고 마구스, 다시 뵙게 되어 기쁘군요!" 외눈 거인은 의례적인 어조로 인사하면서 전진하라는 손짓을 했다. "브주아 지롱 백작이 도착하신다는 기별을 보내왔지요. 그래서 시간에 딱 맞춰서 마중을 나올 수 있었습니다. 정말이지 내가 생각해도 난 대단하단 말입니다!"

초인종이 다시 울리자, 외눈 거인은 좀 심하다 싶게 허둥댔다.

"맙소사, 다른 손님들이 벌써 또 오다니! 빨리! 빨리! 통로를 비워야 하니 빨리 지나가시오!"

타라는 웃음을 터뜨릴 뻔했다. 외눈 거인은 겁을 잔뜩 집어먹고 있는 것 같았다. 그는 최고 마법사에게 한 마디도 할 겨를을 주지 않고 마치 병아리를 잃어버릴까 호들갑떠는 암탉처럼 그들을 방 밖으로 내몰았다.

"궁전의 감독관이란다!" 늙은 마법사는 한숨을 쉬면서 설명했다. "그런데 궁전에 손님이 오기만 하면 저렇게 허둥댄다니까. 끊임없이 새로운 손님들이 오기 때문에 저 지경이 되었지. 따라오너라, 궁전의 행정관 칼리브리스 부인에게 소개해줄게. 등록을 해야 하거든."

"어디에 등록을 해요?"

"인식 패스가 없으면 아무도 궁전 안을 돌아다닐 수 없어. 넌 나의 임시 손님이기 때문에 6등급의 인식 패스를 받게 될 거야. 몇몇 곳은 돌아다녀도 되지만 금지된 데도 있단다. 칼리브리스 부인이 궁전의 규칙과 예법을 설명해줄 게다. 또 네가 잘 방이며 전하와 왕비마마 앞에서는 어떻게 인사해야 하는지 등에 대해서도 알려줄 거야."

타라는 겁이 덜컥 났다.

"내, 내가 두 분 마마에게 인사를 해요? 왜 그래야 하는데요? 그런 건……."

"걱정할 것 없어." 최고 마법사가 말을 가로막으면서 인자한 어조로 말했다. "이 궁전은 어마어마하게 큰 생명체로서 왕국의 혈액순환을 조절하는 심장 같은 것이란다. 그래도 예법은 그리 엄격하지 않아. 혹시 바보 같은 행동이나 말을 했더라도 지구에서 방금 왔다고 말하면 눈감아줄 게다."

늙은 마법사는 타라의 궁금증을 풀어주기로 마음먹고 궁전을 구경시켜주었다. 어디를 가나 사람들이 분주하게 움직이고 있었다. 타라는 놀란 토끼 눈이 되었다.

어린 마법사들이 공중에 매달린 자세로 마법을 사용해서 태피스트리들을 창 밖으로 내보내어 먼지를 털고 있었다. 갑옷들(개중에는 정말 이상하게 생긴 것들도 있었다)이 요란한 쇠붙이 소리를 내면서 흔들거렸다. 궁전의 내부는 으리으리하지만 모든 것이 움직이고 있어서 어떻게 지어진 것인지 도무지 알 수가 없다. 놀랍게도 기분 내키는 대로 벽과 천장에 풍경을 나타냈다가 사라지게 하는 궁전이었다. 눈부신 햇살과 초원, 지저귀는 새들이 가득한 걸 보면 그 순간은 궁전의 기분이 아주 좋은 모양이다. 어찌나 진짜 같은지 타라는 자세히 보려고 하다가 벽에 꽝 부딪힐 뻔한 것이 한두 번이 아니었다. 존재하지도 않는 시냇물을 펄쩍 펄쩍 뛰어넘던 타라는 멀찍이 서서 지켜보는 늙은 마법사의 시선을 느끼고 멈춰 섰다. 눈앞에서 춤추며 즐겁게 뛰노는 말들이며 유니콘, 작은 동물들, 또 마법사들에게 입맞춤을 보내는 예쁜 아가씨들도 있었다. 복도 끝에 선 타라는 마치 홀린 듯이 자기도 모르게 한 허상의 인사에 꾸벅 인사를 할 정도였으니! 타라는 몇몇 풍경이 자신의 머릿속에 새겨진 것들을 반영하는 것 같은 이상한 느낌이 들었다. 이런 곳들의 꿈을 꾼 적이 있었나?

으아아악! 타라는 비명을 지르면서 늙은 마법사의 팔을 뿌리치고 뒤로 펄쩍 뛰었다.

그들의 발 밑으로 까마득히 깊은 구멍이 쩍 벌어졌다. 그 밑에서 꼬물꼬물 하는 발과 송곳니, 아래턱이 몇 개나 되는 대왕 곤충이 눈을 쳐들면서 타라에게 관심을 보였다.

타라가 미처 뒷걸음질칠 겨를도 없이 곤충은 무서운 속도로 구멍을 기어오르기 시작했다. 이에 타라가 소리를 지르려고 입을 벌리는 순간, 늙은 마법사는 태연하게 타라의 손을 잡았다. 독을 질질 흘리며 위협적으로 들이대는 그 많은 송곳니에도 아랑곳없다는 듯이.

"오늘 아침은 궁전의 컨디션이 아주 좋은 것 같구나." 최고 마법사는 툴툴거렸다. "겁내지 마, 새로 온 손님에게는 누구한테나 이러니까. 조금도 위험하지 않아. 전부 환각일 뿐이니까. 자, 가자."

아하, 장난꾸러기 궁전이란 말이지! 궁전의 유머감각에 전적으로 동조할 수는 없지만 타라는 늙은 마법사의 지시를 따라야 했다. 신중을 기하기 위해서 타라는 구멍을 완전히 통과했다고 여겨지는 순간까지는 눈을 꼭 감고 있기로 마음먹었다. 한쪽 눈을 살짝 뜨던 타라는 또다시 놀랐다. 어라, 이건 또 뭐야! 한 마법사가 선인장이 보이는 사막 풍경 속으로 돌진하다 그 뒤편에 세워진 아주 견고한 벽 앞에서 팔을 휘저으면서 통과하는 것이 아닌가! 늙은 마법사가 천천히 걸어가고 있어서 타라는 그 틈에 얼른 벽을 건드려봤는데…… 끄떡도 하지 않았다. 이것도 환각인가, 아니면 뭐지? 하지만 잠시 후 예쁘장한 여자 마법사가 또 거침없이 날아가더니…… 벽을 통과했다.

5분 간격으로 연이어 방문을 받는 궁전의 벽은 벽이 아니었다. 이곳 사람들은 아무 문제없이 벽을 통과하고 있었다. 중요한 것은 그 방법을 이해하는 것이었다. 마법사들을 수행하는 패밀리어들도 그 요령을 잘 알고 있는 모양이었다. 패밀리어들 앞에서도 돌벽이 사라졌다. 하지만 타라는 격렬한 충돌을 피할 수 없을 것 같은 벽을 향해 전진하는 마법사나 패밀리어를 볼 때마다 이를 악물지 않을 수 없었다.

궁전에 이르는 동안 내내 최고 마법사의 호주머니에서는 벨소리가 그치지 않았다. 뜻밖에도 그가 주먹만 한 크리스털 볼을 꺼내는 걸 보고 타라는 그제야 알아차렸다. 그건 말할 것도 없이 핸드폰 같은 것이었다. 거기다 지구의 전자기술자들이 샘이 나서 눈이 돌아갈 만한 화상전화였다! 그 크리스털 볼은 전화를 건 사람의 목소리와 모습을 아주 선명하게 전송해줄 뿐만 아니라 2분 간격으로 통화가 끊기지도 않았으니! 화가 난 최고 마법사는 손을 위로 세 번 움직이는 것으로 마침내 전화를 끊었다. 타라는 웃음을 꾹 참았다.

으악, 또 뭐야! 땀에 푹 젖은 여자 마법사가 부는 피리소리에 맞춰 흔들거리면서 복도에다 먼지를 터는 빗자루 떼거리! 가까스로 피했다 싶었는데, 이번에는 젊은 마법사가 물의 원소에게 구정물을 딴 데로 보내야 한다고 설명하면서…… 버럭버럭 고함을 질러댔다. 물의 원소는 쌜쭉해서 산더미 같은 비눗물을 흘려보냈다. 타라는 끄떡도 하지 않았다. 무시무시한 구멍이 나타났을 때 한 번 당했으면 됐지, 내가 또 웃음거리가 될 거라고 생각하면 오산이라고. 어림도 없어!

헉!! 그런데 이게 웬 물벼락! 타라는 수백 리터에 이르는 차가운 비눗물을 흠뻑 뒤집어쓴 채 주저앉고 말았다. 물고기 떼와 산호에 둘러싸인 채 퉤퉤 침을 뱉어내던 타라는 굶주린 얼굴을 들이대는 흉악한 상어와 마주치자, 얼떨결에 벌떡 일어나서 소리를 질러댔다. 궁전이 타라가 무서워하고 있다는 걸 알아차렸는지, 바다 풍경 대신에 아름다운 숲 속의 빈터가 나타났다.

늙은 마법사는 기막히게 물웅덩이들을 피해 펄쩍펄쩍 뛰어왔고, 뒤따라온 마니투도 달리 어쩔 수가 없는지 몸을 마구 터는 것으로 오히려 타라에게 물을 튀겼다.

"왜 물을 피하지 않았니?" 늙은 마법사가 나무랐다.

"또 그놈의 환각인줄 알았잖아요!" 골이 잔뜩 난 타라는 비누거품을 퉤퉤 내뱉으면서 쏘아붙였다.

"미안해, 정말 미안해!" 난장판을 벌인 젊은 마법사가 뛰어왔다.

"당장 손을 쓸게."

젊은 마법사는 타라를 향해 손을 흔들면서 소리쳤다.

"마르거라!"

진짜 뜨거운 회오리바람이 복도를 휘감으면서 거기 있는 모든 것을 삽시간에 말리는 동안 최고 마법사의 얼굴은 우거지상이 되었다.

"마르거라? 마르거라가 대체 뭔가?" 최고 마법사는 몹시 못마땅한 어조로 호통쳤다. "좀 더 위엄 있는 주문을 찾을 수는 없었는가? '세슈스의 이름으로 물이란 물은 모조리 우리의 옷을 떠나 뽀송뽀송하게 만들어 놓을지어다!' 뭐, 이 정도는 돼야 할 것 아닌가? '마르거라' 라는 말로 시작하면 사람들이 뭐라고 생각하겠느냐 말야! 우리는 마법사들이지 세탁부가 아니란 말이다!"

젊은 마법사가 궁색하게 늘어 놓는 변명을 들은 척도 않은 채 최고 마법사는 간신히 웃음을 참고 있는 타라를 잡아끌고 그 자리를 떠났다. 셈 선생님이 화가 머리끝까지 나 있는 것 같으니 이럴 땐 그저 잠자코 따라가는 게 상책이지!

그때 복도 모퉁이에서 느닷없이 날아온 걸레 하나가 늙은 마법사의 얼굴을 휘감아버리자, 그는 허우적대면서 딸꾹질을 시작했다.

헝클어진 빨강머리 여자 마법사가 달려와서 최고 마법사를 구해주는 동안, 타라는 배를 잡고 깔깔댔다. 머리털이 쭈뼛쭈뼛 곤두선 늙은 마법사는 영락없는 올빼미였다.

그들은 계속 걸었다. 궁전은 진짜 어마어마하게 컸다. 여기저기서 시종들이 분주하게 뛰어다니고 있었다. 공격적인 자세의 무사 조각상들 앞을 지나갈 때, 늙은 마법사는 재빠르게 타라를 옆으로 잡아끌었다. 얼이 빠진 타라의 눈앞에서 조각상 하나가 꿈틀거렸다. 조각상은 기지개를 켜는 것으로 그렇지 않아도 그 자리가 너무 방해가 많아서 짜증이 나 있는 거미 두 마리를 톡 내친 다음 뿌옇게 덮인 먼지를 툭툭 털었다. 그 순간 으드득, 으드득! 다른 조각상들도 똑같이 꿈틀거리는 걸 보면서 타라는 불현듯 그 움직이는 거대한 몸뚱이들을 피해야 한다는 생각밖에 없었다. 조각상들은 누가 있거나 말거나 안중에도 없는 것이 역력했다.

갑자기 이상한 소리가 나서 돌아보던 타라는 심한 경련이라도 일으키는 것처럼 굽실굽실하는 궁인들을 보고 질겁했다.

타라는 화가 버럭 치밀었다. 상그라브들이 공격해 오는 거야!

"어떡하죠? 어떻게 하냐고요!" 타라는 셈 선생님에게 소리쳤다.

최고 마법사는 그칠 줄 모르는 딸꾹질 때문에 몸을 흐느적거리면서 놀라는 눈길을 던졌다.

"별것 아냐, 딸꾹. 그가 지나가면 너도 다른 사람들처럼 하면 돼, 딸꾹!"

하지만 궁인들에게 경련을 일으키게 한 장본인이 나타났을 때, 타라는 그들이 토하려고 그랬던 것이 아니라 정중하게 허리를 굽히는 것이었음을 알아차렸다. 믿을 수 없는 광경에 타라는 등골이 오싹했다. 눈앞에 있는 것은 노란 깃털로 장식한 앙증맞은 모자에 멋진 은 브로치로 여민 파란색 망토로 한껏 멋을 부리고는 있지만…… 머리는 사자, 몸통은 양, 그리고 드래곤의 꼬리로 이루어진 괴물이었다.

괴물이 정중하게 인사를 하자 최고 마법사는 고개를 까딱했다. 이어서 타라를 뚫어져라 쳐다보고 나서 괴물은 다시 전진했다.

"오, 데미데루스여(타라는 할머니의 말투를 흉내냈다)! 근데 저게 뭐예요?"

"키마이라를 본 적이 없니? 왕실의 수석고문관 살라타르라고 하는데 아주 교활한 키마이라란다. 내일 살라타르가 질문을 하거든 신중하게 대답하거라. 키마이라는 유도 신문하는 데는 아주 도사들이거든."

목을 쭉 빼고, 멀어져 가는 키마이라를 보는 데 정신이 팔린 타라가 대답을 하지 않자, 최고 마법사는 하는 수없이 손을 잡아끌어야 했다.

여전히 딸꾹질 때문에 흐느적거리는 최고 마법사는 타라를 정상적인 문을 거쳐서 정상적인 방, 다시 말해서 5분 간격으로 벽의 풍경이 바뀌지 않는 방으로 데려갔다. 한쪽 구석에는 멋들어진 컴퓨터 한 대가 떡하니 놓여 있고, 서류가 산더미같이 쌓인 커다란 책상이 방의 절반을 차지하고 있었다. 또 불편해 보이는 의자 두 개가 다국적기업 회장의 안락의자를 마주보고 놓여 있었다. 어쨌든 타라는 다국적기업 회장의 안락의자는 그렇게 생겼을 거라고 상상하고 있었다.

최고 마법사는 타라에게 의자에 앉으라는 손짓을 하고 자기도 앉았다. 그는 잠시 몸을 비비틀다가 딸꾹질을 하면서 버럭 고함을 질렀다.

"칼리브리스 부인, 딸꾹! 우린 잘못을 저지른 하인들이 아니란 말이오, 딸꾹! 오, 데미데루스여! 우리에게 안락의자를 내어주시오, 딸꾹!"

"어머나, 미안해요!" 허공 속에서 목소리가 대답했다. "시험 중이었거든요. 의자가 불편할수록 죄지은 영혼이 불편함을 느끼게 하려고…… 하지만 물론 당신은 다르죠."

"*트란스포르무스의 이름으로* 손님들이 편안해할 의자로 변할지어다!" 또 다른 목소리가 말을 이었다.

엉덩이 밑이 움직이는 것 같더니…… 타라는 푹신한 안락의자에 앉아 있었다.

이윽고 모습을 드러내는 칼리브리스 부인, 타라는 숨을 죽였다. 몸뚱이 하나, 다리 둘, 팔 둘에다……, 머리가 둘이잖아!

머리 두 개가 몸을 숙이고 타라를 유심히 살폈다.

"그러니까 네가 바로 그……" 하고 첫째 얼굴이 시작하자,

"……타라틸랑넴 덩컨이구나." 둘째 얼굴이 말을 이었다.

"어서 와……"

"……널 만나서 정말 반갑구나."

"우리는 칼리브리스 부인이라고 해. 난 다나 칼리브리스란다." 첫째 얼굴이 소개했다.

"그리고 난 클라라 칼리브리스라고 해." 둘째 얼굴이 덧붙였다.

"여행은……"

"……즐거웠니?"

"네, 고맙습니다, 부인…… 아니, 두 부인." 타라는 더듬거렸다.

"넌 아주……"

"……예의가 바르구나. 이사벨라가……"

"……애를 아주 잘 키웠네."

"친애하는 셈, 말해주세요. 대체 무슨……"

"……일이 있었던 거예요? 정보국에서는……."

"셈? 셈?"

심상치 않은 색깔로 변하는 최고 마법사를 보면서 두 얼굴이 동시에 말을 중단했다. 그는 딸꾹질을 더 심하게 하고 있었고, 칼리브리스 부인은 부리나케 타라와 마니투를 붙잡아서 피신시켰다.

허걱, 이건 또 무슨 일이지! 최고 마법사가 부풀어오르기 시작했다. 점점 더 심해지는 딸꾹질 때문인가, 타라의 눈앞에서 최고 마법사가 계속 팽창하고 있었다. 괴상망측하게 변한 얼굴이 길어지더니 무시무시한 송곳니들이 쑥쑥 자라기 시작하고, 쭉쭉 늘어나는 팔다리. 온몸이 푸르스름한 은빛 비늘로 뒤덮이고 등에 삐주룩삐주룩 돋는 돌기에 옷이 갈기갈기 찢기는가 하면 손가락을 뚫고 나오는 길다란 갈퀴발톱들……, 퍼덕이는 커다란 날갯짓에 서류들이 어지럽게 흩날렸다.

어느새 늙은 마법사는 소름끼치는 드래곤으로 둔갑해버렸다. 꺄아아! 컹컹! 타라와 마니투는 공포의 비명을 지르지 않을 수 없었다.

"아야!" 괴물이 머리를 들다가 천장에 부딪히면서 돌덩이들이 와르르 떨어졌다.

"타라? 칼리브리스 부인? 다들 어디 간 거야?"

그 목소리가 어찌나 쩌렁쩌렁한지 벽이 흔들거렸다.

타라는 하마터면 울음을 터뜨릴 뻔했다. 그들의 적이 최고 마법사에게 주문을 걸어서 집어삼키려 하고 있었다. 마니투는 책상 밑에서 더 깊이 숨으려고 기를 썼다.

칼리브리스 부인이 갑자기 책상 밑에서 기어나가더니 두 머리가 용감하게 괴물에게 대들었다.

"정말이지……"

"……이러시면 곤란해요!"

"우리 사무실에서 변신하여……"

"……이렇게 아수라장으로 만들어버리다니!"

"변신하세요……"

"……빨리요!"

드래곤은 어쩔 줄 몰라 하면서 변명했다.

"미안하오. 하지만 내가 딸꾹질을 하게 되면 무슨 일이 일어나는지 잘 알지 않소?"

"물론 알죠!"

"하지만 밤새 박사가 처방을 내려줬잖아요……."

"……내가 잘못 안 건가요?"

드래곤이 고개를 떨구었다.

"저기 그게…… 그놈의 약이 너무 맛대가리가 없어서!"

"그거야 당신 사정이고……"

"……우리 생각도 좀 해줘야지요!"

"알았어요, 알았소. 먹으면 되잖소! 비켜서요, 변신할 테니. *알라카잠의 이름으로* 드래곤의 몸은 다시 인간이 될지어다!"

눈 깜짝할 사이에 드래곤이 줄어들더니 이빨들과 갈퀴발톱, 날개와 비늘이 떨어져나가면서 순식간에 파란 마법복을 걸친 늙은 마법사가 다시 나타났다.

문득 숨을 쉬지 않고 있었다는 걸 깨달은 타라는 공기를 한껏 들이마셨다. 도대체 갈수록 태산이니, 내 신경계가 충격을 얼마나 더 견딜 수 있을까!

칼리브리스 부인은 만족해했다.

"이제 됐으니……"

"……아까 하던 얘기로 돌아가죠. 우리는……"

"정확히 모르고 있어요……"

"……대체 지구에서 무슨 일이 있었던 겁니까?"

늙은 마법사가 주문을 걸자, 그야말로 박살이 났던 안락의자 두 개가 다시 멀쩡해졌다. 그는 의자에 앉아서 평온한 얼굴로 쳐다봤지만, 타라는 책상 밖으로 나갈 용기를 못 내고 있었다.

"이리 나와, 타라. 너를 잡아먹지 않아." 대답을 기다리는 칼리브리스 부인은 안중에도 없는 듯 최고 마법사는 타라에게 부드럽게 말했다.

"그렇겠죠. 하지만 믿을 수가 없어요!" 타라는 떨리는 목소리로 대답했다. "좀 전에 드래곤으로 둔갑했잖아요!"

"그게 아냐."

"네? 아니라니요?"

"난 인간으로 다시 변신한 거야. 난 원래 드래곤이거든!"

맙소사, 타라는 책상 밑에 그냥 있는 것이 좋겠다고 생각했다. 차라리 튼튼하고 묵직한 책상 밑에 숨어 있는 편이 나았다.

왜냐하면 최고 마법사가 다시 폭발할 것 같은 엄숙한 얼굴을 하고 있었기 때문이다.

"그러니까……." 타라는 빈정거리지 않을 수 없었다. "선생님은 드래곤인데 인간으로 변신했고, 그 사실은 모두가 다 알고 있단 말이죠?"

"내 말을 믿지 않는 것 같구나. 원한다면 다시 보여줄 수도 있어!"

"아, 아, 안 돼요!!!"

세 사람의 비명소리. 타라와 두 머리가 동시에 비명을 질렀던 것이다. 타라는 재빨리 말을 이었다.

"선생님이 드래곤이라면 드래곤이겠죠, 뭐! 내가 뭘 어쩌겠어요."

"그럼 그 책상 밑에 숨어 있지 말고 나와. 그리고 마니투를 안심시켜. 나는 아이들과 개로 변한 늙은 마법사는 잡아먹지 않아."

타라는 막무가내로 따라나오길 거부하는 마니투에게 안타까운 눈길을 보내고 나서 여차하면 뛰어나갈 양으로 안락의자에 돌아앉았다.

안락의자 앞부분에 엉덩이만 살짝 걸치고 앉은 타라를 보면서 최고 마법사는 한숨을 푹 내쉬었다.

"나는 수백 년 동안 마구스 최고위원회를 주관해오고 있단다. 마법을 자유자재로 구사하기 위해 나를 필요로 하는 수많은 마구스와 마법사들을 양성했지. 너희 인간들의 능력은 대단하고, 우리 드래곤들은 아주 오래 살기 때문에 찰떡궁합이었어. 그런데 우리 드래곤들에게 최고의 적이 뭔지 아니?"

"배고픔이요?"

타라는 드래곤에 관해서 문외한이 아니었다. 눈앞에 있는 드래곤이 아니라 책에 나오는 드래곤들에 관한 것이라면.

드래곤 마법사는 음울한 눈길을 던졌다.

"광기란다(이 말을 하는 목소리에 힘이 들어가 있었다). 우리 드래곤들은 미치광이가 될 위험이 있거든. 미쳐버린 드래곤들이 다른 종족들을 공격했다 하면 재앙의 씨를 뿌리듯 모조리 쑥대밭으로 만들어 놓는단다. 그런데 미친 드래곤은 미친 개보다 더 난폭해서 몰살되기까지는 여러 해가 걸렸지. 몇몇 미친 드래곤들이 기어코 지구에 가서 인간들을 닥치는 대로 죽이는 대형사고가 일어나고 말았으니……. 인간들이 갑옷과 특히 창을 만들어냈다는 것이 가장 큰 이유였지. 그게 미친 드래곤을 물리칠 수 있는 유일한 무기였거든."

타라는 속이 메스꺼워서 침을 꼴깍 삼켰다. 드래곤이 미쳤다는 걸 어떻게 알 수 있지? 팔 한 개, 아니 두 개를 야금야금 먹기 시작하는 순간일까? 진짜 가관이겠다!

드래곤 마법사는 말을 이었다.

"그런 불미스런 일이 다시는 일어나지 않도록 우리는 광기에 빠지지 않으려고 최선을 다하고 있단다."

"그래도 안 되면요?"

타라는 그 얘기에 말려들고 있었다.

답변은 가차없었다.

"그러면 우린 죽는 거지."

"하지만 여기서는 그런 일이……"

"……일어날 위험은 없어요!" 다나와 클라라가 흩어진 서류들을 주워 모으면서 응수했다.

"왜냐하면……"

"……말 그대로 여긴,"

"별난 족속들이 모여 사는 곳이니까요!"

"맞는 말이오." 최고 마법사는 빙그레 웃었다. "여기 있는 인간들은 별난 족속들이니까! 자, 이제는 우리의 타라에 대한 얘기를 합시다. 능력을 맨 처음 사용했던 게 몇 살 때였다고 했지?"

"아홉 살 때요."

최고 마법사는 흠칫 놀라는 눈길을 던졌지만 이러쿵저러쿵 토를 달지는 않았다.

"아, 그랬니? 이 아이의 할머니 이사벨라가 한 놈, 아니 두 놈의 상그라브로부터 공격을 받았는데 그중 하나가 놈들의 보스이자 우리 모두의 골칫덩어리인 마지스터였소. 타라는 아주 놀라운 솜씨를 발휘했지요. 놈들의 공격을 피했을 뿐만 아니라, 놈이 돌덩이처럼 만들어서 새까맣게 태워버리는 신종 광선을 쏘았는데, 그 광선을 놈에게 되돌려 쏘아 응징했으니. 마지막으로 타라의 패밀리어는 평범한 패밀리어가 아니라 아이를 보호하기 위해 동행한 증조할아버지지요."

"어떻게 그런 일이……"

"……정말 믿기 어렵군요!"

"더 자세한 얘기는 나중에 해주리다. 어쨌든 지금으로서는 그 상그라브들이 타라를 납치하려고 혈안이 되어 있다는 것만은 분명한 사실이오. 그래서 이사벨라가 필요한 방책을 준비하는 동안 타라를 데리고 있어야 합니다. 현재로서는 이것이 내가 생각할 수 있는 최선의 해결책이오."

"그거야 물론……"

"……당연하지요! 여기서는……"

"……그 비열한 놈들이 아무 짓도 할 수 없을 겁니다!"

"그래요. 머릿속으로는 뭐든 할 수 있겠죠……"

"……하지만 그 별……."

"부인들!" 최고 마법사는 몹시 당황해서 말을 가로막았다. "자! 그러니까 이 아이를 등록시켜서 인식 패스를 만들어줍시다. 이 아이가 선택한 이름이 타라 덩컨인데 마음에 듭니까?"

"타라? 타라틸랑넴의 애칭이군요. 이름이……"

"……적절해요, 아주 적절해요. 마음에 쏙 들어요!"

그 신상내역이 여느 컴퓨터와는 아주 다르게 작동하는 컴퓨터에 입력되었다. 칼리브리스 부인이 컴퓨터 앞에 섰고, 클라라가 외쳤다.

"컴퓨터!"

컴퓨터가 혼자서 켜졌다.

"부인?"

말하는 컴퓨터? 계속되는 놀라움에 타라는 얼떨떨했다.

"인간 마법사 등록." 다나가 말했다. "성: 덩컨. D.U.N.C.A.N. 이름: 타라. 나이: 열두 살. 구역: 유니콘 남쪽 날개."

"입력되었음. 유료 손님?"

"최고위원회에서 초대하였다." 최고 마법사가 대답했다. "이사벨라는 며칠 간의 체류 비용을 내게 맡겼다. 크레디트 금화 50닢을 가지고 있다."

"입력되었음. 패밀리어는?"

"검정 사냥개. 이름은 마니투."

"인식 패스의 등급?"

"6등급의 파랑, 검정, 노랑 구역. 초록과 빨강 구역은 금지."

"등록 완료."

컴퓨터에서 반짝이는 직사각형 투명 물질 두 개가 튀어나왔다.

"자, 손을 내밀어봐." 칼리브리스 부인이 타라에게 명했다.

타라는 약간 쭈뼛거리면서 그 네모난 물질을 받으려고 손을 내밀었지만, 칼리브리스 부인은 손목을 움켜잡고 주문을 외쳤다.

"*픽수스의 이름으로* 이 인식 물질은 모든 벽에 대한 출입을 허락할지어다!"

손목이 잠깐 따끔하다 싶었는데 놀랍게도 그 물질이 살 속에 들어가 있는 걸 보면서 타라는 어리둥절했다. 손목을 문질러봐도 살만 느껴질 뿐, 어찌나 투명한지 진짜 감쪽같았다. 사진까지 들어 있는 걸 보고 타라는 입이 딱 벌어졌다. 게다가 인식 물질의 표면에는 은빛 초승달에 올라탄 하얀 유니콘이 화상으로 떠 있었다. 칼리브리스 부인은 마니투의 앞발에도 투명 물질을 채웠다.

"이제 됐어." 클라라가 미소를 지었다. "이러면 잃어버릴 염려가 없지. 그리고……"

"……궁전에 있는 사람은 누구나 랑코비트의 상징인 초승달에 올라탄 유니콘이 나타나 있는 인식 패스를 지니고 다녀야 하거든. 문은 통과할 수 있지만 그게 없으면 벽들이 열리지 않는단다. 그리고 기한이 지난 패스를 가지고 있으면……"

"……오도가도 못해. 벽이란 벽이 모두 너를 가둬버리거든."

"빨강과 초록 구역을 제외하고는 어디든 가도 돼……."

"……거긴 왕족, 최고 마법사들, 왕실 근위대 대장과 재무관 전용 구역이야. 머리말을 보면……"

"……궁전 생활에 대한 일람표가 있을 게다. 아침식사, 점심식사, 간식, 저녁식사 시간표, 의무실, 검술도장, 특히……"
"……예법. 칼리반이……"
"……네 방으로 안내해줄 거야. 네가 겪은 일에 대해서는 발설하지 않도록……"
"……조심해야 해. 조금 있으면……"
"……칼리반이 올 거야. 즐거운 방학 보내기 바란다!"
그 말이 끝나기가 무섭게 벽이 스르르 열리면서 헝클어진 검은머리 소년이 들어오고(뭐야, 부스스한 머리가 마법사들의 특징인가?), 패밀리어인 붉은 털의 여우 블롱딘이 헉헉거리면서 따라왔다. 아수라장이 된 방에서 타라를 향해 눈길을 옮기던 소년의 해맑은 잿빛 눈이 휘둥그레졌다.
"안녕?" 소년이 활짝 웃으면서 인사했다. "내 이름은 칼리반인데 그냥 칼이라고 불러도 돼."
"안녕?" 소년의 활달한 태도에 약간 위축된 타라는 중얼거리듯 말했다. "이름은 타라틸랑넴이지만 타라라고 불러줘."
소년의 얼굴은 미소로 더 활짝 펴졌다.
"알았어, 그 마음 이해해. 저를 부르셨나요, 칼리브리스 부인?"
"타라는 셈나샤오비로다인트라쉬부 선생님의 초대를 받고 온 손님이란다. 유니콘 남쪽 날개에서 머물 건데 그 방까지 타라를 안내해주겠니?"
"당연하죠. 제 숙소도 남쪽 날개에 있고, 바로 옆인데요, 뭐. 나갈까? 짐은 없니?"
"그래, 짐은 나중에 도착할 게다." 늙은 마법사가 대답했다. "타라, 나가기 전에 내 크리스털 번호를 기억해두거라. 혹시 모르니까."

최고 마법사의 지시에 따라 종이 한 장이 타라의 손안으로 얌전히 들어왔다. 종이에는 번쩍거리는 숫자로 이루어진 번호가 기재되어 있었다.

"번호를 암기해둬." 늙은 마법사는 말했다(칼의 눈이 휘둥그레지는 걸 보면 최고 마법사의 개인번호를 갖는다는 건 예사로운 일이 아닌 모양이다). "나중에 보자, 타라. 재미있게 지내거라."

"그럼 나중에 뵐게요, 선생님, 칼리브리스 부인." 타라는 깍듯이 인사했다.

그들이 나가자, 마니투는 드래곤 마법사를 피하느라고 슬금슬금 뒷걸음치면서 따라나왔다.

"위대한 마구스의 개인번호라? 난 그분이 번호를 주는 건 처음 봐." 칼은 타라의 대답을 기다리지 않고 벽이 닫히자마자 대뜸 물었다. "그런데 넌 '짝꿍머리 아줌마'를 어떻게 생각하니?"

타라는 깔깔대고 웃었다.

"행정관? 어떻게 머리가 둘이지?"

"타트리스 종족인데 그 종족은 몸 하나에 머리가 둘 달려 있어. 그래서 의견이 맞지 않을 때는 이따금 골치 아픈 일이 벌어지기도 해. 그런데 최고 마법사의 초대를 받았다고 했지? 그럼 네 부모님도?"

"아냐, 두 분 다 돌아가셨어."

소년이 복도 한복판에서 갑자기 걸음을 멈추는 바람에 지나가던 궁인이 중심을 잃고 휘청거렸다. 보랏빛 깃털로 뒤덮인 노란색 옷에 초록빛 털신을 신은 궁인의 눈꼬리가 올라갔다.

"미안해. 난 가끔가다 너무 앞서가는 게 탈이라니까."

"아니, 괜찮아! 모르고 한 말인데, 뭐. 할머니가 혼자서 키워주셨는데 내가 마법사가 되는 걸 원치 않으셨어. 그래서 난 최근에야 모든 걸 알았어."

"그럴 수가! 그럼 트라비아와 아더월드에 대해서도 전혀 모르고 있었단 말야?"

"응, 전혀 몰랐어."

놀랍게도 칼의 얼굴에 기뻐하는 빛이 가득했다.

"와우, 신 난다! 드디어 잘난 척하면서 꼴사납게 굴지 않는 사람이 생겼네. 타라, 우리 둘은 좋은 친구가 될 것 같아!"

타라는 더 캐묻지 않았다. 타라의 관심은 따로 있었고, 칼은 그에 대해 잘 알고 있을 것 같았다.

"피의 맹세가 뭔지 알아?" 정말 궁금했던 것을 타라가 물었다.

칼은 호기심이 가득한 얼굴로 타라를 쳐다봤다.

"피의 맹세? 네가 전사들에 대해 안단 말야?"

"아, 아니." 당황한 타라가 대답했다. "그건 왜?"

"피의 맹세는 전투 중에 두 전사가 같은 적에게 부상을 입었을 때 하는 약속이야. 그 둘 중 한 사람이 죽어갈 경우, 다른 한 사람이 피를 섞으면서 복수를 해주겠다고 맹세할 수 있고, 또 죽어 가는 사람이 복수해 달라고 요구할 수도 있어."

"아아, 그렇구나." 타라는 생각에 잠겼다. "그럼 두 전사 중 한 사람이 마법 때문에 죽게 되었으니 자기의 아들이나 딸은 절대로 마법사로 키우지 않겠다는 맹세를 하게 했을 경우, 그 맹세를 지키지 않으면 어떻게 되는 거지?"

"피의 맹세를 했던 사람이 죽지."

타라는 땅이 꺼져라 한숨을 내쉬었다. 할머니는 피의 맹세를 했다고 말씀하셨다! 그렇다면 내가 마법을 사용할 경우 할머니가 돌아가신다는 거잖아! 하지만 지난 며칠 동안 마법 때문에 당했던 일을 돌이켜보면 그리 큰 문제가 될 것 같지는 않았다. 마법을 사용할 기회가 별로 없기도 했지만.

갑자기 이상한 느낌이 들면서 타라는 등골이 서늘해졌다. 등뒤에서 누군가가 엿보는 것 같은 섬뜩함. 타라는 걸음을 멈추고 홱 돌아봤다.

그러자 뭔가 달아나는 것 같은 기색과 함께 타라의 눈에 언뜻 잿빛 옷자락이 잡혔다.

타라는 복도 끝 모퉁이까지 달려갔지만 아무도 없었다.

어리둥절해서 뒤쫓아온 칼이 외쳤다.

"왜 그래? 뭔데 그래? 무슨 일이야?"

"아무것도 아냐." 타라는 눈살을 찌푸리면서 대답했다. "마법복, 튜닉, 그러니까 여기 사람들은 어떤 색 옷을 입지?"

"특별한 색은 없어. 서로 다른 색 옷을 입는 최고 마법사들의 경우를 제외하면. 자파르에서는 빨간색, 브란디스에서는 초록색, 오무아에서는 황실을 상징하는 노란색과 주홍색 옷을 입거든. 우리는 파란색이야. 궁전을 상징하는 색이 은색과 파란색이거든. 그건 왜?"

"그냥 알아두려고. 그럼 짙은 회색을 입는 사람은 없어?"

이번에는 칼이 눈살을 찌푸렸다.

"그건 상그라브들만 입는 색이야! 그래서 그들을 '잿빛 마법사' 들이라고도 해. 법으로 금지된 건 아니지만 꺼림칙한지 사람들이 그 색은 꺼리지."

타라는 심호흡을 했다.

"그렇구나, 내가 생각했던 대로야."

"이젠 이유를 물어도 되니?"

타라는 빙긋이 웃어 보이며 말했다.

"셈 선생님께 할 말이 있었는데 깜빡 잊었어. 잠깐만 기다려줄래?"

칼은 의아해 하며 눈을 찡그리긴 했지만 고개를 끄덕였다.

"그래, 가봐, 난 여기서 기다리지 뭐."

타라는 칼리브리스 부인의 사무실까지 뛰어갔지만 방은 이미 텅 비어 있었다.

"이런! 마법사들은 잠시도 가만히 있질 않네!" 타라는 입속말로 중얼거렸다.

할 수 없이 타라는 칼이 기다리는 곳으로 돌아갔다.

"벌써 나가셨어. 너 혹시 어디 계실지 아니?"

"그야 사무실에 계시겠지."

"사무실? 그래, 맞아! 사무실이 있을 거란 생각을 내가 왜 못했을까. 바보같이 드래곤이 있을 곳은 지하실이나 동굴이란 생각만 하고 있었어. 궁전 내부를 잘 알지?"

칼의 어깨가 축 늘어지면서 심드렁하게 말했다.

"그거야 장담할 수 있지! 난 2년 전에 사르도인 선생님의 수석조수가 되었어. 그 선생님은 수학적 마법과 공간의 위치측정 분야가 전문인데, 내가 어디에 착륙하는지를 알아야 한다는 핑계로 말야, 선생님은 나를 물질로 만들었다가 풀어주곤 했거든. 그 바람에 구석구석 안 가본 데가 없다니까. 금지구역을 제외하면 이 궁전은 내 손바닥 들여다보듯 훤히 알지."

"잘 됐다. 그럼 가자, 나한테 길을 알려줘."

벽을 처음으로 통과한 타라는 족히 10분 동안은 몸이 떨렸다. 칼은 초승달에 올라탄 유니콘이 표시된 통로를 알아보는 방법을 가르쳐줬다. 인식 패스를 보여주고 유니콘이 통과를 허락해주면, ……벽이 스르르 사라졌다. 물론 문을 이용할 수도 있지만 어디나 다 문이 있는 것은 아니었고, 또 문보다는 통과해야 할 벽이 더 많았다.

셈 선생님의 사무실 벽 앞에 이르렀을 때, 타라는 그 벽의 움푹 파인 벽감 안에 유니콘 조각상뿐만 아니라 최고 마법사를 상징하는 작은 드래곤 조각상이 보초를 서고 있음을 알았다. 쭈뼛쭈뼛하다 조심스럽게 벽을 노크하던 타라는 유니콘과 드래곤이 꿈틀거리는 바람에 소스라치게 놀랐다.

"거기 누구냐?" 작은 드래곤이 버럭 소리를 질렀다.

"소녀라는 걸 알면서 뭘 그래!" 유니콘이 반박했다. "얘야, 무슨 일이니?"

"저기, 저는 타라 덩컨이라고 하는데 지금 빨리 셈 선생님을 만나야 돼요."

"전해주겠다" 하고 툴툴거리면서 드래곤은 유니콘에게 내뱉었다. "그리고 너, 내가 지시를 내릴 때까지는 통로를 열어주면 안 돼."

"알았어, 알았다고." 유니콘이 얼굴을 쳐들면서 대답했다.

어찌나 얼떨떨한지 타라는 작은 드래곤이 돌아온 것도 알지 못했다. 작은 드래곤은 뜻밖이라는 투로 말했다.

"최고 마법사께서 얼른 보자고 하신다. 들어가도 돼."

"들어가, 타라. 난 여기서 기다릴게." 눈치 없는 아이로 보이고 싶지 않은 칼이 의젓하게 말했다.

타라가 입술을 질끈 깨물고 벽 속으로 전진하자 벽이 공손하게 사라졌다. 와우, 해냈다, 나도!

그래도 지구의 문다운 문이 그립다!

셈 선생님의 사무실을 위해 궁전이 만들어 놓은 동굴이며 석순, 종유석을 보면서 타라는 웃음이 나왔다. 최고 마법사가 회의를 끝낸 뒤에 쉬는 곳이 틀림없는 그 방은 금화와 보석으로 번쩍번쩍했다.

무슨 소리가 들려서 고개를 들던 타라는 다시 드래곤으로 변해 있는 셈 선생님을 보고 흠칫 뒤로 물러섰다. 6미터 위에서 족히 수백 개는 될 것 같은 날카로운 이빨을 다 드러내며 미소를 짓고는 있지만, 드래곤은 다리를 이리저리 움직이면서 보물을 감추느라 정신이 없는 것 같았다. 드래곤인데 어련하겠어! 여느 드래곤과 다름없이 금과 보석에 강한 애착을 보이고 있으니!

"내 귀여운 타라, 이렇게 찾아와 주니 정말 기쁘구나." 드래곤은 금화에 아무런 관심을 보이지 않는 타라를 보며 안심한 어조로 말했다.

타라는 단도직입적으로 말하기로 결정했다.

"궁전 안에 상그라브가 있어요!"

"아야야!" 하도 놀라서 머리를 쾅, 부딪힌 드래곤 마법사가 소리쳤다. "뭐라고 했니?"

"궁전 안에 상그라브가 있다고 했어요. 방금 잿빛 망토자락을 봤단 말예요."

"뭐라고? 트라비아 궁전에?" 드래곤 마법사가 어찌나 고함을 치는지 벽이 흔들흔들했다. "아더월드에? 내 영역에? 그 잿빛 똥자루들이 감히 내 영역에 발을 들여놨단 말인가? 내가 반드시 찾아내서 놈들을 박살내 버리겠다. 놈들을 때려잡아서 그 심장을 아귀아귀 씹어먹어야지! 이젠 전쟁이다!"

타라도 물러서지 않기로 마음먹었다. 암, 절대 안 되지!

"물론이에요. 전쟁…… 문제없어요. 그런데 제발 그 고함은 좀 멈춰 주시면 정말 고맙겠어요!" 타라는 두 손으로 귀를 틀어막으면서 말했다. "놈들을 때려잡고, 박살내고, 심장을 아귀아귀 씹어먹는 건 나중 일이고, 먼저 난 뭘 도와드리면 되죠?"

"없어. 그냥 예사롭지 않거나 수상하게 여겨지는 것이면 뭐든 내게 알려주면 된다. 특히 잿빛 옷차림의 똥자루를 다시 보게 되면 그 즉시 알리거라."

타라는 어깨를 으쓱했다. 대체 최고 경지의 마법사라는 게 맞긴 맞는 건가! 나한테는 이 세계에 있는 것이 몽땅 예사롭지 않고 이상하기 짝이 없는데!

"그 상그라브가 왜 잿빛 옷을 입고 궁전에서 어슬렁거리는지 모르겠어요. 금방 눈에 띄어서 잡힐 게 뻔한데, 안 그래요?"

"나한테 감히 도전을 하다니!" 하고 으르렁거리면서 드래곤이 어깨를 치켜올렸는데 거기 달린 6미터나 되는 날개들 때문에 미니 돌풍이 일어났다. "우리들 속에 상그라브들이 있다는 건데…… 그 저주받은 패거리에 붙은 놈들이 누군지 알 수가 없으니. 놈은 너에게 겁을 주려는 거야. 자기가 여기 있다는 것, 그리고 너를 엿보고 있다는 걸 알리는 것으로."

이 말에 타라는 소름이 끼쳤다. 그 점에서는 놈이 완벽하게 성공한 거네. 정말로 덜덜 떨리니까!

"하지만 그들을 식별할 수 있을 거 아니에요? 예를 들어서 놈들의 키나 체격이라든가?"

한숨을 내쉬던 드래곤은 타라를 숯덩어리로 만들게 될까 봐 부리나케 불을 도로 삼켰다.

"내 말을 이해하지 못하는 것 같구나. *알라카잠의 이름으로* 드래곤의 몸은 당장 인간으로 변할지어다!"

타라는 파랗게 질렸다. 드래곤 대신에 나타난 것은 잿빛 망토를 걸친 상그라브가 아닌가! 늙은 마법사보다 키가 더 크고, 얼굴은 반사경 마스크로 가리고 있었다.

타라가 미처 비명을 지를 사이도 없이 상그라브의 손짓에 마스크가 사라지면서 셈 선생님의 얼굴이 나타났는데 서른 살은 젊어 보이는 데다 목소리도 달라져 있었다. 머리털은 흰색이 아니라 갈색이었고, 눈도 금빛이 아니라 초록빛이었다.

"잘 봤지? 이렇기 때문에 우리는 상그라브들을 식별할 수 없는 거란다. 우리들 중의 누군가로 변신할 수 있으니까. 마법사는 변신할 수 있어, 다시 말해 모습을 바꿔서 사람들을 감쪽같이 속일 수 있단 말이다. 이젠 이해하겠니?"

타라가 부들부들 떨면서 고개를 끄덕이자, 드래곤은 흡족해하면서 본래의 모습으로 돌아갔다. 그 순간 타라는 제일 무서웠던 것이 무엇인지 생각했다. 무지막지하게 큰 드래곤인가, 상그라브인가…… 지금으로서는 둘이 거의 막상막하였다.

드래곤은 타라에게 조심해야 한다고 덧붙였다. 이윽고 타라가 나오자, 칼은 궁금해서 죽겠다는 얼굴로 쳐다보았다.

"그래서 말은 한 거야?" 칼이 방으로 데려가면서 물었다.

"그럼." 타라는 짤막하게 대답했다. "이 궁전은 진짜 엄청나게 크다! 아직도 멀었어?"

"좋아, 대답하고 싶지 않은 것 같으니까 더는 묻지 않겠어…… 어쨌든 지금은. 자, 다 왔어. 원하면 숙녀께서 한 번 해보시지요!"

타라 앞에서 벽이 열리고 쾌적한 응접실이 나타났다. 대형 창문들이 있어서 원탁을 에워싸는 소파와 안락의자들이 훤히 보였다. 타라는 음료수 자판기가 있는 것을 보고 탄성을 질렀다. 게다가 벽난로도 두 개씩이나! 그뿐이랴, 궁전은 그 방에 겨울 풍경을 주고 있었다. 더운 여름에 눈 덮인 전나무 숲이며 탁탁 타오르면서 연기 냄새를 풍기는 벽난로라니, 실제로 존재하는 것이 아니건만…… 쪼르르 달려가서 불을 쬐고 싶은 마음이 절로 들었다.

응접실 양쪽으로 층계 두 개가 보였다. 하나는 유니콘 기숙사로 이르는 것이고, 또 하나는 피닉스 기숙사로 이르는 것이었다.

"여기가 휴게실인데 모여서 이야기를 나눌 수 있어. 네 방은 유니콘 기숙사 쪽이야. 저쪽으로 가자."

그건 뜻밖이었다.

"너희들은 독방을 쓰지 않아?"

"우리는 수석 마법사들이니까. 다시 말해서 최고 마법사의 조수라는 건 고생 꽤나 해야 한다는 뜻이지." 칼이 짜증난다는 표정으로 한숨을 쉬었다. "높은 등급에 도달해서 마구스가 되어야만 자기 방을 가질 수 있거든. 등급이 올라갈수록 방도 커져. 셈 선생님의 경우는 특히 방이 크지. 잘 때는 본래의 모습을 되찾아야 하니까."

"드래곤의 모습?"

"응. 그런데 셈 선생님은 양피지 더미에서 잠을 자는데 그건 인화성이 높잖아. 그래서 '짝꿍머리 아줌마'가 노심초사하고 있어. 코를 심하게 골아서 언젠가는 궁전에 불을 지르고 말 거라면서. 다 왔어, 이제 너의 인식 패스를 벽에 보여주고 손님과 함께 있다고 알려. 안 그러면 난 꼼짝 못하게 돼. 허락 없이는 여자 방에 들어갈 수 없거든."

타라는 시키는 대로 했고, 그들은 방으로 들어갔다.

파란 벨벳 커튼을 드리운 닫집 침대, 타라가 생전 처음 보는 나무로 만든 옷장 하나가 거의 다 차지하는 작은 방이었다. 청록색 나뭇결까지 훤히 드러나 보이는 장밋빛 나무라니! 가구들은 흡사 흰 꽃들이 흐드러진 파란 잔디밭에서 쉬고 있는 듯했다. 저 멀리 부드럽게 물결을 이루는 언덕도 보였다.

"궁전이 너를 아주 좋아하나 보다." 칼이 흡족한 얼굴로 말했다.

"저기 보이는 건 유니콘들의 나라 멘탈리르야. 금방 유니콘 떼를 보게 될 거야."

과연 몇 초 후에 어린 유니콘들이 침대 주위를 팔짝팔짝 뛰어다녔다. 만져봐야 벽에 지나지 않는다는 걸 알고 있기에 타라는 그 부드러운 코를 쓰다듬어주고 싶은 마음을 억제했다. 그런데 멘탈리르라면…… 꿈속에서 이상하게도 낯익게 느껴지지 않았던가. 타라는 하마터면 칼에게 그 나라, 그 이름, 아더월드에서의 위치까지 알고 있다고 말할 뻔했다. 하지만 좀 전에 이 이상한 행성에 대해서는 전혀 모른다고 이미 말했던 터라 입을 다물기로 했다. 타라는 방금 사귄 친구가 정신 건강을 의심하는 것이 싫었다. 적어도 지금은.

"너, 진짜 운이 좋다. 언젠가는 궁전이 말야, 거인들의 나라 간디스와 난쟁이들의 나라 히믈리아 사이에 위치한 동쪽 변방에서 온 백작을 감기에 걸리게 했거든. 오만 방자한 백작이 왕비를 모욕하는 말을 하자, 궁전이 본때를 보여주려고 밤새도록 악몽에 시달리게 하는 풍경을 만들어낸 거 있지. 뱀, 거미, 전갈, 아더월드의 온갖 괴물이 우글거리고, 끔찍한 폭풍이 몰아치는 풍경 속에서 잠을 자고 나더니 백작은 항복했고, 결국 사흘 만에 도망치듯 떠나고 말았다니까!"

벌레라면 질색하는 타라는 몸서리를 쳤다. 윽, 나라면 10분도 견디지 못했을 텐데!

머리맡의 대리석 탁자 위에 검정가죽으로 장정된 두툼한 책이 한 권 놓여 있었다. 표지에서 예절, 풍습과 관습, 왕궁의 법칙과 규정이라고 쓰인 금빛 글씨를 읽을 수 있었다. 그리고 시간표. 거울 달린 옷장을 경계로 공간이 두 부분으로 나뉘어져 있었다.

"자, 이제는 너를 소개해야 해." 칼이 알려줬다.

"나를 소개해? 누구한테?"

"당연히 네 침대한테 해야지!"

타라는 닫집을 쳐다보면서 칼이 놀리는 거라고 생각했다. 하지만 칼의 표정은 아주 진지했다.

"미안해!" 칼이 머쓱한 미소를 지으며 말했다. "네가 아더월드를 모른다는 걸 깜빡 잊었다. 그냥 침대 앞에서 이름을 말하면 돼. 그다음부터는 침대가 너를 알아볼 거야. 행정관과 감독관, 그리고 너만 들어갈 수 있어. 아, 물론 네가 손님을 데려왔을 때는 예외야. 옷장에도 똑같이 해야 돼."

타라는 침대 앞으로 가서 말했다.

"타라 덩컨!"

스르르 미끄러지면서 커튼이 열렸고, 푹신푹신한 깃털 이불과 산뜻한 시트가 보였다.

"침대는 갇혀 있어." 칼이 설명했다. "우리 같은 애송이 마법사들은 잠이 들면 침대의 능력을 통제할 수가 없거든. 그래서 침대들이 궁전 안을 이리저리 날아다니는 일이 없도록 닫집 안에 가둬둔 거야. 등급이 높은 사람들은 커튼이 없는 침대를 써. 애송이들을 더 오랫동안 붙잡아두려고 통제되지 않는 척하는 침대도 많이 있어. 이제는 입력되었으니까 침대는 너에게만 열릴 거야. 이번엔 욕실을 보여줄게."

하얀 타일을 붙인 욕실은 널찍했다. 궁전은 욕실에 잔잔한 호수를 만들고 있었다. 그리고 그 찰랑거리는 수면 한복판에서 매혹적인 물의 요정이 노래를 흥얼거리며 치렁치렁한 초록빛 머리를 빗고 있었다.

이때 방에서 무슨 소리가 나서 둘이 날렵하게 뛰어가 보자, 도착한 타라의 짐이 둥둥 떠서 차례로 침대 옆에 내려앉고 있었다.

칼은 손을 비비면서 말했다.

"이번에는 잘 기억하는지 한 번 시험해봐야겠어. 옷장 앞에 가서 네 이름을 말해."

타라는 어깨를 으쓱하면서 이름을 말했다.

옷장이 반응하면서 두 짝 문과 서랍 세 개가 얌전히 열렸다.

칼이 옷장 앞에 와서 외쳤다.

"*랑자루스의 이름으로* 옷들은 정리되어라!"

칼이 딱딱 손뼉을 치자, 타라의 가방에서 총알처럼 톡톡 튀어나온 옷들이 가지런히 옷장에 걸리기 시작했다. 눈 깜짝할 사이에 옷장이 가득 찼고, 문짝이 닫혔다.

"대단한걸!" 타라가 감탄했다. "뭐라고 했더라? *랑자루스의 이름으로* 옷들은 정리되어라?"

그 말에 옷장이 다시 열리면서 난리법석이 일어났다. 옷들이 다시 몰려나오고 있는데…… 하필이면 그때 한 무리의 여자아이들이 들이닥쳤다. 난데없이 날아오는 실내복에 얼굴이 휘감긴 한 소녀가 꽥꽥 소리를 질러댔다.

몹시 당황한 타라는 얼른 사과했다. 타라보다 키도 크고 나이도 많아 보이는 갈색머리 소녀가 겁을 집어먹었는지 얼굴이 빨개져서 씩씩거리고 있었다.

꺽다리 소녀는 적의를 품은 눈으로 타라를 노려봤다.

"야, 이 머저리 계집애야, 어디다 대고 옷을 휙휙 내던지는 거야? 칼리브리스 부인에게 이르겠어. 부인이 눈감아줄 것 같아?"

"미, 미안해. 일부러 그런 게 아니었어. 정말 미안해."

"저리 비켜!"

감히 마법을 사용해서 옷가지를 정리할 용기가 없는 타라는 소녀들의 비웃는 눈길을 받으면서 옷을 주섬주섬 줍기 시작했다.

이제 막 짐을 풀기 시작했다는 걸 알아챈 꺽다리는 앙칼지게 말했다.

"너! 이리 와봐!"

타라는 옷을 한가득 안은 채로 돌아봤다.

"나?"

"그래, 너, 이 멍청한 계집애야, 이 방은 내가 쓸 거야! 그러니까 이 방에서 꺼져버려. 아니면 재미없을 줄 알아!"

"야, 안젤리카, 너 왜 이래? 네가 뭔데 이 방에서 나가라 마라야?"

칼이 꺽다리 소녀 앞에 버티고 섰다. 그러자 꺽다리의 눈이 가자미눈이 되었다.

"그러는 넌 지금 여기서 뭐 하는 건데? 넌 유니콘 날개에 있을 권리가 없어!"

"오, 그런데 이를 어쩌나! 난 여기 있을 당연한 권리가 있으니." 칼이 응수했다. "칼리브리스 부인과 셈나샤오비로다인트라쉬부 최고 마법사께서 타라를 여기 데려다주고 짐 푸는 걸 도와주라고 부탁하셨거든. 넌 수석조수에 불과하고, 기숙사에서의 권리는 너나 우리나 다 똑같아. 그러니까 너나 얼른 꺼져버려!"

타라는 분노로 주먹을 불끈 쥐는 꺽다리 소녀를 보면서 칼에게 당장 덤벼들 거라고 생각했다. 하지만 꺽다리는 용케 감정을 억누르면서 쏘아붙였다.

"아, 귀방울, 머지않아 앙갚음을 해줄 테니까 기대해. 얘들아, 이 머저리들은 누더기들이나 주우라고 하고 우린 나가자. 그사이에 우리는 선생님한테 가서 조르는 거야. 분명히 이 방을 나한테 주실 거야!"

꺽다리 소녀가 마지막으로 잡아먹을 듯이 쏘아본 뒤에 방을 나가자 패거리도 우르르 몰려나갔다.

"휴," 칼이 한숨을 내쉬었다. "난 그 계집애가 덤벼드는 줄 알았어!"

"나도 그랬어." 한바탕의 소란에 아직도 얼떨떨한 타라가 말했다. "그런데 잘 아는 애야? 누구야?"

"최고 마법사 브란드라우드의 막내딸이야. 자기가 제일 잘났다고 착각하고 사는 공주병이지. 일찌감치 마법 능력을 타고난 걸 인정받았거든. 열여섯 살이고, 셈 선생님 다음으로 마법이 강력한 드라고쉬 선생님의 수석조수야. 그런데 이상한 건 네 옷이 날아갔을 때 그 계집애가 겁을 먹었단 말야. 그건 정말 뜻밖이었어!"

"우리 둘밖에 없었잖아! 대체 어떻게 된 일이었지? 내 옷들이 왜 도로 튀어나왔던 거지? 잘 정리되어 있었는데!"

칼은 어이가 없다는 얼굴로 타라를 쳐다봤다.

"그거야 네가 정리하라는 주문을 다시 읊었기 때문이지. 더 정확히 말하면 너는 마치 짐을 다시 꾸리는 것처럼 네 옷들에게 정리되라고 명했던 거야. 하지만 도착 지점을 보여주지 않았기 때문에…… 우르르, 옷들이 아무 데다 마구 날아갔던 거지, 뭐!"

그 말에 타라는 화들짝 놀랐다.

"그럼 내가 그 말을 입밖에 내는 즉시 주문이 걸렸다는 거야? 소름이 끼치는군!"

"너, 농담이지? 그게 얼마나 굉장한 건데! 그런 능력이면 대접이 싹 달라진단 말야. 대개의 경우, 어떤 주문이 제대로 걸리게 하려면 지옥 훈련이 따로 없어. 성공하기까지는 정말 피나는 노력이 필요하단 말야. 그런데 너는 그 능력이 마치 본능적인 것 같아. 야, 너 내 말 잘 들어. 아무한테도 그 말을 하면 안 된다."

"야라니! 나를 그렇게 부르는 건 용납 못 해! 그리고 난 마법을 사용할 수 없어. 그건 금지되어 있단 말야!"

칼은 영리했다.

"아하! 알겠다!" 칼이 호기심으로 눈을 반짝였다. "그 피의 맹세 얘기가 너와 관련된 거였구나, 그렇지?"

"응." 타라는 하는 수없이 고백했다. "내가 마법을 쓰면 할머니가 돌아가셔. 그러니까 내 앞에서 마법을 쓸 때는 조심해줘!"

칼은 입술을 질근질근 깨물면서 생각에 잠겼다.

"하지만 피의 맹세가 절대적인 것은 아냐, 타라. 그건 피의 맹세를 했던 사람과 특히 그 상황에 따라 다를 수 있거든. 할머니 앞에서 마법을 써본 적은 있어?"

"응."

"그래서 할머니가 쓰러지기라도 하셨어?"

"아니."

"그렇다면 어떤 구체적인 조건이 있는 거야. 도서관에 데리고 가서 그 문제에 관한 책을 찾아줄게. 너 여기서 얼마나 머물지?"

"열흘."

"그럼 문제없어."

"그래, 좋아. 하지만 그보다 먼저……."

"뭔데?"

"먼저 짐 정리하는 걸 도와줘."

그들이 서둘러서 방 정리를 끝내고 있을 때, 종소리가 울렸다.

"야호!" 칼이 즐거워했다. "점심시간이야. 빨리 가자!"

칼은 타라의 손을 잡아끌면서 뛰었다. 벽 앞에 이를 때마다 칼은 팔을 흔들었고, 그의 인식 패스가 길을 열어주었다. 대형 식당에 이르렀을 때, 타라는 왕과 왕비, 측근이 먹는 식당이 아니라는 걸 알고 안심했다. 경비병들, 마부들, 정원사들, 마법사들, 신분이 낮은 궁인들, 빨래와 다림질 담당 세탁부들, 재단사들…… 간단히 말해서 행정관 칼리브리스 부인의 지휘하에 궁전의 생계를 맡고 있는 사람들이 전부 모여 있었다.

타라가 잘생긴 보초와 이야기를 나누는 데리아를 발견하고 활짝 웃자, 그녀도 살짝 윙크를 보냈다. 야아, 드디어! 이런 낯선 곳에 친한 사람이 있다고 생각하자 타라는 대번에 기분이 훨씬 좋아졌다.

식당 한쪽 구석에는 패밀리어들을 위한 각양각색의 식기들이 쭈르륵 놓여 있었다. 마니투와 칼리반의 여우 블롱딘은 먹느라고 바빠서 주인들은 안중에도 없었다.

칼리브리스 부인이 조용히 시켰다.

"모두들 주목하세요. 여러분에게 새로운 마구스들과 수석 마법사들을 소개하게 되어 기쁩니다. 덴마릴 선생님이 마침내 수석조수로 로빈 망질을 선택하셨습니다. 덴마릴 선생님은 이런저런 일로 여러분을 다시는 귀찮게 하지 않을 것입니다. 이제부터는 로빈 망질이 보좌할 거니까요."

칼리브리스 부인의 손짓에 따라 이목구비가 또렷하고 해맑은 눈빛의 키다리 소년이 상기된 얼굴로 일어나서 수줍은 미소를 지어 보이고는 얼른 도로 앉았다.

"그리고 기상관측 마법사도 생겼으니까 앞으로는 빨래를 밖에 내다 널었는데 비가 오면 데리아 부인에게 항의하세요."

데리아는 일어나서 아무도 흉내낼 수 없는 우아한 모습으로 인사를 하고 나서 칼리브리스 부인을 향해 눈을 흘겼다. 그 유머가 영 마음에 안 들었던 모양이다.

"자, 이번에는 다른 마법사들의 직업에 대해서도 알려드리겠습니다."

타라가 칼리브리스 부인의 말에 귀를 기울이고 있을 때, 누군가가 칼을 팍 떠밀면서 옆으로 다가왔다.

"타라?" 뜻밖이라는 얼굴로 소년이 외쳤다.

"파브리스!" 타라는 반가워하면서 속삭였다. "너를 여기서 만날 줄 알았어."

"너희 둘, 서로 아는 사이야?" 깜짝 놀란 칼이 물었다.

"그럼!" 파브리스는 입이 함박만해져서 대답했다. "타라, 내가 얼마나 기쁜지 넌 상상도 못할 거야. 아버지가 나를 아더월드로 보낸다고 했을 때 하마터면 너의 능력에 대해 털어놓을 뻔했는데……. 너 여기 와 있는 거 보니까 할머니한테 사실을 말했구나, 그치?"

"글쎄, 뭐 그런 셈이지." 친한 친구에게 사실을 숨겨야 하는 것이 난처한 타라는 얼버무렸다.

두 아이의 재회에 별로 관심이 없는 칼은 조바심을 쳤다.

"에이, 빨리 좀 끝내지. 배고파 죽겠는데!" 행정관의 연설이 계속되자 칼이 투덜거렸다.

칼리브리스 부인은 마치 그 말을 들은 것처럼 두 개의 머리를 까딱 숙이면서 점심시간을 알렸다. 타라는 마법으로 식탁이 차려질 거라고 생각했다. 하지만 달음박질이라도 하듯 몰려오는 한 떼의 시종이 비프스테이크, 닭고기구이, 걸쭉한 수프, 버터 범벅이 된 야채, 바퀴 모양의 큼직큼직한 치즈, 산더미 같은 과자며 사탕, 초콜릿을 나르고 있었다.

"모두들 맛있게 먹어요!" 칼리브리스 부인이 미소를 지으면서 말했다.

부인이 주문을 걸자, 먹음직한 고기 한 조각이 그녀의 접시에 내려앉았고, 나이프와 포크가 고기를 썰기 시작했다.

칼리반은 이미 큼직한 고깃덩이 세 개를 접시에 담아 놓고 게걸스럽게 먹어대고 있었다. 손에 닿는 것이면 닥치는 대로(가까이 있거나 멀리 있거나 야채처럼 보이지 않는 음식은 뭐든 가리지 않고) 꼭 두세 번은 퍼담기 때문에 칼의 접시에는 음식이 수북히 쌓였다. 파브리스와 타라는 칼이 한 이틀은 굶은 듯이 배가 터지게 먹는 모습을 재미있다는 얼굴로 쳐다보고 있었다.

타라는 아기처럼 막무가내로 떠먹여주고 싶어 하는 포크, 나이프, 스푼과 잠시 승강이를 벌이다가 화를 내거나 말거나 포크를 움켜잡고 혼자 힘으로 먹는 데 성공했다.

아더월드에 도착했을 때의 첫인상에 대해 묻는 타라의 질문에 파브리스는 선뜻 말문을 열지 않았다. 잠시 뜸을 들이던 파브리스는 '짝꿍머리 아줌마'를 보면서 깜짝 놀랐지만, 외눈 거인 감독관을 만났을 때는 아버지한테 들어서 이미 알고 있었던 터라 그리 놀라지 않았고, 키마이라는 정말 싫다고 얘기했다.

파브리스는 마법에 매료되었으며, 앞으로 모시게 될 샹프랭 선생님을 보좌하는 날을 손꼽아 기다리고 있었다. 이번에는 칼리반의 차례였다. 부모님을 비롯해 온 식구가 마법사들인 가정의 다섯 형제 중 막내아들인 칼리반은 사르도인 선생님의 조수가 된 걸 전혀 달가워하지 않고 있었다.

"난 정말 이해할 수가 없어. 엄마가 승인된 최고 도둑인데 내가 왜 어떤 최고 마법사를 위해 일해야 하는지 그 이유를 모르겠어. 난 이미 뛰어난 도둑이란 말야!"

"네가 뭐라고?"

타라는 귀가 믿어지지 않았다.

"난 도둑이야. 어쨌든 난 어른이 되면 전문 도둑이 될 거야."

"그런데 너 도둑이 뭔지는 알고 하는 말이냐?" 파브리스는 어처구니가 없는 얼굴로 물었다.

"뭐긴 뭐야, 훔치는 사람이지!" 칼은 태연하게 대답했다.

"도둑이란 건 말야, 지구에서는 절대로 자랑할 게 못되는 거야!" 파브리스는 화를 내면서 "그건 정말이지 창피한 직업이라고! 훔치는 사람은 감옥에 간단 말야!"

"그런 게 도둑이라고? 야, 너 웃기지 마. 우린 도둑 가족이란 말야. 그리고 우리는 랑코비트 정부를 위해 일하고 있다고!"

타라는 어이가 없었다.

"그러면 랑코비트 정부는 대체 도둑들을 데리고 뭘 한다는 거야?"

"도둑이라고 다 똑같은 도둑이 아니란 말야! 우린 면허를 받은 도둑들이니까. 우리는 아주 중요한 임무를 수행할 뿐이라고! 예를 들어서 한 마법사가 위험한 주문을 개발했는데 어떤 왕국이나 제국이 이웃나라를 정복하는 데 그 주문을 사용하기로 결정했다고 생각해봐."

"그러면 어떻게 되는데?"

"랑코비트 정부가 우리 가족에게 도움을 청해. 그러면 우리는 그 주문을 훔쳐서 다른 나라들에도 전하지. 그렇게 해서 모든 나라가 그 주문을 알게 되면 적대적인 세력간의 균형이 회복되지."

"아하, 알겠어. 네 엄마가 면허를 받은 도둑이란 말이지? 그러니까 일종의 제임스 본드 걸이라는 거지?"

"지구의 첩보 영화 〈007〉 시리즈의 제임스 본드? 오, 천만에! 제임스 본드의 실력은 우리 엄마에 비하면 아무것도 아니지. 우리 엄마가 무도회장에서 팬티와 구두를 슬쩍해도 제임스 본드는 그다음 날이 돼서야 알아차릴걸!"

007을 열렬하게 좋아하지만 파브리스는 그냥 넘어가기로 했다.

"너네 엄마는 그렇다고 치고 왜 너까지 도둑이라고 말하는 건데?"

"훈련을 끝내는 즉시 도둑 면허를 딸 거니까." 칼이 자랑스럽게 대답했다.

"훈련? 어떤 종류의 훈련인데?" 파브리스가 관심을 보였다.

"솜씨를 한번 보여줄까?" 칼이 물었다.

"네가 귀찮지 않다면 나야 좋지!"

파브리스의 말투에선 불신감이 느껴졌다.

"귀찮다니, 천만에!" 칼은 어깨를 으쓱거리며 대꾸했다. "어쨌든 희생양은 너다!"

바로 그때, 방 저쪽 끝에서 얌전히 먹고 있던 칼의 여우 블롱딘이 갑자기 식탁 위로 뛰어올랐다. 그 바람에 여자아이들이 비명을 지르고, 남자아이들은 욕설을 퍼붓는 등 한바탕 소란이 일었다.

파브리스는 칼을 돌아보며 말했다.

"자, 이제 해봐."

"벌써 했어." 칼이 천연덕스럽게 말했다.

친구들의 어리둥절한 눈길을 받으면서 칼은 전리품들을 줄줄이 꺼내 놓았다. 브주아 지롱의 이니셜이 수놓인 손수건 석 장, 껌 몇 개와 심지어는 씹던 껌도 하나, 장밋빛 고무줄 한 개, 금빛 머리핀 한 개, 심이 부러진 연필 한 개, 지우개 한 개, 은화 두 닢, 밤색 수첩 한 개."

"머리핀과 고무줄은 네 거 아니지?" 칼이 놀렸다.

"아니, 이럴 수가!" 파브리스는 얼굴이 빨개져서 대답했다. "그건 타라 거야!"

"씹던 껌은 내 것이 아냐!" 호주머니를 뒤지면서 타라도 한 마디했다. "다른 것들에 관해서는…… 믿을 수가 없어! 난 느끼지도 못했어!"

"나도!" 파브리스도 맞장구쳤다.

칼은 긴 손가락들을 유연하게 흔들었다.

"이건 아주 어릴 적에 배운 건데 무슨 방법으로든 주의를 딴 데로 돌리게 하는 기술이야. 지금은 블롱딘을 이용했지만 다른 것이 될 수도 있어. 그러고는 내가 원하는 것을 슬쩍하는 거야. 아주 간단해!"

칼의 솜씨에 감동한 타라와 파브리스는 승인된 도둑의 아들에게 호기심을 보이면서 점심을 먹는 동안 내내 질문을 퍼부었다.

칼이 들려주는 모험담 중 절반은 믿어지지 않는 것들(독뱀과의 싸움, 식인 민달팽이들이 우글우글한 데서 금지된 문서 도둑, 그리고 잊지 못할 몇 가지 위험과의 대치)이었지만, 나머지는 충분히 그럴 듯해서 그들은 어린 도둑을 경탄의 눈으로 쳐다봤다.

그 와중에 타라는 자신에게 쏠리는 안젤리카의 싸늘한 시선을 이따금 느꼈다. 꺽다리 소녀는 타라가 식당에 들어섰을 때부터 손가락질을 하더니 옆에 앉은 빨강머리 소녀에게 계속 귀엣말을 속삭이고 있었다.

과자와 사탕을 실컷 먹은 뒤에 그들은 식당을 나왔다. 이제부터는 뭘 해야 할지 모르는 타라가 우물쭈물하고 있을 때 칼이 귀띔했다.

"여기서는 열심히 하려고 애쓸 필요 없어! 셈 선생님이 네가 방학중이라고 했으니까 넌 그냥 신 나게 놀아! 누군가가 너를 보고 싶으면 너의 인식 패스가 알려줄 거야."

타라의 눈이 휘둥그레졌다.

"뭐? 내 인식 패스가 알려준다고? "

"선생님들은 누구나 인식 패스로 우리와 연락할 수 있어. 우리를 호출할 수도 있고, 또 어디서 만나자는 말도 할 수 있어. 아무 일도 없고, 어떤 지시도 남기지 않으면 당분간은 선생님에게 우리가 필요하지 않다는 뜻이야. 나는 그런 때를 이용해서 내가 할 수 있는 걸 혼자서 연습해. 타라, 궁전의 정원을 구경하고 싶지 않니? 참, 파브리스, 오늘 오후 당번이야?"

"아니, 놀아. 샹프랭 선생님을 돕는 일은 내일부터 시작이야."

"잘 됐네! 그럼 모두 함께 나가자, 정원이 끝내주거든."

칼의 말이 맞았다고 인정해야 했다. 마법으로 물들인 나뭇잎들, 붉은 밑동, 흑장미와는 대조를 이루는 나무꼭대기의 파란빛과 레몬빛 잎, 꼭 날아가는 무지개처럼 보이는 오색찬란한 새들…….

친구들과 이런저런 얘기를 나누면서도 타라는 신비로운 동물상과 식물상에 눈이 돌아갈 지경이었다. 그때였다. 귀가 초록색인 오렌지색 고양이에게 쫓기는, 꼬리가 둘 달린 빨간 생쥐가 눈에 들어왔다. 어라, 고양이에게 쫓겨야 하는 쥐의 팔자는 여기도 지구와 다를 바가 없네. 궁지에 몰린 생쥐가 이상한 몸짓을 하는가 싶더니…… 한순간에 사라졌다!

이번에는 또 고양이가 순식간에 사라졌다. 쥐의 이동경로를 미리 예상한 건가. 몇 미터 떨어진 곳에 불쑥 나타난 고양이 앞에서 생쥐가 질겁하는 걸 보면.

독이 오른 생쥐는 그 날카로운 이빨로 고양이의 주둥이를 칵 깨물고는 나무 밑구멍으로 쏘옥 사라졌다.

약이 오를 대로 오른 고양이는 나뭇가지에 올라앉아서 구멍을 엿보기 시작했다. 타라는 한숨을 내쉬었다. 이런! 이것도 아더월드의 트릭이잖아! 여기서는 동물들도 마법을 사용한단 말이지. 그래, 알았어. 혼자서 나돌아다닌다는 건 어림도 없다 이거지.

궁전을 에워싸는 울창한 숲, 칼은 친구들을 숲 기슭으로 데려갔다. 하지만 정원의 덩치가 어찌나 큰지 그들은 일부만 구경하는 것으로 만족해야 했다.

아더월드에는 7계절이 존재하고, 1년은 14달이다. 마법은 기후 조건을 급격하게 바꿔 놓을 수 있어서 그늘에서도 40도를 웃도는 더위를 경험하거나, 언제 3미터 깊이의 눈 더미 속에서 눈을 뜨게 될지 누구도 예측하기가 힘들다. 아더월드의 동물과 식물은 그 변화무쌍한 기후에 적응이 잘 되어 있는 모양이다. 동물들은 하룻밤 사이에도 털이 쑥쑥 자랄 수 있으니! 그뿐이랴! 갈색, 초록색, 파란색, 빨간색 털도 눈이 오면 순백색으로 변할 수 있다. 게다가 눈이라고 해서 언제나 하얀 것도 아니라니! 히믈리아의 산에서 난쟁이들이 채굴한 광물 중에 마력을 지닌 철이 눈을 오렌지색으로 물들여서 눈이 오면 모든 동물이 양홍색이나 진홍색으로 변하기도 한다.

그때까지 최고 마법사들 중 누구도 그들을 호출하지 않았다. 타라와 파브리스에게 느긋하게 아더월드의 생활을 보여줄 수 있는 칼은 마냥

신이 나 있었다.

파브리스는 이 기회에 최근에 생각해낸 수수께끼를 냈다.

“첫째 글자는 사람들에게 생기는 좋아하는 마음, 둘째 글자는 동그란 것, 합하면 지금 우리가 있는 곳이야.” 파브리스는 수첩을 보면서 말했다.

“그거야 쉽지.” 칼이 대답했다. “정과 원, 따라서 정원이야.”

“어쭈, 제법인데! 하나 더 해봐. 첫째 글자는 냄새를 맡는다. 둘째 글자는 사슴에게 있다. 셋째 글자는 되새김질을 한다. 다 합하면 초식성 육지 동물.”

“알겠다!” 타라가 외쳤다. “냄새를 맡는 건 코, 사슴에게 있는 건 뿔, 되새김질을 하는 건 소, 다 합하면 코뿔소!”

“이건 반칙이야!” 칼이 따지고 들었다. “난 지구의 동물을 모르잖아!”

파브리스는 싱글벙글했다.

“좋아, 두고 봐. 아주 까다로운 문제를 만들어낼 테니까.”

그들은 저녁식사 시간 때까지 그렇게 노닥거리다가 점심때와 비슷한 만찬을 신 나게 즐겼다.

친구들과 헤어져서 방으로 들어서던 타라는 유니콘 기숙사의 벽이 열려 있는 걸 보았다. 안젤리카가 차지한 침대 주위에 그 패거리가 모여 있는 것으로 보아 그 꺽다리가 독방을 얻어내지 못한 모양이다.

지나가는 타라를 알아본 꺽다리 소녀는 살기를 품은 눈초리로 쏘아보았다.

양치질을 하고 나서 타라는 얼른 폭신한 이불 속으로 들어갔다. 그러고는 셈 선생님의 크리스털 번호를 외우고 나서 예법에 관한 책을 읽기 시작했다. 와, 재미있는걸! 궁전에 구멍을 파거나(당연히 그뤼에르 치즈처럼 구멍이 뻥뻥 뚫리는 걸 궁전이 좋아할 리야 없겠지) 벽을 씹어먹는

(궁전을 이루고 있는 마법 물질인 말리시오사에 대한 알레르기가 일어날 수 있기 때문에) 따위의 일은 금지되어 있었다. 어전 이외의 장소에서는 공중부양이 허락되어 있었다. 난쟁이들의 전쟁 망치, 엘프들의 마법 활, 유니콘의 뿔을 포함해서 마력이 있든 없든 무기란 무기는 궁전의 성벽 안에서는 일체 금지되어 있어서 방 입구에 설치된 바구니에 넣어두라고 되어 있었다(그래? 유니콘의 뿔을 뽑을 수 있단 말이지?). 또 뽑을 수 없는 발톱과 이빨을 가진 피조물들은 왕과 왕비, 편집 증세가 있는 경호원들을 향해 공격적인 행동은 절대 삼가라고 되어 있었다. 촉수가 있는 피조물들은 군주들의 몸에 닿는 일이 없도록 상당한 거리를 늘 유지해야 했다. 그 촉수들이 끔직한 두드러기를 일으킬 수 있기 때문이다. 땅 신령들은 그들이 파 놓은 터널을 이용해서 왕과 왕비 앞에 나타나는 것이 허락되지 않고, 다른 피조물들과 마찬가지로 반드시 표면에 모습을 드러내야 했다. 한 꼬마도깨비가 본의 아니게 현재 왕의 선대왕 한 명을 돼지로 둔갑시킨 뒤로 꼬마도깨비들은 짓궂은 장난을 치는 것이 금지되어 있었다. 그 왕은 아주 늙도록 살았지만 원래대로 변신시킬 수 없었던 모양이다. 궁전의 초상화들 중 하나가 머리에 왕관을 쓴 뚱뚱한 털보 수퇘지 모습을 하고 있는 걸 보면 말이다.

전쟁, 궁전의 습격, 마법 공격 등과 같은 불가항력의 경우를 제외하고는 복도를 뛰어다니는 것이 금지되어 있었다. 궁전이 간지럼을 심하게 타기 때문이다. 그렇다면 그런 돌발사건이 종종 일어난다는 거잖아! 타라는 덜컥 겁이 났다.

다행히 아주 두꺼운 책은 아니라서 읽는 족족 신기하게도 머릿속에 새겨졌다. 굉장히 실용적인 책이었다. 타라는 골치 아픈 문법과 산수 책들과 씨름하게 내버려두었던 할머니가 정말 야속하다는 생각이 들었다.

10시 종소리가 울리기 전에 책을 다 읽은 타라는 침실의 불을 껐다. 그러자 그 순간 방이 풍경을 바꾸면서 별빛이 부드러운 밤이 침대를 에워쌌고, 포근하고 향기로운 바람이 불면서 타라는 서서히 잠에 빠져들었다.

잠이 들면서 타라가 마지막으로 한 생각은 안젤리카와 그 패거리에 대한 것이었다.

"꺽다리의 코고는 소리 때문에 패거리가 밤새도록 한 잠도 못 자면 좋겠다!"

4
뱀파이어

그 이튿날, 칼과 파브리스와 함께 접시에 코를 빠뜨린 채 정신없이 아침을 먹고 있던 타라는 소스라치게 놀랐다. 인식 패스가 지지직거리면서 진동했기 때문이다.

"안녕, 타라." 사진 대신에 인간의 모습을 한 셈 선생님의 이미지가 미소를 보내고 있었다.

"안녕하세요, 선생님." 손목에 대고 말을 건네다니, 타라는 묘한 기분으로 대답했다.

"잘 잤니?"

"네, 선생님도 안녕히 주무셨어요?"

"그래, 아주 잘 잤다. 아침식사를 끝내는 대로 네 방으로 가서 준비되어 있는 정장을 입고 어전 앞으로 오너라."

질겁한 타라는 말을 더듬었다.

"내, 내, 내가요? 왜요?"

셈 선생님의 얼굴이 확 구겨져서 타라는 감히 따질 엄두가 나지 않았다.

"아, 아, 알겠습니다, 셈 선생님."

"암, 그래야지. 조금 이따 보자."

"너희들도 들었지?" 타라는 칼과 파브리스를 보면서 한숨을 내쉬었다. "아침식사를 끝낸 뒤에는 정장을 입고 왕과 왕비를 만나야 한대. 하지만 그게 누가 되었든 나를 소개하는 건 딱 질색이야!"

"얼마나 큰 영광인데, 그게 무슨 소리야!" 칼이 거북해하는 타라를 보면서 놀렸다. "그러니까 기죽을 필요 없어. 아이고, 큰일났다! 최고 마법사들은 지각하는 사람을 끔찍하게 싫어하거든. 아직 시종장 스칼리에 대해 해줄 말이 있는데, 그야말로 엽기 그 자체거든!"

기분이 나아진 타라는 방으로 뛰어갔다. 옆이 트인 파란빛과 은빛 튜닉이 닫집 위에 놓여 있었다. 타라는 얼른 갈아입고 어전을 향해 로켓이 발사되듯 튀어나갔다.

가는 동안, 랑코비트 건축양식의 꽃무늬 조각을 보면서 타라는 눈이 휘둥그레졌다. 위엄 있는 신하들의 모형도 이따금 보였다. 현관에서 어전까지는 층계가 아니라 그 입구까지 완만한 경사로 연결되는 길고 긴 복도가 나 있었다. 흰빛과 금빛이 어우러진 어전의 벽들이 은빛 그림으로 장식된 파란 천장을 향해 어쩌면 그렇게도 사뿐히 서 있는지, 벽들이 그 어마어마하게 많은 돌을 떠받치고 있다는 게 도저히 믿어지지 않았다. 어전에서는 궁전이 조심하는 태도를 보이는 듯했고, 환상적으로 조각된 돌이 몽환적인 풍경과 함께 눈길을 사로잡았다.

건축가들과 난쟁이 장인들이 실력발휘를 해놓은 어전에는 랑코비트 왕국의 법을 준수하는 국민들의 오색찬란한 단기들이 그 웅장한 실내장식을 한층 부각시키고 있었다.

페리도르 백작의 물총새, 드라토르 공작의 늑대, 실바인 백작의 까마귀, 철의 손 롱보(수백 년 전 '찌르레기 전쟁'에서 잃은 손 대신에 철의 손을 이식했던)의 후손 아니랄까 봐 강철 손을 가진 마르크 왕자의 금빛 사자, 탈 백작의 다람쥐, 랑코비트의 상징인 초승달에 올라탄 유니콘이 서로를 뚫어져라 쳐다보고 있었다.

400년 전 트롤족과 에드라킨족이 전쟁을 벌였을 때, 현재 군주의 조상인 메리에 무레글리즈는 오랜 세월 독립되어 있던 여섯 개의 인간 지역을 통합해 놓았었다.

엘프들의 마법에 걸린 태피스트리들이 때마침 왕의 조상들과 랑코비트 영웅들의 무용담을 이야기하고 있었다. 용맹한 랜달프의 짐승몰이, 대왕벌레의 보물 훔치기와 벌레의 처절한 복수, 브리강돈의 네 개의 마법 반지, 철의 손 롱보가 엘프들에게 구원을 청해서 대전을 승리로 이끄는 데 사용했다는 마법 피리, 불빛 머리의 미녀 마리앙드레의 위업과 에드라킨족의 저주받은 수장의 패전을 경험한 메리에의 전투…….

갑자기 타라는 귀가 번쩍 뜨였다. 태피스트리들 중 하나가 잘 아는 이야기를 하고 있었다. 미녀와 야수의 이야기……, 그렇다면 그게 실제로 있었던 일이란 말야? 랑코비트의 어떤 왕이 그와 비슷한 저주의 희생양이었던 것일까? 윽, 끔찍해!

어전 입구에서 셈 선생님이 기골이 장대한 장사와 이야기를 나누고 있는데 과연 모든 궁정부인들이 흠모의 한숨을 내쉴 법했다. 그 옆에 서 있으니 늙은 마법사는 정말 왜소하기 짝이 없었다.

한 덩어리의 버터를 연상케 하는 또 다른 선생님이 툭 불거진 빨간 눈을 굴리면서 복도를 연신 기웃거렸다. 아마도 자신의 조수를 기다리는 모양이었다. 칼리브리스 부인이 전날 소개했던 이목구비가 또렷하고 단단한 체격의 소년과 등을 돌린 채 얘기를 하던 또 한 명의 선생님이 갑자기 돌아섰을 때, 타라는 깜짝 놀랐다. 크리스털 같은 눈이며 치렁치렁한 흰 머리털, 뾰족한 귀, 그것들이 엘프의 특성이 아니라고 해도 타라는 박쥐로라도 변신해서 숨고 싶은 심정이었다.

이어서 안젤리카가 선생님과 함께 나타났을 때는 숨이 턱 막힐 뻔했다. 헉, 뱀파이어다! 꺽다리의 선생님이 뱀파이어라니! 깡마른 키다리, 이글거리는 빨간 눈, 뒤로 넘긴 검은 머리털, 그 커다란 하얀 송곳니들을 드러내고 냉소적으로 비웃는 뱀파이어를 보며 타라는 소름이 쫙 돋았다.

칼이 몸을 숙이면서 타라에게 속삭였다.

"랑코비트의 최고 마법사들이야. 저분이 바로 드라고쉬 선생님인데 보다시피 뱀파이어고, 수석조수는 어제 그 꺽다리 안젤리카 브란드라우드야. 그 옆에 있는 분은 덴마릴 선생님이고 엘프야. 수석조수는 로빈 망질이고. 맞은편에 보이는 분이 사르도인 선생님(뱀파이어를 쳐다보는 표정이 꼭 간식거리로 잡아먹힐 거란 확신 속에 잔뜩 겁먹은 토끼 같다)인데 인간이며 내가 수석조수야. 네가 이미 만났던 칼리브리스 부인은 타트리스 종족이고 수석조수는 누군지 모르겠어. 그리고 그 옆은 파틴 선생님인데 카흠보움 종족이야. 저기 보이는 여자는 데리아 부인인데 새로 온 기상관측 전문이래. 저기 저 근육질의 남자가 샹프랭 선생님이고 인간이야. 천상의 폴로 팀을 두 번 연속 승리로 이끌고 있는 명 감독님이시지. 파브리스가 바로 저분의 수석조수야. 그 옆은 밤새 박사님이고 인간인데 우리의 샤먼이기도 해(옛날 인디언들처럼 사슴가죽을 걸치고 검은머리를 땋은 의사였는데, 자신의 처방에 반대하는 사람은 머리가죽을 홀랑 벗겨버릴 것만 같았다). 수석조수는 모니카 코트베르담이야(금발에 파란 눈의 예쁘장한 소녀는 그 샤먼에게서 눈을 떼지 않고 있었다). 부디우 부인은 인간이고(희끗희끗한 머리에 오동통한 부인은 온화해 보였지만 슬픈 표정으로 타라를 유심히 바라보고 있었다), 수석조수는 카롤 젠티(타라가 도착하던 날 안젤리카가 귀엣말을 하던 빨강머리 소녀였다). 그리고 저기 사이렌 보이지? 시렐라 부인이고(타라는 절로 탄성이 나왔다. 눈이 부실 정도로 아름다웠다. 파란색 머리칼, 초록빛 피부, 시렐라는 물방울 속에서 일렁거렸다), 수석조수는 스킬러 에테르나(늘씬하게 빠진 소년은 여자아이들을 쳐다보면서 거만하게 어깨를 들썩이고 있었다). 마지막으로 셈나샤오비로다인트라쉬부 선생님은 네가 알고 있는 대로 드래곤이고, 수석조수는 없어."

때마침 드래곤 마법사가 발언했다.

"오늘은 손님으로 와 있는 소녀 타라틸랑넴 덩컨을 소개하겠습니다. 이사벨라 덩컨의 손녀딸이지요(이 말에 최고 마법사들 속에서 웅성거림이 일더니 모두의 시선이 쏠렸다. 이 순간 타라는 할머니가 이 세계에는 잘 알려져 있음을 직감적으로 알아차렸다). 며칠 동안 여기서 지내다 갈 거지만 모든 거주자들과 마찬가지로 랑코비트 궁전과 이 세계의 법을 준수할 겁니다."

타라는 얼굴을 찡그렸다. 예법 책에서 읽은 바에 의하면 랑코비트의 법은 그리 까다롭지 않았다. 그러니 지구보다 유리한 조건이라 할 수 있다. 여기서는 범죄를 저질렀을 경우, 놀라운 텔레파시로 죄인의 머릿속을 읽는 통에 도저히 거짓말이 불가능한 '진실의 입' 들에게 맡겨진다. '진실의 입' 들이 유죄를 선고하면 죄인은 얼음 행성으로 추방되어 끊임없이 머릿속을 훤히 꿰뚫는 존재들 속에서 속죄해야 한다. 그런 이유로 아더월드의 왕국에는 범죄 행위가 지극히 적었다.

타라는 가슴이 철렁했다. 요란한 팡파르가 울리면서 왕과 왕비가 방금 옥좌에 앉았음을 알렸던 것이다.

"여러분, 1분만 주목해주시기 바랍니다!" 용건을 빨리 말하기 위해서 칼리브리스 부인의 머리 중 하나가 혼자 말하고 있었다. "여러분이 자신의 패밀리어를 굉장히 좋아한다는 건 잘 알고 있습니다. 하지만 관리국에서는 침대에 묻은 털이며 깃털을 치우는 일로 골치를 앓고 있다고 불평이 이만저만이 아닙니다. 게다가 우리의 샤먼이신 밤새 박사는 작년에 여러 건의 천식 처방을 해야 했다고 알렸습니다. 따라서 올해부터는 패밀리어들이 여러분의 닫집 안에 들어가는 걸 허용하지 않기로 결정하였습니다."

그 선언에 항의의 웅성거림이 일자, 칼리브리스 부인이 손짓으로 좌중을 진정시켰다.

"하지만 패밀리어들을 여러분 곁에 데리고 있을 수 있도록 침실 한쪽 구석에 횃대며 개집 등 편안한 보금자리를 준비해 놓았습니다. 따라서 패밀리어들이 멀리 떨어져 있는 게 아니지요."

바로 그때, 은빛 표범 한 마리가 어슬렁거리면서 나타났다. 시렐라 부인의 수석조수 스킬러의 어깨에 올라앉은 어린 원숭이가 거의 발광이라도 할 듯이 불안해하자, 소년은 원숭이를 진정시키느라 진땀을 뺐다.

그런 술렁거림에 아랑곳없이 표범이 거만하게 하품을 하는 순간, 안젤리카가 탄성을 질렀다. 파브리스는 밥맛없는 계집애가 제 딴에는 그 멋진 패밀리어의 주인인 소년의 관심을 끌려는 수작이 틀림없다고 생각했다.

그런데 표범을 따라 등장한 사람은 뜻밖에도 구불구불한 갈색머리의 가냘픈 말더듬이 소녀였다. 부끄러워서 얼굴이 홍당무가 되어 있는 걸 보면 소녀는 이 자리에 오지 않을 수만 있다면 무슨 짓이라도 마다하지 않았을 것 같았다.

"죄, 죄, 죄송합니다. 느, 느, 늦어서요."

제일 가까이 서 있던 부디우 부인이 진정시켰다.

"괜찮아. 환영회는 아직 시작되지 않았단다. 너는 칼리브리스 부인의 수석조수가 맞지? 이름이 뭐니?"

"무아, 무아, 무아……."

"그래, 네 이름을 말하라고!" 부디우 부인이 재촉했다.

"무아, 무아, 무아노 다, 다비일이에요."

"별명이 아니라 이름을 말해야지."

"글로, 글로리아 다, 다, 다비일이에요. 하, 하, 하지만 저는 무아, 무아, 무아노가 더 조, 좋아요."

파브리스는 소녀에게는 진짜 별명, 참새라는 뜻의 프랑스어 무아노가 더 잘 어울린다고 생각했다. 안젤리카가 싸늘한 눈길을 던지자 소녀는 몸을 움츠렸다. 청개구리 기질이 있는 타라는 가여운 생각이 들어서 소녀에게 함박미소를 지어 보였다.

그다음의 일은 안개 속에서처럼 전개되었다. 타라는 비틀거리지 않고, 말을 더듬지 않고, 특히 베어 왕과 티타니아 왕비를 너무 뚫어지게 쳐다보지 않으려고 노력했다.

50대로 보이는 갈색머리에 키가 작은 왕과 왕비(셈 선생님이 왕과 왕비도 마법사들이라고 했지!)는 짙은 파란빛과 은빛이 어우러진 화려한 옷차림을 하고 있는데, 길다란 장식주름이 발등까지 늘어져 있었다. 상냥해 보이는 왕과 왕비는 인자한 미소를 지었다.

그런데 타라를 쳐다보던 왕비는 고개를 갸우뚱했다. 아주 특이한 쪽빛 눈이며 탐스런 금발, 제비초리 같은 하얀 머리털, 해맑은 미소하며 어디선가 분명히 본 적이 있었다. 어디서 봤을까?

궁금한 마음에 왕비는 타라에게 몇 가지 질문을 했다.

"셈 선생님의 초대로 네가 여기 와 있는 걸 부모님도 기뻐하시니? 이게 굉장한 영광이라는 걸 아느냐?"

"부모님은 돌아가셨습니다, 마마." 타라는 침착하게 대답했다.

"오, 이런! 미안하구나. 몰랐어." 왕비는 당황한 어조로 말했다.

"형제나 다른 가족은 있겠지?"

"할머니만 계십니다, 마마(증조할아버지가 있지만 마니투의 겉모습을 왕비에게 뭐라고 설명하겠어? 불가능해)."

"타라, 우리 모두가 가족이라는 걸 곧 알게 될 게다." 왕비는 온화한 미소를 지으며 말했다. "네가 우리들 속에서 오래 머물지 않는다는 걸 알아. 하지만 수석 마법사들을 너의 형제자매로(안젤리카를 자매로 여기라고? 과연 괜찮을지 몰라! 하고 타라는 생각했다), 전하와 나를 부모와 다름없이 생각하렴. 우리는 수석 마법사들의 행복을 진심으로 바라고 있단다. 그리고 뭐든 필요한 것이 있으면 주저치 말고 우리를 찾아오너라, 언제든지."

"고맙습니다, 마마." 타라는 글썽글썽해지는 눈물을 감추려고 심호흡을 했다. 왕비가 진심이라는 걸 느꼈기 때문이다.

그때, 수석 고문관의 자격으로 두 옥좌 옆에 앉아 있던 흉측한 키마이라가 갑자기 끼어들었다. 키마이라는 질겁한 타라에게 덤벼들 듯이 펄쩍 뛰어오더니 킁킁 하고 냄새를 맡았다.

"느껴져…… 힘이. 느껴져…… 위험이. 두 분 마마 가까이에서 악의 힘을 불러일으키게 하는 것이 과연 신중한 처사입니까?"

키마이라의 입에서 나오는 불꽃 때문에 공포에 질린 타라는 눈썹 하나 까딱하지 못하고 있었다. 입을 열 때마다 불을 훅훅 내뿜으면 어쩌란 거야!

그 과정을 유심히 살피고 있던 셈 선생님은 옥좌를 향해 종종걸음쳤다. 놀란 궁인들이 웅성거렸다. 오랜만에 흥미로운 공식 행사를 갖게 된 기쁨에 왕비의 시녀들은 속삭거리고 있었다.

"전하!" 셈 선생님은 헉헉 숨을 몰아쉬면서 외쳤다. "어젯저녁에 알려드린 대로 여기 있는 소녀는 지구를 지키는 우리의 기둥들 중 한 사람이자 우리의 든든한 벗인 최고 마법사 이사벨라 덩컨의 손녀입니다. 이 아이는 며칠 간 여기서 방학을 보내다가 곧 지구로 돌아갈 겁니다. 타라 덩컨이 가진 마력의 힘을 감지해내다니 전하의 수석 고문관은 과연 예리합니다. 하지만 이 아이는 전하께 위험을 주는 존재가 절대 아닙니다."

"살라타르! 이 아이에게 겁을 주지 말라." 왕이 수석 고문관을 향해 눈살을 찌푸리면서 명했다. "지금은 타라를 환영하는 자리이니 어떤 구실로도 이 아이를 모독하는 것은 용납하지 않겠다."

위엄 있는 왕의 명령에 키마이라는 잠시 쭈뼛거리다가 펄쩍 뛰어서 제자리로 돌아갔다.

"전하의 뜻에 복종하겠습니다. 하지만 저의 반대의사가 일간보고서에 기록되기 바랍니다."

왕비는 충격 때문에 입술도 달싹거리지 못하고 있는 타라에게 미소를 지어 보였다.

환영회가 끝나고 타라가 친구들에게 돌아갔을 때, 안젤리카는 기분 나쁜 눈초리로 타라를 째려봤다. 왕비가 자기에게도 말을 건네기는 했지만 자애롭게 대해준 건 아니었다. 별 볼일 없는 계집애가 어떻게 저렇게 빨리 군주들의 총애를 얻은 거지?

"저 키마이라는 네가 사는 세상에서 가장 지독한 비밀첩보원보다도 더 집요한 정신병자란다." 셈 선생님이 못마땅한 투로 말했다. "내 말 잘 듣거라, 타라. 살라타르가 너를 위험한 존재로 생각하는 이상 아무래도 네가 궁전에서 하는 일 없이 빈둥거리는 건 좋지 않을 것 같구나. 당분간 나와 함께 지내면 좋겠는데 괜찮겠니?"

타라는 그러겠다는 표시로 고개를 끄덕였다. 오, 당연히 괜찮지요. 키마이라와 다시 맞닥뜨리는 것보다야 훨씬 낫겠지!

"좋아, 그럼 됐다. 자, 회의실로 가자. 날마다 회의가 있거든."

그들은 숲에 관한 연구를 하고 있었다. 최고 마법사들의 감독 하에 거듭나는 나무들은 믿을 수 없을 정도의 빠른 성장을 보완해줄 수 있는 비료가 필요했다. 그래서 덴마릴 선생님은 성장발육사숲의 성장을 맡고 있는 마법사들이 만족할 만한, 썩으면서 영양가 높은 비료를 생산하는 버섯을 만들어내기에 이르렀다.

가장 놀라운 것은 그 버섯에 대한 복잡하기 짝이 없는 실험이었다. 덴마릴 선생님은 그 버섯을 자연에 퍼트리기 전에 위험한 요인이란 요인을 모두 고려하고 있는 게 틀림없었다. 타라는 웃긴다고 생각했다. 마법을 쓰면 윙크 한 번으로 모든 걸 해결할 수 있으면서!

그 과정에서 덴마릴 선생님은 시험관 하나를 떨어뜨렸는데, 타라는 그 초인간적인 민첩성에 어안이 벙벙했다. 유리관이 땅바닥에 닿기 바로 직전에 낚아챘던 것이다. 과연 엘프다운 솜씨였다.

덴마릴 선생님은 멍하니 쳐다보는 타라에게 미소를 보냈다.

셈 선생님은 몇 분 전부터 마법복 호주머니를 부스럭부스럭 뒤적거리고 있었다. 마치 뭔가를 찾는 듯이 정서가 불안정한 모습이었다. 한참을 그러다 그는 머뭇거리면서 말을 꺼냈다. 타라에게 임시조수를 제안하면서 마법은 포함하지 않겠다고 약속했다.

타라는 공손하게 "네, 기꺼이 하겠어요, 셈 선생님" 하고 대답했지만 엄청난 실수를 저질렀음을 이내 깨닫게 되었다.

드래곤이란 본래 깜빡 잊어버리는 데 선수였다. 수백 년 동안의 일이 산더미처럼 쌓인 기억력은 오직 중요한 일에만 집중되어 있는 모양이었다. 그 숙명의 순간부터 타라는 온종일 셈 선생님이 잊은 것을 찾느라고 궁전 구석구석을 이리 뛰고 저리 뛰어다녀야 했다. 정말 미치겠네! 이놈의 궁전은 왜 이렇게 넓은 건지! 어린 시동들과 시종들은 복도를 뛰어다니는 타라를 볼 때마다 코웃음치면서(뜀박질을 하면 궁전이 간지럼을 타서 복도가 흔들거리기 때문이다. 그건 궁전의 신경을 몹시 거스르는 것이기도 했다) 최고 마법사가 마침내 순진한 희생양을 찾아냈다며 속이 시원하다는 얼굴이었다.

점심을 먹은 뒤에 자유 구역에 이르자, 기진맥진한 타라는 안도의 숨을 내쉬었다. 최고 마법사들은 히믈리아에 사는 난쟁이들의 두 파당이 전쟁을 선포했다는 소식을 접하고 긴급회의에 참석해야 했던 것이다. 그래서 셈 선생님은 타라를 칼에게 맡겼고, 칼은 무아노와 파브리스에게도 궁전을 구경하자고 제안했다.

"엄청나게 크다니까." 칼은 웅장한 입구를 가리키면서 말했다. 타라는 고개를 끄덕였다(진짜 그렇게 크면 이 궁전에 벨트 컨베이어를 설치하면 딱인데!).

"하지만 곳곳에 비밀통로랑 잊혀진 통로가 무진장 많아. 따라와, 체육관을 보여줄게. 어차피 하루에 적어도 한 시간씩은 거기서 훈련을 해야 하거든. 그러니까 너희들도 어디에 있는지 알아둬야지."

아침나절 내내 어찌나 뛰어다녔던지 타라는 그게 무엇이든 훈련하고 싶은 마음이 추호도 없었다. 하지만 타라는 친구들의 성화에 못 이겨 따라갔다. 응접실을 나온 그들은 여러 개의 복도로 들어섰는데, 청소 주문에도 불구하고 먼지며 거미줄이 쳐 있는 걸 보면 드나드는 사람이 별로 없는 것 같았다. 어쨌거나 타라와 무아노의 마음에는 쏙 들었다.

체육관 앞에 다다랐을 때, 칼이 갑자기 걸음을 멈추게 하고 숨으라는 손짓을 했다. 두 목소리가 소곤거리고 있었다.

"작년에도 네 명이나 당했어!"

"대단한 솜씨였지."

"최고 마구스는 궁지에 몰려 있어. 부모들이 그의 탓으로 돌리고 있거든."

"그거야 맞는 말이지! 엉터리 정책 탓이니까 당연히 그에게 책임이 있지."

"그래서 우리는 자네를 믿고 있네!"

"걱정하지 말게. 어떻게 해야 하는지 알고 있으니까."

"그럼 나중에 또 보세."

그들이 잽싸게 어둠 속에 숨어서 숨을 죽이고 있을 때, 드라고쉬 선생님의 흉측한 얼굴이 그들 바로 앞을 지나갔다.

생각에 잠긴 뱀파이어는 그들을 보지 못했다.

이게 무슨 뚱딴지같은 소리지? 이상한 대화를 듣게 된 그들은 그저 멍하니 쳐다보고 있었다. 고개를 연신 가로 저으면서 칼은 흥분을 감추지 못했다.

"가자, 체육관에 가서 얘기하자." 칼이 속삭였다.

여러 구간으로 나뉘어지고, 계단식 관람석으로 둘러친 체육관은 엄청나게 큰 투기장을 방불케 했다. 제법 많은 궁인들이 검술 훈련을 하고 있었고, 무술을 가르치고 있는 사람은 샹프랭 선생님이었다.

"선생님이 하는 말 들었지?" 칼이 물었다.

"응. '드래곤은 살짝 빠져나가고 호랑이는 물어뜯는다!' 고 했어." 성격이 시원시원한 파브리스가 대답했다.

"아니, 그거 말고!" 칼이 답답하다는 얼굴로 말을 중단시켰다. "샹프랭 선생님이 아니라 드라고쉬 선생님이 한 말을 묻는 거야!"

"아, 미안해." 파브리스는 사과했다. "뭔가 아주 흡족해하는 것 같았어. 왜 그런 말을 했을까? 무슨 말인지 넌 알아?"

"몇 달 전, 작년 연말에 수석조수 네 명이 궁전에서 사라졌어. 저녁때만 해도 여기 있었는데 아침에 보니까 글쎄 귀신같이 싹 사라진 거야!"

"어떻게 그런 일이!" 파브리스가 관심을 보이며 물었다. "그래서?"

"그래서 최고 마법사들이 수석조수들을 보호하기 위해서 궁전 주위에 여러 가지 주문을 걸어놨지. 비밀경찰의 수사가 실패했거든. 지금까지 아무런 단서도 찾지 못하고 있어."

"그러니까 그 대화가 행방불명된 수석조수들에 대한 얘기란 말이지? 그런데 왜 그 선생님은 대단한 솜씨라고 말했을까?" 타라가 물었다.

"그걸 모르겠단 말야. 드라고쉬 선생님을 감시해서 무슨 일을 꾸미고 있는지 알아봐야겠어. 나중에 너희들에게도 알려줄게."

자기도 그 일에 끼겠다고 말할 겨를도 없이 기척을 느낀 파브리스는 안젤리카가 유심히 쳐다보고 있음을 알아챘다.

쫄티에 타이츠 스타킹을 신은 걸 보면 꺽다리 소녀는 훈련하러 온 것이었다. 상대와 싸우면서 최대한 고통 주는 걸 즐기는 꺽다리를 보면서 그들은 혀를 내둘렀다. 타라는 전원이 갑옷에 방탄조끼를 착용하고, 검과 경우에 따라서는 수류탄을 소지하지 않는 한, 꺽다리 쌈닭과는 절대로 대적하지 않겠다고 다짐했다. 그들은 얼른 화제를 바꾸고 꺽다리가 들을 수 있게 큰 소리로 말하기로 했다. 타라는 무아노에게 관심을 보였다.

수줍음이 어찌나 많은지 무아노는 누군가가 말을 붙이면 그 순간부터 얼굴이 새빨개져서는 말을 더듬거렸다.

"그런데 넌 왜 지각한 거냐?" 칼이 궁금해 죽겠다는 얼굴로 물었다. "타라의 환영회를 못 볼 뻔했잖아!"

"그, 그래, 나, 나도 알아. 하, 하지만 아, 아, 아버지가 펴, 편찮으셔. 노, 녹아웃 병에 거, 걸리셨거든. 그래서 의무실에 검사를 바, 받으러 가느라고 시간을 모, 못 봤어."

"그랬구나!" 칼은 너무 안됐다는 어조로 말했다. "우리 삼촌 한 분도 그 병에 걸렸었는데 3주 동안 케이오 상태였어. 그래서 아버지는 괜찮으셔?"

"응. 어, 엄청나게 비, 비싼 저, 전문의를 고, 고용했고, 그분이 제때에 치, 치료를 해주셨어."

"그게 무슨 병이야?" 타라가 물었다.

"마법사들만 걸리는 병이야." 칼이 자세히 설명했다. "마법을 너무 많이 쓰면 몸을 혹사하게 되고, 결국 관절이 굳으면서 연골 조직이 부식되고 몸을 움직일 수가 없게 돼. 죽을병은 아냐. 하지만 치료가 너무 늦으면 회복이 더뎌서 위험해. 치료법이 있어서 다행이긴 한데 문제는 사람들이 처음에는 뻐근하다가 힘줄이 땅기는 것쯤으로 생각하고 가볍게 넘긴다는 거야."

타라는 몸서리를 치면서 온몸이 뻐근하고 관절이 아픈 느낌이 들었다. 확실히 마법은 나하고는 맞지 않는다니까!

파브리스는 너무도 멋진 은빛 표범을 부러운 눈으로 쳐다보고 있다가 무아노에게 물었다.

"그건 그렇고 이 표범이 어떻게 너를 선택하게 된 거니?"

무아노의 얼굴이 더 빨개졌다.

"그, 그, 그건 나, 나, 나도 모, 몰라! 내, 내가 저, 저, 정원에서 울고 있는데 펑! 하더니 표범이 나, 나, 나타났어. 표, 표범은 나를 마, 마, 많이 도와줬어. 너, 너는 아직 서, 서, 선택되지 아, 않았어?"

"응, 난 어떻게 하는지도 몰라."

"뭘 어떻게 한다고 되는 게 아냐." 블롱딘의 붉은 털을 쓰다듬으면서 칼이 설명했다. "젖니가 빠지거나 이가 자라는 것처럼 저절로 생기게 돼."

"넌 행운아야." 파브리스는 부러워했다. "그런데 패밀리어를 어떻게 알아보지?"

"패밀리어는 모두 눈이 금빛이야. 그게 특징이거든. 어쨌든 동물이 먼저 너를 선택하는 것이고 패밀리어는 하나만 가질 수 있어. 어릴 적에 선택되는 사람들도 있고, 나이가 들어서 선택되는 사람들도 있지. 대표적인 예로 그 독사 계집애 안젤리카는 열여섯 살인데 아직까지 선택되지 않았기 때문에 안달이 나 있거든. 작년에 최고위원회 회의 때 블롱딘이 나를 선택했을 때, 울상이 된 그 계집애의 얼굴을 봤어야 하는 건데!"

파브리스는 한숨을 쉬면서 표범을 한 번 쳐다본 뒤에 무아노에게 물었다.

"내가 쓰다듬어봐도 될까?"

"고, 공손하게 무, 물어봐. 그, 그러면 알게 돼! 이름은 쉬, 쉬, 쉬바야."

파브리스는 일어나서 표범에게 꾸벅 인사했다.

"만져봐도 되겠니, 아름다운 쉬바?"

표범이 다소곳이 손에 머리를 들이밀자, 파브리스는 황홀에 가까운 탄성을 지르면서 쓰다듬었다.

"아름다운 쉬바, 너를 위한 수수께끼가 있어. 첫째는 두 글자로 된 감탄사. 둘째는 눈이 따가워서 똑바로 쳐다볼 수 없다. 한 글자야. 다 합하면 바로 너야."

그 말에 세 친구는 머리를 쥐어짜야 했고, 쉬바는 무슨 일이냐는 얼굴로 가르랑거렸다. 이번에는 무아노가 답을 찾았다.

"나 아, 알아! 가, 감탄사는 우아, 눈이 따, 따가워서 쳐다볼 수 없는 건 해, 하, 합하면 '우아해'. 쉬, 쉬바가 우아하다는 거잖아."

바로 그 순간, 타라의 인식 패스가 지지직거렸다. 타라는 플로프*들의 침 한 병과 켄타우로스들의 평원에 사는 맹독성의 파랗고 하얀 개구리들이 필요하다는 셈 선생님의 호출에 응하기 위해 잠시 친구들을 떠났다.

타라가 체육관으로 돌아와 보니 칼은 화가 나서 씩씩거리고, 파브리스와 무아노는 얼굴이 붉으락푸르락했다.

"무슨 일이야?"

"저 못돼먹은 안젤리카가 드라고쉬 선생님한테 우리가 훈련을 하지 않는다고 일러바쳤어. 그래서 선생님이 우리를 한 시간 동안 훈련시키겠다고 했대." 칼은 이를 부드득부드득 갈았다.

"아까 들은 얘기로 봐서 이건 아무래도 우리에게 주문을 걸거나 우리를 납치하려는 계략인 거 같아!" 파브리스는 걱정스러운 얼굴로 말했다.

"아냐, 하나같이 밤중에 사라졌지 낮에는 아니었어." 칼은 침착하게 말했다. "그리고 드라고쉬 선생님이 모두가 보는 앞에서 우리들을 납치할 거라고는 생각하지 않아. 수석조수들을 전부 소집해야겠어. 그러면 우린 여러 명이 되잖아."

로빈과 스킬러는 즉시 나타났다. 초대를 하지 않았는데 안젤리카까지 카롤과 모니카를 데리고 나타났다.

신중한 궁전은 벽들의 구조를 바꿔 부들부들하게 만든 뒤에 실내 전체를 파란색의 방화 거품으로 뒤덮었다. 그러고는 계단식 관람석도 두툼한 방석들로 변형시켰다. 많은 사람을 보고 놀랐나? 체육관으로 들어온 드라고쉬 선생님이 이죽거렸다.

"모두들 기초를 복습할 필요성을 느끼고 있는 것 같구나. 좋은 현상이야. 젠티 양?"

쇠꼬챙이 같은 집게손가락이 빨강머리를 가리키자, 젠티는 벌벌 떨면서 앞으로 나왔다.

"어디 젠티 양의 솜씨를 구경해볼까? 데코루스 주문으로 네 옷에 원하는 무늬를 만들어보거라."

빨강머리는 눈을 똥그랗게 떴다.

"데, 데코루스라고 하셨어요, 선생님?"

"그래, 이렇게 하는 거야." 드라고쉬 선생님은 마법복 주위에 원을 그리면서 외쳤다. "*데코루스의 이름으로* 내 옷은 나의 상징으로 빛날지어다!"

눈 깜짝할 사이에 번쩍이는 상징들과 알지 못할 상형문자들이 선생님의 옷을 장식했다.

카롤이 용감하게 주문을 읊었다.

"*데코루스의 이름으로* 내 옷은 나의 상징으로 빛나거라!"

아무 일도 일어나지 않았다.

뱀파이어는 하늘을 쳐다보면서 한숨을 내쉬었다.

"말만으로는 충분하지 않아. 생각도 해야지! 안젤리카 양이 해보거라."

"*데코루스의 이름으로 내 옷은 나의 상징으로 빛나거랏!*" 안젤리카는 거드름을 피우는 목소리로 내뱉었다.

복잡한 무늬들이 안젤리카의 옷에서 반짝이고 있었다. 카롤은 얼굴이 빨개져서 외쳤다.

"*데코루스의 이름으로 내 옷은 나의 상징으로 빛나거라!*"

노력이 가상했나, 이번에는 여섯 가지의 무늬가 나타났다. 유심히 관찰하고 있던 파브리스와 칼, 무아노는 별 어려움 없이 따라할 수 있었다. 파브리스의 옷에는 호랑이와 사자, 무아노의 옷에는 꽃, 칼의 옷에는 여우들이 까불거렸다. 스킬러는 검과 창을, 로빈은 나무와 풀을 나타나게 했다.

타라는 흥미롭게 지켜보았다. 마법을 사용하는 것이 그리 간단한 일은 아닌 것 같네. 능력이 말을 잘 듣도록 정신을 집중해야겠어. 타라는 환영 행사가 끝난 뒤에 친구들과 같은 차림을 하기 위해서 갈아입은 마법복을 내려다보면서 순간적으로 말들이 나타나면 예쁘겠다고 생각했다.

우르릉 쾅쾅……. 으아악! 갑자기 안젤리카가 지르는 비명에 모두들 화들짝 놀랐다.

꺽다리 소녀의 옷에 수백 마리의 뱀이 징그럽게 기어다니고 있었다. 그리고 그 패거리의 옷들에는 닭과 칠면조, 타조들이 나타나 있었고, 드라고쉬 선생님의 옷에도 소름끼치는 머리 하나가 히죽거리고 있었다. 그 순간 타라는 자신의 옷에서 뛰노는 은빛 말들을 보면서 어안이 벙벙했다. 모든 사람의 옷이 다시 변해 있다니!

친구들의 얼굴도 각각이었다. 자신의 옷에서 반짝이는 왕관과 왕홀, 보석들을 보면서 질겁한 무아노, 숲 대신에 나타난 엘프 전사들을 보면서 얼굴이 노래진 로빈.

등골이 쭈뼛해진 타라는 어찌할 바를 몰랐다. 그 모습을 수상히 여긴 뱀파이어는 핏빛 눈으로 타라의 옷을 내려다보면서 차갑게 내뱉었다.

"무슨 장난을 칠 생각이었는지 말해주겠니, 타라 양?"

"저, 저는 장난치지 않았어요. 죄송합니다. 저는 하고 싶지 않았어요!"

"하고 싶지 않았다? 주문을 거는데 하고 싶다 싫다가 어디 있어. 네가 재주를 피우는 것으로 친구들을 눌러버리고 싶었던 모양인데, 좋아, 얼마나 대단한지 한 번 보자꾸나."

코앞에 버티고 선 뱀파이어는 말들이 뛰노는 타라의 옷에 손가락질을 하면서 소리를 질러댔다.

"*데코루스의 이름으로* 이 옷에 있는 것들은 모조리 꺼져버릴지어다!"

기겁한 말들이 줄행랑을 쳤다.

"타라 양, 말들을 다시 나타나게 해봐!"

"하지만, 하지만." 마법을 쓰고 싶지 않은 타라는 더듬거렸다.

"냉큼 하지 못할까!" 열 받은 뱀파이어가 호통을 쳤다.

그렇게 고함을 지르는 것 역시 타라를 복종하게 하는 방법으로는 좋지 않은 것이었다. 타라의 할머니는 뱀파이어보다 훨씬 더 고집이 센 상대였다. 타라는 심호흡을 한 뒤에 마법을 거부하기 위해 머릿속으로 백지 상태를 만들면서 또랑또랑 주문을 읊었다.

"*데코루스의 이름으로* 내 옷은 나의 상징으로 빛나거라!"

타라는 옷에 아무것도 나타나지 않은 것에 안도의 숨을 내쉬었다. 뱀파이어는 타라가 일부러 그래 놓고 회심의 미소를 짓고 있는 걸 알아채지 못했다.

"내가 주문을 걸었으니 네가 아무리 영리해도 그렇게 빨리 주문을 풀 수는 없을 것이다. 이제는 모두들 네가 주문을 거는 능력도 없는 형편없는 아이로 생각하게 될 테니 꼴좋구나. 이건 우리의 훈련을 엉망으로 만든 데 대한 마땅한 벌이야."

그렇게 말하고 나서 뱀파이어는 다른 아이들을 향해 홱 돌아서서 고함쳤다.

"*데코루스의 이름으로* 각자 희망하는 것이 나타날지어다!"

타라의 옷만 제외하고 모든 옷들이 원래의 무늬를 되찾았다. 안젤리카와 그 패거리의 의기양양한 눈길을 피해 구석진 자리의 방석 위에 앉은 타라는 단순한 관객으로서 훈련 과정을 구경하는 것으로 만족했다. 마법을 사용하지 않는 데 성공한 걸 내심 기뻐하면서.

드라고쉬 선생님은 수석 마법사들에게 옷의 무늬를 자유자재로 나타나게 했다 사라지게 하는 훈련을 시켰다. 이어서 그들을 날아가게 하고는 지시를 신속하게 따르지 않을 시에는 벽에 꽈당 부딪혔다가 튕겨 나오게 하는 것으로 한 사람 한 사람에 대해 가차없이 점수를 매겼다.

그들은 잡아먹을 듯이 쏘아보는 뱀파이어의 빨간 눈길을 받으며 체육관을 나갔다. 칼은 폭발하기 일보 직전이었다. 칼은 타라가 일부러 그랬으리라 짐작하고 있었지만, 모두들 타라를 피하려고 빙 돌아서 나갔다. 다정하게 어깨를 다독여주는 로빈과 에워싸면서 애정을 표시하는 파브리스와 무아노를 제외하고.

"저 치사한 선생님이 뭔가를 꾸미고 있는 게 분명해." 식당에서 슬쩍해온 아직도 미지근한 미트파이를 여섯 조각으로 나누면서 칼이 내뱉었다. "그렇게까지 너에게 창피를 줄 필요는 없었어! 모든 사람이 네가 주문을 걸지 못한다고 생각하도록 네 옷에 주문을 걸다니, 진짜 유치해!"

무아노도 씩씩거렸다.

"……뭔가를 해야 돼!"

파브리스는 어리둥절한 얼굴로 지적했다.

“그런데 너 이젠 말을 안 더듬잖아?”

무아노는 얼굴이 빨개져서 대답했다.

“난, 어…… 많이 화가 났을 때는 더듬지 않아. 지금 몹시 화가 나 있거든. 타라, 그냥 이대로 당하면 안 돼. 너를 도와줄 방법이 있어. 자, 잘 봐.”

무아노가 일어나서 야물딱지게 읊었다.

“*데코루스의 이름으로* 내 옷에 있는 것은 싹 사라지거랏!”

무아노의 옷에서 반짝이던 꽃들이 사라졌다.

“휘~!” 하면서 칼이 휘파람을 불었다. “그거 좋은 생각이다. 그 심통 늙다리에게 우리도 할 수 있다는 걸 보여주는 거야!”

이번에는 칼이 데코루스 주문을 읊었고, 그의 옷에서도 까불거리는 여우들이 사라졌다.

파브리스는 처음에는 잘 되지 않았지만 두 번째 시도에서 호랑이와 사자들을 사라지게 하는 데 성공했다.

친구들을 보고 있던 타라는 감동의 눈물을 글썽였다.

“너희들은 진정한 친구들이야. 고마워. 사실 나는 마법을 쓰지 말아야 해. 그러면 할머니의 목숨을 위태롭게 할 수 있거든. 하지만 약한 마법은 위험하지 않을 거야. 그래서 내 친구들인 너희들에게는 숨기거나 거짓말은 절대 하지 않겠어. 잘 봐.”

타라는 그냥 옷을 내려다보고만 있는데도 옷에서 수백 마리의 말이 뛰놀기 시작했다.

“휘휘, 휘리릭!” 감동한 칼이 휘파람을 불었다. “그 주문을 거부한 거 맞구나! 와, 너 진짜 대단하다. 선생님들과 거의 맞먹는 수준이야!”

타라가 비밀과 거짓말에 대해 말할 때, 이상할 정도로 난처한 표정을 짓던 무아노는 어이가 없는 얼굴로 말했다.

"선생님들만 다른 사람의 주문에 마, 맞서 대항할 수 있는데……, 그, 그걸 어떻게 네가?"

"모르겠어. 마치 내가 어떻게 하는지를 알고 있는 것처럼 단번에 되더라고. 그러니까 뭐랄까, 분명한 건 그 순간에 내가 마법을 막아냈다고 봐야겠지. 그리고 해줄 얘기가 또 있어."

타라는 비밀로 하고 있던 것들을 단숨에 털어놓았다. 한밤중에 일어났던 두 상그라브의 공격, 돌덩이처럼 굳어버린 할머니, 드래곤으로 변한 최고 마법사, 방에서 일어났던 옷 사건(이 대목에서 무아노는 옷을 뒤집어쓰고 버둥거리는 안젤리카를 상상하면서 자지러지게 웃었다), 그리고 복도에서 본 상그라브.

얘기를 다 끝내고 난 타라는 홀가분한 느낌이 들었다. 하지만 친구들은 벽에 머리를 꽝 부딪히기라도 한 얼굴이었다. 그들은 타라를 멀거니 쳐다보고 있었다.

그러다 파브리스가 먼저 "와, 너 정말 끝내주게 용감하다!" 하며 감탄했다. "나였다면 개구멍으로 도망칠 생각은 하지 못했을 거야."

"설마! 믿을 수가 없어!" 칼은 한술 더 떴다. "그러니까 네 말은 그자들이 너를 납치하려고 했다는 거야?"

"그자들이 정말 나, 납치하려고 한다면," 두뇌 회전이 빠른 무아노는 차분하게 말했다. "타라가 사, 사라질 수도 있다는 뜻이야!"

무아노를 돌아보면서 칼이 코웃음쳤다.

"타라가 여기 없다면 물론 사라진 거지!"

하지만 무아노가 하고자 하는 말뜻을 알아차린 파브리스는 반박했다.

"그래, 맞아. 타라가 사라질 수도 있어. 작년에 없어졌다는 네 명처럼!"

이 말에 모두 깜짝 놀란 눈길을 교환했다.

"그래, 일리가 있어! 네 생각은 그 사건과 어떤 관계가 있다는 거지?"

타라는 깊은 생각에 잠겨 흰 머리털을 질겅질겅 씹기 시작했다.

"어쨌든 드라고쉬 선생님이 어떤 식으로든 그 사건에 연루되어 있는 게 틀림없는 것 같다."

저녁식사 종소리가 타라의 생각을 중단시켰다.

"이런, 가야 해."

타라가 벌떡 일어나자, 파브리스가 붙잡았다.

"쯧쯧, 너 설마 잊은 건 아니지?"

"뭘?"

파브리스는 아직도 번쩍거리는 타라의 옷을 가리켰다.

타라는 픽 웃었다.

"아차! 깜박했네."

눈썹 하나 까딱하지 않고 말들을 사라지게 하는 타라를 보면서 파브리스는 한숨이 나왔다. 책에서 배우는 지식이 아더월드에서는 별로 유용하지 않다는 걸 이미 깨닫고 있긴 했다. 자신이 마법 능력이 있다고는 해도 타라의 능력에 비하면! 휴, 파브리스는 기가 죽었다.

식당에 들어섰을 때, 마법사들의 시선이 일제히 그들의 옷에 쏠렸다. 안젤리카가 어느 틈에 타라를 싸고도는 삼총사에 대해 말도 안 되는 험담을 늘어 놓은 모양이었다.

저녁을 먹은 뒤에 친구들과 헤어진 타라는 도서관에 들러서 아더월드의 생활방식과 '피의 맹세' 같은 관습에 관한 책들을 빌렸다. 그리고 양치를 한 뒤에 수석조수들의 기숙사에 입주하는 무아노를 도와서 짐을 정리해주었다.

어, 하나같이 고급의상이네. 타라는 무아노가 부모님이 그리 부자가 아니라고 했던 말을 떠올리면서 고개를 갸웃했다.

천이 어딘지 모르게…… 야릇했다. 짜임새하며 빛깔하며 지구의 천들과는 아주 달랐다. 무아노는 타라가 하얀 모피라고 생각하는 것을 거인들의 나라 간디스의 산에서 자라는 식물 글라비로 만든 것이라고 설명했다. 또 푸르뎅뎅한 가죽바지는 땅 신령들과 꼬마도깨비들의 나라 스몰컨트리*에 사는 일종의 자이언트 전갈 스팔렌디탈*의 가죽을 무두질한 것이라고 했다. 비단은 땅 신령들이 키우는 변종 자이언트 거미*의 거미줄로 짠 것이며, 땅 신령들은 그 거미를 말처럼 타고 다닌다고 했다. 무아노의 설명을 듣고 난 뒤에 타라는 원피스들이 무엇으로 만들었는지에 대해서는 묻고 싶지 않았다. 그 멋진 천이 또 무슨 아무개 동물의 점액이라는 소리를 듣게 된다면…… 우웩!

무아노의 짐 정리가 끝나자 타라는 자신의 방으로 돌아가서, 빌려온 책에 몰두했다.

타라는 '피의 맹세'가 전쟁의 관습이라는 걸 알게 되었다. 배신행위로 인해 전우들이 죽을 경우, 살아남은 사람은 복수해주겠다고 맹세하거나 죽어가는 사람이 맡기는 임무를 이행하겠다는 맹세를 해야 한다. 그 맹세를 지키지 않을 경우, 생존자는 죽음을 면치 못한다. 죽은 자의 혼이 와서 그를 데려간다는 것이다. 죽은 사람과 핏줄이 같은 가족만 그 저주를 풀 수 있다. 그 맹세의 원인이 아닐 경우에.

이럴 수가!

그렇다면 할머니의 맹세를 무효로 만들 수 없다는 거잖아! 할머니를 그 맹세에서 풀어주기 위해서는 아버지와 같은 핏줄의 사람을 찾아야 한다는 건데……. 마니투는 할머니의 아버지라서 그럴 수 없다. 브주아지롱 백작과 대화할 때, 할머니가 사위에게 손녀딸은 절대 마법사로 만들지 않겠다고 약속했다는 말을 제대로 들은 거라면. 하지만 할머니는 나에게 마법을 쓰게 해서 마비시키는 포쿠스 주문을 풀게 했어! 그렇다면 마법을 사용해도 된다는 뜻이다. 하지만 그때는 그것이 할머니를 죽음으로 내몰 위험이 있다는 걸 전혀 몰랐던 때였어.

휴, 뭐가 이렇게 복잡한지!

타라는 한숨을 쉬면서 책을 덮었고, 달빛에 물든 은빛 모래사막의 아늑한 풍경 속 훈풍에 흔들리며 깊은 잠에 빠져들었다.

이튿날 아침 회의시간, 무늬가 없는 옷을 입고 들어오는 타라와 세 친구를 보면서 뱀파이어는 비웃음을 흘렸다.

그들은 덴마릴 선생님의 지도하에 수로에 관한 프로젝트에 열중했다. 그리고 여전히 셈 선생님을 위한 달리기 선수로 변한 타라는 궁전을 가로지르는 새로운 통로들을 발견했다. 그래도 이런 생활이 계속되면 궁전을 손바닥 들여다보듯 구석구석 알게 되는 거잖아! 발 밑에 바다, 웅덩이, 시내, 계곡을 열어주는 걸 궁전이 어찌나 재미있어 하는지 타라는 비틀거리거나 뒤로 물러서고, 펄쩍 뛰어넘지 않기 위해 정신을 바짝 차려야 했다. 어쨌거나 궁전이 상당수의 궁인들과 힘없는 희생양들 외에도 어린 마법사들, 시동들과 시종들에게도 똑같은 장난에 빠져 있다는 걸 유일한 위안으로 삼으면서.

오후는 체력단련 시간이었다. 무아노에게서 맨손결투 도전을 받은 타라는 겉보기에는 가냘픈 갈색머리 소녀가 만드는 여섯 번의 모래사장 불시착 때에 중력의 기쁨을 알았다.

샹프랭 선생님은 마지막 불시착 때 삼킨 모래를 캑캑 뱉는 타라를 보면서 애써 미소를 감추고는 훈련을 바꾸기로 했다. 지구의 소녀가 예사롭지 않은 환경에서 어려운 고비를 어떻게 넘기는지 몹시 궁금한 얼굴이었다.

샹프랭 선생님은 그들에게 따라 오라며 타라와 파브리스가 아직 모르는 훈련장으로 건너갔다. 안에 들어섰을 때, 타라는 네 벽이 온통 식물로 뒤덮여 있어서 위쪽이고 아래쪽이고 옆쪽이고 그 크기를 측정하기 불가능하며, 중력이라곤 존재하지 않는다는 걸 확인했다. 한 발을 내딛는 순간, 몸이 붕 뜨면서 타라는 둥둥 떠오르기 시작했다.

아니, 또 뭐냐, 이건! 커다란 눈 하나에 소형 제트엔진과 날개가 둘 달린 작은 블랙박스 하나가 타라 앞에 갑자기 나타나서 "조준, 조준" 하고 말했다. 그 바로 밑에서 좀 더 큰 블랙박스는 "회전, 회전" 하고 소리쳤고, 세 번째 박스는 초점을 맞추기 위해 춤을 추면서 "줌 렌즈, 줌 렌즈" 하고 흥얼거렸다.

"겁내지 마." 나무 위에 편안하게 걸터앉은 칼이 설명했다. "이 방 밖에 설치된 크리스털 전광판에 훈련을 중계 방송하는 스쿠프들이야."

타라가 고개를 끄덕이면서 예쁜 미소를 지어 보이자, 렌즈는 흥분해서 팔딱팔딱 뛰었다.

"조심하기 바란다!" 샹프랭 선생님이 외쳤다. "이제 너희들은 마법을 쓸 수 없는 상황에 직면하게 될 것이다. 따라서 주위환경을 이용해야 한다. 궁지를 어떻게 벗어나는지 지켜보겠다. 단, 마법이 아니라 머리를 써서 상대를 꼼짝 못하게 하거나 무력하게 만들어야 한다. 칼리반, 파브리스와 타라에게 시범을 보여줘라."

나무에 기대어 펄쩍 뛰어오른 칼은 그 도약을 이용하여 파브리스를 공중으로 떠밀었고, 파브리스는 꼼짝도 하지 못한 채 공중에서 버둥거렸다.

타라는 이내 그 게임의 목적을 알아차렸다. 기댈 데가 없게 되는 순간부터는 한치도 전진할 수 없으니 그것으로 지는 것이었다.

그런데 빙그르르 돌아서 타라에게 몸을 부딪친 뒤에 방 한복판으로 돌아온 칼이 이상한 짓을 했다.

침을 탁 내뱉었던 것이다.

좀 지저분한 짓이긴 해도 효력이 있었다. 침을 내뱉을 때의 반동으로 칼의 몸이 비록 아주 조금이긴 해도 파브리스를 움켜잡기에는 충분할 만큼 이동했고, 덕분에 둘 다 기댈 수 있는 벽 가까이 이를 수 있었다.

마침 그 방에는 시종들과 어린 마법사들도 여러 명 훈련을 하고 있었기 때문에 샹프랭 선생님은 두 팀을 만들기로 했다. 칼과 파브리스는 스킬러, 카롤, 베아, 트리시아와 한 조를 이루는 알파 팀이 되었고, 타라와 무아노는 제인, 탕귀, 모, 존과 한 조를 이루는 감마 팀이 되었다.

타라는 방과 나무들의 위치를 유심히 관찰하고 나서 무아노와 다른 친구들에게 알파 팀이 보지 못하도록 아름드리 나무 뒤로 따라오라는 손짓을 했다.

"잘 들어." 타라가 말했다. "칼은 거의 선수지만, 파브리스는 무중력 상태에 익숙하지 않아. 다른 애들의 실력은 어떤지 모르겠어. 하지만 저 팀이나 우리 팀이나 수준은 엇비슷하다고 생각해. 그러니까 힘을 합해서 재들을 함정에 빠뜨려야 해. 너희들, 마법복을 벗어."

무아노는 놀란 토끼 눈을 했다.

"뭐, 뭐라고?"

타라는 능청스런 미소를 지었다.

"걱정 마. 내가 아무려면 너를 벌거벗겨서 내보내기야 하겠어. 그러면야 남자애들이 대번에 중심을 잃을 거고, 스쿠프들이 우르르 몰려들어서 너는 일약 스타가 되겠지만 말야. 네 옷을 벗어서 나한테 줘. 물론 속옷을 입었다면."

무아노는 얼굴이 빨개져서 대답했다.

"타, 타이츠 스타킹과 셔츠를 입었어. 그런데 우리의 오, 옷으로 뭐, 뭐, 뭣하려고?"

타라가 설명해주자, 무아노와 제인, 탕귀, 모, 존이 탄복하는 웃음을 터뜨렸다. 푸하하하! 이제껏 누구도 시도하지 않았던 아주 기발한 작전이었다.

"자, 시작하자!" 타라가 말했다. "제일 먼저 칼을 함정에 빠뜨려야 해. 알파 팀에서 제일 위험한 애일 거야, 아마."

한편 칼과 파브리스의 알파 팀은 두 패로 갈라진 뒤 공격해, 감마 팀을 기댈 만한 나무도 벽도 없는 한복판으로 날려보낼 작전을 짜고 있었다.

알파 팀이 기습 공격을 하자, 무아노는 밧줄처럼 보이는 것의 끝에 매달리더니 칼의 몸에 퍽, 하고 부딪쳐서 그를 방 한복판으로 확 떠밀었다.

스쿠프들마저 어리둥절해 있다가 흥분한 듯 일제히 웅성거리면서 모든 장면을 촬영하기 시작했다.

그 와중에 나뭇가지가 있는 데까지 둥둥 떠오르게 된 파브리스는 돌아가는 상황을 유심히 살폈다.

그사이, 다른 나무에 훌쩍 뛰어오른 존은 모를 앞으로 떠밀어주는 것으로 카롤을 한복판으로 내몰았다.

파브리스는 그제야 알아차렸다. 어, 저게 뭐야? 옷들을 이어 묶은 밧줄을 버팀대로 이용하고 있잖아!

"이런!" 칼이 외쳤다. "반칙이잖아! 야, 너희들 그런 법이 어디 있냐?"

"아니, 문제되지 않아! 계속해라!" 아주 기발한 발상이라고 생각하는 샹프랭 선생님은 빙긋이 웃었다.

무아노보다 키도 크고 힘도 센 타라는 몸이 가벼운 무아노를 밀어줄 데를 찾고 있었다. 때마침 칼을 구해주려고 하는 파브리스의 움직임을 간파한 타라는 무아노를 떠밀어보내는 것으로 저지했다. 무아노는 파브리스의 발목을 붙잡아서 공중에 떠 있는 칼 옆으로 떠밀었지만 그 몸에 닿기에는 제법 먼 거리였다. 칼이 발버둥을 치면서 파브리스와 가까워지려고 사방으로 침을 퉤퉤 내뱉었지만 이번에는 아무 소용이 없었다.

타라와 무아노가 파브리스를 몰아내는 사이에 탕귀와 제인은 베아를 무력하게 만들어 놓았다. 이제 남은 사람은 알파 팀을 구하려고 안간힘을 다하는 스킬러와 트리시아. 타라의 신호에 따라 탕귀와 제인이 다가오지 못하게 막아서는 동안, 모는 작은 숲에 안전하게 자리잡고 있었다. 스킬러와 트리시아가 숨어 있는 곳에서는 가깝고, 감마 팀이 단번에 이르기에는 너무 먼 거리였다. 알파 팀에서 살아남은 두 명도 상대팀을 모방하여 옷을 똘똘 말아서 묶기에 이르렀다. 흥, 어림없지! 모는 그럴 기회를 주지 않았다. 얼른 자기 팀의 한 명을 떠밀어서 타라의 발목을 붙잡게 하여 거리를 두 배로 벌려 놓았다. 좋았어! 그 친구의 몸에 의지한 타라는 스킬러와 트리시아에게 닿을 만한 거리로 무아노를 떠밀어주었고, 무아노는 기습적인 떠밀기로 그들을 은신처에서 몰아낼 수 있었다. 무심코 둘의 옷으로 엮은 줄을 놔버린 트리시아는…… 다른 친구들과 함께 공중 한복판에서 옴짝달싹못하게 되었다.

유일하게 남은 스킬러는 몇 초도 걸리지 않아서 내몰렸고, 무슨 일이 일어났는지 깨닫지도 못하는 사이 공중에 둥둥 떠버렸다. 마침내 알파 팀 전원 제거!

몹시 흥분한 스쿠프들이 승리한 팀 주위로 몰려드는 사이에 몇몇 스쿠프들은 패한 팀의 분해하는 얼굴들을 촬영하러 갔다.

"브라보, 감마 팀, 브라보! 너희들의 작전은 아주 기발했어. 축하한다." 샹프랭 선생님이 박수를 쳤다.

그 칭찬에 감마 팀이 싱글벙글하는 사이에 샹프랭 선생님은 모두들 사뿐히 바닥에 이르도록 무중력을 낮춰주었다.

"감마 팀이 이겼다!" 샹프랭 선생님이 선언했다.

이겨서 웃는 팀과 져서 씩씩거리는 팀, 두 팀은 체육관을 나오다가 예기치 않은 함성에 깜짝 놀랐다. 사실, 궁전의 대다수 사람들은 크리스털 전광판을 통해 타라가 세우는 전략의 다양한 단계를 생방송으로 지켜보았던 것이다. 자존심이 상한 칼과 파브리스가 풀죽은 얼굴로 저녁을 먹는 동안, 그 이야기는 궁전을 한 바퀴 돌았다. 한편, 이 일로 타라가 뛰어난 전략가라는 평판을 얻게 되자, 안젤리카는 이를 부드득부드득 갈았다.

다음 날 아침, 심상치 않은 소란에 타라를 비롯하여 궁전의 절반에 이르는 사람들이 잠을 깼다. 호기심이 발동한 타라는 번개같이 청바지와 티셔츠를 입고, 그 위에다 평소에 입는 파란색 마법복을 걸쳤다.

칼과 무아노, 파브리스도 놀란 토끼 눈이 되어 타라에게 달려왔다. 그들은 소리가 나는 쪽으로 갔다가 열 개의 동물우리를 발견하고 기겁했다. 날개를 푸드득거리면서 끈적끈적한 깃털을 날리는 괴물들이 귀청을 찢을 듯이 악을 바락바락 쓰며 욕지거리를 해댔다.

"앗, 이럴 수가! 하르퓌아이들이잖아!" 칼이 외쳤다.

상반신은 가슴을 다 드러낸 여자의 형상(파브리스는 눈을 어디에 둘지 몰라 얼굴이 빨개져 있었다), 하반신은 대왕독수리의 몸뚱이, 끈적끈적한 점액이 번들거리는 날카로운 발톱, 으아악, 저절로 눈길이 피해지는 잡종 괴물이었다!

"절대 가까이 가면 안 돼." 얼이 빠진 파브리스가 다가가려고 할 때, 칼이 주의를 줬다. "이 하르퓌아이들은 최고 마법사들이 연구 중에 있는 골칫거리들이야. 지금까지 그 맹독성에 대한 해독제를 찾지 못했거든."

"휴, 큰일날 뻔했네! 근데 왜 저렇게 악을 쓰는 거야?" 파브리스는 슬금슬금 뒤로 물러서면서 외쳤다.

"왜 저러냐고?" 칼이 짓궂은 미소를 지으면서 말했다. "저게 쟤들이 의사소통을 하는 방식이니까 그렇지. 정상적으로 말할 줄 모르거든. 관심을 끌고 싶으면 쟤들처럼 말해야 해. 잘 봐."

칼이 한 발짝 앞으로 다가서서 고함을 질렀다.

"야! 이 까마귀똥 같은 병신들아. 짓뭉개진 지렁이 같은 년들, 쇠똥 같은 년들!"

하르퓌아이들은 즉시 조용해졌다. 그중 한 놈이 악취를 풍기는 깃털을 날리면서 우리의 문까지 펄쩍펄쩍 뛰어오더니 새처럼 머리를 조아리고는 시끄럽게 떠들어댔다.

"으흐흐, 동생들아, 우리 저녁 밥상이 차려져 있구나! 멋모르고 짖어대는 요 귀여운 강아지 좀 봐!"

칼은 침착했다. 어라, 구역질나는 하르퓌아이들 앞에서 놀리듯이 칼은 꾸벅 머리까지 숙였다.

"털 빠진 늙다리 새들아. 발로 주워먹는 더럽기 짝이 없는 것들, 구린내가 얼마나 심하면 재칼이 먹다 게워버리겠냐."

"제법인걸. 하지만 그 정도의 욕설로 되겠냐? 칠뜨기! 좀더 노력해라, 꼬마야." 또 다른 하르퓌아이가 다가오면서 말했다.

이어서 하르퓌아이가 퍼붓는 욕설에 칼과 파브리스는 얼굴이 빨개지고, 타라와 무아노는 딸꾹질을 했다.

"이히히히!" 그 효과에 흡족해진 하르퓌아이가 히죽거렸다. "야, 애송이, 박자를 맞춰야지. 자, 귓구멍 후비고 똑똑히 들어라!"

쏟아지는 욕설에 무아노는 뒤로 물러서면서 두 손으로 귀를 틀어막았지만, 타라는 용감하게 대들었다.

멀찌감치 있던 하르퓌아이가 말했다.

"쪽빛 눈에 흰 머리털이 박힌 노랑머리, 네가 바로 그 꼬맹이 덩컨이지?"

깜짝 놀란 타라는 고개를 끄덕였다.

"그래, 맞아."

"상그라브들의 보스의 메시지를 가져왔으니 가까이 와."

타라는 즉시 다가섰지만 너무 가까이 가지는 않았다.

"너 뭐라고 했어?"

하르퓌아이는 거만하게 타라를 노려보았다.

"똑바로 말하지 못해? 허섭스레기 마법사 계집애, 병든 트라둑*의 끈끈한 점액 같은 넌!"

타라는 대화를 하려면 하르퓌아이에게 욕설로 맞받아쳐야 한다는 걸 깨달았다. 어떡한다, 욕설의 말투며 박자도 맞춰야 한다는데!

"야, 벌레도 도망갈 썩은 살덩이!" 타라가 내뱉었다. "하이에나도 질식해 죽는 구린내. 트라둑도 코를 틀어막는 똥통들아(트라둑이 지독한 구린내를 피우는 게 맞는다면)!"

"그 말투 마음에 든다, 노랑머리." 하르퓌아이가 빈정거렸다.

"아까 한 말은 사과해야겠는걸……."

우리가 마구 흔들리더니 그 충격에 문이 삐걱 열렸다. 아아악!

칼이 손 쓸 사이도 없이 하르퓌아이는 그 더러운 깃털로 타라를 덮치고 말았다. 두 번째 하르퓌아이가 빠져나오려고 할 때, 파브리스는 본능적으로 행동했다. 발길질로 냅다 우리의 문을 쾅 닫는 것으로 하르퓌아이를 반쯤 때려눕혔으니! 무아노도 "*믹수스의 이름으로* 철을 영원히 땜질하라!" 하고 외치면서 자물쇠를 납땜했다. 그사이에 칼은 타라에게 달려갔다.

그 소란에 달려온 샹프랭 선생님과 드라고쉬 선생님이 차례로 마비시키는 포쿠스 주문에 이어서 즉사시키는 데스트룩투스 광선을 쏘았지만…… 너무 늦었다.

타라를 덮친 하르퓌아이의 뻣뻣한 몸을 들어올리던 그들은 타라의 몸에 깊게 난 발톱자국을 보았다. 그 상처에는 독이 얼룩져 있었다.

5
림보의 악마들

하르퓌아이의 공격을 받고 반쯤 까무러친 타라는 독이 혈관을 파고들 때에야 비로소 통증을 느꼈다. 불덩어리가 혈관을 따라 번지는 것 같은 도저히 견딜 수 없는 통증에 타라는 비명을 내질렀다.

사태의 심각성을 직감한 키마이라는 타라가 기절하기 직전에 칼과 파브리스의 도움을 받아서 타라를 조심스럽게 들쳐업었다. 그런데 궁인들이 지켜보는 가운데 키마이라의 우아한 망토가 엉망으로 꾸겨졌다. 그러자 우스꽝스런 꼬락서니에 대한 소문을 막기 위해서인가, 키마이라는 선수를 쳤다.

"쓸데없는 말을 하고 다니는 자는 감옥에서 며칠 썩게 해주겠다, 알았나?"

그 말에 정곡이 찔린 모양이다. 궁인들이 슬금슬금 꽁무니를 빼는 걸 보면.

수석 고문관은 아주 걱정스런 얼굴로 타라를 궁전의 의무실로 데려갔다. 생명을 구하기 위해 마법과 지구의 과학을 병행하는 진짜 병원에서 밤새 박사는 밤새도록 독과 씨름을 했지만 뛰어난 능력에도 불구하고 별 소득이 없었다. 독이 서서히 타라를 마비시키고 있건만 속수무책이었다. 아직 해독제는 없었다.

정보국 국장 탕딜루스 망질이 조사에 착수했고, 칼은 일어났던 상황을 진술했다. 하르퓌아이들이 들어 있던 우리가 파손되어 있고, 자물쇠도 망가져 있었던 것이다. 게다가 드라고쉬 선생님이 어찌나 강력한 주문을 걸었던지 하르퓌아이가 즉사했기 때문에 신문을 할 수 없었다. 다른 하르퓌아이들은 아무것도 모르고 있었고, 긴급 호출된 '진실의 입'도 거짓말이 아님을 확인해주었다. 정말 치밀한 계략, 귀신이 곡할 노릇이었다. 노발대발한 탕딜루스 망질 국장은 궁전의 모든 사람을 대상으로 끈질기게 신문했다. 궁전에 도착했을 당시, 아무 이상이 없었던 것으로 확인되었으니 그 우리가 파손되었다는 것은 내부에 있는 누군가의 소행일 수밖에 없기 때문이었다.

아침에 눈을 떴을 때, 타라는 아무리 물을 마셔도 가라앉지 않는 심한 갈증에 시달렸다. 셈 선생님은 눈이 뻘개져 있었고, 무아노와 칼, 파브리스도 밤을 꼴딱 세웠다.

점점 더 깊은 혼수상태에 빠져들던 타라는 정신이 번쩍 들었다. 갑자기 들리는 능글맞은 목소리! 기를 쓰면서 간신히 눈을 뜨던 타라는 소스라치게 놀랐다.

의무실의 하얀 벽에 나타난 마지스터의 반사경 마스크가 나타나다니!

"으흐흐, 타라, 내 메시지를 받았구나." 만족스런 파란색으로 물든 마스크의 환영이 비웃음을 흘렸다.

셈 선생님이 벌떡 일어나서 소리쳤다.

"상그라브! 여기가 어디라고 감히 모습을 비추느냐! 본때를 보여주겠다!"

셈 선생님의 몸짓에 환영이 잠시 움찔하는가 싶더니 웃음을 터뜨리기 시작했다.

"어림 반 푼어치도 없는 소리! 당신은 나를 찾아내지 못해. 하지만 한 가지 제안을 하는데 거절하지 않는 것이 좋을 거라고 충고하지. 물론 그 아이를 살리고 싶겠지? 내가 치료해줄 수도 있어. 목숨을 구할 해독제를 갖고 있으니까. 하지만 해독제를 먹이려면 그 아이를 나한테 넘겨야만 한다."

"어림없는 소리!" 부아가 치민 셈 선생님이 고함쳤다.

"셈 선생님, 그건 타라가 결정해야 하는 것 아닌가요? 어쨌든 타라의 목숨이잖아요." 칼이 나섰다.

셈 선생님이 매서운 눈초리로 쏘아봤지만, 칼은 굽히지 않았다.

"타라……." 셈 선생님은 아주 부드럽게 말했다. "칼의 말이 옳구나. 네가 내려야 할 결정이다."

"나, 나는 주, 죽고 싶지 않아요." 열 때문에 정신이 혼미한 타라는 더듬거렸다.

"안타깝게도 우리에게는 해독제가 없어. 너를 살리려면 마지스터에게 넘겨야 해."

"마음대로 하세요." 타라는 힘없이 말하고는 그대로 의식을 잃었다

"좋아, 네가 이겼다, 마지스터." 셈 선생님이 침울하게 말했다.

"아이의 목숨을 가지고 장난치고 싶진 않아. 이젠 조건을 말해보시지."

"내 뜻에 당신을 굴복시키는 것이야말로 내 삶의 기쁨 중 하나란 말씀이야." 마지스터는 희희낙락했다. "한 시간 후에 타라를 문의 대합실에 데려다 놓으면 내 조수 한 명을 보내겠다. 행여 해독제에 대한 교환조건으로 내 조수를 생포하겠다는 생각은 하지 않는 게 좋을걸. 그랬다간 나는 주저 없이 조수를 포기해버릴 것이고 타라는 죽을 것이다. 알았나?"

"잘 알았다." 늙은 마법사는 퉁명스럽게 대답했다.

마지막으로 비웃음을 흘리며 환영은 사라졌다.

셈 선생님은 환영이 완전히 사라지기를 기다렸다가 어린 마법사들을 향해 돌아섰다.

"이번에는 선택의 여지가 없구나. 금지된 마법을 쓰는 수밖에!"

무아노와 칼, 샤먼의 얼굴은 파랗게 질렸고, 처음 듣는 말에 파브리스가 물었다.

"금지된 마법이요? 그게 뭔데요?"

"림보*의 마법이라는 거야. 이제는 악마의 도움이 필요해. 너무 위험하니까 너희들은 빠져야 한다."

"어림도 없는 소리오." 샤먼이 끼어들었다. "이 아이는 내 환자고, 밤을 세워서 살려놨는데 이제 와서 포기한다는 건 말도 안 됩니다."

"저희도 타라만 두고 그냥 갈 순 없어요. 우린 친구예요. 같은 상황이 닥치면 타라도 우리를 위해 똑같이 할 거예요. 어떻게 도우면 되는지 말씀해주세요." 칼이 단호히 말했다.

셈 선생님은 거절하려고 했지만 시간이 별로 없는 데다 지금은 타라의 친구들의 도움이 절실히 필요한 때라는 생각이 들었다. 그는 한숨을 내쉬면서 물었다.

"칼리반, 네가 훔치는 데는 꽤 솜씨가 좋은 걸로 아는데?"

"그렇죠, 왜요?" 칼은 천연덕스럽게 대답했다.

"하르퓌아이들 중 하나가 산란기도 아닌데 알을 하나 낳았어. 놈의 발톱을 피해서 훔쳐올 수 있겠니?"

칼이 활짝 웃는 얼굴로 대답했다.

"그런 멍청한 것들을 속이는 것쯤이야 식은 죽 먹기죠. 2분 내에 알을 갖게 되실 거예요."

칼은 의무실 밖으로 번개처럼 튀어나갔다.

"좋아. 무아노, 이번에는 네 차례야. 내 사무실이 어딘지 알지?"

"네, 서, 서, 서, 선생님."

"난 타라를 놔두고 갈 수가 없어. 그래서 너에게 어려운 임무를 맡기려고 한다. 상그라브들이 수년 전부터 혈안이 되어 찾고 있는 책, 금서를 가져와야 하거든. 자, 이제부터 네가 해야 할 일을 말할 테니까 잘 들어야 한다. 먼저 너의 인식 패스를 보여다오. 내 사무실의 출입 벽이 너를 통과시키게 입력해줄 테니. 사무실에 들어가서 선반 위 왼쪽을 보면 『해부학 비교연구, 아더월드의 동물상』이란 책이 있어. 그 책을 내 책상 위에 올려 놓은 다음, 세 번째 페이지를 세 번 두드리고, 스무 번째 페이지를 열 번 두드려. 순서나 숫자를 혼동하면 안 돼."

무아노는 아주 진지한 얼굴로 고개를 끄덕였다.

"그러면 내 책상이 벌어지면서 유리 층계가 나타날 거야. 넷째 계단과 일곱째 계단을 건너뛰어서 내려가거라. 다 내려가면 불의 뱀 두 마리를 보게 될 거다. 절대로 그 사이를 서서 지나가면 안 돼. 기어서 가지 않으면 녀석들이 잡아먹거든. 마침내 금서가 보이거든 책이 놓인 받침대 주위를 한 바퀴 돌아서 그 뒤에 감춰진 납작한 돌을 집어. 그리고 1초 내에 그 돌을 책 대신에 내려놔야 한다. 다시 올라올 때는 밑에서부터 둘째 계단과 다섯째 계단을 건너뛰어야 해. 그다음에는 페이지를 절대 건드리지 말고 해부학 책을 들어서 금서 위에 올려 놓는 것으로 책표지를 가려서 나한테 가져오면 되는 거야. 다시 한 번 말해줄까?"

무아노는 어찌나 겁이 나는지 말더듬는 것을 잊을 정도였다. "아뇨, 선생님. 알아들었어요." 무아노는 자신 있게 대답했다. "세 번째 페이지를 세 번, 스무 번째 페이지를 열 번 두드리고, 넷째 계단과 일곱 번째 계단을 건너뛰고, 돌을 내려 놓은 다음 책을 들고, 둘째 계단과 다섯째 계단을 건너뛰고 올라와서 해부학 책을 금서에 올려 놓은 상태로…… 선생님께 가져오는 거예요. 됐으니까 당장 갈게요." 흥, 두고 보라지! 어떤 놈에게도 금서를 빼앗기지 않겠어! 하고 말하듯 무아노는 각오가 대단한 얼굴이었다.

무아노가 달려나가는 사이에 셈 마법사는 뭘 도와야 할지 모르고 있는 파브리스와 샤먼을 보면서 말했다.

"파브리스를 데리고 숲에 가서 칼로르나* 세 뿌리만 뽑아다주시오. 이 아이를 유인하는 미끼로 이용하시오."

"그럼 저는 뭘 해야 하는 거죠?" 파브리스가 약간 불안한 표정으로 물었다.

"아무것도 할 것 없어." 샤먼이 피식 웃으면서 말했다. "칼로르나는 위험을 느끼는 즉시 땅 속으로 숨어버리지. 하지만 네가 위협하지 않고 가만히 서 있으면 호기심 때문에 다시 나올 것이고, 그때 내가 잡아채는 거야. 자, 가자."

늙은 마법사는 손짓으로 타라를 공중에 떠오르게 해놓은 다음, 그 주위에 여러 개의 컵을 떠다니게 하고는 컵 안에 불붙인 약초를 넣었다. 타라는 의식을 잃은 상태에서도 피가 끓는 통증 때문에 신음했고, 신음 소리가 날 때마다 늙은 마법사는 몸서리를 쳤다. 그는 마법으로 타라의 방어력을 강화할 준비를 시작했다.

갑자기 밖에서 쿵쾅거리는 소리가 들리더니 칼이 큼직한 회색 알을 들고 헐레벌떡 뛰어들어왔다.

"휴, 그것들이 아주 생난리를 쳐대긴 했지만 가볍게 목적 달성을 했어요. 또 다른 일은 시키실 거 없으세요?"

"지금은 없어. 굉장히 위험한데 계속 같이 있을 자신이 있는 건 확실하니?"

"그 질문은 우리가 필요하다는 말씀이죠?"

"솔직히 말하면 그래." 셈 선생님은 한숨을 지으며 대답했다.

"너희들은 친구들이니까 있는 힘을 다해서 타라의 손을 꽉 잡아줘야 해. 무슨 일이 생기더라도 결코 그 손을 놓아서는 안 돼. 그럴 수 있겠니?"

"다른 애들에 대해서까지 제가 대답할 수는 없어요. 하지만 저는 절대 손을 놓지 않겠다고 맹세하겠어요!"

그때 샤먼과 파브리스, 무아노가 거의 동시에 들어왔다. 유리병 속에서 칼로르나 뿌리가 꿈틀거리고 있었고, 무아노는 금서를 들고 있었다. 머리털이 약간 눌어붙은 걸 보면 그리 쉬운 일이 아니었던 모양이다.

파브리스와 무아노도 칼과 똑같은 대답을 했다. 그들은 타라가 죽어가게 내버려둘 수 없으며, 어떤 위험이 닥치더라도 반드시 함께 있겠다고 말했다.

"좋아, 그럼 가자. 샤먼?"

샤먼은 준비가 되었다는 표시를 했다. 셈 선생님이 책을 들고서, 타라 주위에 떠다니는 컵들 속에 칼로르나 뿌리를 집어넣는 순간 붉은 연기가 원을 그리면서 컵을 에워쌌다. 이윽고 그들은 함께 주문을 읊었다.

"*금서의 이름으로* 우리는 간청하노라. 악마들의 림보의 이름으로 우리를 무사히 통과시켜서 우리의 순수한 마음이 떨리지 않게 할지어다!"

우르르릉 콰쾅쾅!

천둥소리와 함께 방이 연기처럼 사라졌다. 거의 순식간에 그들은 잿빛의 허허벌판 상공에 타라와 함께 둥둥 떠 있었다. 그곳에는 심상치 않은 보랏빛 하늘, 거기서 뭐 하나 하는 식의 아주 궁금한 얼굴로 쳐다보는 구름 몇 점, 수백만 년 전에 버려진 것 같은 바위들, 이 외에는 아무것도 없었다. 그 전체가 황폐하다 못해 어찌나 괴기스런 풍경인지 그들은 슬슬 마음이 약해졌다.

칼은 타라의 오른손을, 파브리스는 왼손을 잡고 있고, 무아노는 두 손으로 타라의 머리를 받쳐주고 있었다. 그런데 아무래도 이상했다. 껍데기만 있는 것 같은 느낌! 유령이라도 된 건가?

기겁한 칼이 소리쳤다.

"선생님? 어떻게 된 거죠? 뭔가 좀 이상해요."

늙은 마법사는 난처한 얼굴로 말했다.

"제기랄! 몸이 따라오고 있다고 생각했는데 정신밖에는 통과할 수 없는가 보다. 조심해야 해. 여기 있는 우리의 정신에 일어나는 것은 모두 아더월드에 남아 있는 우리의 몸에도 일어나고 있을 거야. 에헴, 금서가 말하기를 우리가 지금 림보의 마왕이 있는 곳으로 아주 빠르게 가고 있다고 하니 몇 분 이내에 그 성을 통과하게 될 거다."

"그런데 여기가 어디예요? 왜 아프지 않을까. 다 나은 건가요?" 갑자기 깨어나서 어떻게 된 일인지 영문을 모르는 타라가 외쳤다.

"애석하게도 그건 아니란다, 타라." 늙은 마법사는 엄숙하게 대답했다. "우리에게는 해독제가 없어. 지금 우리의 정신은 림보에 와 있지만 우리의 몸은 의무실에 남아 있기 때문에 네가 통증을 느끼지 않는 거란다. 아! 저게 바로 악마들의 왕이 사는 성이로구나. 조심해야 해. 특히 어떤 도전에도 응하면 안 돼, 알겠지?"

어, 도전이라고? 어떤 종류의 도전일까? 최고 마법사의 경고에도 불구하고 무아노는 몹시 궁금했다.

맙소사, 시커먼 현무암 성이 어마어마하게 큰 네 개의 다리로 성큼성큼 다가오고 있었다. 누군가가 어디서 한번 본 집을 모방한 건가. 문이며 창문이 노대체 뭐에 쓰이는 것인지도 모르는 모양이다. 문은 벽 높이에 있고, 창문은 아래쪽에 나 있는 걸 보면……. 지붕이 한쪽 벽 옆에 얹어져 있으니 위층 내부를 가려주는 것은 없다고 봐야 했다.

셈 선생님은 고개를 끄덕이면서 따라오라는 손짓을 하고는 주저 없이 벽들을 통과했다. 샤먼과 네 명의 친구는 뒤를 따랐다. 그런 와중에도 타라는 벽을 통과하고 있자니 진짜 유령이 된 느낌이 들어서 좀 으스스하긴 해도 몹시 즐거웠다. 날아다니는 기분이 이런 것일 줄이야!

그렇게 일단 안으로 들어가자 심한 현기증이 몰려왔다. 잿빛 벌판에서 추방된 온갖 색깔들이 격렬한 싸움을 벌이고 있었다. 왼쪽 벽과 바닥의 일부에서는 눈부신 노란색이 빨간색 구역을 침범하고 있었고, 오른쪽 벽에서는 파란색이 겁먹고 뒷걸음질치는 흰색을 공격하고 있었다. 검은색 천장은 다른 색깔들의 공격으로 반쯤 잘려나간 촉수들을 조심스럽게 내뻗었다.

떨어진 거리로 보아 벽과 바닥, 천장에서 정확하게 한복판이 되는 허공 속에 나 있는 출구를 통해 잿빛 벌판이 내다보였다. 그 출구가 바로 다섯 색깔이 눈독을 들이고 있는 목표물이 분명했다. 제일 먼저 그 출구에 이르기 위해서 바닥을 침범하기도 하고, 천장에서 떨어지기도 하고, 벽에서 튀어나오기도 하는 색깔들. 그 싸움에 휘말리지 않으려면 아주 조심조심 나아가야 했다.

갑자기 칼이 소리쳤다.

"앗! 몸이 딱딱해지고 있어요!"

정말로 그들의 몸이 조금씩 두꺼워지고 있었다.

"그 저주받은 악마가 발두르의 창자의 이름으로 모든 손님을 색깔의 함정에 빠지게 해서 포로로 만들어버리는 주문을 걸어놨구나. 모든 손님을 색깔의 함정에 빠트려서 포로로 만들겠다는 속셈으로!" 늙은 마법사는 분통을 터뜨렸다. "그런데 우리는 완전히 물질적이지도, 완전히 비물질적인 것도 아닌 중간 상태에 있으니……. 어쨌든 색깔들이 우리에게 닿으면…… 최악의 경우 생포될 수도 있어!"

"그, 그럼 어, 어떻게 해요!" 공포에 사로잡히기 시작한 무아노가 외쳤다.

반투명에 가까운 자신의 손을 쳐다보면서 늙은 마법사는 설명했다.

"성에다 색깔들을 가둬 놓다니, 과연 악마답군. 그래서 색깔들이 자기들끼리 싸우면서 방 한복판에 있는 기적의 출구로 도망치려고 기를 쓰는 거야. 밖으로 나가기 위해서 너희들에게 들러붙으려고 할 거니까 벽을 만졌다가는 함정에 빠지는 것이다. 빨리 서두르지 않으면 우리 모두 무사히 통과할 수 없어. 조심해서 따라오너라!"

신비로운 감각을 통해 늙은 마법사의 목소리를 들은 건가, 색깔들이 꼼짝도 않고 있었다. 이윽고 셈 선생님의 발을 겨냥하고 번개같이 달려드는 빨간색, 이를 늙은 마법사는 가까스로 피하긴 했지만 그렇게 되기만 기다리던 검은색에 가까워지고 말았다. 길다란 촉수가 천장에서 내려오는 바람에 그는 펄쩍 뒤로 물러서야 했다. 셈 선생님을 따라가기 위해 타라와 칼, 샤먼, 무아노, 파브리스는 색깔들이 파 놓은 함정을 피해 지그재그로 뛰어다니기 시작했다. 다행히 그들이 색깔들보다 간발의 차이로 더 빨랐기에 아슬아슬하게 빠져나가고 있는데…….

아앗! 갑자기 파브리스가 소리쳤다. 파란색을 미처 피하지 못한 파브리스의 손에 서서히 파란 물이 들고 있었다.

이번에는 파브리스 때문에 방심한 무아노가 빨간색에 닿아서 다리가 진홍색으로 변했다.

파브리스를 구하려 하던 칼은 노란색과 검은색에 닿고 말았다.

늙은 마법사도 흰색과 빨간색을 피하지 못했다.

이제는 파란색에 이어 흰색이 샤먼을 함정에 빠뜨리고 있었다.

그들이 발버둥칠수록 더욱 끈적끈적 들러붙는 색깔들! 노란색과 빨간색의 공격을 당해낼 수 없는 타라는 두 색깔이 살갗 위에서 합쳐진다 싶었는데 오렌지색으로 변하기는커녕 또 싸움하는 걸 보는 순간, 묘안이 떠올랐다.

"조용히 해봐요!" 타라가 소리를 질렀다. "색깔들에게 말할 거니까 가만히들 있어요."

그들의 몸을 전쟁터로 삼은 온갖 색깔로 알록달록해진 친구들은 입을 다물고 꼼짝하지 않았다.

"색깔들아, 난 너희들을 구해줄 방법을 알아. 그러니까 내 말 잘 들으란 말야! 우리는 마왕을 만나기 전에는 이 성을 나가지 않을 거야. 따라서 우리에게 들러붙어서 나가려고 하는 건 소용없는 짓이야. 마왕은 절대 너희들을 내보내지 않을 테니까. 하지만 내 말을 잘 들으면 너희들은 여기서 나갈 수 있어."

색깔들은 부질없는 싸움을 계속해댔다. 그래서 타라는 색깔들이 자신의 말을 전혀 알아듣지 못하는 거라고 생각했다. 그런데 잠시 후 빨간색이 조심스럽게 움직임을 멈추는 사이에 노란색도 검은색의 공격을 무시하는 것이 아닌가. 흰색과 파란색마저 어지럽게 놀리던 촉수들을 정지시키면서 갑자기 아주 조용해졌다.

"너희들은 합쳐져야 해. 그렇지 않으면 출구를 지나갈 수가 없고, 영원히 싸움질이나 하고 있어야 한단 말야. 흰색, 노란색, 빨간색, 파란색, 검은색, 농도가 커지는 순서대로 정렬해. 그리고 방 한복판에 있는 출구 앞으로 가. 어서 가!"

처음에는 약간 머뭇거리는 것 같던 색깔들이 주춤주춤 복종하기 시작했다. 먼저 흰색이 노란색과 합쳐졌고, 어이서 빨간색, 파란색, 검은색이 합쳐졌다. 아무런 변화도 일어나지 않는 걸 보면서 타라는 판단이 잘못되었다고 생각하는 순간이었다.

갑자기 쐐애애앵, 공기를 가르는 날카로운 소리가 들렸다! 색깔들이 빙빙 돌기 시작하더니 난데없이 방을 비추는 눈부신 무지개! 기뻐하는 초록색, 장난치는 오렌지색, 부드러운 장미색, 막 태어난 또 다른 색깔들까지 합세하면서 무지개는 휘황찬란한 빛을 번쩍였다. 마침내 하나로 합쳐진 무지개는 한복판의 출구에 이르렀고, 좋아라 하며 밖으로 몰려나가더니 벌판을 아름답게 물들였다.

"와우!" 하고 갑자기 소리치는 것으로 파브리스는 모두를 깜짝 놀라게 했다. "그건 정말 천재적인 착상이었어. 난 평생 파란색 인간으로 살다 죽는구나 생각했는데!"

"다들 괜찮은 거냐?" 살갗에 색깔들이 조금이라도 남아 있는지 여기저기 꼼꼼히 살펴보면서 셈 선생님이 물었다.

"파브리스, 너 그 말 한번 참 명언이다. 우린 총천연색 인생을 살 뻔했어!" 그제야 마음이 놓인 칼도 농담을 했다.

그때 갑자기 무아노가 외쳤다.

"타, 타라! 네 모, 목을 좀 봐!"

타라는 눈을 내리깔고 나서야 왜 그렇게들 놀라는지 알 수 있었다. 목 아래 오목한 데에 이상한 문양이 나타나 있었다. 색깔들이 나가기에 앞서서 고마움의 표시로 타라에게 추억의 선물을 남겨 놓은 모양이었다. 타라의 살갗에 달라붙었던 노란색은 금, 파란색은 사파이어, 흰색은 다이아몬드, 빨간색은 루비, 검은색은 흑단이 된 것처럼 묘한 보석문양을 만들어내었다. 타라는 옷깃만 세우면 그 삐까번쩍한 보석문양을 감출 수 있었다.

"우와와!" 감동한 타라가 말했다. "그래도 트라비아에 돌아가면 이게 내 살에서 없어지겠지, 뭐."

"유감스럽게도 여기서 일어나는 것은 뭐든 거기서도 일어나고 있단다." 셈 선생님이 말했다. "하지만 그 보석문양은 언젠가 네게 색깔들이 필요한 날이 왔을 때, 이름만 부르면 달려올 것임을 알려주고 있구나. 그건 그렇고 난 아무래도 우리가 색깔들을 풀어준 걸 알면 마왕이 길길이 뛸 것 같거든. 알아차리기 전에 서둘러야겠다! 다음 벽을 통과하기에는 우리가 너무 딱딱해져 있으니!"

셈 선생님이 휙 날아서 단번에 벽을 통과했다. 그 뒤를 줄줄이 따르다 커다란 방에 이른 그들은 가까스로 급브레이크를 걸었다. 떡 버티고 서서 기다리고 있는 흉물스런 검은 드래곤과 충돌하지 않기 위해서였다.

타라는 얼른 물러섰다. 셈 선생님이 미쳐버린 드래곤에 대해서 했던 말이 불현듯 기억났다. 성에 사는 마왕이 그런 드래곤이라면 완전히 돌아버린 미치광이일 것은 두말할 것도 없잖아!

마왕을 에워싸고 있는 엄청나게 많은 악마들, 그들이 질세라 저마다 욕설을 내뱉는가 하면 괴성을 지르고, 침을 퉤퉤 뱉으면서 온갖 오두방정을 다 떠는데, 정말 눈뜨고 못 봐줄 광경이었다! 각양각색의 악마들이 어찌나 혐오스러운지 네 명의 친구는 쳐다보고 있는 것만으로도 속이 다 울렁거렸다.

그 소란에 개의치 않고 셈 선생님은 흉측한 드래곤 앞에서 공손히 허리를 굽혔다.

"드래곤으로 변신한 모습을 보여주시니 영광입니다, 마왕 폐하. 본래의 모습이 더 좋지 않습니까?"

마왕은 우레 같은 소리로 대답했다. 목소리가 어찌나 쩌렁쩌렁한지 림보 전체가 진동하면서 악마들이 입을 다물었다.

"너의 어린 일행들이 무서워하지 않겠는가? 난 비명소리는 딱 질색이다."

무아노는 속으로 빈정거렸다. 흥, 악마들이 지르는 소리는 뭐야, 그럼. 음악이라도 되나?

"예의가 바른 아이들입니다, 마왕 폐하." 셈 선생님은 차분하게 대답했다. "무서워하지 않을 겁니다."

타라는 셈 선생님을 흘겨보았다. 뭐, 무서워하지 않아요, 우리가? 말이라고 너무 쉽게 하시네! 우리한테 물어봤냐구요, 지금도 오금이 저려 죽겠는데!

본래의 모습으로 돌아가기 위해 드래곤이 사라졌을 때, 타라는 비명을 지르지 않았다. 하지만 그건 이를 악물고 노력한 덕분이었다.

번들거리는 허연 얼굴에 뻥 뚫린 엄청나게 큰 입, 검은 점이 박힌 보랏빛의 길다란 혀가 역겹게 쭉 늘어져 있고, 그 주위를 에워싸는 촉수 끝마다 눈이 달려 있는 괴물, 그게 마왕의 본래 모습이었다. 가지각색의 수많은 눈. 빨간 눈, 초록 눈, 파란 눈. 작은 눈, 큰 눈……. 어쩌면 그렇게도 하나같이 구역질이 나는지.

"대단한 셈나샤오비로다인트라쉬부가 무슨 일로 나를 찾아왔는가?" 옥좌 같은 데에 편안하게 자리잡고 앉은 괴물이 늙은 마법사를 향해 수백 개의 눈을 부라리고, 그 큰 입을 혀로 널름널름 핥으면서 말했다. "내 영역에서 인간을 본 지가 하도 오래 되어서 말이다. 마지막으로 본 것이 자네들의 시간으로 계산하면 12년 전이었던가. 젊은 마법사가 찾아와서 능력을 간청하기에…… 내가 기쁘게 능력을 주었지. 결과도 그가 기대하는 이상의 성공이었고!"

늙은 마법사는 격앙된 어조로 응수했다.

"마지스터라는 그 마법사에게 악마의 능력을 주는 것이 어떤 일인지 폐하도 잘 알고 계실 겁니다. 그자는 미치광이가 되었고, 우리의 감독을 완전히 벗어나 우리를 위협하고, 더 나아가 천하를 지배하려고 합니다. 그 야욕 때문에 그자는 이 소녀에게 중상을 입혔지요. 그자가 그렇게 된 데는 폐하에게도 책임이 있는 것이니 폐하께서 이 아이에게 중상을 입힌 것이나 다름없지요. 그리고 지난 대전 때 드래곤들과 마법사들이 악마들을 물리친 뒤로 드래곤은 악마를 공격하지 않고, 악마는 드래곤을 건드리지 않기로 분명히 협정을 맺지 않았습니까?"

타라는 두 적수가 나누는 대화를 머릿속에 새겼다. 흐음, 그렇게 된 거였구나.

"그건 우리가 선택한 것이 아니다!" 마왕이 버럭 소리를 질렀다.

"그리고 너희들은 우리를 이 림보 안에 가두었어! 너희들이 미천한 하인처럼 소환할 때에나 우리는 비로소 여길 나갈 수 있단 말이다!"

드래곤 마법사는 끄떡도 하지 않았고, 악마는 적의 어린 어조로 말했다.

"그리고 내 생각이 틀리지 않는다면 이 아이는 인간이로다. 그러니 드래곤하고는 아무 상관이 없다 그 말이야. 우리의 협정은 인간들과는 아무 관계가 없다!"

"우리의 인간들을 공격한다는 건 곧 우리를 공격하는 것입니다. 따라서 배상을 요구하는 바입니다." 드래곤 마법사는 단호하게 응수했다.

"그 정도의 공갈 협박으로 잘 될까 몰라." 마왕이 비아냥거렸다.

"우리의 협약에 대해서는 나도 너만큼 잘 알고 있다. 우리는 협정을 준수하고 있어. 새로운 협약을 맺기 위한 전쟁을 원하는 것인가? 괘씸한 지고! 악마들과 드래곤들의 전쟁이 너의 뜻이라면 기꺼이 응하겠다."

이 둘의 대화를 악마 군단은 귀를 종긋 세우고 들었고, 샤먼은 얼굴이 새파랗게 질려버렸다.

선택의 여지가 없는 드래곤 마법사는 마지못해서 대답했다.

"내가 바라는 건 그게 아닙니다. 이 아이를 무상으로 치료해달라고 폐하께 청을 드리는 겁니다."

"무상으로? 이게 무슨 헛소리야. 네가 아무리 인간의 모습으로 자신을 감추고 있다고 해도 그 속을 뻔히 들여다보고 있는 내가 드래곤의 이중성을 모를 줄 아는가. 내 사전에 무상이란 없다. 치료를 해주면 그 대가는 무엇인가?"

"아주 따끈따끈한 하르퓌아이의 알을 가지고 있는데 이곳으로 당장 보내줄 수 있습니다. 하르퓌아이의 독에 대한 해독제 한 병을 받는 대가치고는 후한 겁니다."

촉수가 꼬물꼬물거리는 얼굴이 으하하하 웃음을 터뜨렸다.

"하르퓌아이의 독이라고? 나를 바보로 아는가? 그리고 난 하르퓌아이의 알에는 관심이 없다. 에스칼리도스의 별이라면 또 몰라도. 네가 백 년 전에 그걸 되찾은 걸로 아는데 그 사용권은 나에게 있지."

드래곤 마법사는 얼굴을 찌푸렸다. 타라는 귀가 솔깃했다. 에스칼리도스의 별이 뭐지? 아주 소중한 것인가 본데.

드래곤 마법사는 잠시 꿀 먹은 벙어리처럼 있다 마지못해 양보했다.

"좋습니다. 해독제와 나의 별을 바꾸지요."

마왕은 드래곤 마법사를 뚫어져라 쳐다보면서 그 긴 혀로 눈 하나를 날름 핥더니 장난을 치듯 축 늘어뜨렸다.

"이런, 이런, 유감천만이로다! 그 별을 빼앗는 건 정말 즐거운 일인데. 네가 말하는 해독제를 갖고 있지 않아서 아쉽구나. 나한테 없으면 그 누구도 해독제를 가지고 있지 않다는 건 분명히 말해줄 수 있다."

"그럼 왜 이러니저러니 얘기한 겁니까?" 발끈한 칼이 셈 선생님을 앞질러서 내뱉었다.

마왕은 눈 한복판에 있는 입을 쩍 벌리고 푸하하하, 소름끼치는 웃음을 터뜨렸다.

"잘난 셈나샤오비로다인트라쉬부가 굴복하는 꼬락서니를 보고 싶어서! 어린 인간을 구하기 위해 어디까지 갈 수 있는지 궁금했거든."

타라도 속이 부글부글 끓었다. 악마인 주제에 셈 선생님을 조롱하면서 실망하는 모습을 즐기고 있다니!

"우리를 도와줄 능력이 없으면 꺼져버려요! 선생님, 가요. 이 거만한 작자는 말만 많지 아무 능력이 없어요. 진짜로 힘있는 사람에게 도움을 청하는 게 낫겠어요."

신하들이 보는 앞에서 모욕을 당한 마왕은 기분이 몹시 상했다.

"하하, 꼬맹이가 배가 고픈가 보구나. 제법이로다, 물어뜯을 줄도 알고! 그래, 내가 힘이 없다고 생각하거라. 두고 보면 알게 될 테니. 너희 세계로 돌아가거라. 머지않아, 머지않아서 내가 생각날 것이야…… *스파리담!!!*"

그 말이 떨어지자마자 그들은 순식간에 한낱 지푸라기처럼 림보에서 쫓겨났다. 이어서 벌판에서 깡충거리는 색깔들을 발견하고 분노를 터뜨리는 마왕의 고함소리가 들리는가 싶었는데……. 어느새 그들의 정신은 트라비아 궁전의 의무실에 남아 있는 몸 속으로 들어와 있었다.

타라는 몸 속으로 귀환하면서 뭔가가 달라져 있음을 알아차렸다. 자신을 서서히 죽이는 타오르는 독이 여전히 느껴지긴 했지만 통증은 웬만큼 견딜 수 있게 된 것 같았다. 가뿐해진 느낌에 타라는 벌떡 일어났다. 아이고, 놀래라! 그제야 자신의 몸이 의무실 공중에 떠 있었다는 걸 알아차렸다.

쏜살같이 날아간 칼은 타라가 천장에 부딪혀 머리가 부서지기 일보 직전에 붙잡아주면서 외쳤다.

"야, 너 뭐 하는 짓이야? 왜 그래, 어디가 안 좋냐?" 깜짝 놀란 칼이 물었다.

"좋아." 타라는 경쾌하게 대답했다. "컨디션은 아주 좋아. 이럴 수가! 이것 좀 봐! 색깔들이 남긴 문양이 나와 함께 돌아왔어!"

정말로 타라의 목 아래 오목한 데에서 오색찬란한 문양이 괴상야릇한 보석처럼 번쩍번쩍 빛나고 있었다.

샤먼은 다가서서 타라의 얼굴에 손을 갖다댔다가 손바닥을 보면서 뭔가를 읽었다.

"이해할 수가 없어." 당황한 샤먼이 말했다. "독은 여전히 있는데 통증을 느끼지 않는 것 같으니 알다가도 모를 일이군."

"악마들의 유머는…… 정말 별나다니까." 셈 선생님은 걱정이 가득한 얼굴로 혼잣말처럼 중얼거렸다. "타라는 마왕의 능력을 의심했고, 마왕은 타라를 치료할 수가 없었어. 그런데 마왕이 타라가 통증을 이겨낼 수 있도록 뭔가 조치를 해놓았으니, 그거 참. 어쨌든 야단났군. 빨리 해독제를 먹지 않으면…… 타라는 죽는데!"

"우리는 선택의 여지가 없어요." 칼이 말했다. "한 가지 생각이 있긴 해요. 선생님, 상그라브들의 마스크는 침투할 수 없는 건가요, 아니면 얼굴을 감추기 위한 환각 현상일 뿐인가요?"

"환각 현상일 뿐이야. 그렇지 않다면 그들은 숨을 쉴 수가 없겠지. 그건 왜?"

"묘안이 있는데 도움이 필요해서요."

칼은 자신의 계획을 짤막히 설명했다. 셈 선생님은 반대하려고 했지만 달리 뾰족한 수가 없었다.

모든 것이 준비되었을 때, 의무실 벽에 마지스터의 마스크 이미지가 또 나타났다. 의무실에는 의식을 잃고 들것에 누운 타라와 셈 선생님만 있었다.

"그래, 준비는 다 되었는가?" 마지스터가 비웃는 어조로 물었다.

"타라는 죽어가고 있어, 몹쓸 상그라브!" 늙은 마법사는 언성을 높였다. "문의 대합실로 즉시 데려가겠다. 하지만 지금 당장 해독제를 먹이지 않으면 아무 소용없는 일! 송장이 된 다음이니까."

상그라브들의 보스는 타라를 살폈다. 열이 나서 빨게진 타라는 헛소리를 하고 있었다.

"서두르시지." 마지스터가 늙은 마법사에게 퉁명스럽게 말했다. "내 조수가 즉각 출발했으니 30초 이내에 도착할 것이다."

셈 선생님이 둥둥 떠 있는 들것을 밀면서 대합실에 도착하는 바로 그 순간에 마지스터의 조수도 모습을 드러냈다.

의심이 많은 조수는 재빨리 주문을 걸었다. 공격을 하기 위해 엿보고 있는 다른 마법사가 없는지 확인하는 모양이었다. 도저히 몸을 숨길 수 없건만 상그라브는 들것 아랫부분까지 샅샅이 확인했다. 늙은 마법사와 들것에 누운 타라밖에 없었다.

"나를 따라오는 건 소용없는 짓이오. 내가 들어가는 문은 나만 통과시키니까."

"난 따라가지 않아. 빨리 가라, 아이가 죽어가고 있단 말이다!"

상그라브는 고개를 끄덕이면서 외쳤다.

"실바인의 숲!"

그리고 그들은 사라졌다.

그들이 숲 속 빈터에 이르자, 상그라브가 또 외쳤다.

"틸베르토른!"

그들은 또다시 사라졌고, 잠시 후 도착한 방에는 마지스터가 유리병을 들고 기다리고 있었다.

마지스터는 타라 앞에 다가서서 해독제를 먹이기 위해 머리를 들어주었다. 그 순간 분명히 의식을 잃은 듯 누워 있던 타라가 벌떡 일어나더니…… 네 개의 팔로 마지스터의 멱살을 거머쥐었다.

땅에서 솟았나, 하늘에서 떨어졌나! 도둑의 기술을 사용하여 팬케이크처럼 몸을 납작하게 만들어서 타라의 몸 밑에 숨어 있던 칼이 불쑥 나타난 것이었다.

당황한 마지스터가 사태를 미처 알아차리기도 전에 칼은 그 마스크를 향해 뭔가 시커먼 것을 휙 던졌다. 엉겁결에 얼굴을 정통으로 얻어맞은 마지스터는 허리가 구부러질 정도로 카아악, 비명을 지르면서 유리병을 놓아버렸다. 그 순간 칼은 유리병을 날쌔게 낚아챘다.

마지스터의 조수가 돕기 위해 달려왔을 때, 타라는 고함을 내질렀다.

"둘 다 지옥에 떨어져라!"

타라가 이어서 포쿠스 주문을 걸려는데, 펑! 하는 소리와 함께 두 상그라브는 사라져버렸다. 타라는 어찌된 영문인지 알려고도 하지 않고 잘

되었다 싶어 바로 외쳤다.

"*트라비아 궁전으로!*"

문이 복종했고, 이번에는 그들이 사라졌다.

그들이 트라비아 궁전에 다시 나타나자, 셈 선생님은 얼른 칼에게서 유리병을 빼앗아서 지체없이 타라에게 그 약을 몽땅 마시게 했다.

잠시 기다리고 있던 샤먼이 타라의 얼굴 앞에 손을 가져갔다가 손바닥을 읽으면서 고개를 끄덕였다.

"다 나았소."

언제나 간단명료하게 대답하는 샤먼은 소지품을 챙겨서 곧바로 자리를 떴다.

파브리스와 무아노, 칼은 환호성을 질렀다.

"내 계획이 기막히게 들어맞더라고!" 기뻐서 어쩔 줄 모르는 칼이 설명했다. "놈들이 어른 마법사가 타라 옆에 숨어 있는지 확인할 거라고 예상했거든. 그래서 아주 작은 공간에도 들어갈 수 있도록 흉곽을 수축시키는 도둑의 기술을 사용했던 건데 놈들이 진짜로 타라를 일으켜볼 생각은 하지 않더라고. 상그라브가 다가오기에 내가 그 눈에 검은 후춧가루를 확 뿌려버렸지."

"후춧가루?"

"응. 우리가 해독제를 빼앗아서 도망치려면 잠시나마 마지스터의 눈을 멀게 해서 꼼짝 못하게 만들 물질이 필요했거든. 그게 기막히게 성공했어. 그런데 두 상그라브가 왜 갑자기 사라졌는지, 그건 모르겠어."

셈 선생님은 눈살을 찌푸렸다.

"어떻게 사라졌는데?"

"글쎄요." 칼이 어깨를 으쓱하면서 말했다. "갑자기 펑! 하는 소리가 나더니 둘 다 없어졌어요. 그러고는 타라가 이동 주문을 걸었고 여기로 돌아온 거예요."

"네가 나를 살렸어, 칼." 타라는 진지하게 말했다.

그러고는 타라가 느닷없이 뺨에 입을 맞추는 바람에 칼은 얼굴이 빨개져서 어쩔 줄을 모르고 있었다. 마치 칼을 구해주려는 듯 때마침 어린 시동이 왕의 전갈을 가져왔다. 타라가 기적적으로 치료되었다는 소식을 들은 왕과 왕비가 타라를 불러들였던 것이다.

시동은 타라와 최고 마법사를 어전까지 안내했다.

궁인들을 접견하고 있던 왕과 왕비는 타라의 등장을 알리자마자 친히 얘기를 나누고 싶어 했다. 궁인들은 물러서서 호기심이 가득한 얼굴로 귀를 기울였다.

"타라, 아주 무서운 경험을 하고 왔다던데?" 왕비가 다정하게 물었다.

"네, 마마. 셈 선생님과 제 친구들이 제 목숨을 살려줬습니다. 특히 칼리반은 상그라브들의 집까지 저를 동행하는 대단한 용기를 보여주었습니다."

섬뜩한 불안감이 청중들 사이에 퍼졌고, 키마이라 살라타르도 자리에서 벌떡 일어났다.

타라는 모험담을 얘기했다(타라가 목 아래 오목한 데에서 보석처럼 반짝거리는 문양을 보여줬을 때에는 여자들이 부러움을 표시했다. 그들의 얼굴을 보면 아무래도 타라가 본의 아니게 그 보석문양을 유행시킬 것 같았다). 이제 이야기는 그들이 위아래가 뒤집어진 성 안, 악마의 방에 있는 대목에 이르러 있었다.

"우리는 공포로 얼어붙어 있었습니다, 마마. 왜냐하면 우리는……."

타라는 말을 뚝 그쳤다. 바로 눈앞에서 공포에 질린 왕과 왕비가 부들

부들 떨기 시작하더니 눈썹과 머리털에 서리가 앉고, 파랗게 얼어붙고 있었다.

"이게 무슨, 무슨 일이냐?" 왕이 이를 딱딱 마주치면서 고통스럽게 말했다.

타라는 돌아보았다. 무아노와 칼, 파브리스도 추워서 발을 동동 구르고 있었다. 타라는 주위를 둘러보면서 겁이 덜컥 나기 시작했다.

왜 모두들 저렇게 시퍼렇게 얼었지? 서리를 하얗게 뒤집어쓴 머리, 궁인들은 덜덜 떨면서 띄엄띄엄 의문을 제기하며 불안한 눈길을 보내고 있었다. 추위라면 아주 질색하는 살라타르는 자신의 몸이 얼음으로 뒤덮이는 걸 보고 울부짖었다.

"오, 조상들이시여!" 하고 중얼거리면서 셈 선생님이 말했다. "특히 타라, 너는 지금부터 내가 허락하기 전에는 한 마디도 하지 말거라."

"전하, 어떻게 된 일인지 알 것 같습니다!"

셈 선생님은 기절초풍해 있는 타라를 돌아봤다.

"우리의 친애하는 친구인 악마가 너한테 작은 선물을 주었구나. 마왕의 호의로 우리의 몸은 서서히 녹는다, 하고 큰 소리로 외쳐주겠니?"

한순간 타라는 드래곤의 머리가 이상해진 게 아닌가 생각했지만, "*마왕의 호의로 우리의 몸은 서서히 녹는다!*" 하고 큰 소리로 외쳤다.

순식간에 왕과 왕비, 다른 모든 사람들의 몸이 녹았고, 따뜻한 열기가 혹독한 추위를 대신했다.

털이 흠뻑 젖은 살라타르는 눈을 내리깔고 앞으로 나섰다.

"누가 설명해주겠소?" 하도 차분해서 오히려 살벌하게 느껴지는 목소리로 살라타르가 물었다.

"림보에 갔을 때, 유감스럽게도 우리가 마왕에게 타라를 치료할 수 있겠냐고 했지요." 셈 선생님이 난처한 얼굴로 말했다. "치료해줄 능력이 없다는 것에 자존심이 상했던 모양입니다. 마왕이 다른 능력을 타라에게 선물한 걸 보니. 타라가 비유법을 사용하는 즉시 그것이 실현되게 만드는 선물을 준 것이지요. 타라가 그 상그라브들에게 지옥으로 떨어지라고 소리치자 놈들이 갑자기 사라졌다고 칼이 말했을 때 이상하다는 생각이 들더니만 바로 그 때문이었습니다."

"그러니까 놈들만 그렇게 되는 게 아니라는 얘기잖아요." 손수건으로 얼굴을 닦으면서 칼이 끼어들었다. "그럼 앞으로 타라가 '초조해서 죽겠어' 라고 하든가 '오늘은 열 받아 죽겠어' 같은 말을 하면 우리 모두 그렇게 된다는 거죠?"

"그렇겠지." 셈 선생님이 인정했다.

"타라, 그럼 너 말이야." 타라에게 씽긋 웃어 보이면서 칼이 결론을 내렸다. "사람들을 꼬치구이로 생을 종치게 만들고 싶지 않다면 네 언어에서 비유법을 추방시켜버려!"

공포로 옴짝달싹 못하는 타라는 칼의 얼굴을 빤히 쳐다보면서 침을 꼴깍 삼켰다.

젖은 머리를 말리면서 걱정스런 얼굴로 친구를 응시하던 무아노가 물었다.

"그, 그래도 타라를 치료할 수는 있는 거죠? 그 말도 안 되는 마법을 퇴, 퇴치할 수는 있는 거죠? 그렇지 않으면 타라는 견디기 어, 어려울 거예요!"

"최고 마법사들의 능력을 이용하는 방법밖에 없습니다." 살라타르가 나섰다. "하지만 여긴 최고 마법사가 그리 많지 않으니 오무아 제국으로 가야 합니다."

"오무아?" 주의 깊게 듣고 있던 왕이 개입했다. "제국에 뭔가를 청하는 건 보통 난처한 일이 아닌데……. 여제와 황제가 타라의 치료를 위해 오무아에 있는 최고 마법사들의 능력을 이용하는 걸 허락할 거라고 생각하는가?"

"그건 의심의 여지가 없습니다." 셈 선생님이 대답했다. "그건 최고 마법사들 사이의 묵계입니다. 정치적인 문제라 할지라도 우리들 중 한 사람이 위험에 처하거나 부상을 당하면 목숨을 구하거나 치료하기 위해 힘을 합하기로 되어 있습니다."

"그럼 됐군요. 당신에게 이 아이를 치료하기 위한 전권을 위임하겠소." 살라타르가 결론을 내렸다. 그것이야말로 타라라는 위험한 존재를 몰아내는 방법이라고 생각하는 모양이었다.

"당장 떠날 수는 없지요." 살라타르가 하는 말에 아랑곳없이 셈 선생님은 덧붙였다. "지금 진행하고 있는 일을 정리하려면 시간이 좀 필요합니다. 한 일주일 정도면 되니까 그때 떠나겠습니다. 그동안에 타라는 아주 조심할 겁니다. 그렇지, 타라?"

조심하라면 당연히 그래야 되겠지요. 타라는 말을 삼가겠다는 뜻에서 고개를 푹 숙이는 것으로 대답을 대신했다.

타라는 컨디션이 아주 좋았다. 하지만 사람들을 얼리거나 태우는 위험을 저지르느니 차라리 방으로 가는 쪽을 택했다. 겁에 질린 궁인들은 타라가 지나갈 때 슬금슬금 비켜섰다.

저녁에 타라는 친구들을 만나러 갔다.

"괜찮니?" 그 무리에 합류해 있던 데리아가 걱정스러운 얼굴로 물었다. "소식을 듣고 네 방으로 가려고 했는데 셈 선생님이 말렸어."

"오! 데리아." 타라는 눈물까지 글썽이면서 외쳤다. "너무 겁이 나요!

무슨 말이든 아주 조심해야 해요."

"이리 와, 타라." 데리아는 타라를 안아주면서 다정하게 말했다. "겁내면 안 돼. 능력, 힘은 그걸 조절할 수 없을 때에만 위험한 거야. 넌 문제없이 해낼 수 있어."

"좋은 수가 있어!" 마음이 진정된 타라가 눈물을 닦는 동안에 칼은 한 술 더 떴다. "내일 아침 회의시간에 악마의 능력에 탄복하여 우리가 모두 말문이 막혔다고 말하는 게 어떨까? 운이 좋으면 선생님들은 말을 못할 것이고, 그러면 우린 온종일 놀아도 되잖아, 안 그래?"

"칼! 너, 너, 넌 부끄러운 줄 알아야 해." 무아노가 나무랐다. "그렇지 않아도 소, 속상해서 미, 미치려고 하는 타라에게 그, 그런 말이 나오니?"

"괜찮아." 타라는 애써 미소 지으면서 대답했다. "비유법을 사용하지 않으면 아무도 다치지 않아. 그러니까 말만 조심하면 돼."

저녁을 먹은 뒤에 타라는 불안한 마음으로 잠을 자러 갔다. 한참을 졸음과 싸우다가 잠든 타라는 악몽에 시달렸다. 지구에 몰려온 악마 군단이 인간을 노예로 만들고 있는데, 악마들을 지휘하는 괴상망측한 지휘관이 철모를 벗는 순간…… 그건, 그건 쪽빛 눈하며 금발에 묘하게 섞인 흰 머리털하며……, 나잖아! 내가 악마들의 여왕이 되어 있다니!

다음 날 아침 타라는 눈을 뜨면서 방안에 일어나 있는 변화를 대번에 알아채지 못했다. 워낙 파김치가 되어 있는 데다 공포에 사로잡혀 있었기 때문이다.

잠이 덜 깬 상태에서 욕실을 향해 열 걸음을 걸어가던 타라는 문득 깨달았다. 방이 작아서 평소에는 두 걸음만 걸으면 욕실에 이르렀는데! 정신이 번쩍 든 타라는 숨을 멈췄다.

방이 엄청나게 커져 있었다! 으리으리한 사무실에 소파와 긴 의자, 벽난로, 응접실, 눈부신 샹들리에까지! 침대도 두 배로 커져 있고, 닫집은 화려한 조각장식이 되어 있었다.

궁전은 타라의 새로운 신분에 어울리는 인상적인 풍경을 투영하고 있었다. 타라는 눈을 감았다. 이젠 버젓이 마법사의 방까지 갖게 됐으니 제발 마법 때문에 할머니에게 무슨 일이 생기지 않기만 바라는 수밖에!

인식 패스를 읽은 벽이 열리고 타라가 나가는 순간이었다. 다른 수석 조수들과 함께 방 앞을 지나가던 안젤리카는 삐까번쩍한 실내장식을 보고 너무 분해서 숨이 막힐 뻔했다.

타라의 불안을 충분히 이해하는 셈 선생님은 페루에 있는 이사벨라에게 연락해서 잘 지내는지 안부를 물었다. 그리고 그 기회에 타라가 아더월드에서 열흘 간 더 머물게 될 것이라고 알렸다. 약간 걱정스러운 어조로 이사벨라는 그 이유를 물었고, 셈 선생님은 천연덕스럽게 거짓말을 했다. 타라가 다른 마법사들과 함께 오무아 제국에 초대를 받았으니 그 멋진 나라를 구경시켜주고 싶다고. 이 말에 이사벨라는 상그라브들로부터 저택을 지키는 데 필요한 것을 아직 다 구하지 못했다면서 기꺼이 승낙했다.

할머니는 잘 지내고 있으며, 아더월드에 더 머무는 걸 허락했다는 셈 선생님의 말에 타라는 한결 가벼워진 마음으로 친구들을 만나러 갔다.

아침 회의가 끝난 뒤에 그들은 외출 허가증을 받았는데, 샹프랭 선생님이 훈련이 필요한 동물을 타야 한다면서 마구간으로 오라고 했기 때문이었다. 그들의 든든한 동반자, 패밀리어들은 그 지역 출입이 금지되어 있어서 부득이하게 궁전에 두고 나와야 했다.

그들은 정각 2시에 호기심이 가득한 얼굴로 마구간에 들어갔다.

처음에는 말들이 잘 보이지 않았다. 타라는 가까이 다가서면서 말들의 등에 모포 같은 것이 씌어져 있음을 알았다. 그 모포 중 하나가 움직이는가 싶더니 들려지면서 뭔가가 보였다. 뭐지, 날갠가? 그럼 날개 돋친 말? 타라는 가슴이 콩닥콩닥 뛰었다.

소란에 이끌린 페가수스*들이 우리 밖으로 머리를 내밀었고, 어린 마법사들과 페가수스들의 눈이 마주쳤다. 타라는 이내 페가수스와 말의 차이를 알아보았다. 페가수스들은 아주 평온해 보였다. 어린 마법사들이 만지는 데도 녀석들은 끄떡하지 않고, 흥분해서 떠드는 소리에도 아무런 반응을 보이지 않았다. 약간 떨리는 손으로 만져보던 타라는 털이 말과는 다르다는 걸 느꼈다. 훨씬 보드랍고, 더 두꺼웠다. 하기야 고도가 높은 곳의 바람과 추위를 견디려면 이래야 되겠지! 아주 긴 날개와 단단히 붙어 있는 깃털. 페가수스 한 마리가 계속 쓰다듬어 달라는 듯이 고갯짓을 했을 때, 타라는 머리가 아주 가볍다는 걸 확인했다. 무게를 최대한 줄이기 위해서 페가수스의 뼈도 새처럼 뼛속이 비어 있는 것 같았지만 그렇다고 기수의 체중을 견뎌내지 못할 정도는 아니었다.

칼은 페가수스에 경탄하는 두 친구를 대놓고 놀렸다. 무아노만 페가수스를 이미 타본 경험이 있고, 천상의 폴로 경기에도 여러 번 참석한 경험이 있었다.

"좋았어! 수수께끼를 낼게." 싱글벙글한 얼굴로 파브리스가 말했다. "첫째, 메두사의 피로 만들었다. 둘째, 별자리가 있다. 셋째, 새도 아니고 다리도 넷인데 날 수 있다."

"알았다!" 동시에 생각해낸 타라와 무아노가 외치며 칼을 쳐다봤다.

"메두사, 별자리, 다리가 넷인데 날아다닌다……." 칼이 잠시 생각을 하다 웃음을 터뜨렸다. "페가수스! 이 수수께끼는 내 마음에 쏙 든다!"

그때 샹프랭 선생님이 나타났다.

"아, 장차 우리의 기수가 될 만한 아이들은 다 모였구나. 좋아, 좋아, 좋아. 이미 타본 경험이 있는 사람이 몇 명이나 되지? 어떤 동물이든 상관없다."

대부분 말이든 페가수스든 타본 경험이 있었다. 어미 닭 쫓듯 안젤리카를 졸졸 따라다니는 모니카와 카롤은 유니콘까지 타본 경험이 있었다.

"좋아, 아주 좋아. 이게 안장이다."

안장에는 몸놀림이 거북하지 않게 만들어진 안전벨트가 장착되어 있고, 혹시 몸을 빼야 할 경우에는 간단한 클립을 누르기만 하면 되었다. 또 페가수스의 날개가 자유롭게 움직일 수 있게 재단된 가죽띠도 세 개가 달려 있었다. 하나는 어깨 앞으로 걸어서 안장을 고정하는 것이고, 다른 두 개는 등에 걸어서 안장을 단단히 고정하는 것이었다. 등자는 기수의 발을 완전히 감싸게 만들어져 있고, 그물과 재갈은 말에게 사용하는 것과 별 차이가 없었다.

"내가 당게랑에 안장을 얹고 올라타는 시범을 보일 테니 너희들은 각자 페가수스를 타고 연습장으로 오너라."

샹프랭 선생님이 마구간 한 칸의 문을 열자 페가수스 한 마리가 나왔다. 발굽이 바닥에 닿을 듯 말 듯 걸어나오는 폼이 우아하기 이를 데 없었다. 그런데 뜻밖에도 발굽은 하나로 이루어진 통굽이 아니었고 날카로운 발톱들이 움츠러드는 것이 꼭 고양이 발과 흡사했다. 아무래도 발굽보다야 발톱이 있는 게 매달리는 데는 더 편하겠지. 진화설에 입각해 볼 때, 과연 원시형태를 보존하고 있었다.

페가수스는 샹프랭 선생님이 안장을 얹을 수 있도록 날개를 펼쳐주었다.

선생님이 페가수스를 타고 날아가는 모습을 보기 위해 모두 마구간을 나왔다. 파브리스와 타라는 이륙 장면을 보면서 입을 헤벌렸다. 눈 깜짝

할 사이에 페가수스가 수 미터 상공에 올라가 있었으니! 연습장 끝자락까지 단숨에 날아간 페가수스는 전속력으로 질주해오다 나무들을 가볍게 건너뛰어서 착륙했다. 아슬아슬한 점프를 할 때는 숨이 멎을 뻔했다. 선생님의 체중에 개의치 않는 듯이 페가수스의 몸짓은 우아하고 민첩했다.

칼이 관심을 끌기 위해서 팔꿈치로 타라의 옆구리를 툭 치면서 짓궂게 물었다.

"소감이 어떠냐?"

"너무나 환상적이야!" 타라는 완전히 홀린 듯 대답했다.

"에이, 날짐승에 불과한데 그건 좀 너무 심한 과장이다!"

칼이 놀리고 있다는 느낌에 타라가 멋지게 한 방 먹일 말을 궁리하고 있을 때, 뭔가 눈길을 끄는 것이 있었다.

몽유병환자처럼 정신없이 숲을 향해 걸어가는 타라를 보며 칼은 어리둥절했다.

앞을 못 보는 것도 아닌데 머릿속에서 노래하는 이 목소리는 뭐지? 타라는 귀를 기울였다.

"이리 와, 무서워말고 나한테 와. 여기야. 어서 와!"

아무리 불러도 들은 척도 않는 타라가 걱정된 칼은 파브리스와 무아노에게 알렸고, 그들은 타라를 뒤따라갔다.

그들이 숲으로 들어가지 못하게 말렸지만, 타라는 막무가내였다. 타라는 놀라운 힘으로 친구들을 뿌리치고 숲 속으로 사라졌다. 공포에 사로잡힌 무아노가 샹프랭 선생님에게 알리는 사이에 칼과 파브리스는 타라를 뒤쫓아서 숲 속으로 달려갔다. 섬뜩할 정도로 어두컴컴하고 서늘한 숲이었다.

타라의 귀에 들리는 것이라곤 햇살이 부서지는 빈터까지 인도하는 다정한 목소리밖에 없었다. 그때였다. 난데없이 하늘에서 날개 돋친 하얀 형체가 내려오는 것이 아닌가.

친구들이 소리치고 있었다. 패밀리어야!

고개를 들던 타라와 페가수스의 금빛 눈이 마주치는 순간, 타라는 기쁨의 눈물을 흘리면서 자신을 선택해준 날개 돋친 페가수스의 목에 매달렸다.

타라는 이제부터 혼자가 아니었다. 이제 타라에게도 늘 곁에서 사랑해주고 도움을 주는 패밀리어가 생긴 것이다. 패밀리어와 타라는 한 몸으로, 한 영혼으로 영원히 결합되고 있었다.

울상이 된 무아노의 얘기를 듣고 황급히 날아온 샹프랭 선생님은 마구간에 있던 동물이 아니라는 걸 알았다. 그는 페가수스 옆에 착륙하면서 외쳤다.

“어디서 왔니? 어떻게 된 일이지?”

숨을 헉헉 몰아쉬며 달려온 안젤리카는 깐죽거렸다.

“아무 일도 아니에요, 선생님. 얘는 이목을 끌려고 안달이 난 계집애예요. 우리 행성인도 아닌 주제에 틀림없이 페가수스를 보고서…….”

꺽다리의 이야기가 끝나기도 전에 페가수스가 안젤리카를 향해 위협적으로 다가섰다. 타라의 분노를 느끼고 화가 치민 모양이다.

이에 안젤리카는 비명을 지르면서 샹프랭 선생님 뒤에 숨었다.

“저거 봐요. 나를 공격하라고 페가수스를 훈련시켜 놓은 것 좀 보세요.”

페가수스를 유심히 살피던 샹프랭 선생님은 금빛 눈을 알아보고 외쳤다.

“오, 트라딜랑이여! 이 페가수스는 패밀리어다!”

이윽고 선생님은 페가수스의 옆구리에 놓인 타라의 손을 보면서 덧붙였다.

"페가수스가 너를 선택한 거니?"

"네, 선생님! 이름이 갈랑이라고 말했어요."

선생님의 눈에 야릇한 뉘앙스의 빛이 스쳤다.

"좋아, 아주 좋아. 너의 패밀리어는 페가수스다. 아주 멋져!"

어린 마법사들의 똥그래진 눈길을 받으며 페가수스는 춤을 추며 펄쩍 펄쩍 뛰는 것으로 기쁨을 표시했다.

샹프랭 선생님은 밑도 끝도 없는 말을 중얼거렸다.

"이게 바로 비밀무기, 다시 말해 결정적인 조커라는 거지. 팅가푸르의 멍청이가 알면 미치고 환장하여 팔짝팔짝 뛰겠군. 가자, 타라. 안장을 찾아서 얹고 너의 능력을 보여 주렴."

갑작스럽게 일어난 일에 약간 얼떨떨해 있는 타라는 페가수스의 목덜미에 손을 얹은 채로 선생님을 따라갔다.

"눈초리로 살인을 할 수 있다면 넌 벌써 오래 전에 죽었을 거다." 칼은 분해서 새파래진 안젤리카에게 손가락질을 하면서 내뱉었다.

"칼, 정말 믿을 수가 없어. 갈랑이 나를 선택했어, 나를!"

칼은 눈살을 찌푸렸다.

"근데 마니투 때문에 문제가 생길 거야. 너의 패밀리어가 개였다는 걸 누군가가 기억하게 될 거란 말야! 아더월드에서는 누구도 패밀리어를 둘씩이나 가질 순 없거든!"

그들의 대화를 주의 깊게 듣고 있던 파브리스가 제안했다.

"타라, 너와 마니투 사이에 대해 관심을 보였던 사람이 있었어?"

"아니…… 없었던 같아. 어쨌든 마니투는 나를 따르지 않아. 밤에는 나가고 낮에는 온종일 코까지 골면서 잠만 자는데, 뭐. 근데 왜?"

"마니투가 감쪽같이 나의 패밀리어인 체할 수 있을까?"

"모르겠는데 물어볼게. 그러니까 마니투를 너의 패밀리어인 척하겠다는 거지?"

"응, 내가 선택될 때까지. 그러면 네가 지금보다는 남의 눈에 띄는 일을 막을 수 있을 것 같아. 게다가 패밀리어를 하나밖에 가질 수 없다고 하잖아."

"그래, 좋은 생각이야. 한번 시도해보자."

갈랑을 대하는 샹프랭 선생님의 태도는 다른 페가수스와는 사뭇 달랐다.

우선 선생님은 갈랑에게 물릴 재갈을 타라에게 보여주었다. 두 개의 고삐는 굴레 옆의 가죽끈에 고정되어 있었다.

선생님은 재갈을 물리지 않고 갈랑에게 보여준 뒤에 타라에게 건네주면서 직접 고정하게 했다. 그러자 페가수스는 타라가 굴레와 이마끈을 꼭 맞게 조일 수 있게 머리를 얼른 숙여주었다.

이어서 선생님은 페가수스를 옥죄지 않으면서 기수가 미끄러지지 않으려면 어떻게 안장을 얹어서 뱃대끈을 매는지 타라에게 시범을 보여주었다.

그사이에 샹프랭 선생님 수하의 조련사 세 명은 다른 페가수스들에게 마구를 달았다. 이윽고 어린 마법사들은 각자 페가수스를 잡아끌면서 훈련장으로 향했다.

갈랑의 생각은 타라를 떠나지 않고 있었다. 페가수스는 타라에게 이름을 알려준 뒤로 더는 입을 열지 않았지만 타라가 느낌을 전하는 것과 마찬가지로 자신의 느낌을 전했다. 안장이 무겁지 않아서 마냥 행복한 페가수스는 타라와 함께 날기를 애타게 기다리고 있었다.

장난기가 발동한 타라는 키득키득 웃으며 동화책에 나오는 마귀 할멈들처럼 빗자루를 타고 나는 모습이 상상된다고 마음속으로 페가수스에게 얘기했다. 감히 날개 돋친 천마를 그런 하잘것없는 빗자루와 비교하다니! 페가수스는 타라가 빗자루를 탄 지 10분 만에 떨어지지 않으려고 필사적으로 매달리면서 우거지상을 쓰는 이미지를 전했다.

타라는 페가수스의 말이 옳다고 인정했다. 이건 분명 놀이가 아니니까!

"준비 완료!" 마구들을 일일이 점검한 뒤에 샹프랭 선생님이 말했다. "너희들 중에서 옷을 바꿀 수 있는 사람이 누구지?"

"저요!" 안젤리카가 손을 들었다.

"저요!" 칼도 대답했다.

"저, 저요!" 무아노도 말을 더듬으면서 손을 들었다.

"좋아. 복장은 알고 있지? 친구들에게 보여주거라."

안젤리카는 지체없이 아래위로 손짓을 하면서 주문을 외웠다.

"*트란스포르무스의 이름으로* 나는 바지, 셔츠, 승마용 장화를 원한다!"

안젤리카는 눈 깜짝할 사이에 흑백의 반소매 셔츠에 검정 반바지, 장화를 신고 있었다.

"*트란스포르무스의 이름으로* 나는 바지, 셔츠, 승마용 장화를 원한다!"

칼과 무아노는 동시에 주문을 외쳤고, 둘이 똑같이 밤색 장화와 밝은색 반바지를 선택한 것을 보고는 깔깔대고 웃었다.

촌스럽게 구닥다리 꽃무늬 원피스 차림이 된 카롤과 잠옷 차림의 파브리스를 제외하고 다른 아이들의 변장은 대체로 훌륭했다.

마법을 사용하고 싶어 하지 않는 타라를 위해서 무아노는 친구를 승마용 반바지와 베이지 장화 차림으로 만들어주었다.

다른 페가수스들과는 달리 타라의 페가수스 갈랑은 올라타기 쉽게 무릎을 굽혀주었다. 안장 위에 올라앉은 타라는 고삐를 잡았는데, 그 즉시 말 한 마디 할 겨를도 없이 10미터 상공에 올라 있었다.

이 기분을 뭐라고 설명하면 좋을까……. 태양을 향해 날아가면서 점점 작아지는 사람들과 풍경을 내려다보며 타라는 숨이 멎는 것 같았다. 와우, 페가수스를 타고 날고 있다니! 게다가 페가수스가 알아서 척척 움직이고 있으니! 내가 미처 생각하기도 전에 미리 알아서!

야호! 타라는 페가수스에게 커브를 돌게 하면서 죽을상이 된 칼을 스쳐 지나갔다. 고삐를 꽉 움켜쥐고 있는 것으로 보아 무아노도 떨어질세라 겁을 잔뜩 먹고 있었다.

잠깐 동안이지만 해방감을 만끽하는 갈랑의 기분이 어찌나 강렬하게 느껴지는지 타라는 기쁨의 눈물을 흘렸다.

파브리스는 함박미소를 지으며 소리쳤다.

"와, 진짜 신 난다, 그치?"

멋지게 페가수스를 타는 파브리스는 늠름한 모습으로 타라 옆에서 날았다. 파브리스의 아버지에게는 말 여섯 필이 있었다. 그래서 파브리스와 타라는 타공에서 토요일마다 말을 탔었지만…… 이건 지구에서 승마할 때와는 비교도 할 수 없는 기분이었다!

일정한 리듬으로 날개를 퍼덕이면서 흰 털 속에서 꿈틀거리는 단단한 근육, 페가수스가 움직일 때마다 머리칼이 얼굴을 때리고 있어서 타라는 머리를 땋지 않은 것이 아쉬웠다.

손에 휘감기는 페가수스의 숱진 갈기에 대해서도 똑같은 생각을 하면서 타라는 다음 번에는 갈기도 땋아주리라 마음먹었다.

샹프랭 선생님이 당게랑을 타고 그들에게 날아왔다.

타라를 유심히 지켜보던 선생님의 얼굴은 싱글벙글했다. 페가수스와 일체가 되어 있는 타라, 그는 그런 환상적인 모습은 본 적이 없었다.

한 시간 후, 샹프랭 선생님은 모두 페가수스에서 내려오게 했다. '건

강한 육체에 건강한 정신' 을 강조하는 일장 연설을 한 뒤에 선생님은 마구를 깨끗이 닦고, 페가수스에게 먹이를 주고, 마구간에 짚을 새로 깔아주는 등 마구간을 말끔히 정리하는 데 한 시간을 더 보내게 했다. 마침내 샹프랭 선생님은 그들을 궁전으로 돌아가도록 했다.

갈랑이 들어가 있는 마구간은 자물쇠가 없었다. 따라서 갈랑은 어디든 마음대로 돌아다닐 수 있었다. 물론 그 키 때문에 들어갈 수 없는 타라의 방만은 예외였다.

이렇게 꼭 헤어져야 하나, 타라와 갈랑은 몹시 가슴이 아팠다.

마구간을 나갈 때, 타라는 눈물이 그렁그렁했다. 갈랑과의 헤어짐은 거의 육체적 고통까지 동반했다.

그런데 어느새 갈랑이 못 나가게 막는 조련사들을 박차고 마구간을 뛰쳐나와, 궁전 앞에 거의 다다른 타라에게 달려왔다.

위풍당당한 모습의 페가수스를 구경하러 궁인들이 삽시간에 몰려들었다. 난처해진 타라는 마구간으로 돌아가야 한다고 갈랑을 타이르며 진땀을 뺐다. 타라의 난처함이 공포로 변하고 있을 때였다. 군중 속에서 드라고쉬 선생님과 왕과 왕비, 키마이라가 웬 소란인지 보기 위해 궁인들을 헤치고 나왔다.

무슨 일인지 알아차린 드라고쉬 선생님은 못마땅한 듯 송곳니를 다 드러내고 입술을 실룩거렸다. 뱀파이어는 당장이라도 물어뜯을 듯한 기세였다. 햇빛에 전혀 아랑곳하지 않는 걸 보면 아더월드의 뱀파이어들은 햇빛을 두려워하지 않는 것이 분명했다.

"이번에는 또 무슨 짓을 꾸민 거지, 타라 양?" 드라고쉬 선생님은 적의에 찬 어조로 물었다.

"저는 아무 짓도 하지 않았어요. 갈랑이 저와 헤어지는 것이 싫어서 따라온 것뿐이에요." 타라는 완강하게 해명했다.

"이 동물은 어쩔 수 없으니까 마구간으로 데려가거라, 당장. 그리고 네게는 벌을 내리겠다."

눈살을 찌푸리면서 왕비가 뱀파이어에게 타라는 손님이라는 걸 환기시키려고 할 때, 칼이 끼어들었다.

"이 페가수스는 타라의 패밀리어에요. 좀 전에 타라를 선택했으니까요!"

그 말에 놀라워하는 웅성거림이 일었다. 이렇게 위풍당당한 페가수스가 패밀리어라고? 모두들 이건 정말 예사롭지 않은 일이라고 생각하는 얼굴이었다. 왕과 왕비는 기뻐하는 미소를 교환했다.

뱀파이어도 깜짝 놀랐지만 얼른 표정을 가다듬었다.

"패밀리어든 아니든 이 동물이 궁전으로 들어갈 수 없다는 것은 변하지 않는다. 그러니까 내 말에 복종하거라. 이 동물을 마구간으로 데려가! 그리고 타라에게는 적당한 처벌을 내리겠다."

타라는 믿을 수 없을 정도로 비정상적인 악마 같은 분노가 서서히 치미는 걸 느끼면서 자신도 깜짝 놀랄 지경이었다. 내가 왜 이러지? 악마의 마법에 걸린 이후로 내가 이상해지고 있는 거야. 그 순간 안에서 무언가가 외쳤다. 어떡하나! 이놈의 하찮은 뱀파이어가 감히 도전해오고 있으니! 앞을 가로막는 것은 누가 되었든 비싼 대가를 치르게 된다는 걸 보여주겠어. 악마 같은 분노에 떠밀린 타라는 입을 열려고 하다가 우레 같은 목소리 때문에 다물었다.

"거기 무슨 일입니까?"

헉헉거리며 도착한 드래곤 마법사가 군중을 헤치면서 나타났다. 왕과 왕비, 타라, 페가수스, 뱀파이어, 꼬리로 바닥을 천천히 쓸고 있는 키마이라를 발견한 셈 선생님은 눈이 휘둥그레졌다.

"내가 해결하면 될 일이오, 셈." 뱀파이어는 침착하게 말했다.

하지만 타라는 드래곤 마법사의 간섭이 뱀파이어의 신경을 거스르고 있음을 알아차렸다.

셈 선생님은 타라에게 눈길도 주지 않고 얼른 페가수스의 금빛 눈을 응시하면서 다가섰다.

"설마!" 셈 선생님은 놀라서 어쩔 줄 모르는 어조로 외쳤다. "네가 페가수스의 선택을 받은 거니?"

타라는 안에서 부글부글 끓어오르는 이상한 분노를 억지로 참으면서 쌀쌀맞게 대꾸했다.

"네, 선생님."

"오, 드래곤도르여! 그런데 네가 뭘 어쨌는데 이 소란이니?"

"선생님, 어떻게 된 일인지 처음부터 아셔야 해요." 뱀파이어가 위협적인 눈길을 던지거나 말거나 칼이 재빠르게 대답했다. "타라는 궁전으로 돌아가고 있었는데…… 헤어지는 걸 참지 못한 갈랑이 마구간을 뛰쳐나왔어요. 타라에게 끌리는 마음을 억제할 수 없어서 쫓아온 거라고요! 그런데 드라고쉬 선생님은 타라가 남의 이목을 끌려고 일부러 여기로 갈랑을 유인한 거라면서 벌을 주려고 하세요. 하지만 그건 분명히 오해예요, 선생님. 갈랑이 타라를 따라온 것뿐이거든요!"

"이 동물이 여기 있게 된 이유가 무엇이든 타라와 함께 궁전 안으로 들어갈 수 없는 건 분명하다. 마구간으로 보내야 해!" 뱀파이어는 단호했다.

"궁전으로 들어갈 수 없는 이유가 뭐요?" 드래곤 마법사는 어이없다는 얼굴로 물었다.

"그래요, 내가 묻고 싶었던 말이 바로 그 말이오!" 왕비는 엄한 표정으로 말했다.

뱀파이어는 잠시 당황한 얼굴을 했다.

"그게…… 너무 큽니다!"

"그건 문제가 안 되지요." 드래곤 마법사가 말했다. "원래의 모습으로 돌아가면 내 키는 6미터가 넘어요. 그리고 내 기억이 정확하다면 타라의 할머니는 3미터쯤 되는 벵골 호랑이를 떼어 놓고 다닌 적이 없었소. 이 페가수스는 패밀리어가 분명하오! 그 시절에 했던 대로 어디 한 번 해봅시다."

드래곤 마법사가 페가수스를 향해 손가락질을 하면서 주문을 외었다.

"*미니아투루스의 이름으로* 페가수스는 타라가 어디든 데리고 다닐 수 있도록 줄어들지어다!"

타라가 보는 앞에서 페가수스는 독일산 불도그만 한 크기가 될 때까지 줄어들었다. 아직은 제법 큰 크기이긴 해도 거추장스러울 정도는 아니었다.

"원래의 크기로 되돌리고 싶으면," 셈 선생님이 타라에게 친절하게 알려주었다. "이렇게 말하면 된다. *노르말루스의 이름으로* 나 너를 원래의 크기로 돌아가게 하노라!"

그러자 페가수스는 다시 원래대로 커졌다.

"타라, 어서 해봐!" 파브리스가 부추겼다.

"소용없는 일이오." 뱀파이어는 휘파람을 부는 듯한 소리를 냈다. "당신의 손님은 능력을 조절할 수 없으니까! 어전에서 있었던 일을 생각해 보시오."

그 말에 궁인들이 슬금슬금 물러섰다. 그들은 타라의 능력을 또다시 시험해보고 싶지 않은 모양이었다.

"그 일은 이것과는 아무 상관없는 일이오." 드래곤 마법사는 눈살을 찌푸리면서 응수했다. "정신을 집중하면 타라는 자신의 마법을 완벽하게 조절할 수 있습니다."

타라는 마음만 먹으면 눈썹을 찡긋하는 것만으로도 거만한 뱀파이어를 생쥐로 바꿔 놓을 자신이 있었다. 타라는 뱀파이어를 째려보면서 주문을 걸었다.

"*트란스포르무스의 이름으로* 나는 내 옷과 마법복을 원한다!"

타라는 청바지와 티셔츠 차림에 마법복까지 걸치고 있었다.

타라가 거만한 얼굴로 손가락을 꺾어 뚝뚝 소리를 나게 하자, 이번에는 마법복에 수백 마리의 말이 반짝였다.

마침내 타라는 페가수스를 향해 돌아서서 명했다.

"*미니아투루스의 이름으로* 내가 어디든 데리고 다닐 수 있도록 페가수스는 줄어들거라!"

타라의 주문에 페가수스가 줄어들었다.

"하하하!" 늙은 마법사는 흡족한 얼굴로 껄껄 웃었다(거만하게 돌변한 타라의 태도가 좀 의아하긴 했지만). "이런 사소한 것 정도는 아주 쉽게 해낼 거라고 생각했다니까! 이것으로 타라가 패밀리어를 돌볼 수 있다는 것이 증명되었으니 갈랑을 데리고 있을 수 있는 겁니다."

가슴속의 분노가 한순간 기쁨으로 대체되었다. 그 순간 씻은 듯이 정신이 맑아진 타라는 하마터면 셈 선생님의 목에 매달릴 뻔했다. 랑코비트의 최고 마법사를 포옹하면 안 된다는 걸 기억한 타라는 허리를 굽히는 것으로 고마움을 표했다. 그러고는 페가수스에게 매달리듯 끌어안자, 갈랑도 이 돌연한 변화가 왠지 찜찜한 듯이 눈을 깜박였다.

타라는 이상하게도 더는 두렵지 않게 된 뱀파이어에게 차가운 눈길을 던졌다. 그리고는 홱 돌아서서 왕과 왕비와 함께 궁전의 계단을 거만하게 올라갔고, 그 장면을 지켜보던 궁인들도 뒤를 따랐다.

그 소문은 순식간에 퍼져나갔고, 많은 사람이 미니 페가수스를 구경하러 왔다.

타라는 샤워를 한 뒤에 마니투에게 앞으로는 파브리스와 지내야 한다고 설명했다.

타라는 처음에 마니투가 알아듣지 못한다고 생각했다. 하지만 증조할아버지는 엄청난 노력 끝에 말을 하기에 이르렀다.

"이 빌어먹을 놈의 개가 나보다 힘이 세서 당해낼 수가 없어. 하지만 타라, 난 너와 헤어지고 싶지 않아. 네 곁에 머물면서 지켜주고 싶단 말이다!"

또다시 이상한 분노가 치밀면서 타라를 방해하는 누군가가 대신 야멸치게 대답했다.

"증조할아버지는 선택의 여지가 없어요. 이제 나한테는 갈랑이 있고, 내 패밀리어가 페가수스라는 건 모든 사람이 다 아는 사실이라고요. 증조할아버지는 나한테 아무런 쓸모가 없단 말예요!"

"알아." 뚱보 사냥개는 애처롭게 한숨을 푹 내쉬었다. "네 말이 맞다. 네 친구에게 가마. 이놈의 멍청한 개도 사내아이와 놀 수 있게 된 걸 기뻐할 것이고, 그러면 좀 달라지겠지!"

타라의 정신과 교감하는 갈랑은 불만을 표시하면서 타일렀다. 증조할아버지를 대하는 타라의 태도가 마음에 영 들지 않았기 때문이다.

비정상적인 분노 대신에 동정심이 울컥 올라오면서 증조할아버지의 마음을 너무 아프게 했다는 생각에 타라는 마니투를 끌어안고 애교를 떠는 것으로 고마움을 표했다.

이날부터 마니투는 파브리스를 그림자처럼 따라다녔다. 다행히 그 개가 금빛 눈을 가지고 있지 않다는 걸 아무도 눈치채지 못했고, 마니투는 새 친구와 사이가 아주 좋은 듯 보였다. 아무튼 마니투는 낮에 잠을 자지 않았고, 다른 패밀리어들과 어울려 인간의 동반자 생활을 시작했다.

갈랑에게 홀딱 반한 왕과 왕비는 걸핏하면 타라에게 페가수스를 데리고 거처로 들라고 당부했다. 타라는 왕과 왕비의 지나친 애정 공세가 성가셨다. 그리고 타라가 종종 분노와 경멸감으로 부르르 떨 때마다 갈랑은 도와주려고 무진 애를 썼다. 그들은 그것이 정상적인 것이 아니라는 걸 분명히 알고 있었다. 하지만 타라 안에 있는 뭔가가 친구들이나 드래곤 마법사에게 그 사실을 털어놓지 못하게 했다. 특히 그것이 밝혀지는 걸 원치 않고 있었다. 타라는 바보가 아니었다. 이건 틀림없이 마왕이 건 주문 때문에 행동이 이상해지고 있는 거야. 그럼 혹시 나도 악마로 변하고 있다는 뜻인가? 타라와 갈랑의 온갖 노력에도 불구하고 악마의 분노는 이미 타라 안에 잠식해 있었다.

어느 날 오후, 칼과 무아노, 파브리스는 타라에게 아더월드와 마법, 마법사의 내력에 대해 좀더 자세히 알려주기로 합의하고 공원에 모였다. 아더월드에서 태어나 2년 전에 수석조수가 된 칼이 마법 행성에 대해서는 그중 제일 많은 걸 알고 있었다.

칼은 우선 호흡을 가다듬었다.

"자, 시작해볼까. 마법사에 관한 거라면 뭐든 말해줄 수 있으니까. 마법사들은 오랜 옛날부터 보통 사람들 속에서 존재해왔어. 혈거시대 최초의 인간들에게서도 그 흔적을 찾을 수 있거든. 물론 그때의 마법사들은 자기들이 남다르다는 걸 모르고 있었고, 또 대부분은 어려움에 닥친 사람들을 도와주었지. 그런 마법사들만 있었으면 좋았겠지만 개중에는 신으로 행세하면서 보통 사람들을 악용하는 못된 마법사 놈들도 있었으니……."

"마, 맞아." 타라의 휘둥그레진 눈을 보면서 무아노가 맞장구쳤다. "잉카에서는 그 사, 사기꾼 마법사들이 날개 돋친 신 케찰코아틀과 표, 표범 신 테즈카틀리포카를 몰아내고 왕위를 차, 찬탈하기도 했어."

파브리스도 책벌레답게 유식하게 늘어놨다.

"이집트에서는 이시스, 오시리스, 아누비스, 세트가 그 사기꾼들한테 왕좌를 빼앗겼고, 로마에서는 주피터, 주노, 미네르바가 당했어. 그뿐만이 아냐. 그리스에서는 제우스, 아프로디테가 당했고, 바이킹의 나라에서도 토르와 오딘이 왕좌를 빼앗겼어. 바로 그 때문에 최고 마구스들은 그 사기꾼들이 신으로 행세하지 못하도록 특수경찰국을 창설했다나 봐. 지구에서 실권을 잡으려다 적발된 가짜 신은 평생 동안 감옥에 갇혔대."

"인간이 진화함에 따라 마법사들도 진화해 갔어." 칼은 아예 풀밭에 벌렁 드러누워서 말을 이었다. "근데 강력한 마법사들이 무진장 많이 생기다 보니 보통 사람들을 지배하고 싶은 욕심이 생긴 거야. 그런데 그게 순조롭지가 않았단 말야."

"그건 서로 파, 파당이 다른 마법사들 사이의 겨, 경쟁 때문이었어." 이번에는 무아노가 말을 이었다. "그, 글쎄, 그 말도 안 되는 싸움 때문에 마법사들이 하마터면 지구를 파, 파괴할 뻔했다니까(무아노는 싸움이라면 질색했다)! 그다음에는 드, 드래곤들이 나타났어. 다른 차원의 세, 세계, 다른 시간대의 세계를 지배하고 있는 드래곤들이었지. 에, 엘프, 트롤, 거인, 꼬마도깨비, 땅 신령, 타트리스(칼리브리스 부인의 종족), 뱀파이어, 샹글랭 또는 가루라고 불리는 종족, 키, 키마이라들이 사는 요상한 세상이지. 드래곤들은 악마들과 치, 치열한 전쟁을 벌이고 있는 중이었대. 드래곤들이 엘프들과 거인들, 또 다른 종족들의 군대를 이끌고 지구를 정복하기로 겨, 결정했던 건…… 악마들이 지구를 기지로 삼지 못하게 만들기 위해서였지. 우리 아더월드와 악마들의 림보를 여, 연결하는 주요 지각단층이 지구에 있거든! 그런데 천재적인 최고 마구스 데미데루스가 마법사 군대를 만들어서 마력으로 치, 침략자들에게 대항한 거야. 그걸 보면서 드래곤들은 인간들이 마법을 쓴다는 사실에 까, 깜짝 놀라게 되었어."

"근데 더 웃기는 건 드래곤들이 지구정복을 가차없이 중단했다는 사실이야." 칼이 빈정거리는 어투로 말했다. "그러니까 드래곤들은 악마들을 물리치기 위해서는 마법사들과 동맹을 맺어서 싸우는 편이 훨씬 낫다는 걸 깨달았다, 그거지, 뭐. 드래곤들이 우리의 조상들에게 협정을 제안했거든. 지구를 침략하지 않을 것이니, 마법사들도 지구를 통치할 생각 말고 힘을 합해서 악마들을 쳐부수자고 말야. 드래곤들은 지구보다 마법이 훨씬 강력한 아더월드로 이주해서 마법사들을 양성하고 세력을 키우자는 제안도 했어. 물론 우리의 조상들은 처음에 함정이라고 생각했대. 그러다 세월이 흐르면서 드래곤들의 제안이 진심에서 우러나온 것임을 알게 되었다나 봐. 그래서 마법사들은 승낙했고, 드래곤들은 지구에 망각의 주문을 걸어서 인간들의 정신에서 수세기에 걸친 침략 전쟁에 대한 기억을 사라지게 했다니까. 설사 뱀파이어들과 엘프들, 그 밖의 마법 종족들에 관한 수많은 전설은 영원히 남을지라도. 마법사들과 드래곤들이 동맹한 덕분에, 특히 데미데루스를 포함한 5인의 최고 마구스들 덕분에 악마 놈들은 일망타진되었지. 그 뒤로 악마들은 금지된 땅 림보라고 불리는 악마 세계에 갇히게 되었던 거야. 마법 보호구역은 지각단층에 위치해 있었고, 오로지 그 5인의 최고 마구스들과 그들의 후

손들만 그 보호구역을 넘어갈 수 있었어. 그러자 드래곤들이 아더월드와 지구를 연결해 일종의 통로, 즉 문을 만들었지. 그 문 덕분에 마법사들뿐만 아니라 보통 사람들도 아더월드로 이주하게 된 거고."

파브리스가 말을 이었다.

"그리고 지구에서 살고 싶어 하는 마법사들은 아주 소수였어. 하지만 그들은 보통 사람들 앞에서는 절대로 마법을 사용하지 않겠다고 맹세해야만 했대."

"그래서 가, 가짜 신 행세를 하는 마법사들을 새, 색출하기 위해서 창설된 인정사정 없는 트, 특수경찰국에 또 하나의 임무가 주어진 거야." 무아노가 몸서리를 치면서 말을 이었다. "최고 마법사들 지휘 아래 엘프 경찰들은 마법을 사용하는 자를 찾아 버, 벌을 주고 있어. 엘프 경찰들이 드루이도르 사, 상그라브를 몰아냈던 이유 중에는 상그라브들이 엘프를 시, 싫어한다는 이유도 있어. 엘프 경찰들은 지구에 남아 있는 최고 마법사 며, 몇 명과 함께 보통 사람들을 지킬 뿐만 아니라 림보에서 도망쳐 나오려는 악마들의 시, 시도를 감시하고 있는 거야. 아까 칼이 말한 대로 리, 림보와 아더월드를 연결하는 가장 큰 지각단층이 지구에 있거든."

"아더월드에는 굉장히 많은 종족이 살고 있어." 파브리스는 손가락을 꼽아가며 말을 이었다. "랑코비트 왕국과 브론타뉴 공화국, 오무아 제국에는 지구에서 이주해온 마법사들과 보통 사람들이 살고 있어. 그뿐만이 아냐. 셀렌다*에는 엘프들, 히믈리아의 산악지대에는 난쟁이들, 간디스에는 거인들, 멘탈리르에는 유니콘들, 스몰컨트리에는 꼬마도깨비와 땅 신령들, 고블린들, 크라살비에는 뱀파이어들, 크랑카르*에는 트롤들이 살아. 그래서 서로 의사소통을 할 수 있도록 우리의 말을 동시 통역해주는 주문이 있는 거야."

"저, 정치에 대해서는 내가 말할게." 무아노는 고개를 꼿꼿이 세우면서 말했다. "아더월드에 있는 왕국, 제국, 공화국 중에서 제, 제일 큰 강대국이 오무아 제국이야. 여제 리스베스틸랑넴 탈 바르미 압 산타 압 마루와 여제의 이복형제인 황제 산도르 탈 바르미 압 마르치 압 브레비스가 고, 공동으로 지배하고 있어. 여제는 부군을 여러 번 가, 갈아치웠는데도 끝내 자식을 낳지 못했지. 게다가 여제의 남동생인 단비오우 탈 바르미 압 산타 압 마루가 12년 전에 시, 실종되었기 때문에 머지않아 후계자 문제가 불거질 거야. 오무아 제국의 법에 의하면 여제의 이복형제는 다, 단독으로 제국을 지배할 궈, 권리가 없거든. 여제는 악마들을 가두었던 5인의 최고 마구스 중 한 사람이었던 데미데루스의 지, 직계인 데 반해, 그 이복형제는 그렇지 않으므로 화, 황실 혈통을 가진 사람과 함께 제국을 지배할 의무가 있거든."

한꺼번에 쏟아지는 많은 정보에 어지러워진 타라가 머리를 흔들면서 말했다.

"우와! 되게 복잡하다! 왕국이니 제국이니 공화국이니, 또 난쟁이, 거인, 엘프, 뱀파이어, 드래곤, 타트리스……."

"그래, 그럴 거다." 칼이 일어나서 몸을 툭툭 털면서 말했다. "굉장히 복잡하니까 나머지 얘기는 다음에 하지, 뭐. 지금은 식사당번 시간이니까. 그러고 나서 페가수스를 타고 몸이나 좀 풀자고."

갈랑은 기뻐하면서 얼굴을 들었지만, 페가수스를 타다가 어지러워서 죽을 뻔했던 무아노는 시큰둥했다.

수석조수들은 일주일에 세 번씩 식사당번을 서는데 이때의 자질구레한 실습은 마법 능력의 연마에 도움이 되었다.

친구들과 부엌에 도착한 타라는 뱀파이어가 감독할 차례라는 걸 알았다. 유능한 뱀파이어의 지휘하에 궁전의 주린 배들을 채워주기 위한 빵이며 고기, 야채, 케이크가 복제된 뒤에 각각 식당으로 신속히 날라지고 있었다.

"다음 조와 교대!" 뱀파이어가 지시했다. "음식이 다 차려질 때까지는 아무것도 입에 대면 안 된다, 알았나?"

스킬러와 로빈, 카롤은 기꺼이 자리를 내주었다. 칼과 무아노, 파브리스는 요리사들이 건네는 음식을 복제하기 시작했다.

할머니가 안전하다는 것에 안심한(갈랑의 선택을 받았을 때, 타라는 셈 선생님에게 패밀리어의 만남으로 할머니에게 무슨 일이 생긴 건 아닌지 확인해달라고 부탁했었다. 다행히 아무 일없이 잘 지내고 있다는 기별이 왔다) 타라는 친구들을 도와주는 정도의 마법은 써도 괜찮다는 걸 알고 있었다. 하지만 수그러들 기미가 없는 그 '악마의 분노'가 특히 마법을 쓸 때마다 나타난다는 걸 확인한 뒤로는 조심하기로 마음먹었다. 타라는 한숨을 쉬면서 앞치마를 두르고 눈앞에서 펄펄 끓는 수프에 넣을 당근 껍질을 벗기기 시작했다.

칼은 군침을 흘리면서도 요리사가 오븐에서 먹음직스런 무화과 파이를 꺼낼 때까지 용케 참아 냈다. 그러나 참새가 방앗간을 그저 지나랴, 결국 칼은 자석에 끌리듯 다가섰다.

"이건 나한테 맡겨주세요!" 칼이 천진난만한 목소리로 말하자, 요리사는 아무 생각 없이 넘겨주었다.

칼은 뜨끈뜨끈한 파이를 탁자에 올려 놓고 중얼거렸다.

"*두플리쿠스의 이름으로* 파이는 좀더 커지고 세 배로 늘어나라." 세 개의 파이가 나타나는가 싶었는데…… 어느 틈에 그 중 한 개가 칼의 입

속으로 쏙 사라졌다.

"칼, 조, 조심해." 무아노가 속삭였다. "뱀파이어가 쳐, 쳐다보고 있어!"

"앗 뜨거워!" 혀를 덴 칼이 대꾸했다. "걱정 마. 나, 난 도둑이라고(칼은 남은 파이를 꿀꺽 삼켰다)! 나를 현행범으로 붙잡을 뱀파이어는 아직 이 세상에 없으니까! 볼래?"

산더미처럼 쌓인 당근을 보면서 토끼였다면 여기가 천국일 텐데, 하고 생각하던 타라는 분노의 고함소리에 깜짝 놀랐다. 뱀파이어에게 목덜미를 잡혀서 파이를 떨어뜨리는 칼과 겁에 질려서 뒷걸음치는 무아노가 눈에 들어왔다. 얍! 그 순간 3000리터의 걸쭉하고 끈적거리는 뜨거운 수프가 부엌을 뒤덮어버렸다!

수프 때문에 미끄러져서 벌렁 나가자빠진 뱀파이어가 손을 놓는 사이에 칼은 잽싸게 줄행랑쳤다. 순식간에 부엌을 휩쓸어버린 수프 때문에 단지며 냄비, 솥이 모조리 잠기면서 불이 꺼졌고, 요리사들과 보조들도 절반이 뻗어버렸다. 수프는 부엌문간에서 아슬아슬하게 멈췄다.

아수라장을 보면서 눈이 똥그래진 타라는 웃음을 터뜨리지 않을 수 없었다.

"너, 너……." 미끄러운 수프 속에서 허우적거리다가 간신히 일어난 뱀파이어는 불호령을 내렸다. "고의적으로 그랬지, 타라 양? 네가 그랬다는 걸 알아. 따라서 여긴 네가 싹 치워라. 삽과 양동이를 사용해서. 마법은 절대 안 돼. 어겼을 경우에는 내가……."

어찌나 화가 났는지 뱀파이어는 더는 말을 잇지 못하고 칼을 잡으러 질풍처럼 달려갔다. 수프를 뒤집어쓴 이들이 모두 타라를 노려보았다. 타라는 어깨를 으쓱했다. 흥, 그렇게 계속 겁을 주었으니 뱀파이어는 벌을 받아 마땅하단 말야! 무아노와 칼, 파브리스가 사라졌기 때문에 타라는 대충 몸을 닦아내고 혼자 수프를 퍼담아서 개수대에 버리기 시작했다.

얼마 후, 덴마릴 선생님의 수석조수 로빈은 부엌에 들렀다가 혼자서 바닥을 닦고 있는 타라를 발견하고 어리둥절했다.

"아니, 타라, 너 뭐 하는 거니?" 로빈은 놀란 토끼 눈이 돼서 물었다.

"보다시피 바닥을 닦고 있어." 타라는 엉금엉금 기어다니면서 대답했다(타라는 궁전의 절반이 화가 나 있는 마당에 부엌마저 감정을 폭발할까 봐 마법을 쓰지 않으려고 버티고 있었다).

"이렇게 바닥을 닦고 있으니까 내가 꼭 신데렐라가 된 기분이야!"

"저런!" 로빈이 빙긋이 웃으면서 조심조심 다가왔다. "그럼 너한테 바닥 청소를 시킨 그 악질 계모는 대체 누굴까?"

"악질 계모가 누구냐 하면…… 나만 보면 못 잡아먹어서 죽으려고 하는 뱀파이어야. 그래도 쌤통이지. 내가 수프 국물에 빠트렸거든. 아무튼 뱀파이어가 날 겁나게 했으니까 내 잘못은 아냐."

"맙소사! 그 마음 이해해. 그런데 마법으로 부엌을 치우면 될 텐데 무슨 특별한 이유라도 있는 거니?"

"그건 안 돼." 타라는 이를 악 물면서 대꾸했다.

"그건 절대 안 돼."

"그럼 곤경에 빠진 아가씨를 위해 내가 흑기사가 돼줘야겠네."

멋진 몸짓으로 로빈이 주문을 외웠다.

"*네토이우스의 이름으로* 부엌은 삐까번쩍해지거라!"

쐐애애앵, 부엌을 휩쓰는 회오리바람. 한 번의 윙크에 냄비들이 깨끗이 닦이고, 수프가 싹 사라지고, 접시들이 차곡차곡 쌓이면서 부엌은 언제 무슨 일이 있었냐는 듯 반들반들해져 있었다. 오오, 로빈이 지구에 가면 아줌마들에게 인기짱이겠는걸!

타라는 머리끝부터 발끝까지 수프를 뒤집어쓴 데다 기분 나쁘게 생각할지 모른다는 생각에 로빈의 목을 끌어안고 싶은 마음을 꾹 참았다.

"고마워, 날 구해줘서 정말 고마워!" 타라는 기쁜 얼굴로 외쳤다.

로빈은 아주 정중하게 허리를 굽혔다.

"무슨 일이든 시켜만 주십시오, 귀여운 숙녀."

그렇게 말하고 나서 로빈은 가상의 모자를 한쪽 눈 위로 살짝 내리는 시늉을 하고는 멀어져갔다.

타라는 고개를 절절 흔들면서 까르르 웃긴 했지만, 머릿속에서는 불안감이 몰려오고 있었다. 악마들의 림보에서 돌아온 뒤로는 비유법을 쓰지 않으려고 아주 조심하고 있었다. 하지만 지금 같은 경우는, 너무 쉽게 침착성을 잃었고, 비정상적인 분노 때문에 귀찮게 하거나 방해하는 이들을 본의 아니게 골탕을 먹이거나 곤욕을 치르게 해버렸으니……. 이건 악마가 건 주문의 힘이 계속 커지고 있다는 증거야!

고민에 빠진 타라는 샤워를 하러 가서 15분 동안이나 비누로 빡빡 닦았다. 파 냄새가 싹 가신 걸 확인하고 나서야 수건으로 닦은 다음 옷을 갈아입고 식당으로 돌아갔다.

모두들 거의 다 식사를 끝냈고, 부엌 사건에 대한 얘기도 들은 모양이었다. 타라가 친구들이 기다리는 식탁으로 향하는데 숙덕거리는 소리가 들렸다.

"위험한 계집애야." 안젤리카는 패거리에게 소곤거렸다. "걔는 우리 행성의 애도 아냐. 궁전에 있을 필요가 없는 애라고. 언젠가는 저 계집애 때문에 우리 중 누군가가 다치거나…… 죽고 말 거야!"

"맞아, 마법을 쓰게 내버려두면 안 돼!" 또 다른 소녀가 속삭였다.

"마법을 조절할 줄도 모르는 애야. 쥐뿔도 모르면서 까부는 햇병아리라니까!"

"그래, 잰 좀 이상해." 세 번째 소녀도 맞장구쳤다.

"어디서 왔는지 아는 사람 있어?"

계속되는 악담.

타라는 치미는 분노를 억제하면서 수군덕거리는 소리를 무시하기로 하고 칼의 옆자리에 앉았다.

"재들한테 신경 쓸 필요 없어." 칼이 일부러 언성을 높이면서 말했다. "네 능력이 자기들보다 세서 질투가 나서 지껄여대는 거니까."

"맞아." 파브리스는 한술 더 떴다. "드라고쉬 선생님이 칼의 목덜미를 움켜잡지만 않았다면 그런 일은 일어나지 않았을 거야. 아주 잘 되어가고 있었는데…… 나는 그때 수프 1리터를 복제하고 있었단 말야."

"난 3000리터나 되는 수프를 복제했는데, 뭐!" 타라가 말을 가로막았다. "나는 마법이 진짜 싫어. 위험하단 말야. 마법을 사용하면 할머니의 목숨을 위태롭게 할 뿐만 아니라, 게다가 난 마법을 조절할 줄도 몰라. 지구로 돌아가면 할머니에게 이 놈의 마법을 영원히 나한테서 없애달라고 부탁할 거야."

칼과 무아노, 파브리스는 뒤통수라도 한 방 얻어맞은 얼굴로 타라를 쳐다봤다.

"뭐, 뭐라구?" 무아노가 외쳤다. "너 무, 무슨 말을 하는 거야? 그럴 권리가 어, 없어 너는! 그, 그건 너의 능력이야. 그, 그, 그렇게……."

"그렇게 할 수 있는 사람은 아무도 없어." 칼이 무아노의 말을 대신 끝맺었다.

"그건 네가 마법을 조절할 수 없기 때문이 아냐. 그러니까 그딴 생각은 아예 하지도 마. 넌 마법 능력을 타고난 거라고, 타라!"

"아니, 내 생각이 맞아." 타라는 칼의 말을 잘랐다. "게다가 난 너희들을 위험에 빠트리고 있어. 안젤리카가 하는 말을 들었는데 내가 너희들에게 해를 끼칠 수 있다는 거야. 걔 말이 아주 틀리진 않는 것 같아."

"아니, 틀렸어." 새로운 목소리가 말을 가로막았다. "너의 재능은 아주 귀중한 거야, 타라. 그런 쓸데없는 말 때문에 포기하면 안 돼."

타라는 누군지 보려고 고개를 돌렸다. 로빈이었다.

"부엌에서 도와준 거, 정말 고마웠어." 타라는 방긋 웃으면서 말했다.

"네가 아니었다면 난 아마 밤중까지 걸레질을 해야 했을 거야."

로빈은 파브리스의 어딘가 못마땅한 눈총을 받으면서 어깨를 으쓱했다.

"별것도 아닌데 뭐. 우리 중 누구라도 그 정도는 해줬을 거야."

"당연하지. 드라고쉬 선생님이 칼을 뒤쫓아갔기 때문에 우리도 뒤따라갈 수밖에 없었어." 파브리스는 한술 더 떴다. 갑자기 주제넘게 나서는 로빈이 눈꼴사나웠던 모양이다.

"그건 그래." 칼이 결론을 내렸다. "나는 당분간 그 선생님을 피해 다녀야 할 것 같아. 나만 보면 잡아먹으려고 으르렁거릴 테니."

"맞아. 얼마나 화가 났는지 귀에서 연기가 다 풀풀 났다니까." 파브리스가 놀렸다.

"그게 아니라 수프에서 나는 김이었어." 타라는 웃음을 흘리면서 말했다.

"콧구멍에는 셀러리가, 귓구멍에 당근이 박혔는데…… 푸하하하! 그것도 모르고 수프 국물을 뚝뚝 흘리면서 칼을 뒤쫓아가는 꼴이라니!" 파브리스는 키득거리면서 묘사했다.

"뒤따, 따라가는 것이 하나도 히, 힘들지 않았어. 온 사방에 수, 수, 수프 자국이 떨어져 있었거든." 무아노도 끝내 웃음을 터뜨리고 말았다.

"그래서 궁전을 더럽혀놨다고 감독관이 선생님에게 비누를 다 주더라고."

"나는 선생님이 덤빌 거라고 생각했어. 그 순간 얼굴이 아주 시뻘게졌거든." 파브리스는 또 맞장구를 쳤다.

"화가 머리끝까지 나서 반미치광이가 돼 있었어!" 칼이 말했다.

다섯 명의 아이들은 서로 쳐다보면서 배꼽을 잡고 웃어댔다.

"이런, 그런 구경거리를 놓치다니 진짜 아깝다!" 로빈은 눈물까지 닦으면서 외쳤다.

"그만해, 그만 좀 해!" 타라는 한술 더 떴다. "하도 웃어서 배가 아파 죽겠단 말야."

그날 저녁, 그들 다섯 명은 로빈과 정식으로 인사를 나누기 위해서 응접실에 모였다. 안젤리카와 패거리는 한쪽 구석에서 시시덕거리고 있었다.

"정말 그, 그렇게 우스울 수가 없었어." 무아노는 수프를 뒤집어쓴 뱀파이어를 떠올리면서 큰 소리로 말했다. "칼리브리스 부, 부인이 보, 복도에서 드라고쉬 서, 선생님과 마주쳤는데……."

듣지 않는 척 딴청을 부리고 있던 안젤리카가 더는 못 참겠다는 얼굴로 무아노를 흉내냈다.

"그, 그, 그래서 뭐 어, 어쨌다는 거냐고! 네가 더듬는 소리만 들으면 아주 소, 속이 터, 터지려고 해!"

그 말이 끝나기가 무섭게 타라로서는 통제할 수 없는 마법이 안젤리카를 후려쳤다. 갑자기 꺽다리 소녀가 부풀어오르기 시작하더니 비명을 지르면서 천장으로 휙 날아올랐다.

천장에 달라붙은 안젤리카를 올려다보면서 모두들 입이 헤벌어졌다.

벽이 흔들리면서 순식간에 풍경이 사라지는 걸 보면 궁전도 어지간히 놀랐던 모양이다. 하지만 얼른 정신을 차린 궁전은 재미있다는 듯이 파란 하늘을 투영했다. 그 바람에 안젤리카는 새 몇 마리와 여섯 조각의 하얀 뭉게구름과 함께 둥둥 떠 있는 모습이 되었다. 이번에는 또 궁전이 바닥을 사라지게 했다. 현기증을 느낀 안젤리카는 눈을 꼭 감고 악을 썼다.

"와, 진짜 가지가지 한다." 칼이 귀를 틀어막으면서 투덜거렸다. "저 계집애, 저거 허파에 공기가 한 500리터쯤 들어 있는 거 아냐? 내 고막이 다 터지기 전에 저 계집애를 떼어 놓자."

칼이 스킬러와 카롤을 데리고 날아올라서 안젤리카를 내려 놓으려고 했지만 꿈쩍도 하지 않았다. 그들은 있는 힘을 다해서 잡아당겼다. 하지만 헬륨 풍선처럼 빵빵한 안젤리카는 붙여 놓은 껌보다 더 단단하게 천장에 찰싹 달라붙어 있었다. 그들은 상태를 악화시킬까 겁이 나서 주문을 걸 용기가 나지 않았다.

어이가 없어서 눈이 똥그래진 무아노는 악에 바친 괴성에 흔들리지 않을 수 없었다.

"어쩔 수 없어." 스킬러가 도로 내려오면서 한숨을 내쉬었다.

"최고 마법사를 불러와야 해. 우리 능력으로는 도저히 천장에서 떼어낼 수 없어."

"납작한 도구, 예를 들어 파이용 쇠주걱 같은 게 있으면……." 칼이 무심코 말했다.

"칼!" 카롤이 소리쳤다. "안젤리카는 파이가 아니잖아! 너 정말 못됐다! 어떻게 좀 해보란 말야!"

십여 분간의 노력이 실패로 돌아가자, 그들은 결국 칼리브리스 부인을 불러왔다. 부인의 강력한 마법은 안젤리카를 천장에서 떼어내는 데는 성공했지만, 꺽다리의 몸에서 공기를 빼내지도, 바닥으로 내려오게 하지도 못했다.

밧줄에 묶인 안젤리카가 궁전의 모든 사람이 보는 앞에서 의무실로 끌려갔을 때, 타라는 희열을 느꼈다.

"네가 그런 거지?" 칼리브리스 부인이 안젤리카를 데리고 나갔을 때, 무아노가 속삭였다. "진짜 재수 없는 계집애야. 잘했어. 아이, 고소해."

"그런데…… 너 어떻게 된 거냐? 말을 안 더듬잖아!" 칼이 말했다.

얼굴이 빨개진 무아노가 기뻐하는 얼굴로 외쳤다.

"그래? 가만 있어봐. '경찰서 창문 쇠 철창 살은 녹슨 쇠 철창 살인가 녹 안 슨 쇠 철창 살인가!' 이럴 수가, 내가 진짜로 말을 안 더듬네! 와우, 신 난다, 야호!"

무아노가 춤을 덩실덩실 추자, 덩달아 즐거워하는 쉬바도 펄쩍펄쩍 뛰기 시작했다.

"어, 이게 어떻게 된 거지?" 무아노가 소리쳤다. "어떻게 이런 일이! 엄마가 나를 데리고 내로라 하는 최고의 치료사들을 다 찾아다녔어. 근데 하나같이 날 치료할 수 없다고 했거든."

"그 계집애는 한번 호되게 당할 필요가 있었어. 그리고 네가 말을 더듬을 때마다…… 죽이고 싶은 심정이었어."

이 말에 대답을 한 것은 타라가 아니라 타라의 머릿속에 들어앉아서 분노와 노여움을 자극하는 악령이었다.

뜻밖의 거친 말에 무아노는 잠시 당황했지만, 친구가 농담을 하는 거라고 생각하면서 배시시 웃었다.

"그럼…… 너한테 감사해야겠구나. 대단하다, 너!"

그러고는 어안이 벙벙한 친구들 앞에서 또 읊조리기 시작했다.

"숲 속 동굴 속에 숨어 있는 살쾡이가 살랑살랑 살쾡이 꼬리를 살래살래 흔들면서 살금살금 슬금슬금 사람들을 살살 슬슬 피해 다닌다."

"브라보! 와, 너 굉장한데!" 칼이 외쳤다.

"음…… 하나 더 해볼까?"

칼은 다혈질이지만 광적일 정도는 아니었다.

"아니, 이제 됐어. 대단하셔요! 다시 한 번 브라보!"

그 사건 이후로 무아노는 다시는 말을 더듬지 않았다. 안젤리카에 대한 소문을 들은 데리아는 아주 기뻐했다. 데리아도 안젤리카가 꽤나 싫었던 모양이다.

데리아는 타라를 세심하게 지켜보고 있었고, 대부분의 시간을 타라와 함께 보내면서 마법과 능력에 대해 얘기했다. 그들은 이날 체육관에 있었고, 타라는 데리아의 정확한 몸놀림과 힘에 감탄하는 중이었다. 연습검을 움켜잡고 정신을 집중해서 공기를 가르고 있는 데리아. 그 모습을 보면서 타라는 생각했다. 데리아와 좀더 일찍부터 친하게 지냈더라면 좋았을걸!

"타라, 난 네가 아주 어릴 적부터 같이 살았는데도 마법 능력을 타고났다는 걸 모르고 있었어." 데리아는 뜬금없이 말했다. "너의 강력한 재능을 봤을 때 난 깨달았어. 네가 능력을 사용하는 것이 너를 위해서나 아더월드를 위해서나 중요하다는걸."

데리아는 '피의 맹세'에 대해 전혀 모르고 있었지만, 타라는 말해주지 않았다. 며칠 동안 데리아는 훈련은 별 의미가 없다면서 타라에게 마법을 사용하게 했다. 차츰차츰 타라는 마법을 사용하고 싶어졌고, 그냥 시험해보는 정도는 대수로운 것이 아니라는 생각이 들었다. 머리색깔 바꾸기(에이, 빨간색은 영 아니었고, 갈색도 어울리지 않았다), 페가수스의 털 색깔 바꾸기(페가수스는 타라가 오후 내내 입혀준 보랏빛 줄무늬에 초록색 물방울무늬 털을 끔찍이 싫어했다), 개량 옷 만들기(습작이긴 해도 한쪽은 소매가 셋이고 또 한쪽은 소매가 하나라서 입기가 여간 힘든 게 아니었다). 하지만 누군가의 방해를 받는 즉시 마법 능력을 증대시키는 비정상적인 분노 때문에 타라는 친구들이 있는 데에서는 마법을 쓰지 않으려고 주의했다. 친구들의 안전을 위해서는 더 조심해야 했다.

타라는 아더월드의 사람들을 비교적 좋아했다. 물론, 뱀파이어와 키마이라는 빼놓고! 키마이라는 느닷없이 나타나서 사자의 눈초리로 쏘아보다가 휙 사라져버리는 것으로 신경을 곤두서게 하는 섬뜩한 괴물이었다. 뱀파이어 역시 특별히 입맛이 당기는 카나리아에게 눈독을 들이는 고양이처럼 호시탐탐 타라를 엿보고 있었기 때문이다. 막다른 골목에 몰리면 카나리아가 고양이보다 훨씬 더 위협적이 될 수 있다는 걸 뱀파이어는 모르고 있는 게 분명했다.

그런 몇 가지를 제외하면 파브리스와 타라는 아더월드에 잘 적응하고 있었고, 특히 훤칠한 지구소년은 많은 소녀들의 눈길을 끌었다.

그러던 어느 날 오후, 파브리스는 몹시 황당한 얼굴로 도서관에 나타났다.

공중에 떠 있는 칼은 죽어라 하고 버티는 책을 붙잡으려고 애를 쓰고 있었는데, 바들바들 떠는 책을 꼼짝 못하게 만든 뒤에야 파브리스의 말을 들으려고 고개를 숙이면서 외쳤다.

"너 얼굴이 왜 그 모양이냐? 복숭아 먹다 냠냠 식사 중이던 벌레 가족이라도 씹은 거야?"

"거의 그런 심정이야. 방금 함정에 빠졌어."

"저런!" 칼이 흥미진진한 얼굴로 즉시 내려왔다. "무슨 일인데 그래?

말해봐!"

파브리스는 의자에 털썩 주저앉았다.

"안젤리카를 졸졸 따라다니는 그 패거리 알지?"

"누구? 그 스파슌*들 말야?"

"스파슌? 스파슌이 뭔데?"

"거들먹거리면서 온종일 꽥꽥거리는 금빛 깃털 칠면조. 아주 잡기 쉬운 사냥감이지. 숲 속에 거울을 놓고 10분만 기다리고 있으면 한 여섯 마리쯤은 거울 앞에서 자아도취에 빠져 있는 걸 보게 된다니까."

"너 지금 나 놀리는 거지?" 미심쩍은 얼굴로 파브리스가 투덜거렸다.

"천만에." 칼이 진지하게 대꾸는 했지만 보조개가 팰 정도로 빙긋이 웃었다. "안젤리카의 패거리에게 딱 맞는 비유라고 생각해서 한 말이야. 그래서 걔들이 뭘 어쨌는데?"

"마니투랑 놀고 있는데, 네가 '스파슌' 이라고 하는 애들이 나를 궁지에 몰아넣었어. 너희들 같은 꺼벙이들이랑 무슨 짓을 꾸미고 있냐고 캐묻는 거야."

푸하하하, 칼이 웃음을 터뜨렸다.

"고작 그거야? 근데 걔들이 이상하게 너한테 관심이 많네. 그래서 넌 뭐라고 했는데?"

"하도 놀라서 아무 말도 못했어. 그때 마니투가 나를 살려줬어. 흙투성이 발로 그 예쁜 옷에 마구 달려드니까 비명을 지르면서 달아났거든."

칼이 마니투의 귀를 만져주자, 마니투는 행복한 신음소리를 냈다.

"정말 착한 개야!"

"그래도 타라의 증조할아버지인데 예의를 좀 지켜, 제발." 파브리스가 나무랐다.

"너와 함께 지낸 뒤로는 아직 한 번도 말한 적 없지?"

"응."

"그럼 나한테는 그냥 착한 개야!" 칼이 마니투의 보들보들한 머리를 쓰다듬으면서 대꾸했다. "어젯밤에 네가 한 짓을 봤어."

"어젯밤?"

파브리스는 방어태세를 취했다.

"내가 꿈을 꾼 게 아니면 너는 분명히 닫집 안으로 마니투를 올라가게 했어."

"그게 말야. 난 도저히 마니투를 개집에서 자게 할 수 없었어. 마니투가 내 침대 발치에서 자다가 제정신이 들었다고 생각해봐! 그건 그렇고 코를 얼마나 심하게 고는지!"

칼은 배꼽을 잡고 웃었다.

"나야 괜찮지만 칼리브리스 부인한테 들키지 않도록 조심하라고."

그날 밤, 저녁을 너무 많이 먹어서(무화과 파이를 네 개나 먹어치웠으니!) 도저히 잠을 이룰 수 없는 칼은 바람을 쐬러 나갔다.

파브리스의 침대 앞을 지나가다 마니투의 코고는 소리를 듣고 피식 웃으면서 밖으로 나가던 칼은 로빈의 닫집이 열려 있는 것을 눈여겨보았다.

칼이 궁전의 현관문을 피해서 밖으로 나가는 통로 중 하나로 살그머니 빠져나가려고 할 때였다. 말소리가 나서 칼은 얼른 몸을 숨겼다. 기숙사의 벽 바로 앞에 두 개의 실루엣이 보였다.

"여기서 뭐 하는 거죠?" 여자 목소리가 물었다.

"내가 묻고 싶은 말이오." 휘파람을 부는 듯한 그 목소리를 칼은 대번에 알아들었다. 드라고쉬 선생님이잖아!

"뱀파이어가 한밤중에 복도를 돌아다니는 것도 정상은 아닌 것 같군요." 여자가 야멸치게 내뱉었다.

"데리아 부인! 내가 짐승의 피만 먹을 뿐이며 인간의 피에는 관심이 없다는 걸 알지 않소!"

"글쎄요, 드라고쉬 선생님. 그렇다면 수석조수들의 기숙사 앞에서 얼쩡거릴 필요는 없을 텐데요. 최고 마구스에게 당신의 이 이상한 행동을 알리기 전에 빨리 사라지세요!"

뱀파이어는 젊은 여자 앞에서 허리를 숙였다.

"우리의 방은 서로 붙어 있으니 배웅해드리지요. 그러면 당신의 눈으로 내가 방으로 들어가는 걸 확인할 수 있을 것 아니오." 뱀파이어는 빈정거리는 듯 냉랭한 목소리로 응수했다.

더 이상, 데리아도 어쩔 도리가 없었는지 아무 말 없이 둘은 멀어져갔다.

숨을 죽이고 있던 칼은 숨어 있던 곳에서 나왔다. 뱀파이어가 무슨 일을 꾸미고 있는 걸까?

타라의 할머니를 공격했던 자들과 뱀파이어가 한 패일까? 하지만 타라의 할머니가 손녀를 보호하기 위해 보냈다는 데리아는 이 밤에 뭣하고 있었을까, 칼은 혼란스러웠다.

파브리스를 깨울까 말까 망설이던 칼은 아침까지 기다렸다가 타라와 무아노가 있는 자리에서 말하는 게 낫다고 생각했다. 그들이 뱀파이어의 감시를 받고 있는 것이 틀림없었다. 두고 보면 알게 되겠지.

하지만 다음 날 아침, 칼은 이 결정을 지독히 후회했다.

파브리스가 온데간데없이 사라졌기 때문이다.

6
행방불명!

"타라를 노렸던 거예요." 칼은 우울하게 말했다. "틀림없어요!"

세 친구는 최고 마법사 셈나샤오비로다인트라쉬부의 동굴 사무실에 모여 있었다. 드래곤 마법사는 아주 걱정스러운 얼굴로 이리저리 서성였다.

"나도 그런 것 같아. 어제부터 있었던 일을 빠짐없이 다시 말해보거라."

칼은 순순히 응했다.

파브리스가 아직 일어나지 않았을 때, 칼은 샤워를 하러 갔다. 친구가 8시 종소리를 못 들은 거라고 생각하면서 칼은 침대 앞으로 가서 이름을 불렀다.

대답이 없었다.

걱정이 된 칼은 닫집 기둥을 두드렸지만 움직이는 기척이 없었다. 그래서 칼은 타라와 무아노가 기다리는 식당으로 내려갔었다.

"칼! 무슨 일이야?" 수심이 가득한 친구의 얼굴을 보면서 타라가 외쳤다.

"아직은 잘 모르겠어. 오늘 아침에 파브리스 봤어?"

"아니, 왜? 아직까지 자는 거 아냐?"

"닫집은 파브리스의 허가 없이는 들어갈 수 없잖아. 그래서 닫집을 몇 번 두드려봤는데 대답이 없었어. 게다가 간밤에 이상한 일이 있었단 말야."

칼은 섬뜩했던 장면을 얘기해주었다.

"그럼…… 칼리브리스 부인에게 알리는 게 좋겠어, 사프리스티!"

말을 더듬지 않게 된 뒤로 이상한 버릇이 생긴 무아노가 말했다. 무아노는 밑도 끝도 없이 말끝에 이따금 발음하기 힘든 낱말을 하나씩 덧붙이고 있었다.

"파브리스가 몸이 아프거나 무슨 일이 생긴 건지도 모르잖아."

"그래, 뭔가 좀 이상하다. 가보자." 타라도 맞장구쳤다.

아침식사를 감독하러 내려와 있다가 파브리스가 일어나지 않았다는 얘기를 들은 칼리브리스 부인은 이맛살을 찌푸리면서 기숙사로 달려갔다.

정돈 주문이 엄연히 존재하건만 기숙사는 누가 사내아이들의 방 아니랄까 봐 엉망진창이었다. 짝짝이 양말들이 자기 짝을 찾느라고 여기저기 굴러다니는가 하면 책상 위에는 조립 모형이 망가져 있고, 조각들이 반은 없어진 대형 퍼즐, 그리고 그 빈 구멍을 운동화 한 켤레로 가려 놓아서인지 발 구린내가 진동했다.

칼리브리스 부인은 침대에 다가서서 커튼을 젖혔다.

침대에는 푹 꺼진 베개와 마니투가 누웠던 자국이 고스란히 남은 깃털 이불밖에 없었다.

옷장에는 파브리스의 옷가지가 전부 다 걸려 있었다.

"파자마 바람으로 멀리 가진 않았을 텐데." 난감한 얼굴로 칼리브리스 부인이 중얼거렸다. "나는 궁전과 정원을 샅샅이 수색할 테니까 너희들은 내려가서 아침을 먹고 있어. 알려줘서 고맙다!"
세 친구는 애가 탔지만 하는 수 없이 식당으로 갔다.
잠시 후, 칼리브리스 부인과 함께 들어온 셈 선생님은 식사를 중단시켰다. 그가 목청을 가다듬고 나서 내지르는 소리에 식당은 찬물을 끼얹은 듯 조용해졌다.
"좋지 않은 소식을 여러분에게 알리겠다. 작년에 수석조수 몇 명이 실종되었던 것처럼 오늘 아침에 또 수석조수 중 한 사람인 파브리스 브주아 지롱이 사라졌다."
불안한 웅성거림이 식당에 퍼졌다.
"지금부터 궁전은 비상 사태다. 여러분 중 뭔가 수상쩍은 걸 봤거나 들은 사람이 있으면 식사가 끝나는 대로 내 사무실로 와주기 바란다. 우리는 이 미스터리를 풀기 위해서 최선을 다할 것이니 협조를 부탁한다."
셈 선생님이 칼리브리스 부인과 의논하는 동안, 무아노는 칼의 귀에 대고 소곤거렸다.
"일이 이렇게까지 되었는데…… 네가 당당하게 나서야 되는 거 아닌가?"
칼은 대표로 나서는 것이 꺼림칙했다.
"내가 왜? 간밤에 일어났던 일에 대해서는 데리아가 최고 마법사에게 이미 알렸을 텐데, 뭐! 괜히 말했다가 그 시간에 밖에서 뭘 했느냐고 물어보면 나는 어떡하고?"
"맙소사! 설사 벌을 받는다고 해도 그건 너무 이기적인 생각이야!" 타라는 분개했다. "그리고 셈 선생님은 그런 사소한 일에 신경을 쓰기에는 지금은 할 일이 많단 말야. 우리의 친구 파브리스가 없어졌어! 나 몰라라 하고 넘어갈 일이 아냐!"

입맛이 뚝 떨어진 칼은 포크를 내려놓았다. 타라가 치즈 한 조각을 찍어서 내밀었지만, 칼은 고개를 내저으며 거절했다.

"좋아, 가서 말하겠어. 에잇, 배도 안 고파."

그렇게 해서 그들은 드래곤 마법사의 사무실에 갔고, 칼은 간밤에 숨어서 듣게 된 대화를 말하기에 이르렀다.

드래곤 마법사는 주의 깊게 들었다.

"거참, 이상하군." 그가 생각에 잠긴 목소리로 말했다. "드라고쉬 선생도 그렇고 데리아 스무피두쉬도 그렇고 그 일에 대해서 아무 말도 하지 않고 있으니. 아직은 어젯밤의 그 일이 파브리스 실종사건과 관계된 것이라고 단언할 수는 없다. 마법사들은 어디든 자기가 원하는 곳을 돌아다닐 권리가 있거든. 하지만 어떻게 된 일인지 면밀히 조사하면 브주아 지롱이 없어진 것에 대한 실마리를 풀 수 있을 게다."

타라는 찬성했다.

"저는 아직 마법을 잘 몰라서 그러는데요. 누군가가 나나 파브리스를 납치하려고 할 경우 어떻게 할지 한번 추리를 해보는 게 어떨까요?"

"좋은 생각이구나. 보통대로라면 너희들을 지켜볼 필요가 있겠지. 그런데 파브리스는 기숙사 안에서 납치된 것 같단 말야. 메모루스 주문을 걸어본 결과 파브리스의 단집 안에서 짧은 섬광을 제외하고는 아무것도 나타나지 않는 걸 보면."

"모두 자고 있었어요." 칼이 말했다. "파브리스가 밖으로 유인된 건 아닐까요?"

"납치범은 패밀리어의 털이나 깃털을 채취했다가 동물을 먼저 납치함으로써 그 동반자를 밖으로 유인해낼 수도 있었겠지. 하지만 파브리스에게는 패밀리어가 없는 걸로 아는데."

타라와 무아노는 눈길을 교환했다.

"엄밀히 말하면 그게 아니었어요." 타라가 용기를 내서 말했다.

셈 선생님이 안락의자에서 벌떡 일어났다.

"뭐라고, 그게 아니라니?"

"실은……." 타라는 솔직히 고백했다. "제가 갈랑의 선택을 받았을 때 패밀리어를 둘씩이나 데리고 있는 걸 모두 이상하게 여길 거라고 생각했어요. 그래서 패밀리어가 없어서 소외감을 느끼는 파브리스에게 마니투를 빌려줬어요."

셈 선생님은 자신의 두 귀를 믿을 수가 없었다.

"파브리스에게 너의 증조할아버지를 빌려줘?"

"네…… 그렇게 된 셈이죠!"

늙은 마법사는 어처구니가 없는 얼굴을 하다가 "이런, 철딱서니 없는 것들!" 하면서 한숨을 내쉬었다.

"그렇다고 해도 나는 마니투가 매개물이었다고는 생각지 않아. 개집과 파브리스의 침대는 상당히 멀리 떨어져 있어."

그 말에 칼이 난처한 얼굴로 끼어들었다.

"그런데요, 마니투가 파브리스와 함께 잤다면…… 문제가 생길 수도 있나요?"

그 짧은 순간에 타라는 드래곤 마법사가 너무 놀란 나머지 딸꾹질을 시작할 거라고 생각하면서 얼른 책상을 눈여겨보았다. 휴, 다행이다. 별안간 변신할 경우에 세 명 다 숨을 만한 공간은 충분했다.

하지만 이번에는 셈 선생님이 용케 딸꾹질을 억제하여 드래곤으로 변하지 않았다.

"우리가 데미데루스의 이름으로 지시를 내렸을 때는 이 궁전 안에 있는 사람은 누구든 그 명을 지켜야 하는 거야. 우리가 패밀리어를 단집 안에 들여 놓는 걸 금했던 것은 털이나 깃털 때문이 아니라…… 적의를 품은 마법사의 매개물로 이용되는 걸 방지하기 위해서였단 말이다. 게다가 중요한 것은 어떤 마법을 사용했느냐가 아니라 납치해갈 사람과 동물 사이에 떨어져 있는 거리야. 작년에 없어졌던 수석조수들도 패밀리어를 이용하여 납치되었을 것이라고 추정했기 때문이건만. 너희들의 잘못으로 인해서 친구가 사라졌구나. 친구가 나의 명을 어기고 있다는 걸 즉시 알려줬어야지!"

죄책감을 느끼는 칼은 의자에서 몸을 움츠렸다. 하지만 타라는 드래곤을 개밥으로 만들지 않도록 '악마의 분노' 를 간신히 억제하면서 속에 있는 말을 야무지게 쏟아냈다.

"아! 그러니까 또 거짓말이었군요! 대체 우리는 어른들의 말을 언제 전적으로 믿어야 하는 거죠? 수석조수들이 어떻게 납치되었는지를 말해줬다면, 특히 우리가 왜 패밀리어를 데리고 자면 안 되는지 그 이유를 제대로 말해줬다면, 파브리스는 절대로 명을 어기지 않았을 거예요. 따라서 이건 어른들의 잘못이에요! 게다가 파브리스만 몰래 패밀리어를 데리고 자는 것이 아니란 말예요. 제발 부탁인데, 이젠 모두에게 진실을 알려줘야 해요!"

드래곤 마법사는 타라의 당돌한 이야기에 상당히 놀라는 것 같았다. 최고 마법사는 자신의 결정이 반박 당하는 것에 익숙해 있지 않았다. 거기에 생각이 미치자 무아노는 이러다가 선생님이 예의를 가르치기 위해 그들을 두꺼비로 만들어버릴까 벌벌 떨었다. 하지만 셈 선생님은 그들에게 벌을 내릴 생각이 없었다.

"그래, 우리도 그 생각은 했었어" 하고 시인하면서 셈 선생님은 낙담한 얼굴로 왔다갔다 걸어다녔다. "하지만 그러면 모든 사람이 혼란에 빠지기 때문에 아무 말도 하지 않기로 결정했지. 결국 너희들 덕분에 파브리스가 어떻게 납치되었는지 알긴 했다만……. 그런데 타라, 우리가 비밀로 하라고 당부한 얘기를 친구들에게 해준 거니?"

"네. 그 비밀을 혼자서만 간직하고 있을 수가 없었어요. 그래서 내 친구들에게 털어놨어요." 타라는 죄책감을 느끼지 않으려고 애를 쓰면서 응수했다.

골똘히 생각에 잠겨 있던 칼이 침울한 어조로 덧붙였다.

"이 모든 건 딱 한 가지, 배신자가 내부에 있음을 의미하는 거예요."

셈 선생님은 고개를 끄덕였다.

"나도 그렇게 생각한다. 최고 마법사들과 숙련된 마법사들 중의 누군가만 그런 일을 저지를 수 있어. 하르퓌아이의 우리는 분명히 파손되어 있었고, 이어서 파브리스가 납치되었단 말야. 그런데 누구인지는 정말 모르겠으니!"

"드라고쉬 선생님을 잘 아세요?" 칼이 시치미를 뚝 떼고 물었다.

"응, 뭐라고?" 생각에 잠겨 있던 셈 선생님이 대꾸했다. "사피르 드라고쉬? 물론 잘 알지. 왜?"

"좀 이상해서요. 타라를 굉장히 싫어하는 것 같아요. 그리고 파브리스가 사라진 밤에 복도를 서성거리고 있었어요."

"아냐, 드라고쉬는 그럴 리가 없어. 난 그 사람을 절대적으로 믿어. 그런 짓을 할 사람이 아냐."

착한 주인공이 악당에 대해 파리 한 마리도 죽일 수 없는 사람이라면서 그를 철석같이 믿는다고 말하는 순간, 그 악당이 누군가를 토막 살해하고 있는 장면을 비추는 또 하나의 카메라……, 그런 영화를 수없이 본 타라였다. 따라서 셈 선생님의 말은 타라에게 조금도 설득력이 없었다.

"내 말 잘 듣거라. 지금은 너희들이 할 수 있는 일이 별로 없을 것 같구나. 모든 걸 나한테 맡기고 나가 보거라."

"어떻게 생각해, 너는?" 사무실을 나왔을 때, 무아노가 칼에게 물었다.

"뱀파이어가 뭐 하는지, 누구와 얘기를 하는지, 뭘 먹는지 우리가 번갈아 감시해야 한다고 생각해."

"윽…… 뭘 먹는지는 안 돼!" 무아노는 기겁하면서 거부했다.

"좋아, 그럼 누구랑 밥을 먹는지로 바꾸지, 뭐. 다 찬성하는 거지?"

"물론이야." 타라가 대답했다. "하지만 쉽진 않을 거야. 칼리브리스 부인이나 살라타르에게 들키면 어떡하지?"

"조심만 하면 돼. 뱀파이어가 범인이라는 걸 증명하면 셈 선생님이 그 발바닥을 불로 지져버릴 거야. 그러면 파브리스를 어디에 가둬놨는지 실토하지 않고는 못 배길걸!"

"어…… 좋아." 무아노도 단호하게 말했다. "시간을 정하자. 밤 24시나 25시까지는 교대로 뱀파이어의 방을 감시할 수 있잖아. 그리고 그가 이동하거나 수상한 짓을 하면 미행하는 거야."

그들은 꼬박 하루를 방 앞에서 불침번을 섰다. 하지만 불행히도 뱀파이어는 털끝 하나 움직이지 않았다.

바로 그날, 물 샐 틈 없이 철저한 안전장치가 설치되는 바람에 세 탐정의 일은 그리 수월하지 않았다.

비밀리에 계략을 꾸민 칼은 궁전을 설득하여 착시를 일으키게 하는 풍경에 가려서 보이지 않는 벽에 숨을 곳을 만들어냈다. 불쑥 나타난 키마이라가 분명 어디선가 맡은 냄새라는 듯이 미심쩍은 얼굴로 벽의 냄새를 킁킁 맡을 때 타라는 식은땀이 흘렀다. 하지만 키마이라는 고개를 흔들면서 떠났다. 어찌나 감쪽같은지 누군가가 그들을 알아본다는 건 불가능했다.

그래도 그들은 경비병들과 밤잠이 없는 궁인들, 최고 마법사들, 그리고 궁전을 돌아다니는 패밀리어들을 조심해야 했다. 또 안보다는 바깥에서 더 많은 시간을 보내는 것 같은 로빈도 경계해야 했다. 로빈은 밤마다 무엇을 하고 다니는지 방 안에 있지를 않았다.

다음 날 밤, 소름끼치는 비명소리에 모든 사람이 소스라치게 놀라서 잠을 깼다.

눈속임 풍경 속에서 꾸벅꾸벅 졸고 있던 칼은 하마터면 심장마비를 일으킬 뻔했다. 모든 사람이 다 뛰쳐나왔는데 뱀파이어의 방에서는 아무런 기척도 없는 것에 칼은 놀랐다. 하지만 죽은 사람도 벌떡 일어나게 할 만큼 큰 비명소리는 계속되고 있었다.

드라고쉬 선생님은 분명히 방을 나오지 않았었다. 그런데 이게 무슨 기절초풍할 일인지! 드라고쉬 선생님이 다른 마법사들과 함께 복도에 버젓이 서 있는 것이 아닌가!

급히 나오느라 드래곤으로 둔갑해 있었던 걸 깜빡 잊은 셈 선생님은 궁전의 절반을 부술 뻔했다. 그뿐인가, 그 소리에 놀라 뛰쳐나오던 왕과 왕비까지 드래곤의 발에 깔려 으깨질 뻔했다. 드래곤 마법사의 머리털은 엉망진창이었다. 마침내 송곳니며 갈퀴발톱, 날개가 싹 사라졌다.

"대체 이게 웬 소란이오?" 셈 선생님이 안전을 책임지고 있는 어마어마하게 큰 붉은 악마에게 소리쳤다. 궁전의 절반에 이르는 사람들이 공포에 질린 얼굴로 주시했다.

"누군가가 허가 없이 나가려고 했습니다. 그래서 그 위반자를 붙잡았지요." 붉은 악마는 정중하게 대답했다.

붉은 악마가 두 손을 펴자, 기절한 안젤리카의 몸이 드러났다.

"브란드라우드 안젤리카? 이게 도대체 어떻게 된 일이야? 그런데 아직도 나는 이 소리는 또 뭐요?" 셈 선생님은 아연실색했다.

모두 귀를 기울였고, 출입문에 가까이 서 있는 이들이 조심스럽게 비켜섰다.

닫혀 있는 문 뒤에서 뭔가가 생난리를 치면서 문짝을 마구 두드리고 있었다.

늙은 마법사는 모두 멀리 떨어져 있게 하고 나서 문이 열리라고 명했다. 모두 물러서기가 무섭게 빛을 번쩍이며 휙 날아 들어온 날개도마뱀 한 마리가 붉은 악마에게 덤벼들었다.

도마뱀의 공격을 피하려는 붉은 악마의 필사적인 움직임 때문에 깨어났는지 안젤리카는 눈을 떴다가 얼른 도로 감으면서 다시 악을 쓰기 시작했다.

무슨 일인지 제일 먼저 알아차린 칼리브리스 부인이 모두가 들을 수 있도록 두 목소리를 사용해서 소리쳤다.

"놔줘요, 붉은 악마. 안젤리카가 선택을 받은 거예요!"

붉은 악마가 복종하면서 놓아주자, 안젤리카는 바닥에 나가동그라졌다. 날쌔게 안젤리카에게 달려든 날개도마뱀이 소녀의 뺨에 대고 몸을 비비면서 기운을 내라고 소리쳤다. 오색 영롱한 날개가 돋친 금빛 도마뱀은 위용한 자태를 뽐내고 있었다.

허영심을 만족시켜주어서인지 안젤리카는 정신을 차리려고 애를 쓰고 있었다. 눈을 뜬 안젤리카는 감격의 소리를 내질렀다.

"키미! 이름이 키미래요!"

"잘됐구나! 우리도 아주 기쁘다." 대답은 그렇게 했지만 셈 선생님은 그리 흡족한 얼굴이 아니었다. "선택은 끝났으니 이젠 모두들 돌아가시오. 어서! 어서!"

셈 선생님은 붉은 악마에게 말했다.

"신속하게 대응해줘서 감사하오. 성가시게 해서 미안합니다."

"천만의 말씀." 붉은 악마가 이빨을 드러내면서 인상적인 미소를 짓는 사이에 도마뱀 때문에 생긴 상처는 사라졌다. "대수롭지 않은 일이었습니다. 내 구역에서 죽은 쥐처럼 지내는 게 지겨워 죽을 뻔했는데 살맛이 납니다. 언제든 원하시면 달려와서 경비를 서지요."

붉은 악마는 왕과 왕비, 최고 마법사들에게 정중하게 인사를 하고 나서 유황 회오리 속으로 사라졌다.

카롤과 친구들이 안젤리카를 에워싸면서 날개도마뱀에 감탄을 금치 못하다가 각자의 방으로 돌아갔다.

칼은 타라와 무아노에게 뭔가를 알아냈다는 신호를 보냈다. 하지만 칼리브리스 부인이 방까지 바래다주고 있으니 그들은 궁금한 마음을 참고 다음 날을 기다려야 했다.

쉽게 잠을 이루지 못하는 타라는 어느새 악몽을 즐기게 되었음을 깨달았다. 꿈에서는 늘 힘과 마법 능력에 대해서 말했고, 지휘하고 명령을 내리는 사람은 늘 자신이었기 때문이다.

이튿날, 칼은 좋지 않은 소식을 알렸다.

"드라고쉬 선생님은 내가 보지 못하게 드나들 수 있어. 야단법석이 났을 때 뛰어나온 게 틀림없어. 꼼짝도 하지 않고 있어서 돌아섰는데 누가 있었는지 알아?"

"드라고쉬 선생님?" 재빨리 간파한 타라가 놀란 얼굴로 말했다.

"그래, 맞았어! 내가 계속 그 방 앞을 지키고 있었다는 건 나오지 않았기 때문이란 말야. 그러니까 뱀파이어는 우리가 모르게 들락거릴 수 있다는 뜻이라고."

"이런, 그럼 문제가 심각해지는 건데……. 뱀파이어에 대해 아는 거 있어, 너?" 무아노가 물었다. "참고로 난, 거인과 난쟁이의 습성에 대해서는 뭐든 말해줄 수 있어. 그들 곁에서 오랫동안 살았으니까. 하지만 뱀파이어에 대해서는 아는 게 거의 없거든."

"뱀파이어들도 인간 마법사들만큼 수명이 아주 길고, 또 자기들이 키우는 동물의 피를 빨아먹되 죽이지는 않아. 양과 소, 닭, 오리, 페가수스 등의 피를 좋아하지. 뱀파이어들이 먹지 못하는 피는 인간의 피야. 인간의 피는 뱀파이어를 미치게 만들고, 살 수 있는 수명이 절반 이상으로 줄어들거든. 또 인간의 피를 먹으면 햇빛을 견딜 수 없게 되어서 밤에만 나다닐 수 있어. 드래곤과 유니콘의 피도 견뎌내지 못해. 내가 기억하고 있는 건 이게 거의 다야."

"지구에서는 뱀파이어들도 변신할 수 있는데 아더월드의 뱀파이어들은 어때?" 잠자코 듣고 있던 타라가 물었다.

"아, 맞다!" 칼이 이마를 탁 치면서 말했다. "내가 이렇게 멍청하다니까!"

칼이 고개를 끄덕이면서 킥킥거리는 무아노를 째려보면서 말했다.

"네 말이 맞아, 타라. 뱀파이어들은 변신할 수 있어! 늑대나 박쥐로 변신할 수 있어. 그래서 드라고쉬 선생님은 나한테 들키지 않고 날아서 방을 나올 수 있었던 거야. 게다가 날씨가 더워서 궁전의 창문은 모두 열려 있었어. 곤충 출입금지 주문과 경보도 그에게 통하지 않았어. 그래서 마법의 주문을 사용하지 않고 들락거릴 수 있었던 거야."

"어젯저녁에 그런 생각이 들더라니." 타라가 생각에 잠긴 얼굴로 말했다. "날아다니는데 우리가 어떻게 감시를 할 수 있겠어? 게다가 우린 밤에 나갈 수도 없잖아."

세 친구가 우울한 얼굴로 머리를 쥐어짜자, 옆에 있던 갈랑이 벌떡 일어나너니 이히히힝, 하고 웃음소리를 냈다. 날개로 바라글 둑 건드리면서 창 밖으로 날아간 갈랑은 궁전의 왼쪽에 녹음을 드리우는 아름드리 떡갈나무에 고양이처럼 사뿐히 내려앉았다.

칼과 무아노, 타라가 어리둥절하고 있는 동안, 이번에는 쉬바가 떡갈나무로 뛰어올랐고, 블롱딘도 부리나케 벽의 구멍으로 빠져나갔다.

그들은 블롱딘이 떡갈나무 아래 나타났다가 나무 뒤에 숨어서 주둥이 끝만 내밀고 있는 것을 보았다.

셋 중에서 제일 직감이 빠른 무아노가 알아차렸다.

"와, 굉장하다! 패밀리어들은 천재야!"

멀거니 쳐다보고 있던 칼과 타라의 눈빛이 갑자기 반짝였다.

"우리 대신 망을 보겠다는 거야!" 그들이 한목소리로 외쳤다.

패밀리어들이 해결책을 찾아낸 것이다! 그들은 어린 마법사들보다 훨씬 자유로워서 누군가를 미행하기에는 어떤 날짐승보다도 나을 수 있었다. 이제는 감시하기가 훨씬 수월해진 것이다. 블롱딘이 감시하지 않을 때는 쉬바나 갈랑이 감시했다. 하지만 뱀파이어는 어디로도 가지 않는 것 같았다. 뱀파이어는 특별히 어떤 방에 들어가는 일 없이 궁전 주위를 이리저리 날아다니는 것으로 만족하는 듯했다. 결국, 세 명의 어린 탐정은 뱀파이어가 밤잠이 없는 데다 달빛을 좋아해서 밤새도록 녹초가 될 정도로 날아다니는 게 취미라고 생각하기에 이르렀다.

파브리스에 대한 걱정 때문에 타라가 흰 머리털의 절반을 입에 넣고 질겅질겅 씹어대자, 칼은 친구를 어떻게 위로해야 할지 몰라서 쩔쩔맸다.

한편 무아노도 힘든 시간을 보내고 있었다. 무아노에게는 누구에게도 밝힐 수 없는 비밀이 있었기 때문에 마음이 여간 불편한 게 아니었다.

무아노는 옷을 꺼내다가 비밀을 털어놓을 뻔했던 적이 한두 번이 아니었다. 타라가 알고있는 무아노는 그런 옷을 사 입을 형편이 안 되는 친구였다. 무아노는 타라의 반응을 눈여겨보면서 몇 번이나 진실을 고백하고 싶었다. 하지만 타라를 몹시 좋아해도 사실을 털어놓기가 아직은 이르다는 생각 때문에 어쩔 수 없이 편치 않은 하루하루를 보내고 있었다.

칼은 안젤리카의 날개도마뱀이 호시탐탐 그들을 엿보고 있음을 알아챘다. 고개를 돌릴 때마다 반짝거리는 날개와 금빛 눈, 비늘 덮인 발을 보았던 것이다. 칼은 처음에는 날개도마뱀이 호기심이 많은 것이라고 생각했다가 엿보기가 계속되는 걸 보면서 웃음이 나왔다.

그들은 뱀파이어를 감시하고, 안젤리카는 그들을 감시한다? 이거, 진짜 재미있는 숨바꼭질이네!

안젤리카는 심통 맞은 계집애이긴 하지만 멍청하지는 않았다. 비록 타라가 능력을 조절하는 기술이 아직은 좀 서툴기는 해도 꺽다리는 타라의 마법이 강력하다는 걸 알아차리고 있었다.

자기를 풍선처럼 빵빵하게 부풀렸던 사람이 타라라고 확신하고 있는 안젤리카는 수석조수들에 대한 자신의 영향력이 지난해에 비해 형편없다는 걸 느끼고 있었다. 그래서 복수심으로 이를 부드득부드득 가는 중이었다.

그래서 생각해낸 것이 날개도마뱀을 보내어 그들 세 명의 일거일동을 감시하여 현행범으로 붙잡아 고발한다는 것이었다. 그러면 최악의 사태가 일어나도 자신은 무사할 수 있으니까.

안젤리카는 침대에 누워 있을 때마다 타라를 제거하려면 어떻게 하는 것이 좋을지 머리를 쥐어짜곤 했다. 회의 시간에 타라를 곤경에 처하게 하거나 최고 마법사들끼리 주고받은 정보를 살짝 흘려서 타라를 스파이로 지목하는 것도 좋은 방법이다. 하지만 그 주모자가 누구인지 아무도 의심하지 않게 하려면 함정이 완벽해야만 한다. 그렇지만 발각되지 않고 행동하기에는 그들은 너무 가까이 있었다.

어느 날 저녁, 복수 계획을 궁리하던 안젤리카는 벌떡 일어났다. 그래, 바로 그거야!

안젤리카는 타라의 방 쪽을 노려보면서 계집애가 아더월드에 발을 들여 놓았던 걸 이제 곧 후회하게 될 거라고 중얼거렸다.

7
최고 마법사들과 마력

다음 날, 타라는 뭔가 허전함을 느끼면서 눈을 떴다. 아무래도 뭔가를 도둑맞은 기분이었다.

온종일 뭐가 없어졌는지 찜찜하던 타라는 그 좋아하는 흰 머리털을 질겅질겅 씹으려고 움켜잡는 순간 알아차렸다. 머리털이 몇 센티미터 없어졌다는 걸. 누군가가 머리털을 한 움큼 싹둑 잘라버린 것이다.

타라가 그 얘기를 했을 때, 무아노는 깔깔대고 웃었다.

"……파브리스를 걱정하다가 네가 머리털을 너무 많이 씹어서 그럴 거야. 그러니까 머리칼이 짧아진 건 당연하지 뭐!"

타라는 어깨를 추썩이면서 단호하게 대꾸했다.

"누군가가 내 머리털을 잘라간 게 분명해. 누가, 왜, 어떻게 잘라갔는지는 모르지만. 내가 내 머리털의 길이를 모르겠어? 분명히 어젯저녁과는 길이가 달라."

그때 갑자기 휴게실 입구에서 한바탕 소동이 일었다.

몹시 흥분한 칼이 손에 종이 한 장을 들고 헐레벌떡 뛰어들어오는 바람에 모든 대화가 중단되었다.

"야, 다들 내 말 들어봐! 여기 있는 타라의 일로(칼은 타라에게 미소를 보냈다) 우리의 셈 선생님이 오무아의 최고 마법사들에게 도움을 청했다는 건 너희들도 알지? 그런데 오무아의 최고위원회가 악마의 마법에 걸린 타라를 치료하기 위해 우리를 팅가푸르로 초대했다는 소식이야. 따라서 랑코비트의 최고 마법사들과 그 수석조수들이 모두 황궁으로 가게 되었어. 어때, 굉장한 뉴스지?"

휴게실이 와글와글 시끄러워졌다. 머리칼 문제로 심각하게 얘기 중인 타라와 무아노에게 다가온 칼은 아더월드의 생활과 풍습과 관습에 대해 일장 연설을 하기 시작했다(그런데 어떤 것들은 타라가 생각하기에 굉장히 이상한 것들이었다. 예를 들어 난쟁이들은 250살이 되기 전에는 면도가 허락되지 않으며, 엘프들은 다섯 명 이상의 남편을 가질 수 없다는 것 등등).

"너희들 내 말 듣고 있는 거야?" 시큰둥한 반응에 기분이 상한 칼이 눈을 희번덕거리면서 소리를 버럭 질렀다.

"그렇게…… 꽥꽥 소리를 지르는데 귀머거리가 아닌 다음에야 어떻게 못 들을 수 있을까?" 무아노는 능청스럽게 대꾸했다.

타라도 맞장구를 쳤다.

"난 빨리 치료를 받아야 해. 며칠 전부터 내 능력이 이상해지기 시작해서 너무너무 불안하거든. 그런데 우리가 어디로 간다고? 팅가푸르? 그게 오무아에 있다는 거지?"

"진짜 쥐뿔도 모르는 맹추잖아." 냉랭한 목소리가 깐죽거렸다.

"팅가푸르는 오무아의 수도야. 거기 궁전에 비하면 이 궁전은 초라하기 짝이 없지!"

안젤리카는 경멸하는 표정으로 타라를 노려보았고, 그 어깨에 앉은 도마뱀이 혀를 날름날름 내밀고 있었다.

칼이 쏘아붙이려고 했지만, 약삭빠른 안젤리카는 이미 돌아서버렸다.

"진짜 밥맛없는 계집애라니까!"

"근데 왜 쟤까지 흥분하고 난리지?" 타라가 물었다.

"그거야 너의 치료가 끝나는 즉시 놀라서 기절할 정도로 으리으리한 신화적인 도시 팅가푸르를 관광하기로 되어 있기 때문이지. 황궁은 도심에 위치해 있거든. 오무아의 최고 마법사들은 우리 랑코비트의 수석 조수들에게 자기네 나라를 은근히 자랑하려는 속셈일 테니까!"

"팅가푸르(무아노의 눈빛도 반짝거리기 시작했다)! 이야, 진짜 신 난다! 세상에서 가장 상인들이 많은 도시라고 들었거든. 있잖아, 장사를 하려고 온갖 종족들이 팅가푸르에 모인대. 난, 어…… 텔레크리스털로 엄마와 통화해서 크레디트-무트를 더 보내달라고 해야지!"

무아노는 타라를 돌아보면서 물었다.

"참, 할머니께서 이런 때를 위해 크레디트-무트를 주셨니?"

아니라고 대답하려는 순간 문득 타라는 등록할 때에 셈 선생님이 하던 말이 생각났다.

"크레디트-무트 금화 50닢을 가지고 있어!"

칼이 숨넘어가는 소리로 말했다.

"뭐어, 크레디트-무트 금화 50닢? 네 할머니가 백만장자라도 되나 보지?"

"그게 그렇게 많은 거야? 그리고 왜 크레디트-무트라고 하는 데?"

"그 돈이면 오무아의 최고급 모텔에서 몇 달을 호화판으로 지낼 수 있어. 크레디트-무트 금화 1닢은 크레디트-무트 은화 3닢에 해당되고, 크레디트-무트 은화 1닢은 크레디트-무트 동화 12닢에 해당되거든.

와, 금화 50닢이면 아더월드에서 최상급 장인이 받는 2년 간 연금에 해당하는 돈이란 말야. 그런데 우리 아버지는 크레디트-무트 동화 10닢을 주셨으니 진짜 인색한 거네! 그래도 그 돈이면 자이언트 전갈 가죽벨트 하나나 입안에서 톡톡 터지는 사탕 붐바르를 몇 킬로그램은 살 수 있어. 크레디트-무트라고 하는 건 위조하는 것이 불가능하기 때문이야. 어떤 마법사도 복제하거나 금을 은으로 바꿀 수가 없어. 통화팽창 문제를 막기 위한 방책이지. 무아노, 너는? 넌 얼마나 가지고 있는데?"

"은화 10닢!" 무아노는 신이 나 있었다. "팅가푸르에 가서 다 써야지!"

"나한테는 그 많은 돈이 필요 없으니까 우리 같이 나눠 쓰자."

"진짜야?" 믿어지지 않는 얼굴로 칼이 물었다.

"물론이지, 왜 안 되겠어? 너희들은 제일 친한 친구들인데. 그리고 내가 살 게 뭐가 있겠어?"

"팅가푸르에 가면 방금 한 말을 후회하게 될걸. 하지만 너, 약속은 약속이다!" 칼은 싱글벙글했다.

"알았어, 그런데 너희들은 작년에도 여행을 갔었니?" 타라가 물었다.

"당연하지!" 아주 재미있는 추억이 있는지 칼이 웃음부터 터뜨렸다. "'비마' 들이 주최하는 비밀회의 때문에 지구에 있는 뉴욕에 갔었어."

"미국에 있는 뉴욕?"

"응. 마천루들 중 하나인 크라이슬러 빌딩 꼭대기에 문이 있거든. 사방을 온통 크롬으로 도배를 해놔서 아주 삐까번쩍한 빌딩이었어. 회의가 끝난 뒤, 며칠 간 '비마' 들의 도시를 관광하면서 즐겁게 보내고 있다가 김이 팍 새버렸지. 우리의 최고 마법사 셈나샤오비로다인트라쉬부께서 작은 사고를 치는 바람에 여행이 단축되어버렸거든."

"그래? 무슨 사고를 쳤는데?"

"엠파이어스테이트 빌딩 위에서 뉴욕 시가를 내려다보고 있는데 셈 선생님이 예쁜 아가씨를 발견한 거야. 짧은 원피스에 스카프를 두르고 있었어. 그런데 바람에 날아가는 스카프를 본 셈 선생님이 휙 날아서 보호 난간을 넘어가기 직전에 낚아챘지. 셈 선생님이 기뻐하는 아가씨의 목에 스카프를 둘러주고 있을 때, 소다수 두 잔을 사들고 돌아오던 아가씨의 애인이 그 장면을 본 거야. 주책없는 늙은이가 수작을 거는 걸로 오해한 그 애인이 다짜고짜로 주먹을 날렸고, 너무 놀란 나머지 셈 선생님이 그만 드래곤으로 변해버렸어."

두 소녀가 깔깔대고 웃기 시작했다.

"엠파이어스테이트 빌딩에서? 설마!" 무아노는 키득거렸다.

"진짜라니까. 선생님은 그 장면을 목격한 '비마' 들의 머릿속에서 그 기억을 지우는 데 10분은 걸렸을 거야. 그래서 우리는 긴급히 돌아와야 했고, 셈 선생님은 최고위원회로부터 중징계를 받았었어."

타라는 비쩍 마른 늙은이가 느닷없이 드래곤으로 둔갑해서 그 무시무시한 송곳니를 드러냈을 때, 그 애인이라는 남자가 얼마나 기절초풍했을지 가히 짐작이 갔다.

"그 남자가 굉장히 겁먹었겠다, 그치?"

"물론이야. 수많은 '비마' 들과 함께 그 남자도 기절해버렸으니까. 근데 웃기는 건 억울하게 망신을 당한 것이 너무나 분한 셈 선생님이 그 남자에게만은 그 기억을 남겨 놓았던 거야. 그래서 그 남자는 자기가 늙은 신사를 공격했고, 그 신사가 드래곤으로 둔갑했다는 걸 똑똑히 기억하게 되었어. 떠나는 순간 돌아봤더니 어떤 할머니가 그 남자를 흔들면서 깨우더라고. 눈을 뜨다가 뺨을 토닥이는 할머니를 알아본 남자는 아마도 드래곤이 또다시 둔갑한 거라고 믿은 게 틀림없어 보였어. 걸음아 날 살려라 줄행랑을 쳤거든."

무아노와 타라는 자지러지게 웃었다.

마침내 오무아로 떠나는 날이 되었다. 떠날 채비는 완료되었다. 한 가족이 족히 1년은 입을 만큼 엄청나게 많은 옷을 꾸려 가는 안젤리카를 보면서 칼은 야유를 퍼부었다. 타라는 여행하는 동안 데리고 다닐 수 있게 갈랑을 축소시켰다.

그들은 차례로 열을 지어 섰고, 외눈 감독관은 언제나 그랬듯이 재촉하면서 소리를 버럭버럭 질렀다.

"자, 자! 질서를 지키시오! 네 명씩 줄을 서시오. 하나, 둘, 셋, 넷."

이어서 외눈 감독관은 시커멓게 칠한 거울 달린 책상 뒤에 몸을 숨기고, "오무아의 황궁!" 하고 외쳤다.

사람들이며 여행가방들, 최고 마법사들에게 없어서는 안 될 서류들이 모두 사라지고 있었다.

타라는 처음에 문을 통과할 때 느꼈던 멀미 때문에 어릿어릿해지는 눈을 깜박거렸다.

황궁의 대합실은 랑코비트의 방보다 적어도 열 배는 컸다. 구석구석에서 일종의 허리옷이나 보석이 총총히 박힌 기모노 차림의 인물조각상들이 번쩍이고 있었다. 이동 양탄자들은 어찌나 반들거리는지 전날 밤에 짠 것 같았다. 또한 벽이란 벽은 금으로 번쩍번쩍했다(어쨌든 금처럼 보이는 것이 무진장 많았다). 면허 받은 도둑이 될 칼은 입이 쩍 벌어졌고, 손가락이 근질근질해서 어쩔 줄 몰라했다.

"우와와! 너희들 저거 보여?"

"어떻게 안 보이겠어? 사방이 온통 금인데." 무아노는 빈정거리는 어조로 대답했다.

이윽고 환영단을 발견한 칼은 어떤 물건에도 손을 대지 않기로, 아니 눈길도 주지 않기로 즉각 마음을 고쳐먹었다.

팔이 넷 달린 거인 경비병 100명이 어린 마법사들의 배꼽을 향해 200개의 날카로운 창을 들이대고 있었기 때문이다.

"이, 이게 어, 어떻게 된 일이야?" 무아노는 벌벌 떨면서 오랜만에 말을 더듬었다.

"팅가푸르에 온 게 확실하네." 주위를 유심히 살피고 있던 로빈이 대답했다. "황궁의 문 대합실을 잘 알아. 와본 적이 있거든. 저들은 황제의 친위대야. 과대망상이 좀 있긴 해도 난폭한 행동은 하지 않아."

랑코비트의 것과 비슷한 책상 뒤에 아름다운 여자가 서 있었는데 팔이 여섯 개나 되었다. 타라는 속으로 중얼거렸다. 손이 여섯 개나 되면 짐을 들 때 아주 편리하겠네. 손톱 손질을 할 때는 시간이 좀 걸리겠지만.

젊은 여자가 우아하게 허리를 굽혀 인사하면서 친위대에 물러서라는 명을 내렸다.

"팅가푸르에 온 걸 환영해요. 내 이름은 칼리라고 하고 궁전의 행정관이랍니다. 여기 이 사람을 따라가시면 여러분을 숙소로 안내할 겁니다. 여기서 머무는 동안 모쪼록 즐거운 시간 보내기 바랍니다."

헬멧이라도 쓴 듯 덥수룩한 검은머리 청년이 옆에 서서 기다리고 있었다. 이번에는 청년이 허리를 굽혀 인사하면서 정중하게 자신을 소개했다.

"내 이름은 다미엔이에요. 나를 따라오세요."

실내장식은 으리으리했다. 그들은 휘황찬란한 황궁에 들어와 있었다.

검푸른 광맥이 시냇물처럼 흐르는 초록빛 대리석 벽, 이어지는 진줏빛 자개가 박힌 노란빛 대리석 벽. 그리고 벽 안쪽에서 자라는 정원에는 여러 개의 다리가 놓여 있었다. 특이한 점은 궁전 안에 수많은 동물이 산다는 것이었다. 아마도 여제가 동물을 끔찍이 좋아하는 모양이었다. 발이 여섯 개 달린 흰빛과 금빛이 어우러진 고양이과 동물 브르리르*들, 이 동물에게는 환각의 주문이 걸려 있어서 궁인들의 눈에 의자와 침대로 보이는 것이 부르리르들에게는 가로누운 나무와 편안한 돌로 보인다고 한다. 궁인들이 보이지 않아서 쓰다듬어주는 손길도 바람의 애무로 느낀다고 하니 정말 놀라웠다. 그 모든 것이 부르리르들이 궁전에 갇혀 있다는 생각을 하지 않게 하려는 여제의 배려라니!

황궁의 어디를 둘러보나 고급 양탄자들이 깔려 있고, 금빛 조각상들이 보초를 서고 있었다. 수 킬로미터에 이르는 방들, 유리창에 부서지는 눈부신 여름 햇살…….

일종의 생명체 천으로 지은 주홍빛과 금빛의 마법복은 마법사들의 기분에 따라 무늬까지 수시로 바뀌고 있으니! 거기에 비하면 그들의 파란빛과 은빛의 수수한 마법복은 초라해 보이기까지 했다.

타라와 무아노는 완전히 매료되었다. 반면에 로빈과 칼은 황궁에 대해 무슨 점수라도 매기고 있는지 "앵무새, 허풍쟁이, 허세." 등 이러쿵저러쿵 말이 많았다. 하지만 다미엔을 따라 숙소 앞에 이르렀을 때, 그들의 비평은 쏙 들어갔다. 랑코비트의 살아 있는 궁전과는 달리 문이 있었다. 다미엔이 첫 번째 문 앞에 서자 커다란 외눈이 열렸다.

"누구?" 눈 속에서 입이 벌어지더니 귀도 나타났다.

"최고 마법사 옥시아 부인의 수석조수 다미엔. 손님들과 동행하고 있다. 문을 열어주기 바란다."

깜박깜박, 어린 마법사들의 얼굴을 입력한 뒤에 눈은 사라졌다. 귀가 있던 자리에서 쏙 튀어나온 팔이 문의 손잡이를 돌리자, 으리으리한 방들이 나타났다.

다시 나타난 입이 말했다.

"들어가도 좋다. 두 분 폐하의 손님들을 환영한다. 여기가 너희들의 방이다."

귀빈을 위한 독방.

침실과 책상, 침대의자, 여러 개의 의자를 갖춘 응접실, 수영장 같은 욕조가 있는 대형 욕실이 딸린 방이었다. 패밀리어들을 위해 폭신폭신한 쿠션을 깐 바구니들도 놓여 있었다. 블롱딘은 털썩 주저앉으면서 행복한 소리를 냈다. 방은 눈이 돌아갈 정도로 호화로웠다. 한쪽 구석에 놓인 평면 텔레비전 모양의 대형 크리스털 전광판에서는 무장한 난쟁이들과 엘프들 간의 전쟁이 방영되고 있었는데, 촬영 속도가 어찌나 빠른지 움직임이 흐릿하게 보일 정도였다.

무아노와 칼, 로빈은 각자 방을 차지했다. 사내아이들은 침대 위에서 펄쩍펄쩍 뛰면서 스프링을 시험했다. 하지만 악마의 마법에서 풀리지 않으면 어쩌나 마음이 불안한 타라는 꿈쩍도 하지 않고 있었다.

다미엔은 서로의 방을 방문할 수는 있지만, 파티나 특별한 경우를 제외하고는 24시 30분부터는 야간통행이 금지되는 시간이라고 알려주었다. 궁전이 워낙 커서 길을 잃어버리기 십상이기 때문에 날아다니면서 여제의 시중을 드는 정령 에프리트가 찾아와서 식당으로 안내해줄 것이며, 패밀리어 혼자서는 궁전을 돌아다닐 수 없으니 어디나 데리고 다녀야 한다는 말도 덧붙였다.

최고 마법사들은 도착하는 즉시 회의에 들어갔으므로 수석조수들은 두 시간 가량 느긋하게 쉴 수 있었다. 방문을 잠그는 시스템은 간단했다. 그냥 자기 이름을 말하면 들어오는 걸 허락했던 것처럼 문이 알아서 잠겼다. 들어오는 순간에 문에 그들의 얼굴이 이미 입력되어 있어서였다. 물론 몇몇 구역은 출입이 금지되었다.

다미엔은 팅가푸르에서 즐거운 시간을 보내기 바란다고 말하면서 다른 손님들을 맞이하러 나섰다.

문들이 그들을 알아보게 된 뒤로 모두 타라의 방에 모였다.

"너희들은 어떻게 생각하냐?" 칼이 물었다.

"정말 환상적이야!" 무아노는 열광했다. "어…… 난 이렇게 커다란 방을 갖기는 난생처음이야!"

"욕조가 어찌나 큰지 수영을 해도 될 것 같아." 타라도 함박미소를 지으며 말했다. "근데 좀 너무 지나친 것 같지?"

"맞아! 우리 왕궁은 이 정도로 과시가 심하지는 않지."

"최고위원회는 누가 주관할까? 셈 선생님 같은 드래곤일까?" 타라가 물었다.

"아니." 정보통 로빈이 대답했다. "오무아 사람들은 다른 종족을 좋아하지 않아. 최고위원회의 의장은 리스베스 여제와 산도로 황제의 사촌인 옥시아 부인이야."

그때 노크하는 소리에 타라가 외쳤다.

"들어오세요!"

문이 열리자 도착해서 둥둥 떠 있는 가방들을 보면서 그들은 서둘러서 각자의 방으로 뛰어갔다.

마법을 쓰고 싶지 않은 타라는 한숨을 쉬면서 옷을 정리하기 시작했다. 그러면서도 한순간 자신의 능력이 협력을 잘 해줄지 궁금했다. 이런! 하얀 머리털이 지지직거리더니 즉시 말로 표현하지도 않은 그 한순간의 생각에 복종했다. 회오리를 일으키며 가방에서 튀어나온 옷들이 옷장에 걸리거나 서랍 안에 얌전하게 정리되어 갔다.

옷들이 거의 다 걸려가고 있을 때, 무아노가 불쑥 들어왔다. 그 때문일까…… 난데없이 날아오는 옷더미에 무아노는 그만 파묻히고 말았다. 또 이미 정리되었던 옷들마저 침대, 욕실, 가구 위로 내던져졌다. 양말짝들이 샹들리에에 걸려 있는가 하면 옷장 위에 떡 하니 올라가 있는 운동화도 보였다.

얼굴을 휘감은 옷에서 벗어난 무아노는 난처해하는 타라를 도와주기 위해서 붕붕 날아다니며 샹들리에와 옷장 위에서 양말이며 운동화를 걷어왔다.

"도무지 이해를 못하겠어." 화가 난 타라가 외쳤다. "내 마법을 조절할 수가 없어."

"……어떤 심정일지 알아. 낙담한 적이 있었으니까, 나도." 무아노는 아주 부드럽게 위로했다.

"뭐? 그럼 너도……." 타라는 눈을 똥그랗게 떴다.

"아니, 그건 아니고!" 무아노는 얼른 말을 잘랐다. "너만큼 강력한 능력을 가진 적은 없어. 난, 어, 말더듬는 것에 대해 말하는 거야. 이겨냈다고 생각했는데 또 금방 더 심하게 말을 더듬을 때는 정말……, 얼마나 절망했겠어. 하지만 너도 알잖아! 난 이제 말을 더듬지 않아. 그러니까 능력을 조절하게 될 거라고 확신한다는 거지, 너도."

"모르겠어." 타라는 짜증스럽게 말했다. "내가 마법사가 아니면 더 행복할 거 같아. 나한테는 좋은 친구 파브리스와 베티가 있어. 평범한 학교에 다니면서 정상적인 아이들과 어울려서 생활할 때는 행복했어. 그런데 이놈의 마법 때문에 자꾸만 문제가 생겨나. 정말 짜증이 나. 게다가 이상한 감정이 느껴진단 말야. 난폭해지기도 하고, 괜히 막 화가 나기도 하고, 어떤 때는 죽이고 싶은 마음이 들기도 해."

"타라, 너무 엄살이 심한 거 아냐, 너?" 무아노는 단호한 목소리로 말했다.

"뭐라고?"

"계속 불평이잖아. 네 능력의 4분의 1이라도 갖기 위해서라면 안젤리카는 아마 자기 옷을 다 내놓을 거야. 마법 능력이 없었다면 갈랑이 너를 선택하는 일도 없었을 거고. 여기도 좋은 친구들이 있어. 칼과 나뿐만 아니라 로빈도 너를 좋아해. 그런데 너는 그까짓 양말 세 짝이 네 말을 듣지 않았다고 화를 내고 있잖아. 이건 너무 지나친 투정이라고 생각해, 난."

타라는 그렇게 부끄럼이 많더니 매섭게, 그것도 거침없이 훈계하는 무아노를 멍하니 쳐다보다가 피식 웃었다.

"그래, 양말 얘기가 나왔으니까 말인데 이거 한 짝은 찾을 수가 없어. 네 말이 맞을지도 모르지. 하지만……."

"뭐가 하지만이야! 내 말이 맞아. 잘 알면서 왜 그래. 이제 우는소리는 그만두고 드라고쉬 선생님을 어떻게 염탐할지나 생각해보자, 응? 파브리스를 구해야 하잖아!"

"드라고쉬 선생님이 아니라 셈 선생님이야."

무아노는 옷걸이에 걸려고 하던 마법복을 떨어트렸다.

"뭐? 셈 선생님? 셈 선생님이 상그라브라고 의심하는 거야?"

"그게 아냐." 타라는 빙긋이 웃었다. "난 아무래도 셈 선생님이 나를 치료한다는 핑계로 파브리스를 납치해간 자에게 함정을 놓는 것 같아."

그때 막 들어온 칼이 물었다.

"누가 함정을 놨다는 거야?"

두 소녀가 눈짓으로 로빈이 들어오고 있음을 알리자, 칼이 얼른 화제를 바꿨다.

"팅가푸르를 언제 관광하게 될지 너희들 알아? 난 빨리 구경하고 싶어 죽겠어."

로빈은 일정을 알고 있었다.

"우선 최고 마법사들은 타라를 치료하는 일부터 시작할 거야. 그게 잘 되면 타라는 내일 아침이면 나을 거고. 옥시아 부인이 여제의 여름 궁전에 이어서 시장을 구경시킨 뒤에 이곳으로 돌아오게 할 거라고 했어. 오무아 사람들도 아름다운 공원을 구경시킬 계획을 세워놨대. 죽음의 산과 한없이 깊은 터널을 구경시킬 예정이라는데 그러려면 너희들에게 토하지 않게 하는 주문을 걸 거야."

신이 난 두 소녀의 눈이 반짝반짝 빛났다.

"너희들은 괜찮은지 모르지만 무아노와 나는 너희들이 어떤 상태로 돌아오는지 본 뒤에 구경할래."

내색은 하지 않지만 타라는 점점 더 불안해지고 있었다. 만약, 최고 마법사들이 치료하지 못한다면? 그런데 치료되기를 바라고 있기는 한 건가? 타라는 마음 한편에서 악마의 마법 능력에 매료되어 가는 자신이 불안해서 죽을 지경이었다.

로빈은 아버지가 오무아 제국 주재 랑코비트 대사였기 때문에 팅가푸르를 훤히 알고 있었다. 로빈은 상냥한 소년이었고, 정의롭고 쾌활한 성격이라서 칼과 마음이 잘 통했다. 또 오무아 궁정을 어찌나 재미나게 묘사하는지 여러 차례 배꼽을 잡고 웃게 했다. 과연 궁정의 예법은 아주 엄격했다.

여제와 황제를 알현할 때는 길이가 500미터에 이르는 어전을 걸어가면서 연신 세 번씩 허리를 굽혀 절을 해야 하며, 폐하가 말을 건네기 전에는 입을 열면 안 되었다. 그리고 "네, 폐하", "아니오, 폐하"로만 대답해야 했다.

"그런데 만약에 황제 폐하가 몇 살이냐고 물으면 뭐라고 대답하나?" 호기심이 많은 칼이 물었다. "그리고 셈 선생님은 단순한 마법사가 아니라 아더월드의 마구스 최고위원회의 일원이기도 해. 따라서 누구에게나 절할 필요는 없다고 생각해."

"그럴지도 모르지. 그렇더라도 예법이 면제되지는 않을걸. 나는 오히려 셈 선생님이 예법을 더 잘 지켜야 한다고 생각해."

그렇게 말하고 나서 로빈이 천연덕스런 어조로 물었다.

"최고 마법사 얘기가 나왔으니까 말인데 너희들 왜 드라고쉬 선생님을 감시하고 있는 거니?"

그 질문에 찬물을 확 끼얹은 듯한 침묵이 흘렀다.

"그런 생각을 하게 된 이유가 뭐야?" 칼이 경계하는 얼굴로 물었다. "특별한 건 없었어. 너희들의 패밀리어가 그 선생님을 미행하고 있다는 것, 마치 양떼와 목동을 잡아먹기라도 했다는 듯한 눈으로 너희들이 그 선생님을 쳐다본다는 것, 그리고 누가 봐도 정상적인 타라를 그 선생님이 이상할 정도로 아주 싫어한다는 것만 빼놓고는."

그러자 이번에는 칼이 반격했다.

"그러는 넌 왜 밤마다 복도에서 어슬렁거리고 돌아다니는데?"

로빈은 머쓱한 미소를 지었다.

"이런! 네가 눈치채고 있는지는 몰랐어. 나한테 좀 문제가 있거든. 폐소공포증 때문에."

"뭐?"

"폐소공포증. 밀폐된 공간에서 두려움을 느끼는 현상이야. 그래서 벽이 나를 으스러뜨릴 것 같은 느낌이 들면 밖으로 나가서 숲 속에서 잠을 자. 나한테는 경보를 울리지 않고 나다닐 수 있는 특별 출입증이 있거든."

"숲 속에서 잔다고? ……그것도 밤에? 무섭지 않아?" 무아노는 몸서리치면서 물었다.

"전혀. 숲은 내 친구야."

세 친구는 난처한 시선을 교환했다. 그들의 의혹을 로빈에게 털어놔야 하는 걸까? 칼과 무아노는 동시에 타라를 쳐다봤다.

타라는 심호흡을 하면서 말했다.

"그건, 파브리스가 사라지기 직전에 드라고쉬 선생님이 우리의 방문 앞에 있었기 때문에 감시하고 있는 거야."

로빈의 눈이 등잔만해졌다.

"그런데 그걸 너희들이 어떻게 알아?"

그들은 로빈에게 사연의 일부를 얘기해주기로 했다.

그들이 이야기를 끝냈을 때, 로빈은 생각에 잠겼다.

"그거 참 흥미롭네. 배신자는 남의 시선을 끌지 않으려는 습성이 있어. 그래서 몰래 숨어서 감쪽같이 해치우는 게 상식이거든. 그런데 그렇게 자기 모습을 드러낸다는 건 속임수가 들통날 수 있다는 거잖아. 내 생각에는 범인을 다른 데서 찾아야 할 것 같아. 전혀 의심하지 않던 사람이 범인인 경우가 종종 있거든."

맨 마지막 순간까지도 의심하지 않았던 사람이 범인으로 판명 나는 책을 수없이 읽었던 타라도 로빈과 같은 생각이었다. 그러고 보니 타라는 로빈에게 꼭 집어 말할 수 없는, 어딘지 모르게 약간 이상한 점이 있다는 생각이 들었다.

칼은 자신의 직감에 반대가 제기되어서 기분이 좋지 않았다.

"이런 상황을 경험한 적은 있긴 하고?"

로빈은 고개를 들면서 무슨 말인가를 하려다가 그만두었다.

"없지? 우리하고 똑같네, 뭐. 어쨌거나 드라고쉬 선생님의 행동은 수상쩍은 데가 있어. 우리 방 앞에 있는 드라고쉬 선생님을 보고 데리아가 깜짝 놀랐을 때 정말 당황하는 얼굴이었단 말야. 그 선생님이 바로 직전에 했던 대화도 수상쩍고! 그게 어떤 실마리가 되지 않을까? 게다가 작년에 수석조수들이 실종되었을 때도 트라비아 궁전에 있었어."

로빈은 사뭇 심각한 얼굴로 말했다.

"범인을 찾으려면 먼저 동기를 찾아야 해."

"음…… 그렇겠다." 무아노도 동의했다. "무슨 공통점이 있을 것 같은데…… 실종된 수석조수들에게 공통점이 있지 않을까? 칼, 너도 작년에 있었지? 뭐 생각나는 거 없어?"

"전혀. 네 명 다 모든 면에서 아주 달랐어. 마법 능력을 타고난 브리다라는 소녀, 에릭이라는 소년, 좀 건방진 엘프 소년 탄, 그리고 난쟁이 파프니르. 그들이 사라진 뒤로 히믈리아에서는 난쟁이들을 보냈거든. 하지만 엘프의 나라 셀렌다에서는 그런 사고를 피하기 위해 당분간 자국민들을 보내지 않겠다고 알려왔었지."

타라는 아주 흥미로웠다.

"인간들만 납치된다는 뜻이야?"

"꼭 그렇지는 않아. 오히려 최고 마법사들의 시중을 드는 조수들이 표적이 되고 있다고 봐야지. 셈 선생님은 그런 말씀을 하지 않았지만 부모님이 하는 얘기를 들었거든. 아더월드 곳곳에서 어린 마법사들이 많이 없어졌는데 그들이 어떻게 되었는지 아무도 모른다는 거야."

"그럼 그 실종자들에게 무슨 공통점이 있는지 확인해야 해. 칼, 수석 조수들에 대해서는 네가 잘 아니까 실종자들의 신상에 대한 정보를 최대한 수집해봐. 로빈, 너는 팅가푸르를 잘 아니까 여기 사람들에게 수소문해서 이 황궁에서도 납치사건이 있었는지 알아봐 줘. 그리고 무아노, 너는 어디든 몰래 숨어들기가 쉬우니까 최고 마법사들 주위를 기웃거리다가 정보를 알아내고."

"그럼 너는, 넌 뭘 할 건데?" 칼이 물었다.

"나는 너희들이 정보를 가져오길 기다렸다가 셈 선생님과 담판을 지을 거야." 타라는 심호흡을 하면서 대답했다.

"어…… 좋아, 난 기꺼이 그 점은 너한테 맡길게." 드래곤이라면 상상만 해도 부들부들 떨리는 무아노는 찬성했다. "어? 저녁식사를 알리는 공 소리다(오무아에서는 쩌렁쩌렁 울리는 공 소리로 시간을 알렸다). 가자, 식당으로!"

타라는 웃음이 나왔다. 다리 부분이 꽈배기처럼 생긴 주홍빛의 날아다니는 정령 에프리트가 참을성 있게 기다리고 있다가 그들을 귀빈실로 안내했다.

그들은 조용히 식탁에 가서 앉았다. 커다란 금빛 쟁반이며 도자기 접시들에 담긴 진수성찬이 차려져 있었다. 이처럼 성대한 환영파티가 기다리고 있을 줄이야! 칼과 로빈은 눈이 휘둥그레졌다. 게다가 수많은 음식들이 식탁 바로 위 공중에 둥둥 떠서 대기하고 있으니.

타라는 하얀 쌀밥을 먹어보면서 겉모습만 보고 입을 댔다가는 골탕을 먹는다는 걸 알았다. 30분 동안이나 입안에 불이 난 것처럼 화끈거렸던 것이다. 자그마치 3리터의 물을 들이키고 난 뒤에야 타라는 다른 사람들이 먹는 것을 유심히 살피다가 그대로 흉내냈다.

고기는 맛이 나쁘다기보다는 뭐라고 표현할 수 없는 묘한 맛이었다. 소스는 진했고, 채소에 속하는 콩, 열매나 뿌리 종류는 아주 색다른 향기와 맛이 났다. 특히 강낭콩은 뜻밖에도 브로콜리와 바나나를 혼합한 맛이 나는가 하면, 노란 토마토는 정어리를 곁들인 콜리플라워 맛이 났고, 셀시피의 빨간 뿌리는 꿀에 절인 복숭아 같았다.

칼이 좋아하는 사탕 붐바르도 있었다. 타라는 사탕 하나를 입에 넣었다. 사탕이 스르르 녹는다 싶었는데 말 그대로 톡톡 터지면서 온갖 맛을 드러냈다. 가슴속에 비밀을 감추고 있는 하얗고 파란 개구리 모양의 막대사탕 키디코이도 있었다. 그 개구리의 배와 등을 빨아먹고 나면 앞날을 예언하는 글귀가 나타나는 사탕이었다. 타라가 먹은 마법의 막대사탕은 이렇게 알려주었다.

위험이 닥칠지 몰라서 마음을 졸인다.

타라는 얼굴을 찌푸렸다. 막대사탕은 새로운 것을 알려주지는 않았다. 칼은 키디코이로부터 실수하게 될 거란 예언을 받았고, 정체가 탄로 날 거란 예언을 받은 로빈은 당황해하는 것 같았다. 신중한 무아노는 막대사탕을 거부했다. 색깔이 똑같아도 어떤 맛일지는 짐작할 수 없었다. 타라는 오렌지를 곁들인 스테이크, 아몬드 시럽이 든 체리, 초콜릿이 든 카망베르 치즈, 레몬을 곁들인 빵가루 입힌 생선, 빨간 고추가 든 자두, 후추가 든 사과를 연달아 시험해봤다. 물론 마법의 글귀에 이르려면 끝까지 다 먹어봐야 한다는 것이 문제였지만! 칼은 막대사탕 키디코이는 익살꾼들인 꼬마도깨비 파보들이 만들어낸 것이라고 알려주었다. 동쪽 평원 멘탈리르에 사는 켄타우로스들이 하얗고 파란 개구리 플로프의 등을 핥아먹는 데에서 착상을 얻은 것이다. 다른 종족에게는 맹독성이지만 파보들에게는 즐거운 꿈과 미래를 예언해주기 때문에.

타라는 톡 쏘는 음료수, 약간의 레몬을 곁들인 사과콜라 친파프는 마음에 쏙 들었지만, 노란색 발효음료수 바르브라포는 어찌나 쓴맛이 나는지 소름이 끼쳤다.

그런데 식사를 하다가, 타라는 바구니에 담긴 빵들을 실수로 떨어뜨렸다.

그러자 이건 또 무슨 묘기인지! 바닥에 닿기 바로 직전에 로빈이 빵을 바구니로 받아내고 있는 것이 아닌가. 그 순간 문득 누군가 이런 동물적인 순발력을 보여주던 것이 기억나서 타라는 고개를 갸우뚱했다. 타라는 눈살을 찌푸리며 기억을 더듬다가, 잠시 후 포기해버렸다.

초콜릿 종합세트(전 세계의 초콜릿이란 초콜릿은 모두 모아 놓은 듯했다)를 마지막으로 환영파티가 끝나자, 갈색머리의 미인, 다름 아닌 오무아 위원회의 최고 마법사 옥시아 부인이 일어나서 말했다.

"친애하는 동지 여러분, 팅가푸르에 오신 걸 환영하는 바입니다!"

최고 마법사들의 박수가 터져나왔고, 옥시아 부인은 우아하게 인사를 한 뒤에 말을 이었다.

"여러분이 방문할 때마다 언제나 그랬던 것처럼 우리의 시설물을 마음껏 이용하시기 바랍니다. 올해는 색다른 것, 아니 이례적인 일을 계획하고 있습니다. 우리의 경애하는 두 분 폐하께서 랑코비트의 최고 마법사들을 도와서 악마의 마법에 걸린 어린 소녀 마법사를 치료해주라는 허락을 내리셨습니다. 또한 소녀가 치료되면 경애하는 두 분 폐하께서 랑코비트의 수석조수들을 알현하길 바라시는데 이건 연대기에 기록될 만한 유례없는 일입니다. 이건 두 분 폐하께서 여러분에게 내리는 무한

한 영광입니다."

놀라워하는 웅성거림이 일었다. 오렌지 맛이 나는 초콜릿 아홉 개째를 집어들던 칼은 옆에 앉은 오무아의 수석조수들의 눈치를 보면서 놀라는 기색이 없다는 걸 알고 안심했다.

"두 분 폐하께서는 또한 각 궁전의 수석조수들 중에서 최고를 뽑는 경연대회를 참관하시겠답니다. 선발 시험은 내일, 소녀 마법사가 치료되는 즉시 열릴 것입니다. 경청해주셔서 고맙습니다."

옥시아 부인이 다시 자리에 앉았다.

타라는 안젤리카와 한창 얘기 중인 다미엔에게 물었다.

"방해해서 미안한데 트리비아처럼 휴게실이 있나요?"

대화가 중단되어서 기분이 상한 다미엔이 마지못해 대답했다.

"휴게실은 없고, 대화방이라는 건 있지!"

"와우, 너희들은 정말 좋겠다! 진정한 대화방, 생각만 해도 신 나! 빨리 가보고 싶어라!"

다미엔은 또 허리를 굽혀 인사하면서 내뱉었다(대답할 때마다 허리를 굽혀 인사하는 걸 보면 이 나라 사람들은 하나같이 요통이 있는 게 틀림없어).

"기쁜 마음으로 안내할게, 아름다운 안젤리카!"

칼은 오, 하늘이시여! 하는 얼굴로 능청을 떨었다.

"눈부신 타라, 이 미천한 몸이 대화방까지 아가씨의 그 우아한 몸과 동행하는 걸 허락하겠습니까?"

웃음을 꾹 참으면서 타라는 천연덕스럽게 대꾸했다.

"네가 원하는 곳으로 정말 가고 싶구나……. 그런데 대화방이라는 데가 뭐 하는 곳인가?"

다미엔은 칼을 노려봤다.

"의논도 하고 이야기도 하는 곳이야." 다미엔이 거만한 말투로 말했다. "하지만 구경은 내가 시켜주는 게 낫겠지. 나를 따라와!"

연극배우처럼 일어난 칼이 폼을 잡으면서 갑자기 의자를 뒤로 빼주는 바람에 전혀 예상치 못하고 있던 타라는 하마터면 고꾸라질 뻔했다.

"그 고사리 같은 여린 손을 나의 이 씩씩한 손에 얹으시지요. 그리고 우리의 유쾌한 안내자를 따라 이 오래된 궁전의 수수께끼 같은 장소로 가십시다."

까놓고 농담하는 트라비아의 수석조수들을 멸시라도 하듯 무시하면서 다미엔이 앞장을 서자 안젤리카는 쪼르르 쫓아갔다.

"내가 대신 사과할게." 안젤리카는 아양을 떨었다. "머저리 같은 애들이라서 그래. 몇 년 전부터 우리 선생님들은 정말이지 아무나 막 받아들인다니까."

"이해해." 다미엔이 점잖게 대답했다. "하지만 녀석이 계속 갈구면 규칙을 어기고 따끔한 맛을 보여줄 수도 있어."

"규칙?"

"우리의 최고 마법사 옥시아 부인이 너희들과의 결투를 금지했거든."

"결투라고? 어떻게 결투를?" 안젤리카는 이해할 수 없었다.

"우리의 명예를 더럽히거나 모욕하면 결투신청을 할 수 있지. 물론 치명적인 결투를 할 수는 없지만(그 목소리에서 아쉬워하는 기색이 느껴졌다), 진 사람이 두고두고 기억할 아픔을 줄 수는 있어."

그러자 안젤리카는 묘안이 떠오른 듯한 얼굴을 했다.

"그럼 여기서는 마법으로 싸울 수 있단 말야? 설마!"

"설마? 그럼 너희들에겐 그런 권리가 없단 말야?" 다미엔이 오히려 놀라워했다.

안젤리카는 고개를 끄덕였다.

"절대로 안 돼. 엄격하게 금지되어 있거든."

"하지만 누군가가 위협하면 어떻게 하려고? 실제 상황을 대비해서 훈련을 해야 할 텐데!"

안젤리카는 뒤를 힐끔 돌아봤지만, 속에 있는 말을 털어놓기에는 다른 애들이 너무 가까이 있었다. 안젤리카는 다미엔의 팔짱을 끼면서 속삭였다.

"우리는 관습이 많이 다른 것 같아. 대화방에 가서 얘기해. 결투에 대해 궁금한 게 아주 많아."

도착한 대화방은 작은 탁자들과 안락의자들이 빼곡이 놓인 커다란 방이었다. 만원인데…… 조용한 정도가 아니라 아무 소리도 나지 않았다.

제스처를 쓰면서 이야기하는 모습은 보이는데 말소리는 들리지 않는 것에 타라는 의아했다.

"여기가 대화방이야." 어리둥절한 타라를 보고 흡족한 얼굴로 다미엔이 말했다. "이리 와, 보여줄게."

안젤리카가 못마땅해서 투덜거리는 걸 눈치채지 못한 채 다미엔이 타라를 앉히자, 칼이 얼른 그 옆자리에 앉았다. 무아노, 로빈, 카롤, 실, 황궁의 또 다른 청년도 차례로 자리에 앉았다.

그러자 다미엔이 외쳤다.

"모두 착석!"

이번엔 일종의 방음유리 같은 원형 투명덮개가 만들어지면서 다른 그룹과 완전히 격리되었다.

"자, 이제는 어떤 문제에 대해 의견이 일치하지 않을 때, 어떤 일이 일어나는지 보여주지." 다미엔이 히죽히죽 건방을 떨면서 얘기했다.

다미엔은 잠시 생각을 하다가 말했다.

"그래, 그거야! 너희들 랑코비트의 역사를 아니? 더 구체적으로 말하면 야수 타리엔 왕과 미녀 왕비의 이야기 말야. 아더월드력으로 300년 전의 일인데."

타라는 귀를 쫑긋 세웠다. 미녀와 야수? 어전의 태피스트리에 표현되어 있던 것 말인가?

"그들에게는 딸 하나와 아들 하나가 있었지. 그 딸의 이름을 아는 사람 있어?" 트라비아에서 온 아이들은 그런 쉬운 질문에도 대답할 수 없다고 생각하는 어조로 다미엔이 물었다.

"이사벨!"

무아노의 대답이 튀어나오자, 다미엔은 움찔했다.

"좋아. 내가 그 대답에 동의하지 않는다고 가정하자. 가령 나는 딸의 이름이…… 카티안이라고 말한다고 치자."

다미엔이 언성을 높여서 내뱉었다.

"목소리?"

어디서 나는지 모를 고상한 목소리가 대답했다.

"수석조수 다미엔?"

"30세기 랑코비트의 수도 트라비아에 살았던 타리엔 왕과 미녀의 딸 이름이 뭐죠?"

"이사벨."

"고마워요."

다미엔이 다른 그룹들을 가리켰다.

"저길 봐! 우린 다른 사람들을 방해하지 않고 대화할 수 있어. 그리고 무엇보다도 의문이 생겼을 때, 목소리에게 도움을 청하면 판가름을 내주지. 또 영화를 보거나 음악을 들을 수도 있고, 책을 읽거나 노래를 부를 수도 있어. 물론 공부도 할 수 있고."

"브라보!" 안젤리카는 박수를 쳤다. "이 대화방은 정말 최첨단이야! 우리나라에는 '목소리'란 것도 없고, 방음막도 이 정도로 완벽하진 않아. 이렇게 호화로울 수가! 부모님에게 여기로 보내달라고 졸라야겠어. 우리 부모님은 왜 나를 트라비아 궁전으로 보냈는지 도무지 이해할 수가 없다니까!"

"그거야 저 계집애를 아무도 원하지 않기 때문이지." 칼이 타라의 귀에 대고 속삭였다.

로빈은 절호의 기회를 놓치지 않았다.

"트리비아 얘기가 나왔으니까 말인데 최근에 이상한 사건들이 있었어. 수석조수 한 명이 사라졌고, 작년에는 네 명이나 사라졌는데 너희 나라에는 아무 일도 없었어?"

마치 다시는 먹지 못할까 불안한 듯 초콜릿을 한 움큼 집어들고 온 뚱뚱보 실과 다미엔이 서로를 쳐다봤다.

이윽고 뚱뚱보가 털어놨다.

"잘은 모르지만, 작년에 여러 명이 사라진 것 같아. 우리 부모님은 나를 궁전으로 보내려고 하지 않았어. 하지만 황제 폐하가 어린 마법사들은 집이 아니라, 반드시 최고 마법사나 경험이 풍부한 마법사의 지시에 따라 수련해야 한다는 법률안을 가결시켰어. 마법 사고를 피하기 위한 것이라면서. 그래서 우린 선택의 여지가 없게 되었지."

"누가 없어졌는지는 알아?" 로빈이 거리낌없는 어조로 물었다.

뚱뚱보는 잠시 생각을 하다 다미엔에게 짓궂은 눈길을 보낸 뒤에 말했다.

"올해는 없었어. 적어도 지금까지는. 작년에 없어진 애들은 누군지 몰라. 하지만 내가 알아낸 바에 의하면 실종된 애들의 부모가 어떤 메시지를 받았다나 봐."

모두의 눈길이 뚱뚱보의 입술에 정지되었다.

"네가 그걸 어떻게 아는데? 나한테는 그런 말 한 적 없잖아!" 다미엔이 깜짝 놀라서 말했다.

"그거야 아무도 나한테 물어보지 않았으니까. 하지만 우리 엄마는 그 실종사건을 조사하는 수사팀의 일원이셨어. 우연히 방 앞을 지나가다가 엄마가 크리스털리스트와 통화하는 내용을 듣게 되었어(타라는 크리스털리스트가 전광판이나 크리스털 볼을 이용해서 소식을 전하는 아더월드의 기자라는 걸 알게 되었다). 크리스털리스트는 정보원으로부터 희생자들의 부모가 아이들은 잘 지내고 있으며, 나중에 돌려보낼 것이니 걱정하지 않아도 된다는 메시지를 받았다는 사실을 알게 되었지. 그 메시지에는 정기적으로 아이들 소식을 보낼 것이라는 내용도 있었다는 거야. 우리 엄마는 몹시 화를 내면서 인질의 목숨을 위험에 빠트릴지 모를 기사를 당장 중단하라고 호통을 치셨어. 엄마가 어찌나 으름장을 놓았던지 크리스털리스트는 결국 그 정보를 통신망에 퍼뜨리지 않기로 한 거고."

어찌나 몸을 앞으로 숙이고 있는지 로빈은 하마터면 작은 탁자 위로 엎어질 뻔했다.

"중요한 정보를 알려줘서 정말 고마워, 실."

"아참!" 문득 할 일이 생각난 칼이 말했다. "금방 돌아올게."

"미안한데 나도 잠깐 나갔다올게." 로빈이 말했다.

"내가 나가려고 했는데 할 수 없이 남아야겠네." 칼의 건방짐을 참을 수 없는 다미엔이 투덜거렸다. "자, 이제는 우리 문명인들끼리 세련된 얘기를 나누도록 하자. 안젤리카, 결투에 대해 자세히 알고 싶다고 했지?"

순간 안젤리카의 얼굴엔 경솔한 다미엔을 원망하는 눈빛이 스쳤지만 안젤리카는 감정을 억누르면서 속삭였다.

"우리 친구들은 관심이 없을 거라고 확신해. 그 얘긴 둘이서만 하면 안 될까? 어디 다른 데로 가서."

하지만 다미엔은 그런 미묘한 암시를 이해하지 못했다.

"하지만 그건 멋진 관습이야! 랑코비트에서는 결투를 할 수 없다니 깜짝 놀랐어. 진짜 뒤떨어진 나라다."

"……천만의 말씀!" 싸움이라면 끔찍이 싫어하는 무아노가 거침없이 반박했다. "뒤떨어진 건 오무아야. 결투는 아더월드의 대다수 나라에서 200년 전부터 이미 금지되어 있으니까. 그런데 여기서는 어떻게 그런 야만적인 관습이 아직까지 허락되고 있는지 이해할 수가 없네."

다미엔은 랑코비트의 수석조수들은 따분하기 그지없다고 생각하기에 이르렀다. 지금으로서는 그에게 반박하거나 귀찮게 하지 않는 아이는 안젤리카밖에 없었다. 다미엔은 그래서 얼른 결정을 내렸다.

"우리의 관습을 야만적이라고 생각하는 사람들과는 대화를 못하지. 그러니까 너희들 중에서 유일하게 우리 관습을 인정하는 사람하고나 얘기하겠어." 다미엔이 뻣뻣하게 일어나서 김이 팍 샌 어조로 말했다.

이어서 다미엔은 또 안젤리카 앞에서 허리를 굽히더니 원형 투명덮개 밖으로 데리고 나갔다. 그들은 다른 탁자에 가서 앉았다. 카롤은 잠시 주뼛거리다가 안젤리카가 오라는 손짓을 하자, 군소리 없이 뽀르르 뛰어나갔다.

타라와 무아노는 그 틈에 얼른 다른 얘기를 시작했다.

통행금지 시간이 되기 직전에 작전을 짜기 위해 모두 타라의 방에 모였다.

타라와 무아노는 군복 색깔의 파자마로 위장한 칼의 옷차림에 대해 평을 하지 않으려고 꾹 참고 있기는 했지만…… 여간 힘든 게 아니었다.

눈을 반짝이는 걸 보면 로빈은 자신이 알아낸 결과에 아주 만족하고 있는 것 같았다.

"여기 사람들도 잘 모르는 것 같았어. 하지만 이곳에서 사라진 애들과 우리 궁전에서 사라진 애들 사이에 충격적인 공통점이 있다는 걸 알아낼 수는 있었지."

"그게 뭔데?" 칼은 눈살을 찌푸리면서 물었다. 자기를 쳐다보는 여자아이들의 표정이 왜 저럴까 의아했던 모양이다.

"모두 다 마법 능력을 타고났거나 마법이 강력한 수석조수들이었어. 그리고 특히 그들은 하나같이 최고 마법사들의 자식들이었고."

"맞다!" 타라도 맞장구를 쳤다. "너희들이 나간 뒤에 뚱뚱보가 강조했던 말도 그거였어. 그리고 자기는 납치되는 게 싫어서 뛰어나지 않으려고 노력하고 있다는 말까지 했었어. 그런데 갑자기 자기 부모는 그리 중요한 사람들이 아니라면서 그 말을 취소해버리는 거야."

"생각해보니 그러네. 우리 쪽도 뛰어난 수석조수들이나 강력한 수석조수들이었고, 최고 마법사들의 자식들이었으니까. 난쟁이 소녀를 제외하고는. 이걸로 단서가 될까?" 칼이 말했다.

"어, 그럼 너는 절대로 납치되지 않겠다, 그치?" 무아노는 짓궂게 말했다.

"이런 심각한 상황에 그런 농담이 나오냐? 제발 그만 좀 해라!"

그 버릇을 끔찍이 싫어하는 갈랑이 짜증을 부리는데도 타라는 또 하얀 머리털을 움켜잡고 질겅질겅 씹으면서 페가수스를 쓰다듬고 있었다. 타라가 소리를 버럭 질렀다.

"미치겠어!"

"왜 그래?" 그 소리에 깜짝 놀란 세 친구가 소리쳤다.

"도대체 알 수가 없어. 상그라브들의 보스 마지스터가 나를 납치하려고 했을 때(그 사건을 모르는 로빈은 놀란 토끼 눈이 되었다), 나한테 권력을 주고 싶다고 말했단 말야. 그런데 무슨 권력이라는 거지? 나한테 왜? 파브리스, 최고 마법사들, 사라진 수석조수들, 상그라브들의 보스가 꾸미고 있는 일과 나, 대체 무슨 관계가 있는 걸까? 이젠, 정말 지긋지긋해."

"저기…… 생각해봤는데 뭔가가 더 있을 것 같아." 무아노는 생각에 잠긴 얼굴로 말했다. "작전대로 몰래 숨어서 최고 마법사들을 지켜본 결과 아무런 실마리도 찾지 못한 눈치였어. 실종 사건도 그렇고, 내일 여제를 만나는 일도 굉장히 불안해하는 것 같았어. 황제 폐하가 왜 수석조수 선발 경연대회를 참관하려고 하는지 그 이유를 모르더라고."

"난 무엇보다도 네가 걱정돼." 로빈은 타라를 쳐다보면서 정말 예쁘다고 생각했다. "최고 마법사들이 꼭 성공하길 바랄 뿐이야. 악마의 마법을 치료하는 일은 생각만큼 그리 간단한 게 아니거든."

타라는 멋진 미소를 지으며, 차분히 대답했다.

"난 셈 선생님을 믿어. 전혀 걱정되지 않아."

그렇지만 그건 새빨간 거짓말이었다. 한밤중이 되어서야 겨우 잠이 들었던 타라는 새벽 4시경에는 속마음을 인정해야 했다.

타라는 치료되고 싶은 마음이 없었다.

거기에 생각이 미치자 공포가 밀려왔다.

8
죽음의 소용돌이

다음 날, 타라의 아침식사는 없었다. 외과수술을 위해 환자의 위를 비워 놓는 이치와 같았다. 도망치고 싶은 욕망을 간신히 억누르면서 타라는 데리러 온 에프리트를 따라나섰다.

타라가 들어간 방은 온통 시뻘겠다(혹시 흘러나올지 모를 피를 감추기 위해서인가, 그 때문에 타라는 더욱 초조하고 불안해졌다). 그리고 푹신한 방석을 깔고 앉은 마법사들이 원을 이루고 있는데, 모여 있는 최고 마법사들이 자그마치 백 명이나 되었다.

옥시아 부인이 입을 열었다.

"타라, 어서 오너라. 여기 한가운데로 들어오렴."

타라는 잠자코 따랐다.

"자, 이제는 너에게 일어난 일을 우리에게 보여줘야 해. 어떤 일이 있었는지 알기가 힘들구나." 옥시아 부인이 인자한 어조로 말했다.

타라는 냉소적인 얼굴을 쳐들었다. 흥! 최고 마법사께서 모르는 것도 있으시다! 금방 알게 해주지! 또 악령이 타라를 간섭하고 나섰다.

"악마가 얼음물을 끼얹는 것으로 환영하는 바람에 우리는 걸음아 날 살려라 도망쳤어요. 하지만 우리는 그 오만불손함에 아연실색한 채로 동상처럼 꼼짝도 못하게 되었지요."

타라가 말을 끝내자마자, 흰 머리털이 찌지직거리더니 갑자기 쏟아지는 나팔 모양의 얼음물이 오무아의 최고 마법사들에게 날려들었다. 그 물의 힘에 떠밀린 마법사들은 홀딱 젖은 채 벽에 딱 달라붙었다. 물의 힘이 수그러드는가 싶더니 숨돌릴 겨를도 주지 않고 이번에는 두 번째 비유가 그들을 기습했다. 마법사들은 통제되지 않는 다리를 휘청거리며 미치광이들처럼 꽥꽥 소리 지르면서 온 방안을 이리저리 뛰어다녔다. 마침내 세 번째 비유에 걸려들면서 그들은 그 순간의 자세로 정지해 버렸다. 허리를 굽힌 사람, 다리 하나를 들고 있는 사람, 펄쩍 뛰고 있는 사람…….

최고 마법사들은 아연실색한 표정의 동상이 되어 있었다.

다행히 타라의 마법은 최고 마법사들을 오랫동안 마비시키기에는 아직 강력하지 않아서 잠시 후에 마법에서 풀려날 수 있었다.

한편, 용의주도하게도 미리 주문을 걸어서 마법의 투명유리관 속에 들어간 랑코비트의 마법사들은 냉동이 된 채 얼이 빠진 오무아의 최고 마법사들 머리 위에 둥둥 떠 있었다.

옥시아 부인은 더는 관대하지 않았다. 그녀는 물이 뚝뚝 떨어지는 치렁치렁한 검은머리를 뒤로 확 넘기면서 날카롭게 소리쳤다.

"내 조상들의 이름으로 기필코! 이렇게 끔찍한 짓거리를 하다니!"

"네, 진짜 끔찍한 일이지요." 셈나샤오비로다인트라쉬부는 공중에 떠 있는 채로 그 말에 동의했는데, 물을 뚝뚝 흘리는 옥시아 부인의 모습에 웃음을 간신히 참는 얼굴이었다. "우리가 이 불쌍한 아이를 치료할 수 있겠습니까?"

옥시아 부인은 고개를 끄덕였다.

"물론이지요, 치료하고말고요. 우선 몸부터 말리고 나서 치료를 시작합시다."

최고 마법사들은 빨래를 짜듯 옷을 쥐어짜고 나서 갑자기 휘몰아치는 뜨거운 공기로 몸을 말리기 시작했다. 머리칼은 좀 헝클어졌어도 완전히 마르자, 이제 모든 시선이 타라에게로 쏠렸다. 그들은 이처럼 아주 강력한 무언가와 맞서 싸우게 될 줄은 상상도 못하고 있었다.

그들은 타라 주위에 둘러서서 눈을 감았다. 타라의 머리 위로 나타나는 어마어마하게 큰 얼굴……, 그것은 최고 마법사들의 정신이 유형화된 것이다. 마법사들은 그 얼굴의 입을 통해 말했다.

"*엑스티르푸스의 이름으로* 명하니 그 몸을 떠나거라. 썩 물러갈지어다! 이 인간의 몸에서 악마는 썩 꺼질지어다. 버텨봤자 소용없다!"

마법사들의 주문이 강해질수록 타라는 뜨거운 기운이 몸을 휘감는 걸 느꼈다. 어디가 아픈 것도 아닌데 기분이 몹시 불쾌했다. 압력이 높아지는가 싶더니 타라 위에 있는 얼굴이 고통으로 일그러져 갔다. 그 순간 타라는 자신의 몸에서 뭔가가 고개를 내미는 걸 보았다.

타라의 가슴에서 작은 악마가 몸을 비틀면서 나오고 있었다. 점점 부풀어오르던 악마는 엄청나게 큰 얼굴과 같은 크기에 이를 정도로 팽창해서 고함쳤다.

"흥! 이거 왜들 이러시나! 협박해봐야 소용없다! 어디 진짜 생난리를 한번 떨어볼까!"

그 비유가 떨어지기가 무섭게 말 그대로 실현되었다. 마법사들 주위에서 수백 개의 접시가 산산조각 났다. 뜨끈뜨끈한 스튜, 김이 모락모락 나는 슈크루트, 로스트 치킨과 감자튀김이 이리 튀고 저리 튀는가 하면

잼이며 소시지, 하얀 강낭콩, 알버섯, 크림 케이크, 영국식 소스, 아이스크림……. 최고 마법사들은 머리 위로 마구 떨어지는 온갖 것에 깔려죽지 않으려고 펄쩍펄쩍 뛰어다녔다.

"데모누스, 썩 물러가라!" 화가 머리끝까지 난 엄청나게 큰 얼굴이 고함을 버럭 질렀다.

"흥!" 악마는 휘파람을 불었다. "시시했나 보군. 그럼 더 재미있게 해주지. *수염!*"

말이 끝나자마자 최고 마법사들의 턱에서 긴 수염이 자라기 시작했다. 당황했는지, 타라 위에 있는 얼굴이 잠시 머뭇거렸다.

"모두들 포기하지 마시오! 계속해야 합니다." 셈나샤오비로다인트라쉬부는 고래고래 소리쳤다. 그러자 안정을 찾은 얼굴이 다시 주문을 외치기 시작했다.

악마는 코웃음치듯 일격을 가했다.

"으흐흐흐! 귀신같이 내 냄새를 맡는 걸 보면 영락없는 개로구나!" 악마는 교활한 웃음을 흘리면서 외쳤다. "난 우리가 돼지처럼 정다운 친구라고 생각했는데 너희들이 날 열 받게 해서 족제비처럼 게걸거리는 말로 만들고 싶단 말이지? 좋아, 하지만 난 노새처럼 고집이 세고, 원숭이처럼 영악하고, 수탉처럼 거만하고, 악어처럼 거짓눈물을 흘리지!"

풀럭풀럭, 연속적으로 나는 소리. 필사적인 저항에도 불구하고 최고 마법사들이 작아지고 오므라들더니…… 다리가 넷으로 변했다. 악마의 비유가 그들을 수염 난 개로 둔갑시켜 놓은 것이다! 개로 변한 마법사들이 악마를 향해 미친 듯이 짖어대는가 싶었는데 어느새 두 번째 비유가 엄습했다. 다리가 짧아지고, 털이 장밋빛으로 변하면서 나타나는 꼬불탕한 꼬리, 어라라랏, 돼지 백 마리가 방 한복판에서 꿀꿀대는 것이 아닌가. 타라는 웃음을 참느라고 아랫입술을 질끈 깨물었다. 장밋빛 콧잔등이 쭉쭉 늘어나고 갈기로 변하는 털, 이번에는 돼지 대신에 말들이 히힝히힝거렸다. 그것도 잠시, 또 느닷없이 몸이 줄어들면서 줄무늬가 생기는 순간, 윽! 타라는 얼른 코를 틀어막았다. 눈앞에서 몸을 흔들어대는 것은 100마리의 족제비였다! 아이고, 맙소사! 족제비들의 몸이 쑥쑥 커지더니 노새로 변해서 울어대자, 이번엔 악마도 포복절도했다. 이어서 노새들은 원숭이로 변해 오만상을 찌푸렸고, 다시 수탉으로 변해서 날개를 파드득거렸다. 그리고 마침내 악어들로 변해서 거짓눈물을 줄줄 흘리기 시작했다.

한바탕의 소란 후, 최고 마법사들은 가까스로 다시 인간으로 돌아오는데 성공했다. 이제는 악마가 격분한 백 명의 최고 마법사를 상대해야 할 차례였다.

"악마, 나를 가루로 만들어보지 그래, 당장!" 옥시아 부인이 고함을 질렀다.

이 말과 함께 마법사들이 만들어낸 얼굴에서 경련이 일더니 두 눈에서 발사된 광선이 악마를 후려치자, 악마는 미친 듯 웃었다.

이번에는 최고 마법사들의 분노가 훨씬 더 셌다. 악마는 그들을 노려보면서 새로운 비유법을 쓰기 위해 입을 열려고 했지만, 최고 마법사들의 얼굴은 한 치의 틈도 주지 않았다. 더욱 강력해진 광선이 악마의 머리를 끊임없이 후려쳤다. 그러자 악마가 조금씩 쭈그러드는 듯했다. 비명을 지르면서 온몸을 비비틀던 악마는 다시 한 번 비유법을 내뱉으려고 발악했지만, 때는 이미 늦었다. 사정없이 쭈그러들던 악마가 퍼버벅, 폭발하면서 온 사방으로 끈적끈적한 이물질을 튀겼다.

바로 그 순간 타라는 림보에 다녀온 뒤로 자신의 마음을 짓누르던 분노의 감정이 거짓말처럼 사라지는 걸 느꼈다. 악령에서 해방된 것이었다!

숨을 고른 최고 마법사들이 눈을 다시 뜨자, 그들을 유형화한 얼굴이 사라졌다.

"브라보! 참기 어려운 것이었으나 기막히게 멋진 싸움이었소이다." 얼굴에 달린 기다란 흰 수염을 재미있다는 듯 쳐다보던 셈나샤오비로다인트라쉬부가 그들을 축하했다.

턱수염을 그다지 좋아하지 않는 옥시아 최고 마법사는 허겁지겁 검은 수염과 옷에 튀긴 끈적끈적한 이물질을 사라지게 했다.

"타라, 이제 됐으니까 비유법을 한번 사용해보거라. 해롭지 않은 것으로!" 본래의 우아한 모습을 되찾은 옥시아 부인이 말했다.

입을 열려는 순간 타라는 바짝 긴장하는 최고 마법사들을 보았다.

"좀 떨리네요." 타라는 조심스럽게 말했다. "그 악마가 선생님들을 염소로 만들어놨어요!"

최고 마법사들이 한숨을 푹 내쉬었는데 염소 울음소리를 내는 사람은 아무도 없었다.

"좋아요, 좋아! 난 우리가 해낼 줄 알았습니다. 우리의 어린 타라는 이제 완전히 나았습니다." 셈나샤오비로다인트라쉬부는 싱글벙글한 얼굴로 말했다.

이윽고 즐거운 함성이 터져나왔다. 타라는 안심했다. 이제는 친구들을 지글지글 태우거나 얼어붙게 할까 봐, 혹은 무언가로 둔갑시키게 될까 봐 불안에 떠는 일 없이 자유롭게 말해도 되는 것이다.

"자, 이제 다 끝났으니 체육관으로 가서 영광스럽게 두 분 폐하 앞에서 경연대회를 치를 수석조수들을 선발합시다. 그리고 치료가 되었으니 여기 있는 우리의 어린 친구도 참가하기를 권하는 바입니다." 옥시아 부인이 말했다.

셈나샤오비로다인트라쉬부는 얼굴을 찌푸렸다.

"내 생각에는……."

말을 가로막으면서 옥시아 부인이 밀어붙였다.

"두 분 폐하께서는 분명히 우리의 능력으로 구해낸 소녀를 만나 보고 싶어 하실 겁니다. 악마가 워낙 강력해서 실패했을 경우에는 하마터면 우리의 목숨이 위태로울 뻔했습니다. 제국이 여러분을 위해 그렇게까지 해주었는데 두 분 폐하를 실망시키고 싶지는 않으시겠지요?"

한 방 먹은 셈나샤오비로다인트라쉬부는 허리를 굽혔다.

"물론 그래서는 안 되지요, 부인. 우리의 타라는 그 경연대회에 참가하는 걸 기쁘게 여길 것입니다."

"좋습니다. 나는 에프리트들을 보내서 아이들을 데려오게 할 것이니 우리는 5분 후에 체육관에서 보도록 하지요."

셈나샤오비로다인트라쉬부는 또다시 허리를 굽혔다.

"잘 알겠습니다, 부인."

타라가 참견하려고 했지만, 셈 선생님이 아무 말도 하지 말라는 눈짓을 보냈다. 그러고 나서 타라에게 마법을 사용해도 할머니는 아무 문제 없을 것이니 걱정하지 말라는 귀엣말을 하면서 지나갔다. 안심한 타라는 체육관으로 향하는 최고 마법사들을 뒤따랐다.

오무아의 체육관은 트라비아의 체육관과 모양새는 같지만 그 웅장한 규모는 비교도 되지 않았다.

친구들을 찾아, 타라가 다가갔을 때 무아노는 신경이 매우 날카로운 상태였다. 평소에는 얌전한 표범 쉬바까지 예민해져 있어서 타라는 고개를 갸우뚱했다. 무아노가 친파프 한 병, 빵 세 개, 막대 초콜릿 하나를 내밀었다. 아침을 먹지 않을 걸 알고 고맙게도 챙겨온 것이다. 타라는 눈 깜짝할 사이에 먹어치우면서 치료 과정에서 있었던 키디코이의 예언은 이러했다.

조심, 함정에 빠지게 된다.

휴, 또 무슨 일이 생기려고! 어쨌든 타라는 이 세계의 신기한 것들은 정말 마음에 쏙 들었다.

그렇지 않아도 패밀리어로서는 페가수스를 처음 보는 사람들 앞에서 갈랑이 마치 금방이라도 날아갈 듯이 연신 날개를 펼치자 타라는 똑 부러지게 나무랐다.

"아이, 참! 갈랑, 얌전히 좀 있어! 나도 떨려 죽겠는데 너까지 이러면 어떡해?"

잔뜩 긴장한 갈랑은 진정하려고 무진 애를 썼다.

최고 마법사들이 관람석에 자리를 잡고 앉자, 드디어 선발 경연대회가 시작되었다.

네 명의 수석조수들이 최고 마법사들 앞에 나란히 서자, 명이 떨어졌다.

"*꽃!*"

수석조수들이 각각 주문을 외우면서 손짓을 했다. 그러자 다채로운 꽃들이 나타났다. 엄청나게 많은 꽃이었다. 파랑, 빨강, 보라, 노랑, 각양각색의 꽃들, 개중에는 최고 마법사들을 물어뜯을 듯이 날카로운 가시로 뒤덮인 입들을 쩍 벌린 채 펄쩍펄쩍 뛰어다니는 것들도 있었다.

"*동물!*"

수석조수들이 또다시 주문과 손짓을 했다. 꾸꾸꾸 울음소리를 내는 금빛 칠면조(오, 예! 저게 바로 스파슌이야! 칼이 낄낄거리면서 알려주었다), 하얗고 파란 개구리 한 마리, 앞뒤가 분간되지 않는 장밋빛 털북숭이 동물(저건 크라크덴트라는 동물인데 아주 희귀종이야. 무아노가 속삭였다), 그리고 다리가 여섯 개에 뿔이 없는 사슴도 나타났다.

스파슌의 색깔과 좀 전에 선보였던 수많은 꽃과 색깔 배합이 기막힌 걸 보면 수석조수들 중 한 명은 색감이 아주 뛰어난 듯했다.

"*나무!*"

사방에서 불쑥불쑥 나타나는 나무들이 천장에 닿을 정도로 쑥쑥 자라나고 있었다. 타라는 속으로 생각했다. 아아, 그래서 천장이 저렇게 높았구나!

크라크덴트 주위를 빙빙 돌던 스파슌은 그 장밋빛 털북숭이 동물이 갑자기 두 배로 커지더니 통째로 잡아먹을 듯이 쩍 벌리는 입을 보고 슬금슬금 뒷걸음질쳤다. 웩, 으드득으드득하는 소리가 들리는가 싶었는데 어느새 풀풀 날아다니는 금빛 깃털……, 장밋빛 털북숭이는 시퍼런 혀를 쭉 내밀고는 축 처진 입술을 느물느물 핥고 있었다. 크라크덴트는 천연덕스럽게 혀를 쏙 집어넣고 이번엔 다리가 여섯 개인 사슴에게 어슬렁어슬렁 다가가기 시작했다.

최고 마법사들이 개구리와 사슴을 만들었던 수석조수들에게 탈락했다는 손짓을 했다. 사슴을 만들어낸 수석조수가 구사일생으로 비극적인 최후를 모면한 사슴을 사라지게 하자, 장밋빛 털북숭이는 닭 쫓던 개 지붕 쳐다보듯 맥빠진 얼굴을 했다. 이제는 뒤룩뒤룩한 스파슌과 장밋빛 크라크덴트를 선보인 두 명의 수석조수만 남았다.

최고 마법사들은 그들을 쳐다보다가 명했다.

"*문!*"

한 명은 공포에 질린 표정으로 얼어붙어 있는 반면에 다른 한 명은 마치 문을 그리면서 빛을 끌어 모으듯이 손가락을 움직였다.

그러고는 주문을 외웠다.

"*트란스페루스의 이름으로* 문이여, 열려라 그리고 나를 다른 데로 이동시켜라!"

수석조수의 손가락 끝에서 작은 불꽃 하나가 반짝거리다가…… 피식, 하고 애처롭게 꺼졌다.

최고 마법사들은 고개를 설레설레 저으면서 그 두 명을 탈락시켰다. 그 둘은 크라크덴트와 꽃을 사라지게 했는데 장밋빛 털북숭이가 공격적인 꽃에 덤벼들어서 꽃잎을 우물우물 씹어먹는 순간이었다.

다음 차례의 수석조수 네 명이 앞으로 나섰다.

제2탄으로 나타나는 꽃, 동물, 나무. 이번에 등장한 동물은 아주 다양했다. 머리가 둘 달린 고라니, 달리는 것이 아니라 캥거루처럼 껑충껑충 뛰는 여우, 당근 따위는 거들떠보지도 않을 것 같고 지구의 늑대도 무서워서 설설길 것 같은 자이언트 토끼, 득시글거리는 발에다 더듬이와 아래턱까지 있는 반은 곤충이고 반은 포유동물인 고양이과 동물들, 생김새는 지구의 호랑이 같은데 물지 않는 고양이, 갈랑이 울음소리를 낼 정도로 색깔이 요상한 페가수스들(아주 은은한 오렌지색 줄무늬가 있는 초록색 페가수스, 빨간색과 파란색 얼룩무늬 은빛 페가수스).

그런데 문에 대한 시험을 치를 때마다 상황이 순탄하지 않았다. 수석조수들 중 한 명은 너무 겁이 난 나머지 하마터면 최고 마법사들 쪽으로 토할 뻔했지만 제때에 허둥지둥 밖으로 뛰쳐나갔다.

마침내 오무아 제국의 수석조수들 중 두 명만 문 비슷한 것을 만들기에 이르렀다. 최고 마법사 옥시아 부인은 설사 목숨이 경각에 달려 있을

지라도 위험을 무릅쓰면서까지 그 문을 이용하지는 않을 것 같다고 신랄하게 평가했다.

공, 보석, 물건들을 나타나게 하기, 그 방을 여러 가지 색깔로 단장하기, 그리고 민첩성과 예술적 창조성에 대한 테스트도 있었다.

랑코비트의 수석조수들은 어려운 고비를 잘 넘기고 있었다. 데리아, 부디우 부인, 드라고쉬 선생님, 셈 선생님, 물방울 안의 시렐라 부인, 덴마릴 선생님과 그 밖의 랑코비트 사람들이 그들을 응원하였다.

안젤리카의 차례가 되었을 때, 타라는 꺽다리가 여제의 눈에 들기 위해서 최선을 다할 것이라고 생각했다. 하지만 안젤리카는 이상하게도 대충대충 능력을 발휘하는 것만 같았다.

결국 안젤리카는 탈락했다. 그런데도 웬일인지 그 입가에서는 교만한 미소가 떠나지 않았다.

칼도 탈락했다(칼은 최고 마법사들에게 케이크용 거품을 낸 생크림을 끼얹는 것이 아주 재미있을 거라고 생각한 모양인데 그들은 당연히 좋게 여기지 않았던 것이다).

늦게 도착한 다미엔은 랑코비트의 마지막 수석조수들인 무아노, 로빈, 타라와 함께 시험을 치렀다.

심사원들의 평가는 도무지 종잡을 수 없었다. 그들은 훌륭한 것을 만들어내는 수석조수들을 탈락시키고, 마치 재능이 적어 보이는 수석조수들을 마음에 들어하는 것만 같았다.

다미엔은 침울한 얼굴로 정신을 집중하다가, "공!" 하고 명이 떨어졌을 때, 특급사수처럼 반응했다. 손이 번개같이 솟구치더니 몇 마디를 중얼거리자, 여섯 개의 오색찬란한 공들이 나타났다. 와우……! 타라는 어찌나 홀려 있었던지 하마터면 자신의 차례를 잊을 뻔했다. 두 눈을 감은 타라가 정신을 집중하자, 오색찬란한 공 하나가 공중에서 춤을 추기 시작했다.

그리고 눈을 떴을 때, 타라는 자신이 방금 만들어낸 엄청나게 많은 공들을 다미엔이 못마땅한 표정으로 쳐다보고 있는 반면에 무아노는 기쁜 마음을 감추지 못하고 있는 걸 알았다.

타라의 공들이 수백 개씩 통통 튀어오르고 있었다. 모든 사람(특히 최고 마법사들과 오무아의 수석조수들)이 어찌나 얼빠진 얼굴로 시선을 고정하고 있는지 타라는 집중력을 잃을 뻔했다. 공들은 떨어지다가도 바닥에 닿기만 하면 다시 통통 튕겨오르고 있었다. 맙소사! 내가 상상으로 떠올렸던 공은 3개였지 300개가 아니었는데! 악마의 마법 능력이 없어졌으니 이제부터는 마법을 조절하는 법을 다시 배워야 해.

옥시아 부인이 목청을 돋우면서 말했다.

"아주 재미있군요. 잠재 능력이 아주 뛰어난 아이예요. 이번에는 너희들의 패밀리어 차례다!"

네 명이 나타나게 한 불의 원들, 그 안에서 패밀리어들이 신 나게 펄쩍펄쩍 뛰기도 하고 춤도 추면서 재주를 피웠다(다미엔의 패밀리어는 황조롱이 매였다). 불의 원을 공격하길 좋아하는 갈랑은 너무 가까이 지나가다가 털이 약간 그을리기도 했다.

여제 앞이라고 해도 마법을 쓰고 싶은 생각이 전혀 없는 타라는 다미엔, 무아노, 로빈보다는 서툰 모습을 보이려고 노력했다. 능력을 조절하지 못하는 걸 보면 선택되지 않겠지!

하지만 결코 타라의 뜻대로 되지 않았다.

옥시아 부인이 선발된 수석조수들의 명단을 발표했을 때, 타라는 자신의 이름과 무아노가 호명되는 걸 들으면서 한숨을 푹 내쉬었다.

무아노도 기쁘지 않은 얼굴이었다. 자신의 재능을 인정받는 것이 좋기는 해도(무아노는 훌륭한 마법사였고, 정말 마법을 좋아하고 있었다), 감추고 있는 비밀 때문에 오무아의 궁정에서 신분이 들통날까 봐 불안했던 것이다. 누군가가 알아보기라도 하면?

칼은 노골적으로 낄낄거리면서 두 친구의 시무룩한 얼굴을 재미있어 했다.

수석조수들은 샤워를 하고 옷을 갈아입으러 방으로 돌아갔다. 그들은 최고 마법사들이 준비해 놓은, 너무 멋져서 입이 떡 벌어지는 정장을 보았다. 타라는 재빨리 샤워를 하고 머리를 빗은 뒤에 정장을 입었다. 그 옷에 페가수스들과 말들의 은빛 무늬를 넣자 꼭 살아 있는 듯 반짝였다. 이어서 목에 새겨진 문양도 보석처럼 번쩍번쩍 빛나게 했다.

타라를 본 무아노는 탄성을 질렀다.

"타라, 눈이 부셔!"

"고마워, 너도 만만치 않은데, 뭐!"

무아노도 갈색머리와 검은 눈빛에 정말 잘 어울리게 옷을 치장하고 있었다.

칼과 로빈이 찾아와서 그들은 함께 황궁의 어전으로 내려갔다.

"이렇게 으리으리할 줄 알았다니까." 웅장한 성당과 비슷할 거라고 예상하고 있던 타라가 어전 앞에서 말했다.

딱 맞는 말이었다. 벽은 눈부시게 반짝거렸고, 태피스트리들은 살아 있는 듯했다. 펄쩍펄쩍 뛰어다니는 유니콘들, 산에서 캐낸 돌을 아귀아귀 먹는 거인들, 깡충깡충 뛰어다니는 꼬마도깨비들, 사냥하는 엘프들, 주문을 거는 마법사들.

금으로 도배를 한 듯 어디를 둘러봐도 번쩍번쩍했다. 이런 식이라면 종종 결막염에 걸리는 한이 있더라도 포트 녹스미국 연방금괴 저장소와 고르한러시아 금괴 저장소을 한탕 털 만하지 않은가.

하얀 얼룩점이 있는 잿빛 화강암처럼 무표정한 얼굴의 시종장이 따라오라는 손짓을 했다.

수석조수들이 모두 모이자, 시종장이 그들에게 궁정의 예법에 관한 몇 가지 수칙을 알려주었다.

"시험에서 탈락한 수석조수들은 두 옥좌 양옆에 앉게 된다. 선발된 사람들은 어전 입구에 서 있다가 이름을 호명하면 열다섯 걸음을 걷다가 허리를 굽혀 인사하고, 한 번 더 열다섯 걸음을 걷다가 허리를 굽혀 인사하고, 또다시 열다섯 걸음을 걷다가 두 사람씩 허리를 굽혀 인사해야 한다. 두 분 폐하께서 질문을 할지도 모른다. 그러면 '예, 황제 폐하' 또는 '아니오, 황제 폐하' 로 답변하라. 이어서 명이 떨어지면 실시하라. 그것이 끝나면 다시 허리를 굽혀 인사한 뒤에 다른 수석조수들이 자리잡고 있는 옆자리에 가서 앉는다. 모두 알아들었는가?"

모두들 잔뜩 긴장한 얼굴로 연방 고개를 끄덕였다. 시종장은 흡족한 얼굴로 그들을 어전 문턱까지 데려가면서 마지막 당부를 했다.

"발표회가 시작되면 찍소리도 내면 안 된다는 걸 명심하라! 선발된 아이들의 집중력이 흩뜨려지게 되면 참담한 사태가 벌어질 것이다. 마법을 조절하지 못하게 되면 위험한 결과를 초래할 수 있고, 그때는 두 분 폐하의 친위대가 즉각적으로 대응할 것이다. 우리는 유감스런 사고가 발생하는 일이 없기를 바란다. 너희들을 위해서."

검이며 칼, 온갖 날붙이들로 무장한 험상궂은 표정의 친위대를 쳐다보던 스킬러와 칼은 침을 꼴깍 삼키면서 눈썹 하나 까딱하지 않겠다고 다짐했다.

어마어마하게 큰 어전을 가득 메운 궁인들이 수군덕거리고 있었다.

수석조수들은 옥좌 양옆으로 나뉘어 섰고, 마주보는 위치에 있게 된 칼은 떨려서 점점 더 얼굴이 하얗게 질리고 있는 무아노와 타라를 향해 윙크를 보냈다.

귀를 째는 듯한 트럼펫 소리가 오무아 제국 여제와 황제의 입장을 알리자, 모든 사람이 한 사람처럼 일제히 허리를 굽혔다.

타라와 무아노가 서 있는 곳에서는 위엄 있는 옥좌에 밀랍인형들이 앉아 있는 것처럼 보일 뿐이었다.

반원을 이룬 최고 마법사들은 주문을 걸어서 붕 떠오르더니 공중에서 책상다리를 하고 앉았다.

오무아의 수석조수 두 명이 호명되었고, 드디어 발표회가 시작되었다.

궁정의 모든 이들이 지켜보는 가운데 어린 마법사들은 재능을 보여주기 위해서 최선을 다해 창조성을 발휘했다. 나비 모양의 보석들이 어전을 날아다니다 궁인들의 머리에 사뿐히 내려앉았다. 또 반짝거리는 알들이 쩍쩍 벌어지더니 그 안에서 더 작은 알들이 벌어졌다. 마침내 보석으로 이루어진 작은 새들이 노래를 부르자 마지막 껍질마저 벌어졌다. 번들거리는 도롱뇽들도 나타나서 부리나케 날아가는 나비보석들을 붙잡으려고 법석을 떨었다.

경탄의 웅성거림이 일 때, 수석조수 중 한 명이 황제에게 검은색 원반 하나를 선물로 바쳤다. 손을 내미는 황제에게 어린 마법사가 뭐라고 속삭이는 것 같았다. 황제가 손짓을 하자, 친위대원 한 명이 원반을 받아서 가슴에 대는 순간, 분명히 점착성이라곤 없는 원반이 철썩 들러붙었다.

이어서 어린 마법사는 면도칼로 자른 듯 반듯반듯한 강철 별들을 나타나게 하더니 친위대원을 향해 던졌는데, 정말 순식간에 일어난 일이었다. 이에 너무 놀란 여제는 딸꾹질을 하고 말았다. 그 날카로운 금속이 병사의 갑옷을 꿰뚫으려는 찰나, 검정 원반이 번개같이 다섯 개의 별들을 하나씩 차례로 가로막는 것이 아닌가. 빈틈없기로 소문난 친위대원이 손도 써볼 겨를이 없을 정도로 전광석화 같은 빠르기였다! 와우! 슈퍼방탄조끼로 사용하면 그만이겠는걸! 가볍고, 작고, 거기다 효능까지 만점이니!

드디어 타라와 무아노가 호명되었다. 타라와 무아노가 열다섯 걸음을 걷다가 허리를 굽혀 인사하고, 또다시 열다섯 걸음을 걷다가 허리를 굽혀 인사하는 순간이었다. 타라의 목에서 반짝거리는 보석문양을 보느라고 목을 빼는 젊은 여인들의 부러워하는 웅성거림이 일었다. 그 여인들의 속삭임을 들으면서 무아노는 생각했다. 이미 랑코비트에 유행했던 목걸이 패션이 오무아에도 퍼지게 생겼네!

이윽고 타라는 여제 앞에 섰다.

고개를 드는 순간, 타라는 머리를 한 방 얻어맞은 것 같았다. 어, 아는 얼굴이잖아! 아닌가? 다시 한 번 쳐다봤지만 타라는 아무래도 낯이 익은 것 같았다. 만난 적이 없는 건 분명한데 어째서 이런 이상한 느낌이 드는 걸까.

늘씬한 몸매에 쪽빛 눈의 여제는 제국의 상징인 100개의 금빛 눈에 거만한 부리를 가진 주홍빛 공작 형상의 옥좌에 앉아서 타라를 내려다보고 있었다. 여제의 얼굴은 무표정했지만 인자해 보였다. 길이가 점점 짧아지는 서로 다른 색깔의 드레스 일곱 벌을 겹겹이 입고 있었는데 맨 겉에 입은 흰색 드레스는 흰색에서부터 검붉은 색에 이르는 온갖 보석으로 치장되어 있어서 숨을 쉴 때마다 보석들이 물결쳤다.

머리색깔이 옥좌와 드레스에 환상적으로 잘 어울리는 짙은 진홍빛인

걸 보면 여제가 머리를 염색한 것이 틀림없었다. 마치 살아 있는 중산모자처럼 화사하게 머리를 감싸는 왕관, 치렁치렁한 머리칼은 루비 색 가죽샌들을 신은 예쁜 발에 닿을 듯 구불구불 흘러내리고 있었다. 한 마디로 여제는 아주 인상적인 모습이었다.

그 옆에 앉은 황제는 여제보다는 짧은 금발을 한 갈래로 땋아서 오른쪽 어깨에 걸쳐 놓은 채 냉담하고 무표정한 얼굴로 타라를 주시했다. 군복에 가까운 정장에 황제 망토를 걸쳤고, 돋을무늬 세공을 한 강철 가슴받이를 착용하고 있었으며, 이마에 원형 금띠를 두른 황제 옆에는 정교한 손잡이가 달린 검 한 자루가 세워져 있었다. 황제는 어쩐지 고약해 보였다. 고약하면서도 능력 있어 보이는 인상이라고 할까.

시종장이 고했다.

"최고 마구스 셈나샤오비로다인트라쉬부의 초대로 참석한 타라틸랑넴 덩컨과 칼리브리스 부인의 수석 마법사 글로리아 다비일입니다. 너희들이 선택한 것을 보이거라."

타라는 여제의 품격에 잘 어울리는 것을 만들기로 결정했다. 어디 보자……, 눈빛에 잘 어울리는 사파이어빛 꽃으로 장식된 금빛 헤어네트가 좋지 않을까? 아냐, 그건 너무 시시해. 더 좋은 걸 만들어야 하는데…… 갈랑을 쳐다보던 타라는 아이디어가 떠올랐다.

눈을 찡그리면서 타라는 머릿속으로 금방이라도 날아갈 듯한 금과 유리로 이루어진 페가수스를 떠올렸다. 어전이 술렁거리고 있을 때, 타라의 하얀 머리털이 찌지직거리면서 눈부시게 아름다운 페가수스 한 마리가 나타났다. 타라는 오무아 사람들이 커다란 걸 좋아한다는 걸 눈치채고 있었다. 하지만 좀 너무 크게 만든 것인지도 몰랐다. 번쩍번쩍 빛나는 엄청나게 큰 페가수스 조각상인데 유리와 금에 섬세하게 조각된 근육과 갈기, 모든 것이 눈이 돌아갈 정도로 아름답고 우아했다.

옆에 선 무아노는 황제의 마음을 사로잡기로 결정했다. 무아노는 켄타우로스들과 유니콘들이 힘을 겨루는 모습이 새겨지고, 가습기를 끼워 넣은 멋진 담배상자를 만들어 보였다.

황제의 입가에 미소가 번지는 걸 보면 무아노의 선택은 탁월한 것이었다. 물론 타라의 선물보다는 덜 인상적이지만, 무아노는 충분히 만족스러웠다.

시종장이 친위대에 선물을 치우라는 손짓을 하고 나서 말했다.

"고맙다. 이제는 너희들의 패밀리어를 소개하기 바란다."

갈랑과 쉬바가 앞으로 나왔다. 시종장이 시작하라는 명을 내리려 할 때, 황제가 말했다.

"잠깐!" 황제의 어조는 아주 엄숙했다. "이 패밀리어는 페가수스로구나! 그런데 왜 이렇게 작은가?"

이런! 예나 아니요로 대답할 수 없는 질문이잖아! 타라가 눈길로 묻자, 셈 선생님이 고개를 끄덕였다. 타라는 용기를 내어 말했다.

타라는 입을 열기에 앞서서 허리를 굽혔다.

"페가수스가 맞습니다, 폐하 황제(이런! 폐하 황제가 맞는 거야, 황제 폐하가 맞는 거야, 기억이 안 나네!). 실내에서도 데리고 다닐 수 있도록 제가 축소시킨 겁니다."

"오호, 그랬구나!" 황제는 그 독특한 어조로 말했다. "하지만 이건 네 친구에 비하면 부당한 특혜를 받는 것이니까 정상적인 크기로 돌려 놓거라."

"예, 황제 폐하(에라, 모르겠다. 둘 중의 하나는 맞겠지, 뭐). *노르말루스의 이름으로* 나 너를 원래의 크기로 돌아가게 하노라!"

크기를 되찾은 멋진 페가수스가 위엄 있는 자태로 군중을 굽어보았다.

"아하, 네가 작게 만들었던 이유를 알겠도다. 페가수스치고는 진짜 아주 크구나!" 동물을 유심히 관찰하면서 황제가 말했다.

"예, 폐하 황제."

"알았으니 이제는 네가 무엇을 할 수 있는지 보이거라. 하지만 패밀리어가 크기를 되찾았으니 혼자서 시작하라. 네 친구는 그다음에 보도록 하자."

"예, 황제 폐하."

타라는 공포에 사로잡혀 있었다. 어쩌지? 작은 페가수스를 위한 것이야 쉽게 만들 수 있지만 커다란 페가수스를 위한 불의 원은 훨씬 어려운데!

타라는 불안한 눈길로 인화성이 높은 천장을 쳐다보면서 오무아 사람들이 나무, 특히 잘 마른 귀한 나무를 사랑한다는 것이 유감스러웠다.

긴장하고 있는 친구와 숨을 죽인 채 지켜보고 있는 마법사들을 보면서 무아노도 똑같은 불안을 느끼고 있었다.

심호흡을 한 뒤에 타라가 천장을 쳐다보자, 커다란 불의 원이 솟구쳤다. 단숨에 공중으로 뛰어오른 갈랑이 날개를 펼치면서 불의 원을 건드리지도 않고 훌쩍 뛰어넘었다.

정말 멋진 광경이었다. 타라가 안도의 숨을 내쉴 때였다. 갑자기 뭔가가 목을 깨무는 것처럼 따끔해서 타라는 순간, 당황했다. 그러자 불의 원이 급속도로 커지면서 무시무시한 불길이 어전을 휩싸면서 갈랑을 위협했지만, 페가수스는 용케 재빠르게 피했다. 그런데 이 돌발 상황이 의도적인 효과라고 생각한 사람들은 박수를 쳤다.

따끔따끔한 통증에도 불구하고 적시에 마법을 조절한 타라는 불길을 사라지게 해서 조각된 나무 천장에 불이 붙는 위태로운 순간을 아슬아슬하게 넘어갔다. 그사이에 갈랑도 다시 내려왔다.

페가수스는 겁을 먹으면 털이 곤두선다고 하더니, 갈랑 역시 공처럼 몸을 웅츠린 채로 부들부들 떨면서 타라 옆에 섰다. 타라는 갈랑의 눈 주위로 줄줄 흘러내리는 땀을 닦아주었다. 위기의 순간을 가까스로 넘긴 것이다.

여제와 황제는 흡족한 얼굴로 무아노에게 쉬바를 소개하게 했고, 그 둘은 허리를 굽혀 인사했다. 타라는 갈랑을 다시 축소시킨 다음에 자리를 비켜주었다.

칼과 로빈 옆으로 가서야 목을 만져보던 타라는 손에 흥건히 묻은 피를 보았다. 어느새 돌아온 무아노는 공포의 비명을 질렀다.

"왜, 왜 그래, 너?"

"나도 몰라. 불의 원을 유지하려고 애를 쓰고 있는데 갑자기 목이 따끔했어. 어찌나 놀랐는지 하마터면 갈랑을 죽이고, 불을 낼 뻔했어."

"일부러 그런 게 아니란 말야?" 칼이 눈을 동그랗게 뜨면서 물었다. "얼마나 멋진 광경이었는데!"

"난 전혀, 그럴 생각이 없었어." 타라는 통증 때문에 얼굴을 일그러뜨리면서 대답했다. "무슨 일이 일어난 건지 모르겠어."

상처를 살피던 로빈은 소스라치게 놀랐다.

"이건 흡혈파리에게 물린 자국이야!"

"뭐라고?"

"흡혈파리에게 물린 거야. 특히 짐승을 공격하는 곤충인데 혼자선 궁전에 들어올 수 없어. 곳곳에 곤충 퇴치주문이 걸려 있거든."

"그렇다면 너의 집중력을 잃게 하려고 누군가가 수작을 부린 거야."

사람들을 눈으로 유심히 살피던 칼이 단언했다. "흐음, 누군지 알 것 같다. 잠깐만 기다려."

여우처럼 영리한 칼은 마법사들과 궁인들 속으로 슬그머니 섞이더니, 이내 모습이 사라졌다.

고통스러워하는 타라를 보고 있을 수가 없는 로빈은 상처에 손을 갖다대고 주문을 외쳤다.

"*레파루스의 이름으로* 통증은 가라앉고, 상처는 당장 사라지거라!"

타라는 통증이 차츰 가라앉는 걸 느끼면서 안심했다. 고마움을 담은 타라의 예쁜 미소에 로빈은 쑥스러워했다.

그때, 칼이 나타나서 욕설을 퍼붓기 시작했다.

"못된 계집애가 천연덕스런 얼굴로 아직도 옥좌 근처에 붙어 있어. 하지만 나한테 걸리면 어떻게 되는지 뜨거운 맛을 보여주겠어……."

"대체 누굴 말하는 건데?" 무아노가 궁금한 얼굴로 물었다.

"누구겠냐, 안젤리카지! 이런 음모를 꾸민 건 그 계집애가 틀림없어. 그래서 일부러 선발되지 않았던 거야. 그리고 어전으로 들어오면서 손에 뭔가를 쥐고 있는 걸 봤거든, 내가. 그때는 무심코 지나갔는데 지금은 틀림없다고 확신해. 내가 끌고 올 테니까 잠깐 기다려."

타라는 안젤리카가 너무나 미웠지만, 자신의 친구가 자기보다 키도 훨씬 크고, 마법도 더 센 소녀와 싸우는 걸 원치 않았다. 그래서 내키진 않지만 칼을 진정시키기로 결정했다.

"잠깐, 칼…… 그런데 증거가 없잖아! 증거 없이는 아무도 비난할 수 없어, 칼! 그건 말도 안 돼."

칼은 잿빛 눈을 찡그렸다.

"증거가 필요하단 말이지? 조금만 기다려봐. 증거를 가져올게."

타라의 말을 듣지도 않고 칼은 또다시 군중 속으로 사라졌다.

그들이 그렇게 얘기를 나누는 동안에 수석조수들은 두 명의 군주 앞에서 드래곤들이 창안한 뒤에 마법사들이 장거리 이동을 하는 데 이용하는 그 유명한 문을 만들라는 명을 받았다. 단거리 이동을 위해서는 공중부양, 양탄자, 혹은 '트란스미투스' 같은 이동 주문이면 충분했다.

하지만 장거리 이동을 위한 문은 아주 위험한 실습이었다. 왜냐하면 잘못 제어된 문은 만들어낸 사람의 영향력을 벗어나서 모든 사람을 엉뚱한 데로 보내버릴 수 있기 때문이다. 영영 돌아올 수 없는 어디인가로.

어전에 긴장된 침묵이 흘렀다.

두 수석조수는 자신이 있는 듯 함께 주문을 외웠다.

"*트란스페루스의 이름으로* 문은 열리거라. 그리고 여기 어디인가로 나를 옮겨 놓아라!"

그들의 손가락 끝에서 치솟는 광선이 점점 커지더니 허공이 갈라지면서 문이 되기 위한 구멍이 벌어졌다.

그때 갑자기 군중 속에서 째지는 비명이 울렸고, 이 소리에 두 명의 수석조수들의 집중력이 단번에 깨져버렸다.

기어코 큰 사고가 일어나고 만 것이었다.

그 바람에 두 수석조수 중 한 명이 타라처럼 마법을 조절하는 힘을 잃어버렸다. 어린 마법사가 만들어낸 문이 그의 의지를 벗어나더니 말 그대로 폭발하면서 순식간에 크기가 세 배로 늘어났다. 그리고 그 충격으로 만들어진 파동은 순식간에 회오리로 변했다. 모든 통제에서 벗어나기 시작한 문은 궁전을 삼켜버릴 듯이 위협적이었다. 궁전의 모든 집기들, 샹들리에, 촛대, 창, 의자처럼 바닥에 단단히 고정되어 있지 않은 것은 모조리 회오리에 빨려들고 있었다. 사람들이 비명을 지르면서 도망치는 사이, 친위대는 여제와 황제를 강제로 끌면서 안전한 곳으로 대피시켰다.

한편, 셈 선생님, 옥시아 부인 등 다른 최고 마법사들이 합동으로 주문을 걸었지만, 성난 문은 불복했다. 새어나오는 파괴적인 에너지가 길다란 광선으로 온 사방에 공포를 뿌렸다. 그러더니 마침내 세찬 바람이 일고, 무시무시한 소용돌이로 변해서 문을 에워싸버렸다.

어쩔 줄을 모르던 타라는 문을 지배하려고 안간힘을 쓰는 수석조수 앞으로 무작정 달려갔다. 갑자기 번개같이 스치는 직관 때문이었다. 무엇을 하면 될지 알아!

점점 더 거세지는 회오리바람과 싸우면서 타라는 소리쳤다.

"내 말 잘 들어! 소용돌이에 정신을 집중해야 해! 소용돌이를 축소시키고, 구멍을 닫아야 해. 소용돌이를 지배하면 문을 조절할 수 있게 돼. 같이 해보자!"

얼굴이 노래진 소년은 타라를 쳐다보지 않았지만 시키는 대로했다. 소년은 계속 커지는 소용돌이를 향해 두 손을 내밀었다. 타라도 두 손을 내밀면서 소년과 함께 주문을 외쳤다.

"*미니아투루스의 이름으로* 구멍은 오므라들고, 문은 우리의 힘에 복종하라!"

그럼에도 불구하고 아무 일도 일어나지 않을 뿐만 아니라, 오히려 그들의 노력을 방해하는 부정적 힘, 거부하는 힘 같은 것이 느껴졌다. 타라는 분명히 그것을 느꼈다. 그 힘은 옥좌 쪽에서 강력하게 뿜어져 나왔다!

이건, 최고 마법사들 중에서 누군가가 그들이 문을 닫지 못하게 방해하고 있는 것이었다!

드라고쉬 선생님의 손가락들이 쏘아대는 번갯불들이 소용돌이를 후려쳐 댔다. 소용돌이를 죽이려는 걸까, 강화하려는 걸까?

그 순간, 타라는 소용돌이 속으로 빨려드는 금빛 패밀리어와 그 동반자의 자지러지는 비명소리를 들으며 공포에 사로잡혔다. 기어코, 최고 마법사들의 노력에도 불구하고 문이 불길한 존재처럼 타라에게 빠른 속도로 다가오고 있었다.

갑자기 울부짖는 소리가 귀청을 때렸다! 옆에 있던 소년이 소용돌이에 휩쓸려서 미끄러지기 시작한 것이었다. 타라는 소년의 팔을 재빨리 낚아챘지만 소년이 어찌나 심하게 떠는지 손을 계속 잡고 있을 수가 없었다. 결국 소년의 손을 놓쳐버린 타라는 힘없이 다리를 버둥거리다가 소용돌이에 휩쓸리는 소년을 멀거니 보고 있을 수밖에 없었다.

문은 이제 바로 타라의 코앞에 있었다. 타라는 사정없이 끌어당기는 소용돌이의 힘이 고스란히 느껴졌다.

엎어진 자세로 미끄러지는 타라는 필사적으로 뭔가에 매달리려고 했다. 하지만 아무리 둘러봐야 온 사방이 매끈한 대리석이라서 도무지 붙잡을 만한 것이 없었다.

최고 마법사들이 주문의 강도를 한층 높이자, 갑자기 구멍이 주춤하더니 오므라들기 시작하는 것 같았다. 하지만 너무 느렸다. 정말이지 그 속도는 짜증스럽게 느렸다. 이제는 타라가 막 삼켜지기 일보 직전이었다.

그 순간 뭔가가 타라의 발을 움켜잡았고, 미끄러지던 몸이 정지했다.

으으윽, 이건 또 뭐야? 깜짝 놀라서 고개를 돌리던 타라는 기절할 뻔했다. 엄청나게 큰 야수가 발을 붙잡고 있는 게 아닌가! 엎친 데 덮친 공포에서 벗어나려고 발길질을 하자, 야수가 소리쳤다.

"그만해! 나야, 무아노!"

타라는 친구가 미쳐버린 거라고 생각했다.

"무, 무아노?"

"오, 제발, 내 이름 자꾸 부르지 말고 그 문이나 닫아! 넌 거의 빨려들고 있단 말야!"

무아노가 이를 악물고 붙잡아주는 덕분에 타라는 구멍을 향해 힘을 집중할 수 있었다. 마침내 구멍이 굴복했는지 우르릉거리는 소리가 차차 잠잠해지더니 공포의 문이 사라졌다.

그때 칼과 로빈이 셈 선생님을 따라 무아노와 타라에게 달려왔다. 타라는 오만상을 찌푸리면서 일어났다. 무아노가 발목을 놓치지 않으려고 온 힘을 다해 꽉 누르고 있었으니…… 오죽이나 아팠으랴.

사자와 곰과 황소를 뒤섞어 놓은 듯한 형상에 예리한 갈퀴발톱과 송곳니, 게다가 키가 3미터나 되는 털북숭이 괴물로 둔갑한 친구를 쳐다보면서 타라는 속으로 말했다. 이제부터 무아노를 기분 상하게 하는 일은 삼가야겠어.

"도대체 어떻게 된 거야?" 타라는 다리를 문지르면서 물었다. "어떻게 그렇게 이상한 털북숭이 괴물로 둔갑한 거야?"

"어, 그게 모르겠어, 나도!" 무아노는 새로운 형체에 맞도록 심하게 늘어나버린 마법복을 잡아당기면서 한숨지었다. "너를 어떻게 도와야 할지 몰라서 쩔쩔매고 있는데…… 갑자기 이상한 일이 일어나는 거야. 내가 자꾸 커지기 시작하더니 회오리바람의 장벽을 돌파할 수 있을 만큼 아주 힘이 세지더라고. 음, 그래서 네가 미끄러지는 걸 보고 무작정 붙잡고 늘어졌지, 뭐!"

가여운 무아노는 그 갑작스런 일에 자신도 무척 당황하는 것 같았다. 동반자의 변신에 놀라서 털이 곤두선 쉬바는 경계하는 눈길을 던지며 계속해서 냄새를 킁킁 맡았다.

그때 빵빠방!!! 트럼펫 소리가 요란하게 울렸다. 소스라치게 놀란 궁인들이 일제히 꿇어 엎드리는 동안, 트라비아의 수석조수들과 최고 마법사들은 옥좌에 앉는 여제와 황제를 바라보았다.

무표정한 얼굴이지만 여제가 격분해 있는 게 느껴졌다. 아수라장으로 뛰어들려는 순간에 친위대가 여제에게 의견을 묻지도 않고 무작정 안전한 곳으로 피신시켰기 때문인 모양이다. 여제는 친위대 대장은 이제 장미나무에 페가수스 똥거름이나 주면서 요양할 때가 되었다고 생각하는 얼굴이었다.

"타라 덩컨, 네가 방금 한 일에 대해 고마움을 표시해야겠구나. 대단히 용감했어. 그리 영리한 행동은 아니었지만 용기만큼은 아주 대단했다. 최고 마법사들이 위험을 빨리 제압했어야 했는데. 그리고 내 친위대(여제는 새파랗게 질려 있는 대장을 향해 싸늘한 눈길을 던졌다)가 나를 피신시키는 것이 좋겠다는 생각만 하지 않았다면 그 문을 닫게 도와줄 수 있었으련만. 그들은 내가 제국의 여왕일 뿐만 아니라 '마법사 여제' 이기도 하다는 걸 한순간 잊었던 게 틀림없다!"

타라는 순간, 눈살을 찌푸렸다. '마법사 여제' 란 말은 어디선가 들었어. 분명히 들었는데…… 어디서 들었더라?

"너는 수많은 목숨을 구해주었고, 우리 궁전이 입었을 엄청난 피해를 막아주었어. 따라서 네게 보상을 해주고 싶다. 원하는 걸 요구하면 뭐든 들어주마."

타라는 허리를 굽혔다.

"특별한 배려를 해주신다면 저로서는 더 없는 영광입니다, 폐하. 하지만 지금으로서는 선택할 수가 없습니다. 고백하는데요, 문과의 싸움으로 아직은 제 정신이 지쳐 있어서 생각을 깊이 할 수가 없습니다. 그 선택을 다음에 해도 되겠습니까?"

"이런, 특별한 배려라!" 관심 있게 듣고 있던 황제가 말했다. "그거 기막힌 생각이로다. 우리 제국이 너에게 특별한 배려를 해야 한다는 뜻이로다."

그 이상한 어조로 미루어 황제의 말은 어딘가 위협적이었다.

"그러니까…… 제 말은 작은 배려라는 뜻입니다." 외교상의 말썽을 일으키고 싶지 않은 타라가 말을 수정했다.

"아니, 아니, 내가 약속하였습니다." 여제는 황제를 향해 손사래를 치면서 말했다. "네가 원하는 건 뭐든 들어주마. 단 그 배려에 한 가지 제한을 두어야겠다. 받아들일 수 있을 만한 것이어야 해(정치적인 것과 아무 관련이 없어야 한다는 얘기겠지. 어차피 어른의 소망과 아이의 소망은 전혀 다른 데 뭐, 하고 타라는 생각했다). 그리고 너에게만 관계되는 것이어야 하며 다른 사람에게는 양도할 수 없어. 어때, 마음에 드느냐?"

뭐라고 대답해야 하는데……, 타라는 어찌할 바를 몰랐다. 흘깃 살펴본 셈 선생님의 고갯짓을 보면 뭔가 아주 소중한 것을 획득한 것이 틀림없었다.

"네, 아주 마음에 듭니다, 폐하. 제 이름과 랑코비트의 이름으로 감사드립니다."

"그럼 됐다. 자, 이제는 자기가 만든 문에 희생된 아이의 부모를 누군가가 찾아가서 불행한 소식을 알리도록 하라. 애도의 표시로 오늘 오후 회의는 없다. 그런데 네 옆에 있는 그 야수가 누군지 알고 싶구나, 타라. 또 다른 패밀리어인가?"

커다란 몸 때문에 자유롭지 못한 무아노가 몸을 좌우로 흔들고 있었는데 그것이 묘한 효과를 만들어내고 있었다.

"마마, 그 질문에 내가 대답해도 되겠습니까?" 황제가 간섭했다. "랑코비트의 고대 왕이었던 야수 타리엔의 저주의 산물이라고 말해도 틀리지 않을 듯합니다."

털북숭이 머리를 떨구고 있던 무아노는 자신의 갈퀴발톱을 보고 몸서리를 치면서 대답했다.

"저, 정확하게 보신 거라고 생각합니다. 저는 그 후손입니다."

"어쩐지 네 이름이 귀에 익는다 싶었다. 그럼 영광스럽게도 우리의 궁정에 랑코비트의 글로리아 공주, 일명 무아노가 납시었다, 그 말인가?"

친구들의 아연실색한 눈길을 받으며 고개를 더 푹 숙이던 무아노는 닭똥 같은 눈물을 주르륵 흘리면서 대답했다.

"네."

"뜻밖의 기쁨이로다(가르랑가르랑 소리를 내는 것 같은 황제는 적의를 품은 살찐 고양이를 연상케 했다). 랑코비트의 대사가 이 누추한 궁전에 공주께서 온다는 걸 미리 알렸더라면 좋았을 것을! 그랬다면 그 신분에 맞는 융숭한 예우를 하였을 텐데."

"그 아이를 더는 고문하지 마십시오!" 보다 못한 셈 선생님이 나서서 우렁찬 목소리로 간섭을 하자, 곳곳에서 분개하는 웅성거림이 일었다. "부모님이 신분에 대해 발설하지 말라는 당부를 하였기에 말하지 않은 것입니다. 게다가 그 아이는 직계 공주가 아니라 방계일 뿐이니 이 일을 문제삼을 필요는 없습니다. 따라서 우리를 관대하게 보아주시길 폐하께 당부 드립니다. 그리고 오늘 아침은 혼란스러운 일이 많이 일어난 관계로 우리의 수석조수들을 보살펴야겠습니다. 아울러 불행을 당한 소년의 부모님에게 애도를 표하는 바입니다. 가능한 한 빨리 최고위원회 임시 의회를 소집합시다. 오무아의 융숭한 예우에 다시 한 번 감사드리면서 이제는 랑코비트로 돌아갈 때가 되었다고 생각합니다."

황제는 떨떠름한 눈길을 보냈지만 대꾸는 하지 않았다.

셈 선생님은 황제의 입장을 고려해서 그런 것까지 보고할 의무가 없음을 교묘하게 시사한 것이었다. 공주가 신분을 감추고 싶어 한다면 그건 그 당사자의 문제지 그들의 문제는 아니지 않는가.

셈 선생님과 옥시아 부인의 인솔을 받아 문의 대합실로 향하는 수석 조수들은 흥분을 감추지 못한 채 재잘거리고 있었다.

그때 한쪽 구석에서 흐느껴 울고 있는 형체를 칼이 발견했다.

"셈 선생님!" 칼이 소리쳤다.

"또 무슨 일이냐?" 셈 선생님이 짜증이 난다는 얼굴로 돌아봤다.

"확실히는 모르겠지만 안젤리카에게 무슨 일이 생긴 것 같아요."

셈 선생님은 하늘을 올려다보고 나서 옥시아 부인에게 기다리지 말라는 말을 남기고 발길을 되돌렸다. 타라와 무아노, 칼, 로빈, 카롤도 그 뒤를 따랐다. 셈 선생님은 안젤리카의 목덜미를 움켜잡고 일으켜 세웠다.

빨개진 눈에 퉁퉁 부은 얼굴, 안젤리카는 완전히 얼이 빠져 있는 것 같았다. 소녀는 실성한 얼굴로 같은 말만 계속 내뱉고 있었다.

"키미, 키미, 오, 키미, 너 어디 있는 거야?"

셈 선생님은 눈살을 찌푸렸다.

"너의 패밀리어를 찾는 거니?"

안젤리카의 두 눈이 힘겹게 셈 선생님의 얼굴을 응시했다.

"네, 키미가 어디 있죠? 내 정신에서 사라졌어요. 더는 느껴지지 않아요."

셈 선생님은 심각한 표정으로 고개를 끄덕였다.

"문에 빨려드는 패밀리어를 본 것 같더니만……. 미안하구나. 너의 키미는 소용돌이에 빨려들어갔어. 가자, 네 방으로 데려다주마."

안쓰러워하는 얼굴로 쳐다보는 칼을 발견한 안젤리카가 갑자기 맹수의 울음소리를 내면서 달려들었다.

"얘 때문이에요!" 안젤리카는 칼을 마구 때리면서 악을 썼다.

"널 죽여버릴 테야! 박살을 내고 말겠어!"

무아노가 비호같이 재빠르게 나섰다. 갑작스런 공격에 너무 놀라서 방어도 못한 채 칼이 엄청 얻어맞고 있기 때문이었다. 무아노는 갈퀴발톱이 난 발로 꺽다리 소녀를 휘감아서 1미터 공중으로 번쩍 들어올렸다. 안젤리카는 미친 듯이 발버둥쳐댔다.

싸움이라면 진저리가 나기 시작한 셈 선생님은 호통을 쳤다.

"이게 무슨 짓들이야! 안젤리카, 너는 대체 왜 칼리반에게 덤벼들고 야단이냐?"

"이 자식이 내 치마 속을 들여다보려고 했어요. 그래서 내가 놀라 비명을 질렀고, 그 소리에 수석조수들의 집중력이 깨지면서 문이 폭발했고, 키미가, 키미가……."

안젤리카는 다시 울음을 터뜨렸다.

토마토처럼 얼굴이 새빨개진 칼 쪽으로 모든 시선이 쏠렸다. 얼굴을 꾹 누르면 붉은 물이 뚝뚝 떨어질 것만 같았다.

"그게 아니에요!" 칼이 더듬더듬 말했다. "저, 저는 치마 속을 들여다보려는 게 아니었어요. 저는 단지…… 타라의 집중력을 흐트러뜨려서 엄청난 사고를 일으키게 하려고 흡혈파리를 날려보냈던 것이 안젤리카라는 걸 증명하고 싶었던 거라고요."

"흡혈파리? 흡혈파리가 뭐 어쨌다고?" 황당한 얼굴로 셈 선생님이 물었다.

"타라, 보여드려!" 칼이 자신만만하게 말했다.

타라는 숱진 머리칼을 들추고 차츰 사라지고 있는 깨물린 자국을 보여주었다.

"제가 만들어낸 불덩어리가 점점 커지고 있을 때, 선생님은 의도적인 것이라고 생각하셨을 거예요. 그런데 실은 제가 하마터면 갈랑을 죽이고 궁전을 잿더미로 만들 뻔했어요. 불에 정신을 집중하고 있는데 갑자기 흡혈파리가 나타나서 저를 깨물었어요. 다행히 마법을 조절하는 데 성공해서 가까스로 위기를 넘겼던 거예요. 칼은 안젤리카가 그 음모를 꾸민 거라고 생각했고, 우리에게 그걸 증명해주려고 했어요."

"주머니를 뒤져보세요." 칼이 안젤리카를 가리키면서 말했다.

"옷 속이 아니라 호주머니를 보려고 했을 때 뭔가 뾰족한 것이 느껴졌어요."

셈 선생님이 머뭇거리고 있을 때, 무아노는, 누구든 자기 몸에 손댔다가는 가만두지 않겠다고 악을 쓰면서 죽어라 하고 버둥거리는 안젤리카를 꼼짝 못하게 했다. 그러고는 옷을 움켜잡고 주머니를 뒤지다가 그 갈퀴발톱으로 작은 유리상자 하나와 가장자리가 생선가시처럼 생긴 양말 한 짝을 꺼냈다.

무거운 침묵이 감돌았다. 카롤과 함께 안젤리카를 편들려고 하던 애들까지 눈이 똥그래져서 쳐다만 볼 뿐이었다.

"어, 이럴 수가! 그건 내가 잃어버린 양말인데!" 타라가 소리쳤다.

"그리고 이건 곤충 상자로구나." 셈 선생님은 아주 조용한 음성으로 말했다. "어디 설명을 한번 들어볼까, 브란드라우드 양?"

"그건 내 도마뱀 키미를 위한 거예요! 곤충을 먹이고 있었단 말예요. 그러니까 그건 증거라고 할 수 없다고요!"

그 순간 머리가 빠르게 돌아가는 무아노가 외쳤다.

"도마뱀! 바로 그거였구나! 저기요, 선생님, 안젤리카는 타라의 양말과 함께 흡혈파리 몇 마리를 상자 안에 넣어두고 있다가…… 타라가 발표할 때 키미에게 놓아주라는 명을 내렸던 게 틀림없어요. 타라의 냄새를 알기 때문에 파리들은 기계적으로 물게 된 거구요. 그런데 흡혈파리에게 물렸는데도 다행히 타라가 집중력을 잃지 않자, 키미는 다른 기회를 엿보느라고 계속 날아다니고 있었던 거예요. 아아, 그래서 키미가 그렇게 쉽게 소용돌이에 휩쓸린 거였구나. 매달릴 데라곤 단 한 군데도 없어서!"

야수로 변해 있어서인가, 무아노는 허옇게 질린 안젤리카를 향해 고개를 홱 돌리면서 거침없이 쏘아붙였다.

"키미를 죽인 건 바로 너야! 키미의 죽음뿐만 아니라 그 소년의 죽음도 네 책임이야!"

한순간 타라는 안젤리카가 모든 걸 부인할 거라고 생각했다. 하지만 꺽다리의 의지는 패밀리어를 잃은 슬픔과 괴로운 죄책감에 굴복하고 말았다. 무아노의 갈퀴발톱에 잡힌 인형 신세가 된 안젤리카는 와락 울음을 터뜨렸다.

셈 선생님의 얼굴빛은 흡사 초록빛과 흰빛의 대리석 같았다. 선생님은 이 사건으로 야기될 수 있는 온갖 정치적 문제를 예상하고 있었다. 까딱 잘못하면 외교 마찰로 번질 위험이 있지 않은가.

"진지하게 토론을 해야겠는데 여기서는 안 돼. 너희들은 랑코비트로 돌아가야 해. 짐을 싸서 당장 트라비아로 떠나거라. 난 경우에 따라서 일어날 수 있는 문제를 해결하기 위해 여기 남아 있다가 곧 돌아가겠다."

방금 일어난 사고에 엄청나게 충격을 받아서였을까, 그들은 태피스트리에 붙어 있다가 위장 색을 잃어버리는 바람에 한 형체가 눈에 띄게 드러나고 있는데도 눈치채지 못했다. 검은 옷차림의 호리호리한 남자의 그림자는 생각에 잠겨서 그들을 지켜보고 있었다.

오무아의 최고 마법사 옥시아 부인은 그들을 기다리고 있었다. 그녀는 셈나샤오비로다인트라쉬부의 어두운 안색과 어디가 아픈지 마법사들에게 에워싸여서 오는 안젤리카를 보고 깜짝 놀라서 걱정하는 얼굴로 물었다.

"무슨 일입니까? 기다리고 있었습니다. 또 다른 문제가 생긴 겁니까?"

셈나샤오비로다인트라쉬부는 애써 미소를 지었지만, 옥시아 부인이 더욱 걱정스러운 얼굴이 되는 것으로 보아 그 미소는 별로 설득력이 없었던 모양이다.

"아니, 그건 아닙니다. 다만 타라를 비롯한 수석조수들이 그 유감스런 사고로 엄청난 충격을 받아서 말입니다. 그래서 내 생각에는 우리의 최고 마법사들과 나는 아무래도 트라비아로 돌아가는 것이 좋을 듯 싶습니다. 그리고……."

"아! 그건 안 됩니다!" 당황한 옥시아 부인이 말을 가로막았다.

"방금 치안국장에게서 연락을 받았습니다. 지금 그 사건에 대한 수사가 진행되고 있답니다. 친위대 대장도 궁전에서 흡혈파리 한 마리를 발견했다고 알려왔습니다. 그들은 현재 그 파리가 전염병을 보균하고 있거나 독성이 있는지, 또는 우리의 두 분 폐하를 암살할 목적이었는지 파악하기 위해 그 성분을 분석하고 있는 중이랍니다(무의식중에 목을 만지던 타라는 통증을 느꼈다). 상황이 아주 난처하게 됐습니다. 치안국장은 모든 문을 걸어 잠가야 하며, 당분간은 아무도 오무아를 떠나지 못한다면서 출국 금지령을 내렸습니다."

이런 빌어먹을! 그놈의 정보국은 너무 빨리 냄새를 맡는단 말야!

"하지만 오무아 정보국의 그 광적인 수사방식은 우리가 상관할 바가 아니지요." 셈나샤오비로다인트라쉬부는 불쾌한 얼굴로 말했다. "랑코비트 최고위원회 멤버들을 자기들 멋대로 붙잡아두려고 하는 정보국의 처사를 내가 이해해야 한단 말이오?"

옥시아 부인은 두 손을 비비꼬았다.

"하지만 이 사건과 여러분이 아무 관련이 없는 건 아니지요! 따라서 며칠 동안은 더 머무르셔야 합니다. 그리고 그리 대단한 일도 아니지 않습니까?"

대답하려고 하던 셈 선생님은 다미엔과 다른 수석조수들을 향해 달려가는 카롤을 보았다.

카롤이 입을 열려는 순간, 셈 선생님이 고함을 질렀다.

"젠티 양!"

"네?" 카롤이 깜짝 놀라서 돌아봤다.

"당장 내 사무실로 와! 칼, 타라, 로빈, 무아노, 안젤리카도 같이! 얼른!"

"저기, 셈 선생님?" 무아노가 수줍게 말했다.

"뭐야?"

"이곳에는 선생님의 사무실이 없는데요."

"아참! 그렇지……." 셈 선생님의 얼굴이 일그러졌다.

"옥시아 부인? 당신의 사무실을 좀 빌려줄 수 있겠습니까? 그 사고로 패밀리어를 잃어버려 몹시 상심한 수석조수가 있어서 조용히 얘기를 좀 나눠야겠습니다."

"물론이지요!" 옥시아 부인이 즉각 대답했다. 셈나샤오비로다인트라쉬부와 대립할 필요가 없게 되어 한숨 돌렸다는 표정이었다. "따라오세요. 우리 제국의 의사를 불러드릴까요?"

"아니, 그럴 필요까지는 없을 것 같습니다." 더 울화가 치민 드래곤 마법사가 말했다. "그 아이와 무아노는 내가 돌보면 됩니다."

"아, 네, 무아노, 아니 글로리아 공주." 옥시아 부인이 야수를 곁눈질하면서 중얼거렸다. "저주를 풀 수 있을까요? 가엽게도 공포에 질려 있는 것 같군요."

사실 무아노는 겁에 질려 있기는커녕 아주 신이 나 있었다. 무아노는 안젤리카를 놓아주긴 했지만 그 무시무시한 이빨을 드러내고 있어서 꺽다리 계집애를 더욱 히스테릭하게 만들고 있는 참이었다.

수줍음이 많은 무아노에게 있어서 자신이 위협적인 존재가 되었다는 건 정말이지 하늘을 나는 것 같은 멋진 기분이었다. 키도 작고 몸도 가냘픈 무아노가 근육질의 강력한 몸이 되어 있으니! 무아노는 모든 사람을 내려다보았고, 사람들은 무시무시한 이빨 앞에서 설설기고 있었다. 무아노는 그야말로 자신의 변신한 모습에 도취되어 있었다.

최고 마법사 옥시아 부인은 그들을 자기 사무실까지 안내한 뒤에 조심스럽게 물러가면서 문을 닫아주었다.

셈 선생님은 아이들에게 조용히 하라는 손짓을 하면서 잠시 기다렸다. 이어서 어리둥절해 있는 아이들의 눈길을 받으면서 셈 선생님은 주문을 걸었다. 그러자 벽이 투명하게 변했다. 복도에는 아무도 없었다.

"이제 우리만 있게 되었어." 셈 선생님은 벽을 불투명하게 만든 뒤에 커다란 책상 앞에 자리를 잡았다. "우선 무아노의 문제부터 해결하자. 공주, 변신하는 데 정신을 집중하려고 노력해. 야수가 아니라 무아노의 몸으로 돌아간다고 생각하는 거야. 근육이 변하고, 갈퀴발톱이 작아지고, 몸무게가 줄어든다고 느껴야 한다. 변신은 마법이지만, 네 의지에 달려 있어."

무아노는 굳이 변하고 싶은 마음이 추호도 없지만, 셈 선생님의 명을 거역할 수는 없었다. 무아노는 무게에 눌려 위태롭게 삐걱거리는 안락의자에 앉아서 하는 수 없이 본래의 모습을 머릿속으로 떠올렸다. 털이 사라지고, 소름끼치는 송곳니들이 가지런한 치아로 바뀌고, 뿔이 사라지고, 근육이 오므라들면서 무아노의 모습으로 돌아왔다. 정상적인 크기로 돌아가려고 애쓰는 옷의 신음소리가 들리는 것만 같았다.

"잘했다!" 셈 선생님이 이번에는 안젤리카를 향해 돌아서면서 말했는데 어조가 아주 퉁명스러웠다. "자, 이제는 브란드라우드의 문제를 얘기해보자. 이건 도대체가 뭐라고 말을 할 수가 없는 짓이야. 너는 복수심 때문에 동무들의 목숨을 위험에 빠뜨렸을 뿐만 아니라 한 소년을 죽음으로 몰아넣었어. 그래도 무슨 할 말은 있겠지?"

"그건 타라의 잘못이에요!" 하고 응수하면서 안젤리카는 왜소한 모습으로 돌아와 있는 무아노를 흘겨봤다. "타라가 자기 능력을 조절하지 못했다면 선생님이 불을 중지시켰겠죠. 그리고 타라는 돌려보내면 그만인 애잖아요! 나는 절대 다른 뜻은 없었어요. 타라는 위험한 애고, 마법을 조절할 줄도 몰라요. 그리고 우리들을 모두 죽이고 말 거예요. 그런데도 이 궁전에서 저말고는 아무도 그걸 알아채지 못하고 있단 말예요."

안젤리카를 쳐다보는 셈 선생님은 벌레 씹은 얼굴이었다.

"그래, 많은 사람들이 자신의 약점을 인정하기보다는 남 탓으로 돌리려고 하지. 그래서 아이들이나 여자들이 분노 때문에, 노여움 때문에, 욕구불만 때문에, 약점 때문에 싸우는 거야. 하지만 브란드라우드, 덩컨이 너보다 마법 능력이 더 강력하다고 해서 네가 앙갚음을 할 이유가 될 수는 없다!"

“그럼 저를 떠나게 해주세요!” 안젤리카는 대들었다. “위험하기 짝이 없는 저 미친 계집애를 인정하지 않아도 되는 곳으로 보내달란 말예요.”

“오, 그건 안 돼지!” 셈 선생님이 대답했다. “난 그렇게 하지 않을 거니까(좋아라 웃던 칼의 얼굴이 침울해졌다). 나는 너에게 트라비아에 남아서 드라고쉬 선생님이 만족할 때까지 일하라는 징계를 내릴 것이거든. 그리고 앞으로 휴일이란 꿈도 꾸지 마라.”

“뭐라고요? 그건 말도 안 돼요. 아버지에게 연락해서 지금 그 얘기를 말하겠어요. 아버지가 그렇게 하게 내버려두실 것 같아요? 아버지는 선생님을 파면시킬 거예요!”

“네가 직접 아버지에게 징계 받은 이유를 설명해주면 나야 고맙지. 오무아 제국의 궁전을 위험에 빠트렸다고 말이다. 네 아버님이 자세한 내용을 알게 되셨을 때 뭐라고 말씀하실 것 같으냐?”

이 말에 안젤리카가 어찌나 입술을 꽉 깨물었는지 피가 흘렀다.

아버지가 뭐라고 말할지는 뻔했다. 차라리 다른 기회를 엿보는 게 나았고, 무엇보다도 앞으로는 절대 들키지 말아야 했다! 게다가 그 무서운 진실 주문에 걸리면 부인하거나 속인다는 것이 불가능했다.

서슬 퍼렇던 안젤리카는 그제서야 어깨를 축 늘어뜨렸다.

“그럼 됐다.” 안젤리카의 항복에 흡족해진 셈 선생님이 다시 말을 이었다. “이제 너희들 여섯 명 모두에게 주문을 걸겠다. 그리고…….”

“안 돼요! 주문은 안 돼요!” 타라가 셈 선생님의 말을 끊었다.

흠칫 놀라서 눈을 깜빡거리던 셈 선생님은 할머니가 주문을 걸었다는 것 때문에 골이 잔뜩 나 있던 타라가 기억났다. 셈 선생님은 다정하게 미소를 지었다.

"걱정하지 말거라, 타라. 네 기억을 이용해서 무슨 음모를 꾸미려는 게 아냐. 난 다만 너희들에게 주문을 걸어서 이 유감스런 사건에 대해 제삼자에게 발설하지 못하게 하려는 것뿐이니까. 너희들끼리는 안젤리카가 한 짓에 대해 얘기할 수 있어. 하지만 누군가가 마법을 써서든, 그 자리에 있다가 우연히 주워듣든 너희들이 하는 얘기를 들을 경우에는 주문이 그 사실을 탐지해낼 거야. 그러면 너희들은 그 사건에 대해 말할 수 없게 되지. 이제 됐니?"

"아, 네, 알겠어요." 안심한 타라가 대답했다. "일어난 일을 잊지 않는 것이 중요한 거 같긴 하지만."

"제발 부탁이다!"

셈 선생님은 타라가 딴소리를 하기 전에 얼른 주문을 읊었다.

"*인포르마투스의 이름으로* 내가 그 비밀을 공유한다. 따라서 아무도 내가 아는 것 전부를 알지 못한다!"

셈 선생님의 양손에서 솟구치는 초록빛 구름이 그들을 휩싸면서 주문이 작동했다.

"타라, 네가 구멍을 닫으려고 했을 때 무슨 일이 있었는지 말해주기 바란다. 네가 문 앞으로 달려간 것은 어떻게 된 일이었지? 그 순간 나는 드래곤의 심장 두 개가 멎는 줄 알았다."

"뭘 해야 하는지 알아차렸거든요(아, 그래? 드래곤은 심장이 두 개란 말야? 용맹한 기사들이 뜻밖의 난처한 상황을 맞았던 게 바로 그래서였구나). 그래서 회오리바람을 뚫고 주문을 걸고 있는 소년에게 달려갔던 거예요. 어떻게 해야 하는지 소년에게 말했고, 우리는 같이 노력했어요. 하지만 부정적인 힘 같은 것이 우리를 방해하는 듯했어요. 그 힘의 세기는 안젤리카의 키미와 소년이 휩쓸려가기에 충분했고, 급기야는 저도 빨려들 뻔했고요."
"그래, 나도 그걸 느꼈어." 셈 선생님이 인정했다."그 방에는 최고 마법사가 100명이 넘게 있었으니 그 문 정도는 즉시 조절할 수 있어야 했는데……. 따라서 대단한 힘이었다는 건 맞는 말이다."
뱀파이어에 대한 의심을 버리지 못하고 있는 칼이 외쳤다.
"저는 확신해요! 드라고쉬 선생님이 광선을 계속 보내고 있었어요. 타라가 빨려들게 하려고 문 닫는 걸 막고 있었던 게 틀림없어요."
"그 무슨 말도 안 되는 소리!" 셈 선생님은 엄한 어조로 말을 잘랐다. "그의 마법 기술이 좀 다른 것뿐이다. 그 광선은 아무런 의미가 없어. 타라, 너는 아무것도 보지 못했니?"
"네, 저는 빨려들지 않으려고 안간힘을 쓰느라고 정신이 없어서 아무것도 보지 못했어요."
"암, 그랬겠지. 나도 그 소용돌이가 절대 닫히지 않을 거라고 생각했으니까. 너희들은?"
입을 열려고 하던 칼은 셈 선생님의 무서운 눈초리에 입을 다물었다. 좋아요! 알아들었다고요! 드라고쉬 선생님에 대한 말은 더 꺼내지 말라는 뜻이었다.
하지만 뱀파이어가 타라에 대해 무슨 일인가를 꾸미고 있는 것만은 확실했다. 그렇다면 안젤리카의 경우처럼 증거를 찾아내는 수밖에 없었다.
"섣부른 판단은 금물이다. 그 납치범을 찾도록 나를 도와주고 싶어 한다는 건 알지만 난 너희들이 그 사건에 개입되는 걸 원치 않아. 굉장히 위험할 수 있어. 오늘 사건에서도 뭔가 이상한 냄새가 나긴 하는데……."

여섯 명은 잠시 다음 말을 기다렸지만, 셈 선생님은 더는 설명해주지 않았다.

안젤리카와 카롤이 그들의 방으로 돌아가자, 타라는 모두 자기 방으로 가자고 제안했다.

"무아노, 넌 정말 용감했어." 타라는 고마움을 표시했다. "네가 그렇게 날 붙잡아줬기 때문에 내가 살았어."

"보통 때라면 어림도 없는 일이라는 걸 너도 알면서! 그 무시무시한 소용돌이 때문에…… 얼마나 무서웠는지 몰라."

"너희들한테도 고마워." 타라는 칼과 로빈을 가리키면서 말했다. "목숨을 걸고 나를 구해주려고 했어."

"너도 알다시피 생각을 깊이 할 겨를이 없었잖냐." 칼은 우스갯소리로 넘겼다. "그렇지 않았다면 우리는 걸음아 날 살려라 도망쳤을 거야. 아마 아직까지도 줄행랑치고 있을걸!"

타라는 빙긋이 웃고 나서 진지하게 말했다.

"뭔가 이상한 냄새가 난다고 한 셈 선생님의 말씀이 옳아. 나도 뭔가 좀 이상해."

"뭐가 이상한데?" 무아노가 물었다.

타라는 세 친구를 뚫어져라 쳐다보면서 말했다.

"나를 납치하려고 하던 자가 생각을 바꾼 것 같아. 이젠 나를 죽이려 하고 있어."

9
신기한 도시 팅가푸르

세 친구는 타라의 단언에 대꾸할 말이 없었다. 게임의 방식이 바뀌었다는 걸 그들도 이제는 깨달았기 때문이다. 무아노는 공포에 사로잡혔다.

"진짜 그렇게 생각해? 음…… 너를 겨냥한 게 아닐지도 몰라. 없어진 건 소년이잖아?"

"그 이유는 나도 모르겠어." 타라는 지친 목소리로 대답했다. "하지만 네가 변신하지 않았다면 나는 죽었어. 네가 구해줄지는 아무도 몰랐잖아!"

"어, 난 정말 모르고 있는 일이었어. 그 문제에 대해서는 엄마랑 얘기를 좀 하려고 해."

타라는 미소를 지었다.

"환영해. 우리 할머니도 비밀을 소중히 간직하고 계시지. 내가 말했잖아! 할머니가 비밀을 감추는 데는 아주 선수라고! 난 진실의 4분의 1도 말해주지 않았다고 확신해."

"진실 얘기가 나왔으니까 말인데," 칼이 무아노를 가리키면서 말했다. "넌 우리에게 랑코비트의 공주라는 걸 감쪽같이 속였어."

"으으…… 그건 미안한데 정말 속이려고 했던 건 아냐. 난 그냥 여러 공주들 중 한 사람일 뿐이야, 우리 엄마가 왕비의 동생이거든. 그러니까 우린 방계잖아. 게다가 우리 아버지는 최고 마법사이자 마법의 광석이나 보석을 전문으로 다루는 기술자야. 그래서 우리는 랑코비트보다는 난쟁이들의 나라 히믈리아와 거인들의 나라 간디스에서 훨씬 더 오래 살았어. 부모님은 내가 수석조수로 평범하게 사는 것이 더 낫다고 생각하셨고……, 그래서 내 신분에 대해 언급하지 않았던 거야. 그리고 내가 변신할 수 있다는 건 전혀 모르고 있었어, 나 자신도. 그건 진짜 나한테도 뜻밖의 일이었어."

"그 뜻밖의 일이 내 목숨을 구했어." 타라는 진지하게 대답했다. "나를 없애려 하는 상그라브를 네가 불시에 기습하는 것으로."

"그런데 말야, 우린 널 해치려고 하는 자가 누군지, 또 그 이유도 아직 모르고 있어." 칼이 투덜거렸다.

"네 존재가 신경 쓰이는 사람이 있는 거야! 오무아의 여제 앞에서 너를 죽이려고 할 정도로!" 로빈이 결론을 내렸다.

세 친구는 놀라는 눈길로 타라를 쳐다보았다.

"맞아, 말해봐!" 칼이 친구들을 대변해서 지적했다. "그런 반발을 살 만한 행동을 했던 거야? 내가 너무 성가시게 굴 때면 우리 엄마도 죽이겠다는 말을 하긴 해. 그래도 나야 장난이 워낙 심하니까 최고 마법사 한두 명쯤은 나를 혼내주려고 벼르고 있을 수도 있어. 하지만 너는? 정말 알 수가 없단 말야! 진짜로 누군가 너를 아주 싫어하는 사람이 있는 것 같아."

"그만해, 너희들!" 고개를 꼿꼿이 들고는 있지만 손을 떨고 있는 타라를 보면서 무아노가 나무랐다. "우린 확실히 아는 게 아무것도 없어. 어, 단순한 사고일 수도 있고, 아닐 수도 있는 거잖아. 우리가 최선을 다해서 타라를 지켜주자는 게 내 생각이야. 타라를 혼자 있게 해서는 안 되겠어. 저기, 그래서 밤에는 같이 자려고, 내가. 다행히 침대가 충분히 넓으니까."

"나도 타라와 같이 자줄 수 있는데!" 싱글벙글하면서 칼이 끼어들다가 로빈이 던지는 베개에 얼굴을 얻어맞았다.

마침, 점심시간을 알리는 공 소리가 울려서 그들은 그 신 나는 베개 싸움을 중단해야 했다. 그들이 주홍빛 에프리트를 따라 식당으로 갔을 때, 모든 사람들이 사건에 대해 수군덕거리고 있었다.

"불행한 일을 당한 동무의 넋을 기리기 위해 1분 간 묵념합시다." 평소에 입는 화려한 옷차림 대신에 빛을 흡수하는 느낌이 들 정도로 검은 복장(또 다른 이유가 있어서인지 그거야 알 수가 없지만!)의 옥시아 부인이 말했다.

모두 고개를 숙였고, 타라는 무아노가 구해주지 않았다면 묵념 시간이 2분이 되었겠구나, 하고 생각했다.

옥시아 부인이 말을 이었다.

"수사가 진행중인 관계로 우리는 팅가푸르 관광 계획을 취소했었습니다. 하지만 우리의 멋진 수도를 구경하지 못한 랑코비트의 수석조수들을 위해 폐하께서는 그 관광이 꼭 이루어지기를 바라고 계십니다. 랑코비트의 수석조수들은 2시에 궁전 입구로 나오세요. 우리의 양탄자들이 여러분을 팅가푸르에 내려주고 5시에 데리러 갈 겁니다."

환호성이 터져나왔고, 옥시아 부인이 마지막으로 덧붙였다.

"이제 점심식사를 시작해도 됩니다. 비극적인 사건이 있었지만 그래도 모두들 맛있게 먹기 바랍니다!"

칼은 다미엔의 옆자리가 비어 있는 걸 보았다. 안젤리카는 자기 방에 남아 있었다. 꺽다리에 대한 화가 풀리지 않은 칼은 괘씸한 계집애에게는 관광 소식이 알려지지 않기를 바랐다. 좀 유치하지만 벌을 받아 마땅하잖아!

무아노는 좋아서 어쩔 줄 몰랐다.

"와, 신 난다! 팅가푸르! 얼마나 대단한 곳인지 깜짝 놀랄 거야!"

눈살을 찌푸린 채 하얀 머리털을 질겅질겅 씹으면서 드라고쉬 선생님, 부디우 부인, 데리아, 파틴 선생님, 사르도인 선생님을 관찰하고 있던 타라는 대꾸 없이 고개만 끄덕였다. 타라는 이 팅가푸르 관광이 셈 선생님이 꾸미는 계략의 결과가 아니라 어떤 다른 목적이 있는 건지 알 수만 있다면 박쥐로라도 변하고 싶은 심정이었다. 얼굴에 역력히 드러나는 걱정스런 표정을 보면 로빈도 관광 소식을 달갑게 여기는 것 같지 않았다.

셈 선생님은 그들에게 만일의 경우에 쓰게 될 돈을 주면서 마지막으로 안전을 위한 금지사항을 알려주었다.

사람들과 부딪히지 말 것. 특히 거인들은 화를 잘 내기 때문에 불쾌감을 주거나 성가시게 하는 이들을 가만두지 않는 괴벽이 있다.

난쟁이들에게 주문을 걸지 말 것. 난쟁이들은 마법이라면 끔찍이 싫어해서 무례한 행위를 하는 이들에게 아주 무시무시한 방법, 즉 망치나 노루발 또는 이글거리는 불을 이용해서 벌을 주기 때문에 큰 일이 날 수 있다.

동물들을 만지지 말 것. 겉보기에 해롭지 않아 보이는 동물일지라도 입을 벌리고 이빨을 다 드러내는 경우에는 위험하다. 아더월드 여행 중에 동물을 만졌다가, "오, 어쩌면 이렇게도 귀여울까……"라는 마지막 말을 남기면서 생을 마감한 이들이 수도 없이 많았다.

확실히 아는 것만 먹을 것. 예를 들어 페리도르의 살아 있는 해초는 먹은 사람의 위에서 자라다가 뇌를 뚫고 나오는 끔찍한 습성이 있다. 또 손가락만 한 크기의 빨갛고 노란색의 사카트*는 공격적인 맹독성 곤충으로 난쟁이들은 사카트의 애벌레를 먹어도 아무렇지 않지만, 다른 종족들은 배 속에 벌떼를 키울 위험이 있다. 타발의 열매에는 독소가 들어 있어서 뇌가 없는 트롤을 제외하고는 인간을 미치게 만든다(셈 선생님은 농담이라는 걸 알리려고 빙긋이 웃었지만, 타라와 파브리스는 이세계에 있는 것은 무엇이든 함부로 먹거나 만지지 않기로 이미 결심했다).

혼자서는 돌아다니지 말고 가능한 한 최고 마법사들과 같이 다닐 것. 살테렌족이 소금 광산에 동원할 인력을 필요로 하고 있어서 몇몇 지역에서는 아직도 금지된 노예 매매가 행해진다.

제사를 지내는 장소에는 들어가지 말 것. 그날의 제물과 혼동되는 어처구니없는 일을 당할 수 있다.

뭔가를 사고 싶을 때는 장사꾼 앞에서 공손하게 인사를 하고, 흥정은 꼭 필요하지만, 장사꾼이 부르는 값에서 30퍼센트 이상은 깎지 말 것(이 말에 칼은 물건 사는 방법 때문에 수학공부를 더 하고 싶지 않다며 툴툴거렸다).

사소한 사고가 발생하면 즉시 최고 마법사들에게 알릴 것. 그리고 문제가 심각할 경우에는 빨간색과 금색 복장 때문에 쉽게 눈에 띄는 마법사 경찰에게 알릴 것.

그들이 막 떠나려 할 때 나타난 안젤리카가 애처로운 얼굴로 셈 선생님을 쳐다봤다. 이해할 수 없는 일이지만 셈 선생님은 꺽다리 소녀를 차마 방으로 돌려보내지 못했다.

칼과 로빈, 셈 선생님의 성난 얼굴 앞에서 안젤리카는 기가 팍 죽은 얼굴을 했던 것이다. 용의주도한 계집애!

패밀리어를 잃은 안젤리카를 위로하기 위해 패거리가 에워쌌는데 사고가 일어난 뒤로 더는 붙어다니지 않는 카롤만 그 무리에서 빠져 있었다.

점심식사가 끝나자, 셈 선생님이 출발 신호를 했고, 그들은 마침내 궁전을 나갔다.

"궁전이 도시 안에 있는 거지?" 큰 도로 쪽의 성벽까지 펼쳐지는 아름다운 정원을 바라보면서 타라가 물었다.

"그럼." 로빈이 대답했다. "하지만 두 분 폐하가 거리의 소음에 방해받지 않도록 주문이 걸려 있어. 그래서 아무 소리도 안 들리는 거야. 나가 보면 금방 알게 돼!"

안전벨트가 장착된 푹신한 안락의자가 놓인 여섯 장의 멋진 양탄자가 층계 앞에 둥둥 떠 있었다. 운전사들이 양탄자를 땅바닥으로 내려오게 했고, 그들은 각각 그 위에 올라앉았다. 양탄자들이 차례로 황궁의 정면 철책을 넘었을 때, 칼이 물었다.

"스위칠 뭄 트라브 운게란?"

"뭐라고?" 타라가 눈이 똥그래져서 물었다.

"글렌타브 '인테르프레투스' 운글라르 글리누클리! 바클라르 빈두스 사불 아 차히클리." 이번에는 무아노가 이상한 말을 하기 시작했다.

"아 발룩스…… 이 양탄자는 구닥다리야!" 어느 순간, 칼의 말이 알아들을 수 있는 언어로 이어졌다.

"어랏? 지금은 알아듣겠는데 좀 전에는 정말 무슨 소린지 하나도 못 알아들었어." 어리둥절한 타라가 말했다.

"그랬을 거야." 무아노는 빙긋 웃으면서 설명했다. "통역 주문 인테르프레투스는 황궁에서만 기능을 발휘하거든. 그래서 내가…… 너희들에게 다른 통역 주문을 걸었어, 우리가 의사소통할 수 있게."

타라는 무슨 말인가를 하려다가 왁자지껄한 함성 때문에 돌아봤다.

양탄자들이 팅가푸르에 막 들어서자, 도시의 소음이 살아 있는 물결처럼 그들을 할퀴었다.

그냥 교통혼잡 수준이 아니라서 사고가 났다하면 무조건 8중 추돌 사고가 일어날 판이었다! 층층이 늘어선 양탄자, 마법사, 안락의자, 의자, 방석, 소파, 침대(게으름뱅이들을 위한 것인가?)들이 날아다니면서 사방에서 마주치고 있었다. 궁전에서처럼 에프리트들이 교통 질서를 담당하고 있지만 키가 더 작고, 발광체의 빛깔이 수시로 변했다.

에프리트가 빨간빛으로 변하고 있는데도 그들의 양탄자들이 속력을 냈을 때, 타라는 심장이 멎는 줄 알았다. 하지만 여기서 빨간빛은 지구의 녹색 불에, 금빛은 황색 불에 해당되었고, 파란빛이 정지 신호였다. 에프리트들이 빛깔을 바꾸기가 무섭게 다시 돌진하는 온갖 이동수단들. 타라는 안락의자, 침대, 의자, 닫집, 수레, 가마, 심지어는 욕조까지 떠다니는 혼잡한 속을 지그재그로 날아다니는 페가수스들도 보았다.

몇몇이 파란빛에 지나가긴 했지만 얼마 가지 못했다. 신호 위반 딱지를 떼려고 불쑥 나타난 친위대의 빨간빛과 금빛 에프리트에게 걸린 것이다. 감속 주문 덕분에 사람들이 다치는 일도 없고, 연쇄 충돌이 일어나도 그리 위험하지는 않았다. 또 양탄자의 주름 펴는 장치가 우그러지는 일도 별로 없었다.

그들이 도시 안으로 진입할 때, 갑자기 비가 억수같이 쏟아지기 시작했다. 샤워를 한다고 생각하면서 머리를 움츠리던 타라는 탄성을 질렀다. 와, 저게 뭐지? 도시의 하늘에 짠, 하고 나타난 아주 크고 투명한 함지박 같은 것들이 비를 막아주기 시작했다. 함지박에 빗물이 가득 차면 다른 함지박으로 대체되고, 함지박에 담긴 빗물은 도시를 가로지르는 강에 비워졌다.

머리 위에서 우르르 쾅쾅거리는 천둥과 비바람에 아랑곳없이 손님을 불러모으는 장사꾼, 파는 사람, 사는 사람(이따금 날아다니는 사람도 있어서 고함소리는 더 커지고 있었다), 물물교환하는 사람, 값을 흥정하는 사람, 버럭버럭 소리지르는 사람, 요란한 몸짓을 하는 사람, 덤벼드는 사람, 핏대를 올리며 싸우는 사람, 웃음을 터뜨리는 사람……, 북새통을 이룬 시장판은 귀가 멍멍할 정도로 시끌벅적했다. 그런가 하면 작은 발 달린 상자들이 기름종이를 찾아서 온 사방을 뛰어다니고 있었다. 일단 종이를 발견하면 상자들이 앞다투어 돌진해서 종이를 꿀꺽 삼키려고 뚜껑으로 싸움하는 정말 별난 광경도 볼 수 있었다.

깔끔하고 화려한 상점들이 수많은 종류의 상품을 진열해 놓고 있었다. 멋진 모티브들로 장식한 기와지붕 집들이 경쟁하듯 화려함과 아름다움을 겨루었다(할머니가 봤다면 겉만 번지르르한 것뿐이다, 하며 콧방귀를 꼈을 테지만 그래도 환상적이었다). 볼 것도 들을 것도 무진장 많았다.

타라가 입을 멍하니 벌린 채 호화저택을 감상하고 있는데 별안간 저택이 흔들거리더니…… 사라지고, 대신 허름한 집이 나타났다. 한 남자가 소리를 꽥꽥 지르면서 뛰쳐나와 모자를 패대기쳤다. 남자의 큰 몸짓에 호화저택이 다시 나타났다.

놀라는 타라의 얼굴을 보면서 로빈이 빙긋이 웃었다.

"주문이 걸리지 않아서 분통이 터지는 모양이야. 아니면 집세를 내지 않았다고 집주인이 아름답게 꾸미려는 주문을 방해한 것이거나. 오무아에 있는 것들은 깜빡 속아넘어가기 십상이라니까."

타라는 똑같은 현상을 여러 번 보았다. 으리으리한 저택들이 갑자기 사라지면서 너절한 오두막임을 암시하고는…… 다시 나타났다. 그러니까 첫 모습과는 정반대라고 보면 틀리지 않을 듯했다. 초라한 집이 잠시 흔들거리더니 호화로운 저택임을 암시하자, 이번에는 칼이 깔깔대고 웃었다.

"국세청과 문제가 있는 마법사의 집이 틀림없어. 호화저택이라는 걸 감추려고 허름한 집으로 위장하고 있는 거야. 약삭빠른 탈세자들!"

갑자기 쏟아질 때와 마찬가지로 갑자기 비가 그쳤다. 다시 햇빛이 쨍쨍 내리쬈다. 어느새 투명 함지박들도 사라지고 없었다.

소음과 교통혼잡 때문에 정신이 하나도 없는 그들이 시장에 이르렀을 때, 로빈이 귀띔했다.

"아더월드의 상인들은 거의 대부분이 오무아 사람들이라고 할 수 있어. 상인의 숫자가 제일 많거든. 자기들이 사거나 팔 수 없는 것이란 절대 없다고 생각하는 사람들이야. 그러니까 괜히 홀딱 넘어가면 안 돼. 수지맞는 거라고 떠들어대는 것일수록 경계하란 말야. 그들이 자신 있게 설명하지 못하는 물건은 그들이 재미를 보는 거지 너희들이 아니라는 걸 잊지 마."

양탄자들이 착륙하자, 최고 마법사들이 길을 잃었을 경우를 대비하여 집합장소를 알려주었다. 이윽고 모두 신바람이 나서 군중 속으로 들어갔다.

로빈이 아더월드의 모든 종족은 팅가푸르에서 만날 수 있다고 단언하더니 과연 맞는 말이었다. 타라도 이제는 아더월드의 종족들을 차츰 구별하기에 이르렀다. 꼬마도깨비(작은 키, 갈색머리, 아주 민첩함), 땅 신령(꼽추, 수염, 투덜이), 유니콘(하얀 털, 갈라진 발굽, 금빛 뿔과 사슴

눈), 뱀파이어(타라는 조심해야 한다고 다짐했다), 요정(작은 키, 날개, 화려한 색깔, 수다쟁이), 키마이라(궁전에서와 마찬가지로 모든 사람이 키마이라가 지나갈 때는 길을 비켜주고 있음), 켄타우로스(큰 키, 반은 남자 또는 여자, 반은 말). 그런데 처음 보는 동물도 있었다. 몸뚱이는 고양이만 한데 뱀의 꼬리와 바다가재의 집게발, 갈매기의 머리를 가진 괴물, 그리고 악어 머리에 사자의 갈기가 달리고 하반신은 하마인 괴물……. 색깔과 형태가 이상할수록 냄새가 이상한 건 말할 것도 없었다.

타라는 약속한 대로 칼과 무아노, 로빈(완강히 거부했지만 타라는 소년에게 선택의 여지를 주지 않았다)과 돈을 공평하게 나눠가졌고, 각자 별의별 신기한 것을 살 만한 돈을 지니게 되었다.

구경을 하던 중, 마법 피리를 파는 장사꾼이 그들의 관심을 끌었다.

"은피리, 금피리, 아주 기가 막힌 피리들이란다. 피리를 불 줄 몰라도 상관없어. 아무리 예민한 귀도 이 피리소리에는 매료되니까."

그 옆에서 옷감장사가 고래고래 소리를 질렀다.

"세상에서 제일 아름다운 벨벳, 제일 아름다운 비단! 오세요, 오세요, 와서 만져보세요. 모슬린, 오건디, 악타루스의 모직, 거미줄로 짠 비단……."

가죽장사도 손님 모시기에 열을 냈다.

"와서 구경들 하시오! 진홍색 가죽, 보라색 가죽, 검은색 가죽이 있어요. 비를 맞아도 색이 변하지 않고, 오랫동안 말을 타고 달려도 늘어나지 않는 가죽이 있어요! 어서어서 사세요! 용가죽, 뱀가죽, 불에 끄떡없는 불도마뱀가죽, 지구의 암소가죽, 아더월드의 암소가죽, 요정나라 숲의 사슴가죽! 어디서도 구경 못하는 별의별 가죽이 다 있어요. 와서 구경들 하세요!"

또 다른 장사꾼이 목청을 돋웠다.

"솥 사세요, 솥! 새까만 솥, 동그란 솥! 냄비 사세요, 냄비! 푹푹 잘 삶아지고, 잘 구워지는 냄비. 스튜 냄비 사세요, 스튜 냄비! 부글부글 끓여서 뭐든 뚝딱 만들어내는 요술 냄비, 요술 냄비가 있어요!"

동물 장사가 그들을 불러 세웠다.

"어서 와라, 애들아! 들어와서 자연의 불가사의들을 구경해봐. 별의별 것이 다 있단다. 개구리-카멜레온, 말하는 앵무새, 불을 내뿜는 꼬마 드래곤, 꼬마 만티코르인간의 얼굴에 사자의 몸을 가진 괴물, 피닉스, 스핑크스, 중고 페가수스……. 어서 들어와, 들어와서 맘껏 구경하렴!"

보석장사는 소녀들에게 윙크를 보냈다.

"꿈의 보석, 사랑의 보석, 초록 다이아몬드, 파란 사파이어, 영롱한 금빛과 불빛 오팔, 은은한 진홍빛 은. 없는 게 없으니까 구경해요, 귀여운 아가씨들."

향수장사는 병 뚜껑을 열어서 유혹했다.

"애인의 정신을 잃게 만드는 사랑의 향수, 꿈의 향수, 냄새가 금방 확 풍겨 퍼지는 향수, 강렬한 향수!"

타라는 정신이 하나도 없었다. 이런 북새통은 태어나서 처음이었다. 갈랑과 블롱딘, 쉬바도 바짝 달라붙는 걸 보면 시끌벅적하고 혼잡한 군중에 놀라도 한참 놀란 모양이다.

그때 타라는 시큰둥한 얼굴로 다른 최고 마법사들에게서 슬며시 떨어져나가는 셈 선생님을 보았다.

무작정 셈 선생님의 뒤를 밟는 타라를 보며 세 친구도 따라갔다.

"왜 그래?" 무아노가 쫓아오면서 물었다. 상인이 뿌려보라고 준 향수를 그냥 놓고 나온 게 못내 아쉬운 얼굴이었다.

"저기! 셈 선생님이 슬그머니 어디론가 가고 있잖아. 따라가 보자. 나를 놓치지 말고 잘 따라와!"

군중이 밀집해 있는 데다 눈치채지 못하게 따라가야 했기 때문에 미행은 쉽지 않았다.

5분 후, 셈 선생님이 힐끔 뒤를 돌아봤다. 타라와 칼, 로빈, 무아노는 수레주인이 수상쩍은 듯이 쳐다보거나 말거나 수레 뒤에 후닥닥 숨었다.

잠시 후, 셈 선생님은 허름한 마법가게로 들어갔다.

그들은 얼른 가게에 다가갔다. 타라는 셈 선생님을 보기 위해 까치발을 하고 뿌연 유리창을 통해 들여다보았다.

"뭐 하는지 하나도 안 보여. 유리창이 너무 더러워!"

"유리창을 닦아봐!" 영리한 무아노가 속삭였다.

"소용없어, 안쪽이 더럽단 말야. 잠깐만, 뭔가 보이기는 하는데……."

타라가 갑자기 부들부들 떨면서 몸을 웅크리는 바람에 칼과 로빈은 깜짝 놀랐다.

"왜 그래?" 칼이 걱정스런 얼굴로 물었다.

"셈 선생님이 상그라브와 얘기를 하고 있어! 말도 안 돼." 파랗게 질린 타라가 대답했다.

"우리 아버지는 겉으로 보이는 것만 가지고 판단해서는 안 된다고 늘 말씀하셨어." 로빈이 말했다.

"하지만 상그라브와 사이가 좋은 것 같아!" 이번에는 칼이 유리창 안을 들여다보고 나서 속삭였다. "어떡하지?"

타라는 날카롭게 대꾸했다. "우리가 뭘 어쩌겠어? 다른 최고 마법사들에게 가서 '저기요, 셈 선생님이 상그라브들과 친해요!' 라고 일러바칠까? 상그라브들을 안다는 건 있을 수 있는 일이야. 하지만 가게 뒷방에서 만난다는 건 문제가 달라. 뭔가 석연치 않은 데가 있어."

"난…… 뭐가 뭔지 모르겠어. 어쩨 좀 으스스하다." 무아노가 말했다.

"여기 있으면 안 돼!" 예민해진 로빈이 말했다. "적지에서는 계속 움직여야 한다고 아버지가 말씀하셨어. 셈 선생님한테 들킬지 모르니까 일단 여길 떠야 해."

타라는 고개를 들고 당차게 말했다.

"네 말이 맞아. 다른 사람들에게 돌아가자. 침착하게 생각할 필요가 있어. 그리고 할머니에게 말해야겠어. 할머니는 내가 믿고 말할 수 있는 유일한 어른이니까!"

"나도 마찬가지야." 로빈이 말했다. "난 아버지에게 이 모든 걸 알려야겠어. 뭔가 아주 비정상적인 일이 일어나고 있는 것 같아."

가게 안에 있는 사람들에게 들키지 않으려고 허리를 숙이면서 그들은 다시 수레 뒤로 몸을 숨겼다. 이번에는 수레주인이 네 개의 팔로 팔짱을 끼면서 말했다.

"네놈들 대체 내 수레에 무슨 짓을 하려는 거냐? 훔칠 생각이면 당장 그만두거라!"

수레주인을 쳐다보던 칼이 깔보는 눈길을 던지면서 대꾸했다.

"이렇게 후줄근한 고물을 훔쳐서 뭣하겠어요? 우리는……."

로빈이 말을 가로막았다.

"가게에서 나오신다!"

농부의 성난 눈초리에 아랑곳없이 그들은 셈 선생님을 눈으로 좇았다. 선생님은 힐끔 뒤돌아본 뒤에 군중 속으로 사라졌다.

"네놈들이 무슨 짓을 꾸미고 있는지는 몰라도 난 연루되고 싶지 않아. 그러니까 여기서 썩 꺼져버려!" 팔이 네 개인 농부가 아이들의 멱살을 하나씩 움켜잡으면서 고함을 질렀다.

농부는 발버둥치는 아이들을 번쩍 들었다가 내려 놓았다.

"저 아저씨 오늘 진짜 재수 좋았다! 엄마한테 약속을 했으니 망정이지 돈주머니가 손가락에 닿는데 어휴, 손이 근질근질해서 죽는 줄 알았다니까!" 칼이 먼지를 툭툭 털면서 쫑알거렸다.

"네가 참아줘서 얼마나 다행인지 몰라. 난 황궁의 경찰을 알고 싶은 마음이 진짜 없거든. 이제 갈까?" 로빈이 얼굴을 구기면서 말했다.

"그래, 가자." 타라가 말했다. "빨리 돌아가서 할머니와 연락할 방법을 찾아야겠어."

갑자기 무아노가 일행을 말렸다.

"어……, 잠깐 기다려봐. 내가 방금 봤어!"

"뭘?" 칼이 물었다.

"이상해. 드라고쉬 선생님이 데리아를 미행하는 것 같아!"

"그렇다면 타라는 당연히……." 칼이 말했다.

"따라가 보자!" 타라가 칼의 말을 잘랐다.

"내 말이 바로 그 말인데." 칼은 고개를 절레절레 흔들었다.

데리아가 좀 전의 가게 쪽으로 가고 있어서 그들은 왔던 길을 되돌아갔다. 어라, 데리아도 먼지투성이의 가게 안으로 들어가네! 이번에는 드라고쉬 선생님이 조금 전의 그들과 똑같이 행동했다. 그들이 닦아 놓은 유리창 앞에 선 것이다.

"이제 어떡하지?" 그 미행이 슬슬 불안해지기 시작한 무아노가 물었다.

"기다리는 거야. 수수께끼가 곧 밝혀질 것 같아." 머릿속이 부글부글 끓기 시작한 타라는 흥분한 어조로 대답했다.

"그래? 그럼 설명 좀 해봐. 우린 뭐가 뭔지 하나도 모르겠어." 칼이 속삭였다.

그때 데리아가 가게에서 나오고, 좀 전의 상그라브와 비슷한 체구의 코가 큰, 갈색머리 남자가 뒤따라 나왔는데…… 옷은 노란색이었다. 뱀파이어는 거의 아슬아슬하게 몸을 뒤로 피했고, 그 둘은 눈치채지 못한 채 지나갔다. 네 명의 아이들은 그 순간 놀랍게도 뱀파이어가 시커먼 늑대로 둔갑해서 다시 뒤를 밟는 모습을 목격했다.

타라는 친구들에게 손짓을 하면서 별안간 가게로 돌진했고, 갈랑도 뒤따랐다.

가게 안은 어두컴컴했다. 고만고만한 유리병들, 박제되거나 우리 안에 든 동물들, 책, 녹슨 구닥다리 무기, 반쯤 부서진 가구들이 차츰 보이기 시작했다. 그야말로 온갖 잡동사니가 쌓인 고물상이었다.

한쪽 구석에 있던 쭈글쭈글한 노인이 가게문의 종소리에 화들짝 놀랐다.

"어서 오너라, 뭘 원하는고?" 가게주인이 노인 특유의 떠는 목소리로 말했다.

말문이 막힌 타라는 어물어물 말했다.

"저기…… 저는 그냥 뭘 파는지 구경하러 들어왔어요."

"아니, 이런! 내 생각이 틀리지 않는다면 그리운 지구의 언어로구나." 타라의 말을 들으면서 노인이 반가워했다. "네 말을 알아들을 수 있게 이중 인테르프레투스 주문을 걸어도 되겠니? 네 언어로 대답하지 말고 동의하면 고개를 아래위로, 싫으면 좌우로 돌려다오."

타라가 고개를 끄덕이자, 노인이 주문을 읊었다.

"*인테르프레투스의 이름으로* 우리가 자유롭게 의사소통을 할 수 있게 하라! 이제 되었구나. 자, 말해보렴. 필요한 게 뭐지? 남자친구에게 줄 선물인가?"

"아뇨!" 타라는 얼굴이 빨개져서 대답했다. 이건 또 무슨 말도 안 되는 질문이람!

"뭐라, 남자친구가 없어? 저런, 안됐구나! 아주 신통방통한 사랑의 주문이 있는데 1, 2백년 동안 남자를 붙잡아둘 수 있는 거란다. 그게 마음에 들지 않으면 너를 행복하게 해줄 수 있는 물건은 어떠니?"

"음, 그거야 좋죠." 타라는 공손하게 대답하면서 친구들이 뭐 하기에 아직까지 들어오지 않는지 궁금하게 여겼다.

"그럼 좋은 게 있지. 몇 시간 동안 늙게 해주는 반지가 있어. 너무 어려서 뭔가를 할 수가 없는 경우에 그걸 사용하면…… 짜잔! 어른이 되어 있는 거야! 크레디트—무트 동화 1닢이면 되는데."

타라는 자신도 모르게 유혹을 느꼈다. 하지만 무슨 일이든 주문을 걸어서는 문제를 근본적으로 해결할 수 없다고 생각하면서 단념했다.

"고맙지만 필요 없어요. 저는 정상적으로 크고 싶거든요." 타라는 공손하게 대답했다.

늙은 장사꾼이 빙긋이 웃었다.

"보통 영리한 아이가 아니로구나. 최근에 내게서 그 반지를 샀던 사람은 잘못 사용하는 바람에 단박에 백쉰 살로 늙어버렸지! 어디 보자, 너를 위한 게 뭐가 있을까, 아, 있구나! 아주 신기한 것을 보여주마."

노인은 선반에서 두루마리 하나를 꺼내서 먼지를 훅훅 불었고, 쿨룩쿨룩 족히 1분은 기침을 해대고 난 뒤에 양피지를 풀었다. 눈앞에 펼쳐지는 아더월드의 지도를 보면서 타라는 눈이 휘둥그레졌다. 지도를 일단 평평하게 펴자, 어디서 나타났는지 산들이 우뚝우뚝 솟고, 강물이 흐르고, 조그만 사람들이 도시를 채우고, 양떼가 들판을 뛰어다녔다.

"와아아, 신기해요, 이런 지도는 난생 처음 봤어요!"

"자동으로 길을 알려주는 지도란다." 타라의 반응에 흡족한 노인이 설명했다. "새 도로가 건설되거나 어떤 도시에서 길의 이름이 바뀌는 즉시 알려주지. 어떤 곳에서 다른 데로 가려고 할 경우에는 지도에 물어보기만 하면 돼. 지도는 네가 있는 위치를 자동으로 알아내서 빨간 원으로 표시해준단다. 그리고 걸어서 가는 데 며칠이 걸리는지 말해주지. 말을 타고 갈 경우에는 그 숫자를 3으로 나누고, 페가수스를 타고 갈 경우에는 5로 나누면 될 게다. 또한 네가 있는 곳에 대한 자세한 지도를 알고 싶으면 이렇게 주문을 읊으면 된다. *데타이우스의 이름으로* 내가 있는 위치를 표시하고 여기서 무사히 이동시켜라."

빨간 원으로 표시된 팅가푸르의 지도가 놀라운 속도로 변하더니 도시의 모든 거리를 드러냈다.

타라는 시청, 여제의 궁전, 관청(여제의 궁전보다 열 배는 더 컸다), 상업 구역의 위치를 똑똑히 확인할 수 있었다.

"예를 들어 걸어서 랑코비트로 가려고 한다면?" 타라가 물었다.

"아가미가 있다면 몰라도……" 하고 지도가 거만하게 대답해서 타라는 깜짝 놀랐다. "어떻게 하겠다는 건지 모르겠음. 왜냐하면 여기와 랑코비트 사이에는 대양이 가로놓여 있다는 걸 상기시킴. 그렇지 않고 걸어서 갈 경우, 빨리 걷고 헤엄쳐서 간다고 해도…… 약 2년이 걸림."

세상에! 말하는 지도라니!

지도의 유머가 마음에 드는 타라는 할머니에게 드릴 멋진 선물이라고 생각하면서 지도를 사기로 결정했다.

"얼마예요?" 타라는 매혹적인 지도에서 마지못해 눈을 떼면서 물었다.

"난 값을 매길 수 없을 만큼 비쌈!" 노인이 말하기 전에 지도가 선수를 쳤다.

"옳거니!" 노인이 맞장구치면서 소녀가 돈을 얼마나 지니고 있는지 은근슬쩍 떠보았다. "하지만 크레디트—무트 금화 10닢 정도면 넘겨줄 수도 있지."

장사꾼이 무턱대고 부른 금액이라는 걸 알아차린 타라는 아쉬운 마음으로 가게를 나가려는 시늉을 했다.

"죄송하지만 저한테는 그만한 돈이 없어요. 우리 선생님은 우리가 너무 많은 돈을 가지고 다니는 걸 원치 않았거든요. 게다가 할아버지도 봐서 알겠지만 몇 분 전에 이 가게에 들어오셨던 분이 바로 우리 선생님이세요. 은빛 드래곤들이 그려진 파란 옷차림의 최고 마법사 말예요."

늙은 장사꾼은 고개를 설레설레 저으면서 항의하는 지도를 둘둘 감았다.

"잠깐만, 그렇게 그냥 나가면 섭섭하지. 자, 지도 값을 흥정해보자꾸나. 그리고 최고 마법사에 대해서는 네가 잘못 본 게지. 1시간 전부터 너 말고는 아무도 내 가게에 들어온 사람이 없어"

"그렇다면 정말 이상하네요. 저는 또 다른 최고 마법사와 젊은 여자가 들어가는 것도 봤거든요."

또다시 늙은 장사꾼이 고개를 내저었지만, 타라는 그 눈에서 약삭빠른 빛을 보았다.

"그건 네가 다른 가게와 혼동하는 게 틀림없어. 단언하는데 이 가게에는 아무도 들어오지 않았다. 지도 값은 깎아줄 수 있어. 크레디트—무트 금화 5닢이면 어떻겠니?"

"크레디트—무트 은화 1닢." 타라는 당차게 대꾸했다. "아무도 들어오지 않았다고 확신하세요?"

"크레디트—무트 금화 2닢! 그래도 내가 손해를 보는 거야. 그리고 나는 아무도 보지 못했어."

"우 씨! 그 가격은 너무함!" 지도는 숨이 막히는 목소리로 참견했다.

"크레디트—무트 은화 1닢." 지도의 불평을 들은 척도 않고 타라는 되뇌었다. "여전히 아무도 본 사람이 없다면 그게 내가 드릴 수 있는 전부예요."

"크레디트—무트 금화 1닢. 내 목에 칼을 들이댄다고 해도 너를 기쁘게 해주자고 거짓말을 할 수는 없다."

"난 할아버지가 손해 보는 걸 원치 않아요." 타라는 공손하게 응수했다. "그리고 할아버지의 건강은 소중한 거예요. 크레디트—무트 은화 1닢."

늙은 장사꾼이 한숨을 내쉬었다.

"크레디트—무트 은화 10닢, 이게 마지막 흥정이다."

"이건 해도 너무함!" 지도는 소리를 빽 질렀다. "내 가치를 형편없이 떨어뜨리고 있음."

"정말 유감스럽네요." 타라는 한숨을 내쉬었다. "1시간 전부터 가게에서 아무도 보지 못했다고 하시니 정말 유감이에요."

늙은 장사꾼은 눈살을 찌푸리다가 생각에 잠긴 얼굴로 말했다.

"내가 뭔가를 기억할 수도 있지. 하지만 지도의 가치는 네가 생각하고 있는 것보다 더 크단 말이지. 크레디트—무트 은화 9닢."

타라는 무관심한 척했다.

"하지만 기억의 가치는 더 높이 평가될 수도 있지요. 크레디트—무트 은화 2닢."

"늙은 마법사가 들어와서 어떤 남자와 이야기를 나누고 나갔다. 그게 내가 기억하고 있는 전부야. 크레디트—무트 은화 8닢."

"그건 정보의 일부에 지나지 않아요. 대화의 내용이 어떤 거였죠? 크레디트—무트 은화 3닢."

"맙소사, 그들이 방음창을 설치했기 때문에 아무 소리도 들리지 않았어. 크레디트—무트 은화 7닢."

"할아버지는 주문의 대가잖아요. 그런데 어느 누가 감히 할아버지가 원하는 것을 듣지 못하게 할 수 있겠어요? 크레디트—무트 은화 4닢."

"너의 최고 마법사는 그 남자에게 몹시 화가 나 있는 것 같더라. 뭔가에 대해 핏대를 올리면서 닦아세웠지. 내가 실제로 들은 건 아니다만. 그러자 상대는 자기에게 책임을 덮어씌워서는 안 된다고 응수하더군. 최고 마법사는 지금까지는 참았지만, 뭐라더라? 여하튼 뭔가를 돌려보내지 않으면 그들에 대해 아더월드 전체가 전쟁에 돌입할 것이라고 말하고는 나가버렸어. 크레디트—무트 은화 6닢."

"뭔가를 돌려보내지 않으면? 뭐지……? 아! 알겠다! 아마 아이들이라고 한 거겠죠? 그럼 그 젊은 여자는? 그 여자는 무슨 말을 했어요?"

"그래 아이들이라고 한 것 같기도 하구나. 이제 돈을 줘야지."

"우린 아직 가격 협상이 끝나지 않았어요." 타라가 재빨리 응수했다. "지도와 젊은 여자의 대화에 대한 값으로 크레디트—무트 은화 5닢을 드리겠어요."

"협상은 어디까지나 협상이니까." 늙은 장사꾼은 항복했다. "그건 그렇고 돈이 있긴 한 건지 보여다오."

타라는 돈주머니에서 조심스럽게 은화 5개를 골라서 보여준 뒤에 장사꾼이 낚아채려고 할 때 얼른 손을 감췄다.

"그 여자도 같은 남자와 얘기를 나눴는데 역시 화가 나 있는 것 같더구나." 늙은 장사꾼은 돈에서 눈을 떼지 않은 채 말했다. "그 남자에게는 일진이 아주 나쁜 날이더군. 어떤 사람이 가게에 들어서더니 또 다짜고짜로 욕설을 퍼붓더란 말야. 그게 내가 알고 있는 전부다. 자, 이 지도를 받고, 이제 돈을 줘야지."

늙은 장사꾼은 타라가 내미는 돈을 얼른 받아서 거무스름한 옷 주름 속에 쑤셔넣었다.

"좋아, 좋아!" 노인이 씩 미소를 지으면서 썩은 치근을 드러냈다. "한 가지 더 보여줄까?"

"더 보여줘요?" 타라는 헐값에 팔린 것에 대해 항의하는 지도를 조심스럽게 둘둘 말면서 비꼬았다. "할아버지의 물건은 너무 비싸서 안 되겠어요! 필요한 걸 가졌으니까 이제 됐어요. 그럼 안녕……."

그 순간 밖에서 요란한 소리가 나더니 안젤리카가 뛰어들어왔다.

타라를 발견한 안젤리카는 대뜸 달려들면서 고함을 질렀다.

"넌 뜨거운 맛을 봐야 해. 내가 키미를 잃어버린 건 다 너 때문이니까. 너를 죽여버리겠어! 죽여버릴 거야!"

거세게 떠밀린 타라가 선반에 부딪혀서 우당탕퉁탕 주저앉는 사이에 늙은 장사꾼은 꽥꽥 돼지 멱따는 소리를 내기 시작했다.

타라보다 키도 크고 힘도 센 안젤리카는 있는 힘을 다해서 타라의 따귀를 때렸다.

그 충격에 귀가 멍멍해지면서 난생 처음으로 화가 머리끝까지 치민 타라는 마법 절제력을 완전히 잃고 말았다. 어느새 눈빛이 새파랗게 변한 타라는 공중으로 휙 날아올랐다.

어디서 불어오는지 모를 회오리바람에 와지끈뚝딱 폭발한 지붕이 튀어나가면서 가게 앞을 지나던 행인들의 비명소리가 들렸다. 그사이에 노인에게 부딪힌 안젤리카는 맥없이 앞으로 쭉 밀려나갔다. 그 순간에 칼과 로빈, 무아노가 뛰어들어오고, 데리아와 드라고쉬 선생님도 들이

닥쳤다. 회오리바람으로는 성이 차지 않는 타라는 무시무시하게 커다란 구멍을 만들어냈다. 커다란 구멍은 수시로 컴퍼스, 직각자, 큰 칼, 단도, 날카로운 톱니 달린 창으로 변하면서 번쩍번쩍, 하고 찰그랑찰그랑, 하는 요란한 소리를 냈다.

공중에 떠서 안젤리카를 향해 그 소름끼치는 구멍을 조정하는 타라를 보면서 드라고쉬 선생님은 재빨리 마비시키는 포쿠스 주문을 읊었다. 주문이 걸리면서 두 소녀는 순간적으로 꼼짝 못 했다.

타라는 콧방귀를 꼈다. 흥, 이까짓 포쿠스 주문쯤이야!

뱀파이어에게 도전하듯, 타라는 머릿속으로 그물을 떠올리며 거만하게 눈살을 찌푸리는 것으로 포쿠스 주문에서 벗어났다. 이어서 타라는 마비된 채 겁먹은 눈으로 쳐다보는 안젤리카를 향해 으르렁거리는 회오리바람을 밀어보낸 뒤(늙은 장사꾼은 이미 기절해 있었다) 더는 자신의 목소리가 아닌 냉소적인 음성으로 소리쳤다.

"그런 짓거리를 한 번만 더 해봐. 또다시 나나 내 친구들에게 손을 댔다가는 너를 아주 뼈도 못 추리게 만들어버릴 테니까."

"그만해! 당장 그만둬, 타라. 농담이 아냐!" 데리아의 목소리가 카랑카랑 울렸다.

타라의 새파란 두 눈이 데리아 쪽으로 향했고, 칼과 무아노, 로빈은 친구가 데리아를 박살낼 거라고 생각했다.

타라는 코를 찡그리더니 무엇인가에서 벗어나려는 듯이 고개를 마구 흔들다가…… 복종했다. 이어서 타라는 손짓으로 으르렁거리는 바람을 그치게 한 다음, 사뿐히 땅에 착지했다. 눈빛이 평소의 쪽빛으로 돌아오는 사이에 컴퍼스, 칼, 창 등의 쇠붙이들이 철컥, 쩔그렁, 와당탕 요란한 소리를 내며 떨어졌다.

"이제 됐어! 무슨 일인지 누가 말하겠니?" 데리아가 말했다.

드라고쉬 선생님이 끼어들었다.

"여긴 그런 얘기를 할 장소가 아니라고 생각하오." 그는 서서히 정신이 돌아오고 있는 늙은 장사꾼과 와글와글 모여드는 구경꾼들을 가리키면서 말을 중단시켰다. "아이들을 다른 데로 옮겨서 얘기합시다."

데리아의 의견을 기다리지도 않고 드라고쉬 선생님이 원격이동 주문을 읊자 손가락에서 빛이 번쩍거렸다.

"그건 안 될 말씀! 당신이 그렇게 하게 놔둘 순 없지요!" 데리아가 소리쳤다.

데리아가 두 손을 들자 빨간 광선이 날아가서 뱀파이어의 정면을 후려쳤다. 뱀파이어가 부랴부랴 방패를 만들어내면서, 눈 깜짝할 사이 두 마법사간에 치열한 싸움이 벌어지고 말았다. 각자 마법의 불을 휘두르고, 마법의 방패로 막는 와중에 여기저기 불이 붙었다. 가게 절반이 화염에 휩싸였다.

어안이 벙벙한 칼과 로빈, 타라, 무아노가 아직 마비되어 있는 안젤리카를 책상 밑으로 떠밀어버렸다. 그사이에 늙은 장사꾼은 덜덜 떨면서 용케 버티고 있는 선반 뒤로 도망쳤다.

뱀파이어의 머리 바로 위에서 엄청나게 큰솥을 발견한 데리아가 갑자기 고함을 질렀다.

"*그라비투스의 이름으로* 솥은 떨어져서 뱀파이어를 황천길로 보내버릴지어다!"

꽝! 솥이 떨어지면서 드라고쉬 선생님은 그야말로 묵사발이 되었다.

아이들이 대들기 전에 데리아가 소리쳤다.

"*트란스미투스의 이름으로* 우리는 여행객들이니 다른 불행한 일이 있기 전에 우리를 떠나게 할지어다!"

데리아의 손에서 발사되는 광선이 갈라지더니 타라 옆에 있는 아이들을 모두 건드렸다. 가게가 사라지기 시작했다. 공포에 사로잡힌 타라는 데리아 뒤에서 몸을 일으킨 뱀파이어가 주문을 거는 걸 보았다. 하지만 그 주문을 잽싸게 피하는 데 성공한 데리아는 뭐라고 소리쳤고, 그들은 순식간에 사라졌다.

10
상그라브들의 소굴

처음에 타라는 배는 정말 너무나 싫다고 생각했다. 파도 때문에 멀미가 나서 속이 울렁거리는 것이라고 느꼈기 때문이다.

잠시 후 시야가 환해지면서 타라는 눈앞에서 펄럭이는 돛은 배의 돛이 아니라 닫집 달린 침대의 커튼이라는 걸 깨달았다. 트라비아 궁전에 돌아와 있는 거라고 생각했는데 벽이 파란색이 아니라 흰색이었다. 그 방은 의무실과 아주 비슷했다. 천장부터 바닥까지 온통 하얀 데다 온갖 종류의 의료기구가 잔뜩 들어 있는 진열장도 보였다.

타라는 옷을 내려다보다가 흠칫 놀랐다. 퍼즐의 마지막 조각이 서서히 맞춰지고 있었다. 주워들었던 말, 이미 알고 있는 사실, 추측하고 있는 것들, 그걸 모두 떠올리는 순간 윤곽이 드러나기 시작하는 그림……, 분명 유쾌한 상황이 아니었다.

옆에 늘어선 침대에서도 뭔가가 꿈틀거렸다. 무아노에 이어서 칼과 로빈…… 그리고 안젤리카도 보였다.

포쿠스 주문에서 풀려난 안젤리카는 어리벙벙해서 주변을 둘러보고 있었다.

"어, 여기가 어디야?" 안젤리카는 앙칼진 목소리로 더듬거렸다.

정적만 감도는 가운데 갈랑이 털을 곤두세우고 있었다. 쉬바와 블롱딘과 함께 갈랑도 하품을 하면서 깨어나는 중이었다.

그때 느닷없이 파브리스가 마니투와 함께 의무실에 나타났다. 파브리스가 그들을 향해 달려오는 사이에 증조할아버지 마니투는 어느 틈에 타라에게 달려와 얼굴을 미친 듯이 핥았다.

"너희들을 만나게 되다니!" 파브리스는 흥분을 감추지 못했다. "얼마나 보고 싶었는지 몰라! 근데 너희들은 대체 어떻게 된 거야?"

"에이, 뭐가 이렇게 시끄러워!" 잠이 아직 덜 깬 칼이 투덜거렸다. "아니, 너! 풀려난 거야? 얼마 만에 풀려난 거지? 근데 여기가 어디야?"

"그게 아냐!" 파브리스의 얼굴이 금방 어두워졌다. "내가 풀려난 게 아니라 너희들이……."

"……상그라브들의 요새 안에 갇힌 거지." 타라가 파브리스의 말을 가로챘다.

"설마!" 깜짝 놀란 로빈이 외쳤다. "네가 그걸 어떻게 알아?"

"이상한 낌새를 느낀 지 며칠 됐어. 아무리 생각해도 모순되는 징후들이 있었거든. 그러다가 가게에서 일어난 일로 마침내 모든 게 명확해졌어. 우리 옷의 색깔을 좀 봐! 색깔이 잿빛으로 변해 있잖아!"

무아노가 외쳤다.

"자세히 설명 좀 해줘. 뭐가 뭔지 도통 모르겠어…… 난."

타라는 침대에 앉아서 한숨을 내쉬었다.

"내 잘못인 것 같아. 하지만 분명해졌어!"

"뭐라고?" 칼이 조바심을 쳤다. "뭐가 분명해졌는데?"

"나를 납치하려고 했던 사람은 셈 선생님도, 드라고쉬 선생님도 아냐.

전혀 의심도 하지 않았던 데리아였어. 나의 마법 능력을 알게 된 바로 그날 데리아는 상그라브들에게 그 사실을 알려서 날 납치하도록 일을 꾸몄던 거야. 지난 사건들을 재현하는 메모루스 주문 때문에 데리아는 자기가 직접 나서서 나를 없앨 수 없었겠지. 그랬다간 자신의 정체가 들통나니까. 내 주변에서 호시탐탐 의심받지 않을 기회를 엿보고 있었던 것 같아. 상그라브들의 보스 마지스터가 지구에서 날 공격했을 때 아더월드의 셈 선생님을 데려오겠다면서 시간을 끌었던 것도 그 때문이었어. 또 우리 침실 앞을 서성거렸던 사람도 드라고쉬 선생님이 아니라 데리아였어. 데리아는 마니투가 파브리스와 같이 있다는 걸 모르고 그 둘을 납치했던 거고. 가게에서 상그라브를 만났던 데리아는 우리가 거기 있는 걸 보면서 들통 난 걸로 생각하고 주문을 걸어서 우리를 이곳으로 보내버렸던 거야. 밤에 내 머리칼을 잘라갔던 사람도 데리아가 분명해, 트란스미투스 주문을 준비하기 위해서."

"그럼 드라고쉬 선생님과 다른 마법사가 나누던 그 대화는 뭐야?"

"잘 기억해봐! 자기가 납치했다고는 말하지 않았어. 셈 선생님의 엉터리 정책에 대해 불만을 표시했을 뿐이지."

"네 말도 일리는 있어. 하지만 셈 선생님도 가게에 들어갔어! 그리고 상그라브와……."

"그건 당연한 거야." 타라가 딱 잘라 말했다. "드래곤과 그의 종족이……."

"우리를 만들어냈으니까! 그러니까 그건 일종의……." 물기 어린 느물거리는 목소리가 말을 가로막았다.

어린 마법사들은 소스라치게 놀랐다. 그들은 인기척을 전혀 느끼지 못하고 있었던 것이다. 언제 들어왔는지 반사경 마스크로 얼굴을 가리고, 화려한 잿빛 옷을 입은 남자가 우뚝 서 있었다.

"'당신들을 만들었다'는 게 무슨 말이에요?" 야수로 변신할 수 있게 된 뒤로는 날이 갈수록 놀라울 정도로 대담해지는 무아노가 물었다.

"그 멍청한 드래곤이 다른 드래곤들의 의견에 반하는 정예군을 만들고 싶어 했지." 반사경 마스크의 남자는 빈정거렸다. "그래서 악마들을 괴멸시키기 위한 군대를 만들기 위해 우리 중에서 수천 명의 마법사를 비밀리에 훈련시켰다. 하지만 강력한 힘이 생기자 몇몇 마법사들이 등을 돌리고 다른 동맹군을 찾아 떠나버렸지. 그는 배신을 당했지만 차마 그 사실을 고백하지 못했어. 내가 특히 재미있게 생각하는 게 바로 그 점이지. 게다가 자신의 적이 누군지 그 정체조차 모르고 있으니……! 우리는 지금 여기서 그 드래곤 마법사를 그대로 흉내내고 있다. 이 세상을 지배할 미래의 주인들을 훈련시키고 있으니까."

안젤리카는 펄펄 뛰었다.

"난 집으로 돌아가겠어요! 난 저 계집애와 아무 상관이 없다고요. 나는 여기 잘못 온 거란 말예요!"

"그래, 맞아!" 귀에 익은 목소리가 말했다. "넌 주문에 걸려서 끌려오지 말았어야 했어. 하지만 네 아버지는 불쾌하게 여기지 않을 게다. 우리의 주장을 지지하고 있는 사람이거든."

"데리아!" 타라가 외쳤다.

"안녕, 타라." 얼굴을 드러낸 데리아가 미소를 지어 보였는데 어깨에 까치가 앉아 있었다.

타라는 웃지 않았다.

"왜 이러는 거예요? 이 배신으로 당신이 얻는 게 뭐죠?"

데리아의 얼굴이 분노로 일그러지면서 아름다운 모습은 온데간데없이 사라졌다.

"배신이라니! 누가 그 따위 소리를 해? 네 할머니, 그 미친 할망구는 너의 귀한 재능을 썩히려고 했어. 모든 사람의 눈을 뒤집어지게 한 너의 그 대단한 능력을 숨기려고 했단 말야!"

"그게 어쨌다는 거죠?" 타라는 차분하게 물었다. "그래서 나를 죽이려고 했던 건가요?"

데리아는 얼굴이 창백해져서 뒷걸음질쳤다.

"죽이려고 해? 왜 죽여?" 마지스터가 아연실색해서 고함을 질렀다.

"물어보세요." 타라가 데리아를 가리키면서 말했다. "오무아 궁정에서 한 소년이 마법을 조절하지 못해서 공간이동의 문이 폭발했을 때였어요. 무지막지한 소용돌이가 솟구쳤고, 그때를 기회로 삼아 날 없애려고 하는 사람이 있었죠. 그 순간에는 나도 그게 데리아라는 건 전혀 생각하지 못하고 있었지만……."

마지스터는 데리아를 향해 마스크를 돌렸고, 그들은 데리아의 얼굴이 파랗게 질려 있는 걸 보았다.

"보스! 제가 왜 그런 짓을 하겠어요?" 데리아가 벌벌 떨면서 말하는 동안 까치는 슬그머니 어깨를 떠나 다른 데로 포르륵 날아가 앉았다. "저는 충성스런 부하예요. 저 아이가 아무것도 모르면서 그냥 멋대로 주절거리는 거예요!"

"아니에요! 타라는 사실을 말하는 거예요!" 이번에는 무아노가 용감하게 나섰다. "타라가 문을 닫으려고 애를 쓰고 있을 때, 누군가가 타라를 방해했어요. 하마터면 죽을 뻔했어요!"

"하지만 제가 아니었어요." 데리아가 부인하면서 뒷걸음질치는 사이에 상그라브의 마스크는 짙은 잿빛으로 변하고 있었다. "보스, 맹세코

제가 그런 게 아닙니다!"

마스크가 순식간에 검은색으로 변하자, 데리아는 계속 뒷걸음질쳤다. 이제 죽었구나, 하는 얼굴로. 하지만 마스크가 밝은 색으로 변한 걸 보면 마지스터가 진정한 모양이다.

"타라를 죽이려고 했던 자를 찾아." 마지스터는 퉁명스럽게 데리아에게 명령했다. "사냥꾼을 데리고 가서 붙잡아와(데리아는 새파랗게 질렸다). 그리고 범인을 내 앞에 끌고 와. 가능한 한 산 채로. 아, 참 한 가지 더. 그동안은 네가 이사벨라의 집에 있었기 때문에 입문의식을 치를 필요가 없었다. 네가 타라 곁에서 살고 있는데 괜히 꼬리라도 밟혔다가는 우리 쪽 사람이라는 게 들통날 수도 있었으니까. 하지만 이제는 그럴 필요가 없겠지. 우리는 곧, 아주 빠른 시일 내에 너의 충성 맹세를 위한 입문의식을 준비할 것이다."

그들은 그 말에 충격을 받은 데리아가 까무러칠 거라고 생각했지만 아직은 용케 버티고 있었다.

"잠깐, 한 가지 묻겠는데요?" 칼이 겁도 없이 대화를 중단시켰다. "도대체 우리를 납치해서 뭘하려는 거죠?"

"우리는 너를 납치한 게 아니다!" 마지스터는 부들부들 떠는 데리아에게서 눈을 떼면서 대답했다. "우리는 타라를 데려오고 싶었을 뿐이야. 그런데 영광스럽게도 마마께서 방문해주셨으니 아주 기쁘단 말씀이야."

마지스터는 조롱하듯이 무아노 앞에서 허리를 굽혔다. 무아노는 타라를 흉내내서 쌀쌀맞지만 우아하게 고개를 돌려버렸다.

"이왕 이렇게들 여기 왔으니까 얼마 동안은 모두 우리의 손님으로 지내거라. 마마의 경우는 우리가 부모님과 대화를 나눠야겠지요."

"몸값을 요구하겠다는 거죠?" 그 말을 나름대로 해석한 칼이 말했다. "그럴 줄 알았어요. 하지만 우리 부모님은 돈이 없어요. 그래서 다시 물어보겠는데요. 우리를 어떻게 할 건데요?"

타라는 그 순간 마지스터가 대드는 걸 좋아하지 않는다는 것이 기억났다. 마지스터가 고개를 까딱하자, 칼이 느닷없이 주저앉더니 숨이 막힐 정도로 자신의 목을 조르기 시작했다.

칼이 곤경에 빠졌음을 느낀 블롱딘이 불덩어리처럼 솟구쳐서 공격하려는 순간이었다. 마지스터의 재빠른 손짓에 이번에는 여우가 깨갱거리더니 꼼짝하지 못했다.

"우선 어른을 공경하는 예절부터 가르쳐야겠어." 상그라브들의 보스는 이를 부드득 갈았다. "늙은 드래곤이 어린애들에게 예절은 아예 가르치질 않은 모양이군. 아주 빵점이야. 예절을 배우고 나면 내가 너희들을 어떻게 할지 알게 될 게다."

마지스터가 고개를 다시 까딱하는 것으로 주문을 풀어주자, 칼은 시뻘개진 얼굴로 가까스로 숨을 쉬면서 데굴데굴 굴렀다.

"마지막으로 한 가지 더 알려주겠는데, 너희 선생님들과 연락하기 위해 인식 패스를 사용해봐야 소용없다. 차단시켜놨거든."

타라는 바로 그 생각을 하던 중이어서 자기도 모르게 분노로 입술을 꽉 깨물었다.

마지스터는 문을 열어서, 길길이 날뛰는 갈랑과 쉬바를 들여보내고는 사라졌다.

데리아는 마지못해 따라나가면서 마지막으로 타라를 힐끗 쳐다봤다. 그러고는 내뱉었다.

"너를 이곳으로 데려오기 위해서 난 내 안전을 버려야 했어. 내가 했던 모든 것이 너의 행복을 위한 것이었다는 걸 알기 바란다."

타라가 쏘아보자, 데리아는 한숨을 쉬고 나서 까치에게 어깨로 돌아오라고 명하고는 방을 나갔다.

그들이 나가자마자, 타라는 어깨를 축 늘어뜨리고 탄식했다.

"맙소사!" 파브리스가 외쳤다. "지금까지 나는 저 여자 때문에 여기 있다는 것조차 모르고 있었어! 마니투 때문에 무슨 잘못을 저지른 거라고 생각했지 데리아는 꿈에도 생각지 못했어!"

"데리아는 잘하는 거라고 믿었던 거야." 타라는 힘없이 말했다. "그녀는 자신의 선택을 최선이라고 생각했을 거야. 너희들을 끌어들여서 정말 미안해."

"그런 말은 하지마." 무아노는 다정하게 위로했다. "무엇보다도 우리가 다 함께 있다는 것이 중요하다고 생각해. 난…… 너와 같이 있어서 기뻐. 너를 혼자 내버려두는 게 더 싫거든."

"나도 그래." 칼은 서서히 정신이 돌아오는 블롱딘을 쓰다듬어주면서 말했다.

칼이 허리를 틀다가 비명을 질렀다.

"아야, 되게 아프네!"

"칼, 제발 부탁인데 너보다 크고 힘이 센 사람들을 자극하지 마! 네 신상에는 정말 안 좋단 말야." 무아노는 놀리듯이 지적했다.

"그러지, 뭐! 다음 번에 납치되면 조심하겠다고 약속할게. 누가 정리를 좀 해줄래? 내가 모르는 얘기가 있는 것 같으니까."

"첫째," 타라는 손가락을 꼽으면서 말했다. "드래곤들이 지구에서 마법사들을 만났고, 전쟁이 일어났다. 둘째, 악마들과 이미 싸움을 하고 있던 드래곤들은 인간 마법사들과 동맹을 맺고 아더월드로 그들을 초대하기로 결정했다. 셋째, 그리하여 드래곤들과 마법사들은 힘을 합해서 악마들을 처부수기에 이르렀다. 넷째…….”

“넷째, 셈 선생님이 실수를 저질렀다. 아주 중대한 과오. 몇몇 마법사들에게 너무 많은 능력을 주었기 때문에 그들이 셈 선생님에게서 등을 돌렸고, 배신한 마법사들이 드래곤들에게서 배운 강력한 마법을 악용하는 상그라브가 되었다. 셈 선생님이 가게에서 상그라브를 만났던 것은 자신이 저지른 실수를 다른 드래곤들에게 고백하기로 했으며, 아더월드 전체가 상그라브들에게 최후통첩을 보낸다는 경고를 하기 위해서였다. 현재는 아더월드와 각국의 정부들이 그 힘과 위험을 모르고 있기 때문에 상그라브들을 대수롭지 않은 골칫거리 정도로 여기고 있는 까닭에.” 무아노가 타라의 말을 이었는데 믿기 어려울 정도로 막힘이 없었다.

“다섯째,” 타라는 고개를 끄덕이면서 말을 이었다. “최고 마법사들 때문에 패배했다는 걸 알게 된 악마들은 상그라브 마법사들과 동맹을 맺기로 결정했다. 마왕과 악마의 마법 덕분에 상그라브들은 현재 세계를 지배하기 위해서 드래곤들을 처부술 계획을 세우고 있다!”

“와, 진짜 돌겠네!” 칼이 외쳤다. “그럼 우리가 그들과 함께 세계를 지배하는 건가?”

“칼!” 무아노와 타라가 동시에 외쳤다.

“에이, 농담이야, 농담이었어!” 약삭빠른 칼이 얼른 변명했다.

“나처럼 악마의 마법에 걸렸던 적이 없어서 너희들은 몰라.” 타라는 우울하게 설명했다. “좀 전에 입문의식에 대한 말이 나왔을 때 데리아의 반응 봤지? 단언하는데 마지스터는 악마의 마법으로 수석조수들을 감염시키는 방법을 찾은 거야.”

“그래?” 칼이 흥미진진한 얼굴로 물었다. “위험할까? 네가 걸렸던 그 비유법은 그래도 재미있었잖아?"

"칼, 나를 치료하기 위해서 100명이 넘는 최고 마법사가 필요했어. 그리고 그사이에 악마의 영향으로 난 너희들이 나를 화나게 할 때마다 적어도 여섯 번은 너희들을 죽일 뻔했어. 며칠만 더 늦었어도…… 네가 재미있다고 하는 그 비유법 때문에 너희들은 아마 저승에서 신을 만나게 되었을 거야."

"그게 그런 튜라면 재미있는 게 아니지. 그럼 이제 어떡하지?"

"내 생각에 그라브들은 우리가 부모와 싸우기를 바라고 있어." 타라는 인상을 찌푸리면서 말했다. "자식들이 부모를 공격하면 최고 마법사들은 기절초풍한 나머지…… 방어할 겨를이 없을 거야. 치밀하고 간교한 계획이지. 그러니까 가능한 한 빨리 여길 탈출해서 최고 마법사들에게 이 사실을 알려야 해. 그건 그렇고 너희들 가게에 왜 그렇게 늦게 들어왔던 거야?"

"안젤리카 때문에!" 칼이 구석에 앉아서 뿌루퉁해 있는 꺽다리를 흘겨보면서 분개했다. "네가 가게에 들어갔을 때 안젤리카가 우리를 뒤쫓아온 걸 알았어. 우리가 붙잡을 겨를도 없이 쏜살같이 들어가더니 네 따귀를 갈겼지. 그다음은 좀 헷갈리기는 하지만, 어쨌든 네가 그 가게에서 엄청난 회오리바람을 일으키는 순간, 데리아와 드라고쉬 선생님이 도착했어. 이윽고 아더월드판 제1차 세계대전이 벌어졌고, 잠시 후, 펑! 하면서 우리 모두 여기에 와 있게 된 거야."

파브리스는 우스워서 죽으려고 했다.

"맙소사, 그걸 봤어야 하는 건데! 도통 알아들을 수 없는 걸 보니 내가 사라진 뒤로 흥미진진한 일이 많았나 보네. 여긴 진짜 따분한 데야!"

"그래?" 솔깃해진 로빈이 물었다. "왜?"

"흥, 기가 막혀서! 상그라브들은 자기들이 아이큐가 대단히 높은 줄 착각하고 있다니까. 그래서 여기서는 마법 능력을 보이고는 쇼를 해야 해. 그들은 환각을 이용해서 '비마' 들을 속이고 농락하는 연습을 많이 시키는데, 진짜 마음에 안 들어. '비마' 들은 우리의 노예가 되어야 한다면서 계속해서 우리를 세뇌하고 있거든. 진짜 말도 안 되는 거지. 우리 아버지에게 내 노예가 되어야 한다고 말하는 나를 상상해봐! 그게 말이 되냐? 내가 내 얼굴에 따귀를 때리면 때렸지 그 말은 절대 꺼낼 수 없지. 게다가 여긴 내가 내는 수수께끼를 이해하는 사람이 한 명도 없어!"

"뭐어?" 납치되어 있는 마당에 또 수수께끼 타령을 하는 파브리스에게 질린 칼이 소리쳤다. "설마 또 그놈의 공부를 하자는 건 아니겠지? 내가 말하고 싶은 건 놈들이 납치를 해서 얻는 이점이 무엇이며, 우리는 지금 뾰족한 수가 없다는 거야. 너희들은 뭐 아는 거 있어? 난 말이지 누군가를 늘씬하게 패주고 싶은 심정이야!"

"야아! 제발 그런 눈으로 나를 쳐다보지 마." 흠칫 놀란 파브리스가 말했다.

칼은 피식 웃었다.

"걱정 마, 너를 두고 한 말이 아냐. 넌 내가 때리기에는 너무 뚱보라서 이길 자신이 없거든."

"뭐, 내가 뚱보라고? 이게 뭐가 뚱뚱해?" 건장한 체격의 파브리스가 따졌다.

"자, 자, 남자애들!" 무아노가 끼어들었다. "그만 좀 해라! 파브리스, 여기가 어떤 곳인지 그거나 말해줘."

"일종의 실험실이야." 파브리스는 칼을 흘겨보면서 대답했다. "끊임없이 우리의 재능을 테스트하고 있어. 그리고 특히 마법 능력이 없는 종족들, 심지어는 마법 능력이 있는 종족들도 멸시하라고 가르쳐. 여기 있는 상그라브들은 모두 나를 경멸하는 거 있지. 우리 부모님이 '비마' 라는 이유로. 그리고 너희들이 내심 묻고 싶어 하는 질문에 대답하자면 난 입문의식을 받아들이지 않았어. 또 여기서 도망치는 건 불가능해. 나도 두 번이나 시도해봤는데 별수 없더라고."

"그래? 왜? 장애물이 뭔데?" 호기심이 동한 칼이 물었다.

"여긴 진짜 요새야. 어느 나라에 있는 건지도 모르겠거니와 공원과 벽으로 둘러싸여 있어. 밖에서는 공중부양 주문이 작동하지 않아. 게다가 밤에는 공원에 샤트릭스들이 돌아다니거든."

"뭐, 공원에 샤트릭스를 풀어놔? 완전히 정신이 이상한 사람들이 아니고서야!" 무아노가 어이없어했다.

"말을 끊어서 미안한데 샤트릭스가 뭐야?" 타라가 어리둥절해하며 물었다.

"괴물이야." 무아노는 착잡한 어조로 대답했다. "선사시대에 지구에 존재하던 동물인데 음…… 하이에나와 비슷하다고 생각하면 돼. 밤에는 보이지도 않아, 털이 아주 새카매서. 다리 하나쯤은 한 입에 덥석 집어삼킬 만큼 강력하고. 침에는 독이 들어 있어서 샤트릭스에게 물리면 도망을 쳐도 두 시간 내에 죽는대. 악착같이 쫓아온 놈들의 밥이 되고 마니까. 샤트릭스는 어떤 마법에도 끄떡없어서 마법사들에게는 가공할 적이야. 나는 샤트릭스가 우리 세상에서 멸종되었다고 생각했는데."

타라는 몸서리쳤다.

"그럼 공원을 피하면 되지!"

"그게 그렇게 간단하지가 않아. 다른 출구가 없거든." 파브리스가 말했다.

파브리스는 마니투와 함께 도착했을 때, 상그라브들의 보스가 사람을 잘못 데려온 걸 알고 노발대발했다고 얘기했다.

이어서 요새의 특이한 일정을 설명할 때, 칼과 블롱딘의 배가 합창으로 꼬르륵거려서 모두 웃음을 터뜨렸다.

"그래, 알았어. 먹으러 가자. 그리고 여기 사람들에게 너희들을 소개해줄게."

그들은 파브리스를 따라 많은 사람들이 아침을 먹고 있는 식당으로 들어갔다. 사방에서 이빨을 드러낸 털북숭이 괴물들이 뛰어다니고 있었다. 지구에서 익히 보았던 마지스터의 진흙먹보들이라는 걸 타라는 대번에 알아보았다.

목걸이를 하나씩 걸고, 밧줄처럼 꼰 허리띠로 졸라맨 검은색 짧은 마법복 차림의 남녀 '비마' 들이 식사시중을 들고 있었다. '비마' 들은 겁에 질려서 고개를 숙인 채로 다녔으며, 상그라브들은 그들을 진짜 노예처럼 부렸다.

"제기랄! 벌써 아침식사란 말야?" 깜짝 놀란 칼이 툴툴거렸다. "배가 왜 그렇게 고팠는지 이제야 알겠네. 그럼 우리가 몇 시간이나 잠을 잔 거야?"

"그건 나도 몰라." 파브리스가 대답했다. "몇 분 전에 의무실로 가라는 기별을 받았을 뿐이었거든. 그게 내가 알고 있는 전부야."

"이런! 그 시간을 알아야 우리가 어디쯤 와 있는지 대충 알 수 있는데!" 무아노는 안타까워했다.

타라는 쥐 죽은 듯 고요한 식당을 둘러보면서 말했다.

"건축양식으로 알아낼 수 있지 않을까? 지구에서는 나라마다 건축양식이 아주 다르거든!"

"아, 그래! 일리가 있어." 무아노는 동의했다. "좋은 생각이야! 요새에 대해 자세히 말해줄래?"

"음…… 일단, 아주 커." 자리를 잡고 앉은 파브리스가 핫 초코 한 잔을 따르면서 말했다. "창문은 아주 높이 달려 있고, 마치 엄청나게 큰 토끼들이 지은 요새라도 되는 듯이 온 사방에 통로가 있어. 벽에는 마법이 걸려 있지 않고, 문은 손잡이로 열면 돼. 어디에도 태피스트리는 걸려 있지 않고 장식품이란 것도 없어. 전혀. 크고, 삭막하고, 썰렁하고, 눈물이 날 정도로 쓸쓸한 곳이야."

"돌이 잿빛이고 반점이 있다." 주위를 유심히 살피던 로빈이 말했다. "이제껏 저런 돌은 본 적이 없어."

"봤었어, 난!" 벽의 재료로 쓰인 돌덩이를 알아본 무아노가 외쳤다. "우린 거인이랑 관련된 요새에 와 있는 거 같아!"

"확실해?"

"어, 그게 확실하진 않은데……. 하지만 이성적으로는 확신한다고 해둘게. 저런 돌을 간디스에서 본 적이 있거든. 저건 말이지, '주문방지'라는 돌이야. 돌들이 마법을 차단하고 마법사들의 눈을 속이고 있어서 요새가 보이지 않는 거야. 거인들이 먹을 수 없는 유일한 돌이기 때문에 이 요새는 분명히 거인이랑 관계가 있다고 봐. 그래서 상그라브들이 그 돌로 요새를 건축한 것이고."

타라는 눈이 휘둥그레졌다.

"먹어? 거인들이 돌을 먹는단 말야?"

"미안해, 네가 아더월드에서 태어나지 않았다는 걸 자꾸만 까먹네. 거인들은 바위와 돌멩이를 먹어. 그래서 간디스의 산에서 사는 거야. 같은 산에서 귀한 광석을 캐는 난쟁이들은 자기들에게 필요하지 않는 돌을 거인에게 보내주거든. 그래서 두 종족 사이에 활발한 무역이 이루어지고 있어."

"그럼 거인들은 난쟁이들에게 뭘 팔아?" 타라는 흥미진진한 얼굴로 물었다.

"어…… 주화를 만들려면 힘이 필요한데 난쟁이들에게는 그런 힘이 없잖아. 그래서 거인들이 주화를 주조해주고 있어. 그들도 아더월드 방방곡곡에서 그런 것처럼 크레디트—무트로 거래하고 있거든."

"흥! 거인들이 만드는 것이면 난쟁이들도 뭐든 만들 수 있어." 그들 옆에서 어떤 목소리가 벌컥 화를 냈다. "난쟁이들의 힘은 거인들의 힘과 맞먹는데 무슨 소리야! 그 힘 얘기는 거인들을 필요로 한다는 걸 믿게 하려고 난쟁이들이 완전히 꾸며낸 걸 가지고. 어차피 거인들은 우리의 최고 고객이니까. 약간 아첨할 필요가 있어선데 웃기고들 있어."

그들은 방금 말한 난쟁이를 돌아봤다. 타라는 이 아이에게 함부로 반박했다가는 봉변을 당하겠다고 생각했다. 키와 몸통의 폭이 똑같아서 아예 허리가 없는 소녀였는데, 근육이 울툭불툭 어찌나 발달되어 있는지 팔뚝에 찬 금팔찌는 금방이라도 터질 것만 같았다. 그리고 다른 아이들처럼 잿빛 마법복이 아니라 소매 없는 잿빛 타이츠를 입고 있었다.

어깨는 또 어찌나 떡 벌어져 있는지 유리잔을 가득 담은 쟁반을 올려놔도 끄떡없을 것 같았다. 난쟁이는 에너지가 넘치고 아주 강인한 인상을 풍기고 있었다.

거기다 리본을 사용해서 귀엽게 땋은 붉은 수염, 눈매가 또렷한 초록 잿빛의 귀여운 눈, 리본으로 묶은 불빛의 치렁치렁한 머리는 거의 바닥까지 내려오고 있었다. 상당히 인상적이고 이국적인 모습이었다.

"너희들에게 작년에 납치된 히믈리아 산의 난쟁이 파프니르를 소개할게." 파브리스는 쾌활하게 말했다.

"그야 당연하지. 내가 수석조수들 중에서 제일 우수했고, 그들은 최고만 납치하는 미친놈들이니까." 난쟁이가 내뱉듯이 말했다.

"이런! 그럼 우리 때문에 평균 수준이 떨어지겠네. 우리는 어쩌다가 오게 된 거니까." 칼이 떨떠름하게 말했다.

난쟁이의 귀여운 눈이 휘둥그레졌다.

"어떻게 그런 일이?"

대답하려고 입을 열던 칼이 갑자기 "악!" 하면서 로빈을 흘겨봤다.

"얘기하자면 길어." 칼에게 발길질을 했던 로빈이 간단명료하게 대답했다.

흥미진진한 얼굴로 난쟁이를 쳐다보고 있던 무아노가 수줍게 말했다.

"저기, 우리를 소개할게. 난 랑코비트의 공주 글로리아 다비일인데 무아노라고 불러 줘. 이 친구는 칼리반 달 살란인데 칼이라고 부르고, 얘는 로빈 망질이야(타라는 움찔했다. 지금까지 로빈의 성이 뭔지도 모르고 있었잖아. 그런데 망질은 분명 어디선가 들었는데!). 그리고 타라 덩컨. 우리와 눈을 마주치지 않으려고 슬슬 피하고 있는 저기 쟤는 안젤리카 브란드라우드야. 음, 있잖아, 미안한데 한 가지만 물어볼게. 네가 여기 있는 게 정말 이상해서 그래!"

"넌 뭘 좀 아나보지?" 큼지막한 고기(칠면조고기일까? 타조고기일까?)를 게걸스럽게 먹어대던 파프니르는 남은 고기를 밀어내면서 한숨을 쉬었다. "나한테 마법 능력이 있다는 걸 알았을 때 동포들이 날 추방했어. 네가 우리 난쟁이들을 얼마나 잘 아는지는 모르겠지만 우리는 마법을 싫어해. 나는 아직 어려서 달리 방법이 없었어. 아직 250살이 안 됐거든!"

"알아, 나도." 난쟁이의 수염을 가리키면서 무아노는 추측했다. "네가 아직 수염을 깍지 않았다는 건 네가 미성년이라는 뜻이야, 안 그래?"

"그래, 맞아." 난쟁이가 슬픈 목소리로 대답했다. "그래서 나는 하루 빨리 이 빌어먹을 놈의 마법에서 벗어나야 해. 며칠 후에 있을 엑소르드 의식에 참석하지 못하면 나는 영원히 추방되고 말아!"

고뇌에 찬 파프니르를 보면서 마음이 짠해진 무아노는 뭐라고 대답할지 몰랐다. 그 의식은 난쟁이들에게는 아주 중요한 것이었다. 엑소르드는 성년에 들어서는 젊은이들이 씨족의 어엿한 일원으로 인정받기 위해 반드시 치러야 하는 선서 같은 것이었다. 난쟁이들은 마법을 싫어해서 마법에 걸린 사람은 즉시 추방되었다. 최고 마법사가 된 난쟁이가 극히 적은 것은 그런 이유에서였다. 난쟁이들의 마법이 대체로 상당히 강력한 걸 생각하면 참으로 유감스러운 일이다.

"근데 어째서 트라비아 궁전에서 수석조수로 일하고 있었어?" 칼이 물었다.

난쟁이의 대답은 충격적이었다.

"이 빌어먹을 놈의 마법을 내게서 없애는 방법을 찾기 위해서!"

"아, 안 돼!" 무아노가 소리쳤다. "갈색머리나 커다란 코 같은 거야 언제든 바꿀 수 있지만 그것도 일시적일 뿐이야!"

"궁전에서 시렐라 부인을 위해 1년 동안 일했어. 그런데도 마법에서 벗어날 수 있는 방법이란 건 전혀 배울 수가 없더라고. 그래서 절망하고 있던 차에 상그라브들에게 납치되었지. 내가 여기 붙어 있는 건 오직 한 가지 이유 때문이야. 여기는 랑코비트보다 훨씬 더 많은 책, 특히 주문과 금지되었거나 위험한 묘약에 관한 책들을 갖춘 도서관이 있거든. 그리고 결국 엿새 전에 나는 희망을 주는 것이 있다는 걸 알아냈지."

"그게 뭔데?" 로빈은 귀가 솔깃했다.

파프니르는 목소리를 낮췄다.

"간디스 남부지역의 황무지 늪에서 자라는데 그 존재를 아는 마법사들은 모두 누려워한다는 로사 안니힐루스라는 식물이야. 그 수액에 마법을 방해하는 성분이 들어 있거든. 일종의 흑장미인데, 그 꽃잎을 달여서 마시기만 하면 짠! 마법과는 영원히 이별하게 되는 거야! 찾기가 아주 힘든 데다 그 흑장미를 꺾는 사람은 저주를 받아서 파멸한다고 하지만 난 상관없어. 어차피 그게 나의 유일한 희망이니까!"

칼로서는 도저히 이해할 수 없는 일이었다.

"하지만 난쟁이들이 그토록 마법을 싫어한다면, 네가 정상인 것처럼 행동하면 되잖아? 그러면 아주 간단한데."

파프니르는 눈살을 찌푸렸다.

"난쟁이들은 정직한 사람들이야. 우리는 거짓말을 할 줄 몰라(그 말에 칼의 얼굴이 창백해졌다. 거짓말을 할 수 없다니…… 얼마나 삭막한 일인가!). 적어도 우리들 사이에서는. 장사꾼 난쟁이들은 예외지만. 그래서 우리 부모님은 내 능력을 알았을 때 즉시 최고위원회에 알렸어."

파프니르는 과연 정직했다.

"물론 정상인인 척하고 싶은 욕망도 있었지. 하지만 이놈의 지독한 마법을 통제할 수가 없다는 게 문제야. 누군가가 나에게 날카로운 것을 날리거나 위협하면 자동적으로 나를 보호해주는 힘의 장막 같은 게 나를 에워싸 버리는 거야. 그 힘을 없애려고 갖은 노력을 다 해봤지만 소용없었어. 나는 결국 실패했고, 동포들은 날 추방해버렸지."

마법을 그리 좋아하지 않는 타라조차 그토록 마법을 몰아내려고 하는 난쟁이의 생각에는 소름이 끼쳤다.

"그럼 이제 어떻게 할 건데?"

"여길 떠나서 그 금지된 식물을 손에 넣고 우리집으로 돌아갈 거야."

"하지만 샤트릭스는 어떡하고?" 파브리스가 말렸다.

"그까짓 것! 나는 난쟁이야! 내가 떠나기로 결심한 이상 날 막을 수 있는 건 아무것도 없어."

"미친 짓이야!" 파브리스는 반대했다. "절대로 숲을 통과하지 못할 거야! 샤트릭스들이 득시글거리는데. 놈한테 물렸다 하면 해독제를 얻으려고 요새로 돌아올 수밖에 없어. 그렇지 않으면 이 세상과 영원히 하직하는 거라고!"

"상그라브들은 벌써 수 차례 입문의식을 받게 하려고 했어." 난쟁이는 근육질의 어깨를 들썩거리면서 대꾸했다. "그게 잘 되지 않자 약이 바짝 올라서 별의 별 짓을 다하고 있지. 하지만 난 말야, 그까짓 것들은 하나도 무섭지 않거든."

마치 엿듣는 사람이 있는 것처럼 파프니르가 갑자기 입을 꽉 다물더니 벌떡 일어나서 덧붙였다.

"너희들의 쇠망치가 맑은 소리로 울리기를……."

"너의 모루가 맑은 소리로 되울리기를." 눈치가 빠른 무아노는 기계적으로 의례적인 문구를 받아쳤다.

파프니르는 더는 한 마디도 하지 않고 그들을 떠났다.

다섯 명의 친구는 얼떨떨한 얼굴로 멀어져가는 파프니르를 쳐다보았다. 반면에 타라는 머리를 갸우뚱하면서 난쟁이의 이상한 행동에 대해 곰곰이 생각했다. 느닷없이 입을 다물고 식탁을 떠나버린 이유가 뭘까?

그 순간 문득 떠오르는 생각에 타라는 파브리스에게 물었다.

"그 테스트가 몇 시부터 시작이지?"

"아침에는 없어. 오후에 있을 거야. 그건 왜?"

"뭔가 확인할 게 있어서. 우리들의 방은 있니?"

"독방을 쓰게 되어 있어." 파브리스는 타라가 묻는 이유를 나름대로 예상하면서 유감스런 어조로 덧붙였다. "그런데 한 방에 모이는 건 절대 금지야. 얘기를 나누려면 응접실로 가야 해."

"음, 그렇구나." 생각에 잠긴 타라는 파브리스가 어색해서 어쩔 줄 모를 정도로 뚫어져라 쳐다봤다.

친구들은 하얀 머리털을 질겅질겅 씹는 타라를 빤히 바라보고 있었다. 타라는 심호흡을 하고 나서 말을 이었다.

"파브리스, 있잖아, 칼과 로빈, 무아노와 몇 가지 의논할 게 있거든. 그러니까 너는 응접실에 먼저 가 있어. 금방 뒤따라갈 테니까 어떻게 가면 되는지 가르쳐줘."

타라가 자기를 따돌리는 것에 당황하고 기분도 상한 파브리스가 눈살을 찌푸리는 사이에 나머지 세 친구는 어이가 없는 얼굴로 타라를 쳐다보고 있었다.

"찾기는 쉬워(파브리스는 구내식당 위로 불룩 나와 있는 층계를 가리켰다). 저기 2층으로 올라오면 방들이 있거든. 응접실은 도서관 바로 옆에 있어. 그럼 거기서 보자."

파브리스가 의연하게 일어나서 돌아서자, 안젤리카가 조르르 따라나갔다. 아마도 파브리스를 자기편으로 만들 기회라고 생각한 모양이다.

타라는 친구들에게 몸을 숙이면서 속삭였다.

"너희들의 도움이 필요해. 아무도 눈치채지 못하게 대화를 엿들을 수 있는 주문이 있어?"

"당연하지." 칼이 대답했다. "인디스크레투스라는 주문인데 도둑들이 정보를 얻기 위해 주로 사용하는 거야. 그건 왜?"

"그럼 방지할 때는 어떻게 해?"

"오팍투스 주문을 사용하면 엿듣는 걸 방지할 수 있어."

"음, 그건 별로야. 우리가 오팍투스 주문을 걸었다고 해도 상그라브들은 우리가 알고 있는 걸 대번에 알아챌 수 있다는 거니까. 다른 주문을 찾아야 해."

칼과 로빈, 무아노는 놀란 토끼 눈으로 타라를 쳐다보았다.

"그때 안젤리카는 앙갚음하려고 키미를 나에게 날려보냈다." 타라가 조심스럽게 말했다.

"뭐라고?" 무아노가 물었다.

"뭐?" 칼과 로빈도 외쳤다.

"너희들 셈 선생님이 우리에게 걸었던 주문 기억나지?" 타라는 다른 식탁을 살피면서 소곤거렸다.

"그거야 오무아에서 일어난 사건에 대해 말할 수 없게 만든 주문이잖아. 왜?"

"누군가 엿듣는 사람이 있으면 그 주문이 우리가 말을 할 수 없게 만든다고 하셨어. 그러니까 우리가 '그때 안젤리카는 앙갚음하려고 키미를 타라에게 날려보냈다.' 라는 말을 할 수 있으면, 우리의 말을 엿듣는 사람이 없다는 거잖아. 우리가 말을 할 수 없으면, 누군가 엿듣는 사람이 있다는 뜻이고."

"와우!" 칼이 탄성을 질렀다. "그러네. 나는 생각도 못했는데! 하지만 파브리스가 기분이 엄청 더러울 텐데. 우리가 얘기를 할 때마다 따돌리게 되면 파브리스가 오해하게 될 거야."

"내 말 잘 들어. 그 난쟁이는 여기서 도망치려고 해. 그래서 우리에게 흘린 얘기보다 훨씬 치밀한 계획을 세우고 있다고 생각해. 그리고 나도 탈출하고 싶어. 가능한 한 빨리. 그러니까 당분간은 파브리스의 기분을 모른 척하고 있다가 탈출하게 되었을 때 모두 설명해주는 거야. 동의해?"

"네, 알겠습니다, 대장!" 칼이 군대식으로 깍듯이 경례를 하면서 대답했다.

"아니, 그건 그렇지가 않아." 로빈이 반대했다. "그렇게 잘 될 거 같지는 않은데 지금으로서는 선택의 여지가 없어서 동의는 하겠어. 그리고 너희들에게 나에 대한 진실을 밝힐 때가 된 것 같다. '그때 안젤리카는 앙갚음하려고 너에게 키미를 날려보냈다.' 오케이! 난 덴마릴 선생님의 수석조수일 뿐만 아니라 탕딜루스 망질의 아들이기도 해."

"……정보국 국장님?" 무아노는 속삭였다.

"어쩐지 그 이름을 어디선가 들은 것 같더라니!" 타라는 조심스럽게 무아노의 말을 잘랐다. "언제부터인가 자꾸 의문이 들더라고. 셈 선생님이 지구에서 일어난 사건을 네 아버지에게 알리라고 하는 말을 들었거든. 그리고 데코루스 주문으로 옷의 무늬를 바꿀 때 내가 실수를 했었잖아. 그때 무아노의 옷에는 왕홀과 왕관들이 나타났고, 내 기억이 맞는다면 네 옷에는 엘프의 상징이 가득했어. 그리고 그 빵 사건! 어느 누구도 그렇게 빵들을 낚아챌 수는 없었을 거야. '안젤리카는 앙갚음하려고 나에게 키미를 날려보냈다.' 오케이. 네가 엘프라면 몰라도!"

"예리한 지적이야!" 로빈이 놀랍다는 얼굴을 했다. "네 말이 맞아. 네가 내 옷을 그렇게 만들었을 때 난 진짜 기절할 뻔했어. 내 옷에서 엘프 전사들이 신명나게 싸우는 이유를 그 순간에 누군가가 알아챘다면 내 정체가 바로 탄로가 났을 거야. 너의 추리력, 정말 대단하다. 그 빵 얘기만 빼고. 난 전혀 기억이 안 나거든."

"잘 기억해봐. 오무아 황궁에서 점심을 먹는 동안에 너한테 빵들을 건네주다가 내가 그만 홀랑 떨어트리고 말았어." 타라는 약간 얼굴이 빨개져서 설명했다. "그런데 넌 그 빵들이 바닥에 닿기 전에 낚아채더라고. 그래서 나는 범상치 않은 일이라고 생각했어. 아무도 그렇게 빨리 할 순 없다고 봤거든. 그러다가 그 일을 까맣게 잊고 있었어."

로빈은 타라를 응시하면서 고백했다.

"타라, 넌 내가 이제껏 본 사람 중에서 최고로 관찰력이 뛰어나. 아주 당혹스러울 정도로. 넌 마치 세세한 것들을 모아서 퍼즐을 맞추는 것 같아. 키디코이가 내 정체가 탄로날 거라고 예고했었어! 정말 조심했어야 했는데!"

그 칭찬에 머쓱해진 타라는 얼굴이 더 빨개졌다.

"우아! 타라는 나중에 명탐정이 될 거야. 로빈, 네 이야기를 하던 중이었어." 칼이 상기시켰다.

"'안젤리카는 앙갚음하려고 너에게 키미를 날려보냈다.' 오케이." 로빈이 중단했던 말을 계속했다. "사실 나는 상그라브들이 눈치채지 못하도록 반은 위장하고 너희들에게 접근한 거였어. 난 너희들보다 나이가 많아. 아더월드의 나이로 열다섯 살이지만, 마법사 활동은 아주 늦게 시작했어. 트라비아에 오기 전에는 엘프를 위해 활동해야 했거든. 간단히 말하면 실은 상그라브들이 너와 나를 동시에 납치해줬으니 일단은 우리의 작전이 성공한 거야. 아버지가 나한테 엘프에게만 작용하는 위치추적 주문을 걸어 놓으셨거든. 그러니까 지금은 너희들이 목숨을 위태롭게 하면서까지 어디론가 도망칠 필요는 없다는 얘기야."

"어…… 그런데 왜 반은 위장이라는 거야?" 무아노가 어리둥절해서 물었다.

"……하프엘프거든." 로빈은 마치 장애자라도 되는 듯이 고백했다. "난 마법사 어머니와 엘프 아버지 사이에서 태어났어. 아버지가 나의 너무 뾰족한 귀, 너무 맑은 눈과 비뚤어진 눈썹을 감춰버렸기 때문에 나는 감쪽같이 인간의 모습을 하고 있는 거야. 너희들은 물론이고 우리의 적도 구별할 수 없을 정도로."

"'그때 안젤리카가 앙갚음하려고 키미를 나에게 날려보냈다.' 오케이, 아무도 엿듣는 사람이 없어." 타라는 확인하고 나서 말했다. "그럼 네 생각은 어떤 건데?"

"아버지는 그 주문이 며칠 동안 작용할 거라고 말씀하셨어. 하지만 스물여섯 시간이 지나도 아버지가 기병대를 이끌고 오지 않으면 내가 혼자서 해결해야 해. 그리고 주문이 작용해서 아버지가 내 위치를 탐지하려면 최소한 스무 시간은 필요하다고 하셨어."

"납치범들이 우리를 이미 몇 시간은 재웠을 거야." 무아노는 곰곰이 생각했다. "음…… 그렇다면 오늘 밤이나 내일 아침에 올 수도 있겠네."

"맞아." 로빈이 말했다. "그러니까 섣부른 행동을 하지 않는 게 좋겠어. 내일 오후까지 아무 일도 일어나지 않으면 그땐 우리끼리 해보는 거야."

"그랬군, 이제 파브리스에게 빨리 가보자." 칼이 말했다. "우리가 오지 않는 이유를 추측하느라고 손톱을 다 물어뜯고 있을 게 뻔해."

정말로 파브리스는 친구들을 기다리면서 자기 손을 못살게 굴고 있었다(다른 식탁에 앉은 안젤리카를 향해 불안한 눈길을 던지면서). 응접실은 오무아에 있는 대화방이나 랑코비트 궁전의 휴게실처럼 매력적인 곳은 아니었다. 하지만 의자는 푹신하고, 다행히 친파프가 있었다!

"휴! 너희들 드디어 왔구나!" 파브리스는 안도의 숨을 내쉬면서 소리쳤다. "안젤리카가 금방이라도 폭발할 것처럼 얼굴이 납빛으로 변해 가지고 얼마나 난리를 치는지 죽는 줄 알았어."

"그까짓 건 뉴스거리도 아냐." 칼이 건성으로 받아넘겼다. "저 계집애가 무슨 얘기를 하든 신경 쓰지 말고 우리에게 무슨 일이 기다리고 있는지 그거나 얘기해줘."

"아주 끔찍했다니까." 파브리스는 투덜거렸다. "꺽다리가 나한테 달려들더니 여기서 일어나는 일을 말해달라고 난리를 치는 거야. 처음에는 거의 발광을 하더니 이 요새에는 최고 수석조수들만 보호되고 있다고 얘기해주니까 그제야 내 귀에 대고 꽥꽥 지르던 소리를 멈췄어. 조금만 더 계속되었으면 난 귀머거리가 되었을 거야! 너희들은 뭐 하느라고 이제 왔는데?"

거북해하는 친구들을 보면서 파브리스는 어깨를 으쓱하고는 계속 말했다.

"좋아, 뭐. 일정 시간표를 알고 싶다는 거지? 오늘 오후에 너희들의 마법 수준을 점검하기 위한 시험을 치르게 될 거야(타라는 하늘을 올려다봤다. 여기서도 시험이라니 정말 지겹군!). 그다음에는 마법 능력과 아울러 너희들의 신체적 민첩성, 힘을 평가하고. 상그라브들은 주문을 외우거나 몸짓을 하는 건 소용없는 짓이라고 말하고 있어. 원하는 것을 시각화할 수 있어야 하고, 꾀를 쓰지 말고 실행할 수 있어야 한다는 거야. 주문을 사용하는 것보다 훨씬 더 힘들긴 하지만, 주문을 읊어서 하는 마법은 드래곤들이 도와줘야 하는 것이며, 드래곤들이 우리를 마음대로 조절하기 위해서 그 방식을 가르쳤던 거라고 주장하고 있어."

"제법 혁신적이네." 무아노는 입을 삐쭉거리면서 지적했다. "하지만 불가능한 일은 아니라고 봐. 칼을 마비시켰을 때 마지스터가 주문을 읊지 않는 걸 봤거든. 그리고 타라도 몸짓을 하는 경우가 거의 없어. 그걸 보면 타라, 너는 네가 원하는 걸 시각화하는 것 같아, 그치?"

"그래, 맞아. 내 경우는 내가 원하든 원치 않든 내가 생각하는 것보다는 오히려 마법이 스스로 작동한다고 봐야 해."

"어쨌든 결투하는 동안에 네가 주문을 걸었다는 걸 상대가 모른다면 당연히 훨씬 유리하잖아." 파브리스는 담담하게 알려주었다.

"결투?"

네 친구의 외침이 동시에 터져나왔다.

"응." 그 반응에 기분이 좋아진 파브리스가 대답했다. "상그라브들은 결투를 통해서 마법사들의 상대적 능력을 평가하거든."

"여기도 오무아와 마찬가지라니!" 무아노는 분개했다. "오무아만 예외가 아니었네. 진짜 정떨어진다."

"나도 그래!" 타라와 칼이 동시에 대답했다.

"결투가 있단 말이지! 그거 멋진걸!" 로빈이 눈을 반짝이면서 외쳤다.

"하기야 너희들 엘프는 싸우는 걸 제일 좋아하지." 칼이 역겨운 어조로 이죽거렸다.

그 말이 입에서 튀어나가자마자 칼은 자신이 실수했다는 걸 깨달았다. 타라와 무아노는 팔꿈치로 칼의 옆구리를 쳤고, 파브리스는 어이가 없다는 표정으로 칼을 쳐다봤다.

"너 그렇게 함부로 말해도 돼? 로빈은 인간이지 엘프가 아냐!"

"물론 나도 알지." 당황한 칼이 대답했다. "웃자고 한 말이었어. 로빈이 꼭 엘프처럼 싸우는 걸 좋아해서 무심코 튀어나온 말이니까 봐주라. 네가 납치된 뒤로 많은 일이 있었거든. 오무아에서 타라를 귀찮게 하는 자를 때려눕힐 뻔했기 때문에 로빈에게 '싸움대장' 이란 별명까지 붙었다니까. 그리고 로빈은 안젤리카로부터 타라를 지켜주는 최고의 보디가드가 되었거든."

파브리스는 칼이 꾸며낸 이야기를 의심 없이 받아들였다.

아침나절은 후딱 지나갔다. 파브리스는 여러 명의 어린 마법사들을 소개해주었다. 유감스럽게도 타라의 예측이 들어맞는 것 같았다. 그들은 거만하고, 매정하고, 충동적이었다. 매우 강력한 마법으로 그들이 재미 삼아 '비마' 들을 괴롭히고 있어서 '비마' 들은 난데없는 따귀를 얻어맞기도 하고, 보이지 않는 장애물에 걸려 비틀거리기도 했다. 잿빛 옷차림의 어린 마법사들은 마치 뭔가 거북한 것이 있는 듯이 걸핏하면 가슴을 벅벅 긁어댔다. 타라는 자신의 가슴에서 악마가 나올 때를 떠올리면서 충격을 받았다. 무아노와 칼, 다른 친구들도 겁을 먹기 시작했다.

이윽고 그들은 얼떨결에 첫 번째 결투를 목격하게 되었다.

두 소년이 말다툼을 하고 있었는데 그 대화가 누구에게나 들릴 정도로 언성이 높아져 갔다.

"타르다의 말이 맞다니까!" 한 명이 소리를 버럭 질렀다. "주문을 거는 데는 1000분의 1초도 걸리지 않아!"

"타르다의 말은 틀리다니까! 그녀는 역공주문의 신속함을 전혀 고려하지 않았어. 1초 이내로는 불가능해!"

"이젠 진저리가 난다! 결투를 신청하겠다!"

"좋아, 결투장으로 가자!"

어떤 어른도 간섭하지 않는다는 것이 놀라웠다. 모두들 우르르 몰려나가자, 파브리스도 그들을 뒤쫓아나가면서 소리쳤다.

"따라와, 의무적으로 결투를 봐야 해. 걱정하지 말고. 가서 봐야 돼. 그 두 아이는 나와 동시에 이곳에 도착했고, 걔들도 아직 입문하지 않았어."

무아노는 어이가 없는 얼굴로 파브리스를 쳐다봤다.

"뭐, 뭐라고? 너 지금 의무적으로 그걸 봐야 한다고 했니?"

"난 이전부터 결투를 흥미롭게 생각하고 있었어." 파브리스는 고백했다. "그리고 지금은 남들하고 똑같이 행동하고 따르는 게 최선이라는 얘기야."

로빈은 세차게 고개를 내저었다. 로빈에게 있는 엘프의 기질은 결투를 구경한다는 생각에 흥분하는 반면에 인간의 이성은 불안해하고 있었다. 로빈은 아버지와 어머니가 그토록 다른데 왜 결혼을 했을까 궁금했다. 그는 혼혈 인간이라는 것이 싫었다. 그리고 위장하고 있긴 해도 처음으로 동무들에게 인간으로 인정받는 느낌이 들었기 때문에 그 임무가 마음에 들었다.

결투장에 도착했을 때, 좋은 자리는 이미 다들 차지하고 있어서 그들은 계단식 관람석의 제일 꼭대기 자리로 올라갔다. 그 소문이 이미 요새를 한 바퀴 돌았는지 결투장은 거의 만원이었다. 무려 100명에 이르는 상그라브들의 수에 타라는 소름이 끼쳤다.

가슴에 그려진 원의 색깔이 다 다른 것으로 보아 서열을 명확히 구분하는 모양이었다. 원의 색깔은 노란색에서부터 빨간색에 이르기까지 다양한 반면에 옷은 밝은 잿빛에서 거의 검은색에 가까운 잿빛으로 점점 짙어졌다.

상그라브들의 얼굴은 볼 수 없지만 결투가 시작되길 기다리면서 긴장하는 손을 볼 수 있었다. 그들 무리에서 으스스하고 음산한 긴장감이 감돌았다.

두 소년이 마주보고 서서 동시에 "결투!" 하고 외쳤다.

이윽고 모든 사람이 잘 볼 수 있도록 경기장 바닥이 스르르 올라오고, 관람석과 격리시키는 투명한 힘의 장막이 그들을 에워쌌다.

영화 속의 마법사들은 대체로 변신술로 결투를 벌인다. "나는 닭으로, 너는 고양이로 변신! 난 개로, 너는 사자로 변신! 나는 버룩으로, 너는 원숭이로 변신! 나는 악어로, 너는 코끼리로 변신! 나는 쥐로, 너는 드래곤으로 변신! 드래곤으로 변신한 김에 나를 한 번 숯덩이로 태워보시지, 으하하하!"

하지만 두 소년은 정말로 싸우고 싶어 하는 것 같았다. 아무래도 그런 영화를 보지 않았나 보다.

결투는 아주 전형적인 방식으로 시작되었다. 두 소년이 서로에게 포쿠스 주문을 걸었는데, 아직은 주문을 읊조리면서 손짓을 하는 습관을 버리지 못했기 때문에 구경꾼들도 대번에 알아차렸다. 그들은 또한 동시에 꼼짝 못하게 하는 주문의 포승을 푸는 데 성공했다. 1회전 무승부.

한 녀석이 손짓을 하자, 상대의 머리에 멋진 당나귀 귀 한 쌍이 나타났다. 여기저기서 터져나오는 웃음. 당나귀 귀를 단 녀석이 이번에는 트란스베투스 주문을 걸어 상대의 옷을 홀랑 벗겨버리자, 사내애들은 휘파람을 불어대고, 계집애들은 얼굴을 붉혔다.

약이 바짝 오른 녀석은 데트리투스 주문으로 응수했다. 1톤쯤 되는 퇴비가 쏟아져 내렸지만 상대는 옆으로 펄쩍 뛰어서 퇴비를 피하는 데 성공했다.

이런 마법은 신속하고 민첩하기만 하면 얼마든지 피할 수 있는 것들이다. 따라서 결투를 할 때는 권투선수처럼 몸을 놀려야 한다. 유연하고 민첩한 몸놀림으로 잽싸게 움직이는 것이 관건이다.

두 명의 어린 마법사는 이제 한 사람이 끈적끈적한 오물을 보내면 상대가 아주 구역질 나는 다른 뭔가로 바꾸어서 되돌려주는 경기로 들어서갔다.

한 녀석이 간교한 미소를 흘리면서 몸짓도 하지 않고, 말도 하지 않은 채 주문을 걸었다. 상내는 그 수눈이 실패한 거라고 생각한 모양이다. 흡족한 얼굴이 된 녀석이 반격하기 위해 손가락을 움직이는 순간 맙소사, 손가락 대신에 움직이는 것은 지느러미였다! 소리를 지르려고 하는 입이 벌름벌름하더니 두 다리가 쩔꺼덕 달라붙으면서 소년은 쿵, 넘어졌다. 온몸에 비늘이 덮이더니…… 소년은 경기장 한복판에서 물을 찾겠다고 퍼드덕거리는 어마어마한 물고기로 둔갑했다.

승자가 환호성 속에 경기장을 세 바퀴 도는 동안, 패자는 숨을 쉬겠다고 펄떡펄떡 안간힘을 쓰고 있었다. 마침내 한 상그라브가 나서서 승자에게 가여운 물고기를 원래 상태로 돌려놓으라고 명했다.

"와우! 진짜 재밌다!" 그들이 경기장을 나왔을 때 로빈이 흥분한 어조로 외쳤다. "이런 결투가 자주 있어?"

"그런 편이지." 파브리스는 눈을 찡긋거리며 말했다. "일주일에 한두 번은 있으니까. 상그라브들이 주최하면 어린 마법사들끼리의 결투도 아주 달라져. 그들이 요구하는 주문을 걸어야 하거든. 명예를 거는 결투에서는 상대를 죽이지 않는다는 조건하에 무슨 마법이든 쓸 수 있어."

"파브리스, 낮에는 공원에 나갈 수 있는 거지?" 타라가 물었다.

"응. 여긴 추운 계절이 시작되고 있어서 날씨가 제법 쌀쌀한데도 패밀리어들이 나가서 돌아다니는 걸 보면."

"지금 나가도 돼?"

"물론이지, 따라와."

"잠깐만 기다려. 같이 나갈지 물어볼 사람이 있거든." 타라는 파브리스를 멈춰 세웠다.

난쟁이가 지나갈 때, 타라는 이목을 끌지 않게 조용히 불렀다.

"파프니르, 잠깐만 시간을 내줄래?"

"응?" 아주 짤막한 물음이었다.

"공원으로 나갈 건데 너도 같이 갔으면 좋겠어."

난쟁이는 타라를 훑어보면서 골똘히 생각하는 것 같더니 어깨를 으쓱하면서 말했다.

"그러지 뭐."

"그럼 가자."

그들은 녹음을 드리워주는 아름드리 나무 밑의 옥외 탁자에 이를 때까지 묵묵히 걸었다. 과연 파브리스의 말대로 날씨가 쌀쌀했다. 그런데 팔다리를 다 드러내고 있건만 난쟁이는 추위를 느끼지 않는 것 같았다.

"무아노, 힘든 일을 하나 부탁할게." 타라가 말했다. "셈 선생님이 오무아 사건이 일어난 뒤에 했던 주문 기억나니?"

무아노는 고개를 갸우뚱하면서 말했다.

"응, 기억나. 왜?"

"그 주문을 입으로 말하지 말고 써주면 좋겠어. 시험해볼 게 있어서."

무아노는 얼떨떨한 얼굴로 쳐다보다가 부탁을 들어주었다. 주머니에서 종이와 연필을 꺼내서 주문을 적은 뒤에 타라에게 건네주었다.

다른 애들이 알아차리기 전에 타라는 그들의 비밀이 지켜지기를 바라는 간절한 마음을 담으면서 파브리스와 마니투, 파프니르에게 재빨리 셈 선생님의 주문을 읊었다. "*인포르마투스의 이름으로* 내가 그 비밀을 공유한다. 따라서 아무도 내가 아는 것 전부를 알지 못한다!"

오무아에서와 똑같은 푸르스름한 구름이 그 세 명의 몸을 휩싸는 걸 보면서 아주 흡족해하는 순간, 자신도 모르게 땅바닥에 쓰러진 타라의 목에 칼이 들이대져 있었다.

주문이 걸리는 걸 느끼는 순간 단도를 빼어들고 달려든 파프니르가 낌새도 재지 못할 성노의 날쌘 동작으로 타라를 자빠뜨렸던 것이다.

난쟁이가 이젠 아예 몸무게로 짓누르면서 얼굴을 바짝 들이대는 바람에 사팔눈이 된 타라는 주문이 작동하기 전에 사연을 알려주는 게 낫겠다고 생각했다.

"이게 무슨 짓이야? 네 목을 따기 전에 빨리 주문을 취소해!" 타라를 위협하는 난쟁이는 서슬이 퍼랬다.

기절초풍한 다른 친구들은 감히 꼼짝도 못하고 있었다. 화가 불같이 난 난쟁이의 칼에 목이 찔린 타라는 선택의 여지가 없었다.

"잠깐만! 내 얘길 들어줘. 그건 보호주문이야. 우리는 오무아에서 일어난 사건의 증인들이거든. 그래서 셈 선생님이 다른 사람에게는 절대로 그 사건에 대해 발설하지 말라고 당부하셨어. 그리고 확실히 해두는 뜻에서 우리에게 이 주문을 걸었고. 네가 아까 말을 갑자기 중단하는 걸 보고 우리가 감시당하고 있다는 결론을 내리게 된 거야. 그리고 난 우리가 서로를 도울 수 있다고 생각해서…… 그만 미안해."

"그래도 넌 나한테 주문을 걸 권리가 없어." 난쟁이는 흘러내리는 피를 본 척도 않고 반박했다. "내가 얌전한 애라서 재수가 좋은 줄 알아, 너! 다른 난쟁이한테 걸렸으면 질문이고 뭐고 넌 단칼에 목이 잘렸어."

난쟁이는 칼을 치웠다. 그 힘에 놀라서 일어나던 타라는 잠시 휘청거렸다.

"게다가 마법 따위를 사용할 필요는 없단 말야. 난 엿듣는 걸 알아챌 수 있으니까." 난쟁이는 퉁명스럽게 내뱉었다.

"하지만 우리에겐 그런 능력이 없거든." 이제는 피가 그쳤지만 칼에 찔린 데를 조심스럽게 만지면서 타라가 말했다(할머니가 입버릇처럼 내뱉는 말 그대로 발두르의 뿔에 받친 것처럼 그거 되게 아프네!). "'안젤리카는 앙갚음하려고 키미를 타라에게 날려보냈다.' 라는 말을 우리가 할 수 있으면 아무도 엿듣는 사람이 없다는 뜻이야. 네가 직접 확인해봐!"

난쟁이는 타라를 째려본 뒤에 홱 돌아서서 가버렸다.

무아노가 뛰어와서 타라의 상처에 손을 대고 주문을 걸었다.

"*레파루스의 이름으로* 통증은 가라앉고 상처는 당장 사라져라!"

통증이 가라앉자, 타라는 안도의 한숨을 내쉬었다.

"30초마다 목이 따끔거리는데 휴, 아파서 혼났네!" 타라는 볼멘 소리로 말했다. "난쟁이에게는 허락 없이 주문을 걸면 안 된다는 걸 깜빡했지, 뭐야. 파프니르가 우리 얘기를 확인하러 간 걸까? 불쾌해서 가버린 거면 안 되는데……. 어쨌든 파브리스, 네가 '안젤리카는 앙갚음하려고 키미를 타라에게 날려보냈다.' 라는 말을 1인칭으로 바꿔서 한번 시험해봐라. 네가 말할 수 있으면 요새 전체로 보호구역이 확장되었다는 뜻이거든. 말할 수 없으면 지금까지 하던 대로 조심하면 되는 거고."

꼬치꼬치 묻지 않기로 마음먹은 모양인지 파브리스는 찍소리 않고 마니투와 사라졌다. 파브리스는 1분 후에 싱글벙글한 얼굴로 돌아왔다.

"한 마디도 하지 못한 채 상그라브 앞에서 10초를 서 있다가 왔어. 내가 돌았다고 생각했는지 의무실로 보내려고 했다니까. 이거 굉장하다. 그런데 왜 이래야 하는데?"

엿듣는 사람이 없는지 규칙적으로 확인하면서 타라와 칼, 로빈, 무아노는 파브리스에게 안젤리카 때문에 일어난 참변을 포함한 자초지종을 모두 얘기해주었다. 그들은 이야기하는 동안 여러 번 마법의 문장을 말할 수 없었다. 그래서 그때마다 화제를 돌리곤 했지만 그게 쉬운 일은 아니었다. 게다가 타라는 파프니르를 다시 보지 못하게 될까 걱정이 되어서 정신을 집중하기 힘들었다.

점심시간을 알리는 종소리가 울렸지만, 난쟁이는 다시 나타나지 않았다.

지금으로서는 우선 탈출할 준비를 하고 있어야 했다. 만약의 경우를 대비해서.

일단 식당으로 들어간 타라는 파프니르가 아침을 먹을 때와 같은 자리에 앉아서 뭔지 모를 큼직한 것을 아귀아귀 먹고 있는 걸 보았다. 타라는 조심스럽게 그 옆자리가 아니라 맞은편에 앉았다. 이러면 성깔 있는 난쟁이가 또 목에 칼을 들이댈 경우 재빨리 도망칠 수 있겠지.

난쟁이는 그 귀여운 눈을 들어 타라를 빤히 쳐다보더니 뼈다귀 한 개를 뱉어내면서 중얼거렸다.

"그 문장, 정확하더라. 5시에 공원으로 모여."

타라는 고개를 끄덕였다.

그들은 점심을 먹는 둥 마는 둥 허겁지겁 먹었다. 마지막으로 과일을 삼키자마자 1차 테스트를 받을 시간이 되었다. 시험 장소로 들어서던 칼과 로빈, 타라, 무아노는 눈이 휘둥그레졌다.

나무, 밧줄, 다리, 강물, 호수, 그야말로 전투훈련장을 방불케 했다. 가파른 언덕 꼭대기에는 받침대 위에 놓인 돌 하나가 반짝이고 있었다.

반사경 마스크를 쓴 상그라브가 그들 앞에 나타났다. 의심할 여지가 없는 여자 목소리였다. 그 여자가 하는 말에 모든 사람, 특히 타라는 아연실색했다. 여자가 타라 앞에서 바닥에 닿을 정도로 허리를 숙이면서 이렇게 말했던 것이다.

"어서 오십시오, 여제 폐하. 이렇게 왕림해주시니 우리 요새로서는 더 없는 영광이옵니다. 나는 만티코르 부인이라고 합니다."

타라는 누구에게 말하는 건지 보려고 고개를 돌렸지만 등뒤에는 아무도 없었다.

"저기…… 죄송하지만 그 칭호는 내가 아니라 여기 있는 무아노에게 해야 하는 건데요." 타라는 이마에 주름을 잡으면서 친구를 가리켰다.

"알고 있습니다, 여제 폐하."

여자는 무아노 앞에서 다시 허리를 굽혔다.

"어서 오십시오, 공주마마."

파브리스는 눈을 동그랗게 뜨면서 생각했다. 이 상그라브는 또 뭐가 못마땅해서 타라에게 시비를 걸까? 진짜 웃기네!

"허락한다면 폐하의 능력을 시험하겠습니다. 브리다?"

"네?"

"이 방에서 어떤 훈련을 하는지 두 분 마마께 보여라. 선을 뛰어넘는 순간부터 환영의 돌을 잡는 순간까지 네가 크로노미터가 되는 거야."

"알겠습니다, 부인."

안젤리카와 시시덕거리던 소녀는 우아한 모습으로 앞으로 나오더니 간단하게 자신의 옷을 잿빛 타이츠로 바꾸었다. 이어서 소녀는 돌진했다.

첫 번째 함정이 가동되었을 때, 그들은 그 게임의 목적을 알아차렸다.

브리다가 첫 번째 밧줄을 향해 달려갈 때였다. 바로 앞에 커다란 웅덩이가 벌어졌는데 하얗고 빨간 징그러운 벌레가 우글거렸다. 소녀는 마법을 사용해서 그 웅덩이를 훌쩍 뛰어넘었다. 이어서 단번에 밧줄을 움켜잡고 나뭇가지에 올라탄 소녀는 중심을 잡으면서 호수로 뛰어들었다. 하지만 기슭이 너무 높고 미끄러워서 도움 없이는 올라오는 것이 불가능했다. 소녀는 나무뿌리가 있는 데까지 헤엄쳐가서 물 밖으로 기어 올라오기 위해 나무뿌리에 기대었다.

그때 갑자기 소녀의 등뒤로 불쑥 나타난 문어발 같은 것들이 꼼지락 꼼지락 나가오는 것이 아닌가. 어린 마법사들이 지르는 비명소리에 네 친구는 소스라치게 놀랐다.

"브리다, 크라켄*이야, 조심해! 조심해!"

자이언트 문어가 시커먼 발들을 꿈틀대며 다가오고 있었다. 브리다는 필사적으로 도망치려다가 중심을 잃고 말았다. 그런데 소녀의 발이 미끄러지는 순간, 문어발 하나가 몸을 휘감아서 물 속으로 끌고 들어갔다가…… 만티코르 부인의 발치에 휙 내던졌다. 나동그라진 브리다는 쿨룩거리면서 침을 뱉어냈다.

"제법 잘했다, 브리다. 그런데 네 실수가 뭐지?"

"집중력을 잃었습니다. 그리고 빨리 물에서 나오지 못했어요. 떠내려가지 않으려면 헤엄을 쳐야 했기 때문에 마법을 사용할 수 없었고……, 따라서 저는 실패했습니다."

"좋아. 다음!"

다음에 시험을 치른 어린 마법사 두 명도 운이 좋지 않았다. 한 명은 발에 닿는 것만도 소름이 끼치는 벌레가 우글거리는 웅덩이에 빠졌다. 건드리지 않는 한 해롭지는 않다지만 불덩이처럼 뜨거워서 조금만 닿아도 화상을 입는다는데, 과연 고통에 찬 비명을 지르면서 빠져나온 아이의 얼굴과 손은 온통 붉은 반점으로 가득했다. 또 한 명은 웅덩이를 날렵하게 피했지만 크라켄과의 싸움에서 졌다.

이어서 로빈의 차례가 되었다. 하프엘프는 장난을 치듯 웅덩이를 뛰어넘어서 거의 날아가듯 나뭇가지에 올라섰고, 호수로 멋지게 다이빙했다. 이어서 크라켄을 깔보듯 미끄러운 뿌리를 붙잡고 기어오른 로빈은 환호성을 받으며 물에서 나왔다.

마스크가 파란색으로 변한 만티코르 부인은 수첩에 뭔가를 적어 넣었다.

로빈은 잠시 망설이다가 길은 거들떠보지도 않고 넝쿨 하나를 움켜잡고 이 나무에서 저 나무로 이동하면서 함정 위를 훨훨 날아다녔다.

만티코르 부인은 고개를 끄덕이면서 또 뭔가를 적었다. 타라는 불안했다. 로빈이 지나치게 잘하고 있어. 저러면 안 되는데!

하지만 시험에 너무 몰두한 하프엘프는 자기가 어디에 있는지 잊고 있었다. 타라는 날아올랐다가는 훌쩍 뛰어내리고, 펄쩍펄쩍 뛰어다니면서 온갖 묘기를 부리는 로빈을 걱정스럽게 주시했다.

드디어 무사히 언덕 기슭에 이른 로빈은 떠나갈 듯한 박수를 받으면서 땅바닥에서 데굴데굴 굴렀다.

잠시 후, 로빈은 정신을 집중한 채 언덕을 유심히 살핀 뒤에 오르기 시작했다. 깔아뭉개려는 듯 위협적으로 쏟아지는 흙더미, 굴러 떨어뜨리려는 듯 난데없이 휘말려오는 물의 소용돌이, 로빈은 그것들을 잘도 피해갔다. 피하지 못하면 호수로 떨어져서…… 곧장 크라켄의 품에 안기는 거였는데.

일단 꼭대기에 오른 로빈은 잠시 받침대를 살폈다. 그러고는 재빠르게 환영 같은 돌을 집어들고 뒷걸음치다가 번개같이 언덕을 내려왔다. 발 밑에서는 언덕이 우르르 쾅쾅 내려앉고 있었다.

가까스로 피해서 단단한 땅까지 내려온 로빈은 언덕이 흙탕 마그마 속으로 빨려드는 광경을 보았다.

만티코르 부인은 길을 뚫어져라 응시했다(타라는 길과 아울러 함정들이 사라졌기 때문에 그렇게 뚫어져라 보는 거라고 생각했다).

친구들에게 돌아온 로빈은 자랑스럽게 오색 불빛을 내뿜는 환영의 돌을 휘둘렀다. 싱글벙글 좋아라 하던 로빈은 타라의 눈길과 마주치는 순간에야 자신이 무슨 짓을 했는지 깨달았다.

만티코르 부인은 시간을 허비하지 않았다.

"이리 와봐(그녀는 수첩을 보고 있었다), 로빈이라고 했지?"

"네, 부인." 로빈은 마지못해서 대답했다.

"확인할 게 있으니까 움직이지 마."

그때 갑자기 칼이 땅바닥에 데굴데굴 구르면서 숨넘어가는 소리를 했다.

"아이고 배야. 아이고, 배야. 배가 아파 죽겠어요, 부인."

만티코르 부인이 로빈을 건드리려다가 말고 칼을 향해 돌아섰다.

"왜 그러니?"

"모르겠어요." 칼은 죽는소리를 했다. "아파요. 아파 죽겠어요. 저는 오늘 아침에 이송되었는데……."

칼의 교란작전은 만티코르 부인에게 전혀 통하지 않았다. 그런 수작에 익숙해 있는지 그녀는 칼에게 더는 말할 틈을 주지 않았다. 그녀는 몸을 숙이고 칼을 만져보고 나서 앙칼지게 외쳤다.

"*트란스미투스의 이름으로* 의무실로 가거라. 복통이 가라앉을 것이다!"

만지면 손을 할퀼 것만 같은 위협을 풍기면서 만티코르 부인이 돌아섰을 때, 로빈은 몸을 움츠리려고 했다. 하지만 큰 키 때문에 여의치 않았다.

"제, 제가 뭘 잘못했습니까?" 로빈이 우물우물 말하는 사이에 만티코르 부인이 다가섰다.

"오, 아니, 전혀 그렇지 않아. 너는 완벽하게 해냈다. 모든 장애물을 뛰어넘었고, 돌도 손에 넣었어."

"그럼 무슨……?"

"그건 육체적 능력만 사용하는 정상적인 마법사로서는 불가능한 일이지. 따라서 나는 네가 평범한 마법사가 아니라는 결론을 내렸다. 그리고 우리는 그런 사람이 요새 안에 같이 있는 걸 원치 않아. 그러니 이리 가까이 와봐."

로빈은 한 발짝도 앞으로 나서지 않았다. 마치 겁먹은 듯이 뒷걸음질 쳤다(아닌 척하고 있지만 로빈은 진짜 겁에 질려 있었다). 영문을 모르는 어린 마법사들은 슬금슬금 비켜섰다.

그 순간 만티코르 부인이 비죽 나와 있는 쉬바의 꼬리를 밧줄로 착각하고 밟았던 모양이다. 표범은 미친 듯이 날뛰면서 갈기갈기 찢어 놓을 듯한 기세로 달려들었다. 안타깝게도 미처 상그라브를 완전히 물어뜯기도 전에 역습을 당한 표범은 꼼짝 못하는 신세가 되었다.

찢어진 팔에서 흐르는 피를 아는지 모르는지, 만티코르 부인은 서슬이 시퍼래서 외쳤다.

"모두 입도 뻥긋하지 마! *포쿠스의 이름으로* 아무도 움직이지 못한다! 화가 머리끝까지 나 있으니까!"

그런데 그건 망구스에 이어서 드라고쉬 선생님이 타라에게 걸었던 것과는 생판 다른 포쿠스 주문이었다! 이 주문은 터키빛 불꽃을 튀기는 데다 어찌나 몸을 꽉 조이는지 숨쉬기가 힘들었다. 갈랑도 버둥거렸다. 공포에 사로잡힌 타라는 이번에는 벗어나지 못하리라는 걸 깨달았다. 상그라브는 어찌나 화가 많이 났는지 모든 사람을 움직이지 못하게 만들어 놓았다. 악마의 마법에 걸렸다가 최고 마법사들의 치료로 나았던 타라는 안젤리카와 싸울 때 솟구쳤던 강력한 힘을 끌어내기에는 화가 그리 많이 나 있지 않았다.

바로 옆에서 나는 이상한 소리에 타라는 고개를 돌렸다. 파브리스가 덜덜 떨면서 이를 딱딱 부딪히고 있었다.

무아노는 괴성을 지르면서 변신을 시도했지만 너무 늦었다. 만티코르 부인이 피투성이가 된 손으로 로빈을 막 건드렸던 것이다.

두 피부가 서로 닿자마자 만티코르 부인이 날카롭게 외쳤다.

"이스키아루스의 창자여! 엘프! 위치추적 주문! 비상! 비상!"

마법을 사용해 증폭된 그녀의 목소리가 온 요새에 울려퍼졌다.

그러자 그녀 주위에 상그라브들이 형상화되었다. 작업복 차림도 몇 명, 파자마 바람도 몇 명(대낮에?), 비눗물을 뚝뚝 흘리면서 한 손으로는 허리에 두른 수건을 붙잡고, 또 한 손으로는 브러시를 들고 있는 사람, 등등…….

고함소리가 터져나왔다.

"뭐야? 무슨 일인가?"

가슴에 그려진 원의 색깔로 보아 마지스터가 분명했다. 자기를 방해한 여자를 당장이라도 가루로 박살내버릴 것 같은 어조였다.

"누가 경보를 울렸는가?" 마지스터가 고함쳤다.

"접니다, 보스!" 만티코르 부인이 얼른 대답했다. "이 엘프가 어떻게 요새 안에 침투했는지는 모르겠으나 위치추적 주문을 발견했습니다. 당장 차단해야 하는데 혼자서는 할 수 없는 일이라서 경보를 울렸습니다!"

"호들갑 떨지 말라. 강력한 주문일수록 그것이 실현되려면 시간이 필요하다. 교활한 사냥꾼들이 지금쯤 방향이야 대충 짐작했을 수도 있겠지. 하지만 아직 정확한 장소까지는 알아내지 못했을 것이다."

마지스터가 툭 건드리자, 로빈은 고통으로 우거지상이 되었다.

이어서 느닷없이 마치 뭔가를 지우는 시늉에 로빈의 얼굴이 변했다.

밝은 빛을 내는 두 눈, 관자놀이 쪽으로 길어지는 눈썹, 쭉쭉 늘어나는 귀. 또 머리칼이 자라나기 시작했는데 엘프 특유의 흰색 머리털에 검은 머리타래가 섞여 있어서 혼혈 인간이라는 것이 명확하게 드러났다.

마지스터는 반신반의하는 어조로 말했다.

"이런, 설마 했더니! 진짜 엘프잖아! 아니, 하프엘프로군. 위치추적 주문에 걸려 있는 것도 맞고. 으흠, 우리의 친구 셈나샤오비로다인트라쉬부의 발 냄새가 느껴지는군. 우리를 찾아내기까지는 아직 몇 분이 남아 있으니 그동안에 내가 이 주문을 풀어버릴 수도 있겠지. 그런데 그 드래곤 마법사가 엘프의 귀를 이용할 거라고 생각하니 영 기분이 나쁘단 말씀이야. 그래서 너를 죽이는 것으로 주문을 무력하게 만들어야겠다!"

네 명의 친구는 얼굴이 파랗게 질렸고, 콧방귀를 뀌는 안젤리카는 꼴 보기 싫은 것들, 아주 쌤통이다! 하는 얼굴이었다.

"안 돼!"

타라의 외침에 소스라치게 놀란 상그라브들의 보스가 귀를 비볐다.

타라는 포쿠스 주문에서 벗어나려고 미친 듯이 버둥거리면서 혈관을 타고 흐르는 힘을 느꼈다. 마법가게에서처럼 눈빛이 새파래지고, 갑자기 우지끈하는 소리와 함께 주문이 굴복하더니 타라의 몸이 붕, 날아올랐다. 그러자 그때의 악몽이 되살아나서인가, 안젤리카는 불안한 신음 소리를 냈다.

공이 울리는 것 같은 소리가 나면서 이상하게 변한 타라의 목소리가 마지스터에게 소리쳤다.

"놓아줘라. 놓아줘! 당장!"

마지스터가 반응을 보이지 않자 타라는 마음의 힘을 이용해 로빈 주위에 모인 상그라브들을 떠밀었다. 그러자 그들이 지푸라기처럼 맥없이 날아갔는데…… 여기 저기 나뭇가지에 걸려서 버둥거리질 않나, 호수에 풍덩풍덩 빠지질 않나, 한 명도 아니고 여러 명이 한꺼번에 들어오자 이게 웬 떡이냐 싶어서 어리둥절해하는 자이언트 문어 크라켄하며…… 그야말로 배꼽을 뺄 만한 광경이었다.

이번에는 화가 머리끝까지 난 만티코르 부인이 나섰다.

"불의 마법!"

상그라브들이 단축 주문을 만들어낸 것이 틀림없었다. 그녀의 손에서 발사되는 불타는 광선이 타라가 순간적으로 만들어낸 방패를 후려쳤다.

이에 질세라, 타라가 만들어서 쏘아대는 광선 때문에 이번에는 상그라브가 방패 뒤로 몸을 숨길 차례였다. 지금까지는 0 대 0.

둘이 한 차례씩 공격을 주고받은 뒤에도 다른 상그라브들이 구경만 하는 걸 보면서 타라는 이대로는 상대의 방어를 뚫기가 어렵다는 걸 알아차렸다. 타라는 마법의 추진력을 이용해서 호수 위로 날아갔다. 다른 상그라브들이 지켜보는 앞에서 조그만 계집애가 감히 겁도 없이 정면으로 대항하다니, 격분한 만티코르 부인은 타라를 뒤쫓았다.

자이언트 문어에게 붙잡힐 위험을 무릅쓰고 타라는 수면에 닿을 듯 말 듯 날고 있었다. 다행히 문어는 물 속에서 허우적대는 상그라브들을 상대하는 것만으로도 너무 바빴다.

만티코르 부인이 불타는 광선을 발사했을 때, 타라는 제압하지 않고 그냥 슬쩍 피했다. 미사일처럼 날아간 광선이 호수에 떨어지면서 순식간에 구름 같은 연기가 피어올랐다.

훙, 요건 몰랐을 거다! 타라가 바라는 게 바로 그거였다. 번개처럼 잽싸게 그 구름 같은 연기 속에 숨어서, 타라는 만티코르 부인을 꼼짝 못하게 만들기 위한 광선을 발사했다. 알아채지도 못한 사이에 광선을 맞고 공중에서 그대로 몸이 굳어버린 만티코르 부인은 날아갈 힘을 잃고 호수로 풍덩! 추락해버렸다.

좋았어, 한 명 제거! 이제는 상그라브들의 보스 차례였다. 타라는 마지스터를 향해 돌아서면서 공격 자세를 취했다.

끄떡도 하지 않는 마지스터는 떡 버티고 선 채 아주 흥미롭게 그 장면을 지켜보고 있었다. 이윽고 반사경 마스크로 가린 얼굴을 숙이면서 외쳤다.

"과연 강력하구나! 너의 분노와 증오가 느껴져. 계속 해보거라, 분노에 사로잡히면 어떻게 되는지 보게. 어쨌든 정말 대단한 능력이야……."

한순간 타라는 당황했다. 그래 좋아! 드디어 적이 다스 베이더 흉내를 내고 있단 말이지! 타라는 어이없는 웃음을 꾹 참으면서 정신을 바짝 차렸다. 타라의 능력은 주문이 필요 없지만 상대를 무력화시키려면 창조적인 마법을 써야 했다. 정면 승부는 타개책이 아니었다. 타라는 잔디로 덮인 땅을 향해 손을 내밀었다. 맹렬한 일격을 예상하면서 방어 준비를 하던 마지스터는 느닷없이 잔디밭에서 나온 강철처럼 단단한 뿌리에 머리끝에서 발끝까지 휘감겼다. 이어서 타라가 재빠르게 손을 들어서 공중으로 떠밀자, 마지스터가 천장에 꽝 하고 부딪혔다. 뿌리에 휘감긴 채 땅바닥으로 곤두박질친 마지스터는 미동도 하지 않았다. 타라는 다른 상그라브들을 향해 돌아섰다. 하지만 그들은 꿈쩍도 하지 않았다. 그래서 타라가 재빨리 갈랑을 구해준 뒤, 친구들에게 몸을 숙일 때였다. 갑자기 파브리스가 외쳤다.

"타라! 조심해! 뒤를 봐!"

온몸이 뿌리에 칭칭 휘감긴 채 널브러진 마지스터의 몸이 꿈틀거리더니…… 수백 개의 톱이 나타나서 뿌리를 절단하는 것이 아닌가.

시커멓게 변한 마스크를 쓴 채로 마지스터가 일어났을 때, 타라는 그의 팔에서 나오는 톱들을 보고 경악했다. 그가 한 번의 몸짓으로, 갈기갈기 찢겨서 걸레가 된 옷을 휙 벗어버리자 검정 타이츠 차림이 드러났다. 타라는 빨리 다른 방법을 찾아야 했다. 타라가 호수를 쳐다보면서 후려치는 시늉을 하자, 엄청난 파도가 물의 주먹처럼 마지스터에게 퍼벅, 강펀치를 날렸다. 이번에는 마지스터가 반격했다. 그가 손을 들자, 물결이 둘로 갈라지면서 여섯 명의 상그라브들을 발로 칭칭 감은 자이언트 문어가 나무꼭대기로 날아갔다.

그 순간 때려눕힐 양으로 조심조심 뒤에서 덤벼든 갈랑에게 떠밀려서 마지스터는 벌렁 넘어졌다. 하지만 유감스럽게도 마지스터는 현기증을 일으키는 정도로 그쳤다. 그 틈을 타서 거대한 나무들을 발견한 타라는 정신적으로 그중 한 그루를 뿌리째 뽑아서 아직 땅바닥에 넘어져 있는 마지스터 위로 쓰러뜨렸다. 그 순간 위험을 알아차린 상그라브 한 명이 지르는 비명소리에 마지스터는 데굴데굴 굴러서 가까스로 그 거대한 나무를 피할 수 있었다. 그러자 갈랑이 또다시 공격했다. 하지만 마지스터는 분노의 괴성을 지르면서 방금 쓰러진 나무를 가볍게 들어올려서 페가수스를 향해 내던졌다. 피할 겨를도 없이 다른 나무에 꽈당, 부딪힌 갈랑은 신음소리를 내면서 고꾸라졌다.

타라는 쿵쾅쿵쾅 심장이 마구 뛰기 시작했다. 자신의 몸에서 마법이 엄청난 에너지를 빼앗는 느낌이 들었다. 하지만 타라는 선택의 여지가 없었다. 싸워야 해! 로빈의 목숨이 달렸어! 몇 분만 더 버티면 위치추적 주문이 작동할 것이고, 셈 선생님이 그들을 찾아낼 거야. 타라는 죽을힘을 다해 다시 손을 내밀면서 광선을 쏘았다. 광선이 마지스터의 바로 발 밑에 떨어지면서 뻥 뚫린 커다란 구멍이 그 방의 4분의 1을 집어삼켰다. 하지만 마지스터는 용케 주문을 읊고 무사히 구멍 위로 날아올랐다.

타라는 녹초가 되었다. 셈 선생님이 그들의 위치를 추적하기에 충분한 시간을 끌었을까? 땅에 구멍을 내는 것으로 통하지 않으면 천장을 뚫어버리는 건 어떨까?

타라가 상그라브들의 머리 위로 수십 톤의 돌을 와르르 무너지게 하려는 순간, 마지스터가 공격했다. 그가 갑자기 손을 내밀면서 뭐라고 소리치는 순간, 끔찍한 일격을 당한 타라는 휘청거렸고, 간신히 만들어냈던 방패도 산산조각이 났다. 타라는 정신을 차리려고 했지만 마지스터가 더 빨랐다. 타라는 그 일격을 견뎌내지 못하고, 그대로 쓰러지고 말았다.

이어서 가물가물한 타라의 눈앞에서 주변의 풍경이 녹아 없어지기 시작하더니 누군가가 빛이란 빛을 모조리 꺼버린 듯이 깜깜해졌다.

11 탈출

그날 두 번째로 타라는 배에서 잠을 깨는 느낌을 받았다. 집요하게 흔들거리는 배. 속이 뒤집어질 것만 같은 멀미가 일었다.

의무실의 하얀 장막이 은은히 반짝이고 있었다. 나직이 소곤거리는 소리……, 머리가 빙빙 돌아서 오만상을 찌푸리면서 타라는 간신히 몸을 일으켰다.

침대 발치에서 자고 있는 갈랑은 기절해 있는 것일 뿐 다행히 다친 데는 없어 보였다.

타라는 침대 커튼을 젖히고 말소리가 나는 방향으로 비틀비틀 걸어갔다. 파브리스와 칼, 무아노가 또 하나의 침대에 둘러서서 상그라브가 하는 말을 진지하게 듣고 있었다. 잿빛과 흰빛이 어우러진 옷을 입은 것으로 보아 여자는 의사나 간호사 같았다.

"죽었어. 정말 끔찍해. 난 믿어지지가 않아." 여자가 나직한 소리로 말했다.

타라는 가슴이 철렁 내려앉았다. 로빈이 죽은 거야! 결국 로빈의 목숨을 지켜주지 못했구나! 가까이 다가서는 타라의 볼을 타고 눈물이 주르륵 흘러내렸다.

타라가 깨어난 걸 알아차린 칼이 갑자기 소리쳤다.

"타라, 어때? 괜찮아?"

"나, 나는 괜찮아. 그런데 로빈이? 너희들이 하는 얘기를 들었어. 로, 로빈이……." 타라는 복받치는 슬픔에 말을 더듬거렸다.

목이 메어서 더는 말이 나오지 않았다.

"네가 직접 봐!" 칼이 비켜서면서 대답했다.

타라는 덜덜 떨면서 침대에 다가서서 시체를 쳐다봤다. 침대 한복판에 로빈이 창백한 얼굴로 누워 있었다. 타라는 딸꾹질을 하면서 울먹였다.

"오! 로빈, 미안해. 내 잘못이야! 너는……."

"바보." 시체가 눈을 번쩍 뜨면서 말을 잘랐다.

충격을 받은 타라는 물러섰다.

"하지만…… 하지만, 너는…… 넌, 죽었잖아!"

시체가 눈을 깜박거렸다.

"아, 그런가? 난 모르고 있었네! 하긴 온몸이 아파서 의심이 들긴 했어."

얼떨떨해진 타라는 친구들을 향해 돌아서면서 상그라브를 가리켰다.

"죽었다고 말하면서…… 믿어지지 않는다고 하는 말을 들었어."

"아하!" 그제야 알아차린 상그라브가 말했다. "우리는 하프엘프가 아니라 문어에 대해 말하는 중이었단다. 내 동료들은 흥분을 잘 하는 성격이라서 갑자기 물에 빠졌다는 충격으로 마법 능력을 잃어버렸지. 크라켄은 단지 그들을 기슭으로 보내주려고 한 건데……, 실패한 이들에게는 늘 그랬으니까. 그런데 크라켄이 공격해 오는 것으로 오해하고는 나무에 올려 놓다니! 문어에게는 너무나도 가혹한 짓이었어. 유감스러운 일이야. 크라켄을 정말 좋아했는데. 인생이란 게 그런 거긴 하지만! 난 가봐야겠다. 아, 진짜 너무 피곤해."

타라가 함박미소를 지으면서 끌어안자, 로빈은 무안해했다.

"너 죽지 않았구나! 정말 고마워!"

"으윽! 조심해줘, 제발. 아프단 말야!"

"미안, 미안해. 그런데 그건 어떻게 됐어? 위치추적 주문은?"

"어…… 그게 말야, 네가 만티코르 부인에 이어서 마지스터를 상대로 그 멋진 싸움을 하는 동안 나도 변신하려고 했거든." 무아노는 차분하게 설명했다. "그런데 그만 상그라브 한 명에게 걸려서 옴짝달싹할 수가 있어야지. 마지스터는 너를 쓰러뜨린 뒤에 로빈에게 충격을 줘서 그 주문을 무력하게 만들었고, 로빈은 하마터면 죽을 뻔했어! 결론적으로 마지스터가 너무 일찍 차단시키는 바람에 위치추적 주문은 소용없게 됐지, 뭐. 결국 이젠 아무도 우리가 있는 곳을 모를 거야."

"그들이 반쯤 뻗은 로빈을 여기에 데려다놨는데," 칼이 말을 이었는데 생각만 해도 떨린다는 얼굴이었다. "이대로 죽는 줄 알고 엄청 무서웠는데 다행히 놈의 샤먼 상그라브는 실력이 좋더라고!"

"그래, 맞아." 로빈이 인정했다. "그 여자가 뭐라고 지껄이는 불평을 절반도 알아듣진 못했지만 나를 살려놨어!"

갑자기 타라가 깜짝 놀랐다.

"지금 몇 시지?"

"음…… 5시쯤 됐어. 왜?" 무아노가 물었다.

"'안젤리카는 앙갚음하려고 키미를 나에게 날려보냈다.' 오케이. 당장 파프니르를 만나러 가야 해. 꼭 해야 할 말이 있어!"

"그럼 가봐, 로빈 곁에는 내가 있을게." 무아노가 제안했다. "그 여자가 로빈은 오늘 밤 푹 쉬고 나면 내일 아침에는 훨씬 좋아질 거라고 했어."

"맙소사," 로빈이 툴툴거렸다. "내 생각에 그 상그라브의 진단은 형편없어. 난 훨씬 더 많은 시간이 필요하다고 느껴지거든. 아니면 난 이 끔찍한 방에 다시 발을 들여 놓게 될걸."

"그건 안 돼!" 타라가 외쳤다. "너는 반드시 빨리 털고 일어나야 해. 만일 파프니르가 오늘 저녁이나 내일 여길 떠날 결심을 하고 있다면……, 우리를 기다려주지 않을 거야!"

로빈은 애써 미소를 지어 보였다.

"걱정 마. 난 너희들을 저버리지 않아. 한두 시간만 기다려봐. 언제 그랬냐는 듯이 팔짝팔짝 뛰어다닐 테니까."

"안 돼! 제발 그만 좀 해!" 무아노는 신경질적으로 말했다. "재주부리는 거, 정말 더는 보기 싫어!"

로빈은 머쓱해진 얼굴로 얼른 눈을 감았다.

"좋아." 마음이 바쁜 타라가 말했다. "난 공원으로 갈게. 칼, 나랑 같이 갈래, 아니면 여기 있을래?"

"너의 페가수스는 아직 자고 있어." 성질이 불같은 난쟁이를 만나고 싶은 마음이 추호도 없는 칼이 말했다. "게다가 밖은 춥잖아. 난 여기 있다가 갈랑이 깨면 바로 너한테 보낼게."

"알았어."

타라는 길을 가리키면서 앞장서는 파브리스를 쏜살같이 따라나갔다.

그들이 공원에 이르렀을 때, 난쟁이는 이미 나와서 서성거리고 있었다.

"늦었잖아!"

"우리 친구가 시험실에서 다쳐서 의무실에 누워 있거든. 기다리게 해서 미안하다."

"괜찮아, 어차피 특별한 용무가 있는 것도 아니니까. 그래서 네 친구는 어때?"

"괜찮아. 걔는 위장하고 여기 온 건데 마지스터가 그걸 알아챘어. 하프엘프거든."

"엘프?" 파프니르는 한숨을 내쉬었다. "흥, 멋이나 부리고 허풍을 떠는 것들이지! 나는 엘프들을 좋아하지 않아."

"'안젤리카는 앙갚음하려고 키미를 나에게 날려보냈다.' 그건 아무래도 좋아." 어떻게 해서든 난쟁이를 설득해야 하는 타라가 대답했다. "네 계획에 대해 의논하고 싶은데……."

"내 계획에 대해서, 왜?" 파프니르가 물었다. "분명히 말하는데 난 너희들과 도망치지 않아. 어림도 없지. 너희들은 방해가 될 뿐이야. 게다가 난 히믈리아로 가는 거고 나한테는 며칠밖에 시간이 없어. 또 우리가 있는 곳이 정확히 어디인지도 몰라. 난 요새를 나가는 문을 찾아야 해. 그리고 너희들이 내 조국에서 뭐 하겠어?"

"여기보다는 낫겠지. 샤트릭스들을 교란시키려면 넌 우리의 도움이 필요해. 혼자서 싸우겠다는 말은 하지 마!"

파프니르는 타라를 한참을 쳐다보다가 내뱉었다.

"미안하지만 내 대답은 거절이야. 너희들도 계획이 있는 거라고 생각했는데 이제 보니까 나한테 묻어서 도망치려는 거였잖아. 나 혼자 빠져나가기도 벅차. 내가 너희들에게 약속해줄 수 있는 것은 히믈리아에 도착하는 즉시 잿빛 요새의 위치를 최고위원회에 알려주겠다는 것뿐이야. 이제 됐어?"

"아니, 전혀!" 파브리스가 외쳤다. "우리는 타라를 몹시 걱정하고 있어. 마지스터가 상그라브 여자 한 명을 심어두고 타라를 어릴 적부터 감시하고 있었거든. 그런데 지금은 손아귀에 넣었으니 그자가 타라를 어떻게 할지 불 보듯 뻔하단 말야!"

"어렸을 때부터 널 감시했다고? 왜?" 파프니르가 깜짝 놀라서 물었다.

"그건 나도 몰라." 타라는 한숨을 내쉬었다.

"그렇다면 너희들이랑 같이 가지 말아야 할 이유가 하나 더 생긴 거네." 파프니르가 목소리를 낮추긴 했지만 어조는 단호했다. "상그라브들의 보스가 너를 표적으로 삼고 있다면 넌 조용히 있는 게 더 낫다는 뜻이야. 아니면 네 친구처럼 죽게 될 거야. 의무실에서."

타라와 파브리스는 난쟁이의 생각을 돌리려고 애를 썼지만, 파프니르는 주장을 굽히지 않았다. 파프니르는 이미 식량을 비축해 놓았고, 바로 다음 날 탈출할 생각이었다.

타라는 맥이 빠졌다.

저녁식사는 침울한 고요 속에서 지나갔다.

충격에서 서서히 벗어나기 시작한 갈랑은 마지스터의 눈길과 마주칠 때마다 이빨을 드러내며 쫑긋 세웠던 귀를 내렸다.

잠을 자러 갈 때 타라는 어찌나 우울한지 요새 전체에 우울한 칠을 하고도 남을 것 같았다.

지칠 대로 지친 타라는 뜨거운 물로 샤워를 하고 나서 똑같은 옷들이 얌전히 대기하고 있는 옷장을 열고 벗은 옷을 걸었다. 옷장 문을 닫으려는 순간, 호주머니에 뭔가가 들어 있음을 느낀 타라는 궁금한 마음에 손을 집어넣다가 탄성을 질렀다. 아, 마법의 지도!

놀라운 일들이 연속적으로 터지는 바람에 정신없이 보내느라 지도를 까맣게 잊고 있었다! 그들이 입는 마법복의 호주머니는 내용물을 꺼낼 때까지는 그 존재조차 느껴지지 않게 감쪽같이 들어 있을 수 있었다.

두근거리는 가슴으로 타라가 지도를 침대 위에 내려 놓자, 지도가 스르르 펼쳐지면서 투덜거렸다.

"쳇, 참 일찍노 찾아줌! 지루해서 혼났음. 난 호주머니 속에서 곰팡이나 피려고 존재하는 것이 아님!"

"그러지 말고 우리가 어디 있는지 그거나 가리켜봐." 타라가 명령했다.

지도가 끽소리 없이 복종하면서 꿈지럭꿈지럭하더니 산자락의 광활한 평원에 위치한 요새를 돋을새김으로 표시했다. 간디스! 무아노의 말이 맞았어! 거인들의 나라에 있는 것이 분명해!

"좋아, 히믈리아에 가려면 얼마나 걸리지?"

"경우에 따라 다름." 지도가 대답했다. "빨리 걸으면 최소한 20일. 뛰어가면 15일. 물론 그 속도를 계속 유지할 수 있다면! 히믈리아의 어디를 가는지에 따라서도 다름. 난쟁이들의 나라는 아주 큼!"

"음, 그러면 황무지 늪에 가는 데는?" 타라는 하얀 머리털을 질겅질겅 씹으면서 물었다.

"숲을 거쳐서 가면 사흘. 평원을 거쳐서 가면 이틀. 그게 더 수월할 것이라고 생각하기에 그 길을 추천함."

"하지만 평원을 거쳐서 가고 싶지는 않아. 발각되기가 쉬워서 너무 위험해. 숲으로 가겠어. 길을 표시해줘!"

지도는 동의하지 않았다.

"하지만 숲을 거쳐서 가면 사고가 많은 지역이라 훨씬 더 오래 걸림! 내 경험을 믿기 바람."

그 고집불통에 짜증이 난 타라는 지도의 가장자리를 톡톡 때리면서 주문을 외웠다.

"*데타이우스의 이름으로* 내가 있는 위치와 장애물을 만나지 않는 길을 표시하라!"

지도는 어쩔 수가 없다는 듯이 계속 구시렁거리면서 명령에 복종했다.

여러 가지 경로의 노선을 연구한 뒤에 잠자리에 들면서 타라는 픽 웃었다. 파프니르는 고집불통이야. 노새 여섯 마리를 합쳐 놓은 것처럼 고집이 장난이 아니란 말야. 하지만 지도가 없는 건 분명해. 마법을 싫어하는데 이런 지도를 갖고 있을 리가 없지.

쌔액…… 방긋이 열린 창문으로 휘몰아치는 사나운 바람에 펄럭거리는 잿빛 커튼……, 그 소리에 곤히 자던 타라는 퍼뜩 잠을 깼다. 방 안에 그림자가 있었다. 타라가 비명을 지를 사이도 없이 그림자는 아름다운 여인으로 변해서 공중에 떠 있었다. 여인은 어이없는 얼굴로 타라를 보다가 애통한 목소리로 말했다.

"이럴 수가! 악마 같은 놈이 끝내 너까지 납치해 오다니!"

익숙하지는 않아도 분명히 알 것 같은 목소리…… 10년 넘게 듣지 못한 목소리…… 목소리의 주인은 이미…… 이미…… 죽었는데!

"어, 엄마?" 타라는 가슴이 심하게 뛰고 있었다.

"그래, 내 아기, 엄마야……." 셀레나는 말을 잇지 못하고 눈물을 흘렸다.

"엄마, 엄마, 엄마가 살아 있다니! 이건 믿을 수가 없어! 정말 우리 엄마예요?"

"쉿, 내 사랑, 큰 소리로 말하면 안 돼. 머릿속으로 말을 생각하면 내가 들을게."

"어디 있는 거예요? 엄마가 어떻게 여기에……?"

"오, 사랑하는 내 딸, 네 머리 위에 있단다. 내가 그렇게 지켜주고 싶었던 내 딸을, 기어코 놈이……. 또 수석조수들을 납치해 왔다는 소식을 듣고 혹시나 하고 와봤는데 여기서 너를 만나게 될 줄이야!"

타라가 납치된 경위를 들려주자, 엄마는 탄식했다.

"놈이 또 해냈구나! 악마 같은 놈! 네 할머니와 셈이 너를 잘 지켜주리라 생각했는데! 드래곤 마법사에게 알릴 방법을 찾아야 해. 넌 여기 있으면 안 된다. 놈이 아이들을 어떻게 하는지 봤어. 여기 있으면…… 변하게 되거든. 잔인하고 강력해지지. 넌 어떻게 해서든 탈출해야 한다!"

"엄마, 엄마가 살아 계셔서 얼마나 행복한지 몰라요." 그 순간만큼은 탈출이고 뭐고 아무 생각이 없는 타라가 대답했다. "내가 엄마를 만나볼 수는 있는 거예요?"

타라는 엄마가 망설이다가…… 결정을 내리는 걸 느꼈다.

"내 사랑, 내 말 잘 들어라. 상그라브들의 보스가 내일 아침에 너를 불러들이게 내가 어떻게든 손을 써보마. 아마 너한테 진흙먹보를 보낼 거야. 무엇보다도 그자를 자극하는 행동은 절대로 하지 마. 너를 경계하지 않도록 모자란 애처럼 행동해야 한다. 면담이 끝난 뒤에 진흙먹보가 너를 여기로 다시 데려다주면 즉시 왔던 길을 되돌아가서 마지스터의 사무실 다음 세 번째 방으로 와. 응접실인데 쉽게 찾을 수 있을 거야. 하지만 조심해야 한다. 보초들이 있으니까."

"알았어요, 엄마. 전혀 모르고 있었다는 듯이 시치미를 뚝 떼고 따라갔다가 엄마를 만나러 갈게요. 하지만 만약 잘 되지 않으면 어떡하죠?"

"그러면 내일 밤 생각을 통해 네 방으로 내가 다시 올게. 그리고 다른 방법을 연구해보자."

"아, 잠깐만요! 파프니르라는 난쟁이가 탈출할 계획을 세우고 있어요.

내일 밤에 행동으로 옮길 것 같아요."

타라는 엄마가 흥분하고 있는 걸 느꼈다.

"정말이니? 그거 잘 됐구나. 놈들이 난쟁이를 납치해 왔는지는 모르고 있었는데. 멍청한 놈들, 난쟁이들은 억류되어 있는 걸 절대로 참지 못하지. 그 난쟁이는 탈출하기 위해서라면 무슨 짓이든 할 게다. 파프니르를 믿어보렴. 난쟁이들은 현명하고 생각이 아주 깊단다."

"그런가요? 그 난쟁이도 그렇다고 확신해요?"

"난 이제 가야 한단다. 용기를 내, 아가. 내일 보자."

"벌써요? 하지만……!"

"놈이 잠을 깬 게 느껴져." 엄마는 빠르게 말했다. "발각될 위험이 있어서 더는 지체할 수가 없구나. 사랑하는 내 딸, 아쉽지만 내일 보자. 조심해야 한다!"

"내일 만나요, 엄마. 사랑해요!"

"나도 사랑한다."

그렇게 말하고는 그림자가 사라졌다.

몹시 흥분한 타라는 새벽녘까지 잠들지 못했다.

아침에 눈을 떴을 때, 타라는 절로 콧노래가 흘러나오는 게 훨훨 날아갈 것만 같았다. 타라는 영문도 모르는 갈랑과 춤을 추는가 하면 욕조로 뛰어들어 깔끔하게 샤워를 하고 예쁘게 단장했다. 엄마! 엄마가 살아 있다니!

지도를 조심스럽게 말아서 호주머니(남은 크레디트―무트 금화와 잔돈이 그대로 있는지도 확인했다)에 넣은 뒤에 타라가 아침을 먹으러 식당으로 가려고 할 때였다. 과연 진흙먹보가 나타났다.

상그라브들이 직접 나서고 싶지 않거나 사소한 일을 할 때, 진흙먹보들을 이용한다는 걸 타라는 이미 파악하고 있었다. 진흙먹보들이 아주 멍청하기는 해도 똑똑히 알아듣게 설명만 잘 해주면 그대로 지킬 거란 확신은 가질 수 있으니까. 그 진흙먹보는 타라가 방에서 나오는 대로 주인의 사무실까지 데려오라는 명을 받은 모양이었다.

타라는 진흙먹보가 올 줄 알고 있었다는 내색을 하지 않으려고 시치미를 뚝 떼면서 협상을 시도했다. 하지만 놈은 아무 말도 들으려고 하지 않았다.

"지금 바로 가야 해. 주인님이 너를 만나시겠다니까."

"하지만 나는 배가 고파요. 아침 먹고 나서 갈게요!"

다행히 진흙먹보는 구체적인 명을 받고 있었다.

"지금 바로 가야 해. 주인님이 너를 만나시겠다니까."

그렇게 말하고는 진흙먹보는 타라의 팔을 잡아끌어서 앞장서게 했다.

상그라브들의 보스 마지스터가 기거하는 곳은 눈부시게 밝아서 처음으로 수하의 거인들을 볼 수 있었다.

생각에 열중해 있던 타라는 처음에 기둥 앞에 서 있는 것이라고 생각했다. 그러다 거인들의 발을 보았고…… 눈을 더 위로, 더 위로 쳐들다가 흡사 화강암처럼 굳은 두 얼굴을 보았다. 그들 중 한 명이 으드득 소리를 내는 순간 타라는 겁이 나서 움찔했다. 하지만 다시 보니, 그것은 미소를 지으려는 거인 나름의 방식이었다.

타라는 내키지 않지만 답례의 미소를 지어 보이고는 진흙먹보를 따라 문턱을 넘었다.

마지스터는 책상 앞에 앉아 있었다. 어느 날 할머니는 함께 영화를 보다가 영화에 등장하는 회사 사장의 사무실에 이르기까지 넘어야 할 거리는 사장의 허영심에 비례한다고 말했었다. 오무아의 어전을 모방한 그 방이 끝이 보이지 않는 걸 보면 마지스터의 허영심은 상상을 초월하는 게 틀림없었다.

마침내 마지스터 앞에 있게 되자, 타라는 웃고 싶었던 마음이 한순간에 싹 달아났다.

하지만 마지스터는 기분이 좋아 보였다. 얼굴이 보이지는 않아도 타라는 그가 웃고 있는 꺼름칙한 느낌이 들었다. 반사경 마스크가 평온한 파란색을 띠고 있었던 것이다.

"나의 보잘것없는 거처에 온 걸 환영한다, 얘야. 잘 잤니?"

이럴 땐 솔직하게 말하는 게 상책이지!

"배고파 죽겠어요. 그런데 당신의 부하는 아침도 못 먹게 하고 무조건 가야 한다고 생떼를 썼어요."

"그거야 당연하지. 내가 너와 함께 아침을 먹겠다고 했으니까. 이리 오너라."

마지스터가 개인 식당 쪽으로 난 문을 열자, 진수성찬으로 차려진 아침식사가 보였다.

타라는 자리에 앉아서 마지스터를 거들떠보지도 않고 빵 하나를 와작와작 씹어먹었다. 당연히 따져 물을 것으로 마지스터가 예상하고 있다는 걸 알기 때문에 타라는 오히려 입을 꾹 다물었다.

얼마 동안 깔짝깔짝 먹다가 마침내 마지스터가 침묵을 깨자, 타라는 자신이 이겼다는 걸 알았다.

"그런데 여기가 마음에 드니?"

이런 바보 같은 질문에는 솔직하고 분명한 것보다 더 좋은 답변은 없다.

"아뇨, 전혀 마음에 들지 않아요."

마지스터는 한숨을 푹 내쉬었다.

"아, 그래? 하지만 트라비아에서 누렸던 것과 똑같이 준비해놨어. 그리고 더 좋으면 좋았지 절대 나쁘진 않을 텐데!"

타라는 마지스터가 대화에 끌어들이려고 한다는 걸 느꼈다. 악당을 설득하는 것이 소용없는 일이라는 건 누구나 다 아는 사실이니, 타라는 아무런 대꾸 없이 어깨를 으쓱하는 것으로 그쳤다. 그것이 마지스터의 신경을 거스르게 하는 것임을 알고 있었기 때문이다.

"방은 마음에 드니?" 약이 바짝 오른 마지스터는 다시 물었다.

"아뇨, 친구들이랑 같이 있을 수가 없잖아요. 난 독방을 좋아하지 않아요."

그 말에 마지스터는 흠칫 놀랐다. 본바탕이 개인주의적인 마지스터로서는 독방보다 공동침실을 더 좋아한다는 걸 상상도 할 수 없는 일인 모양이었다.

그는 식탁을 톡톡 치기 시작했다.

"그럼 테스트를 받아본 첫 인상은 어땠니, 흥미로웠니?"

"그럴 겨를이 없었어요. 당신이 내 친구를 먼저 공격했잖아요!"

톡톡 치는 소리가 점점 커졌다.

"우리 요새의 위치가 추적되는 걸 그냥 내버려둘 수는 없었다!"

타라는 톡톡 치는 소리에 어깨를 으쓱으쓱하는 것으로 대응했다.

"여기 있는 모든 상그라브들보다도 너의 마력이 훨씬 강력하다는 걸 나는 알아." 열이 오른 마지스터가 말했다. "나는 너의 능력을 배가시켜서 너를 이 세상을 지배하는 힘으로 만들 거야. 그리고 너를……."

"아뇨, 난 더 강력해지고 싶지 않아요. 난 마법을 좋아하지 않거든요."

그 말에 마지스터의 입이 헤벌어졌다. 타라는 마침내 마지스터가 충격을 받고 목소리를 잃은 것이라고 여겼다.

"네, 네가 마법을 좋아하지 않아?"

톡톡 두드리는 소리마저 그쳐 있었다.

"네, 타공에 있는 우리집으로 돌아가고 싶어요. 텔레비전을 못 봤더니 아주 심심해서 죽겠거든요."

진흙먹보가 마지스터의 사무실로 데려가는 동안, 타라는 전략을 짰었다. 지구에서 바보 흉내를 내본 경험이 있어서 타라는 그 시늉만 하면 되었다. 그래서 질문을 받을 때마다 타라는 멍청이 브루투스가 했을 법한 대답을 하는 것으로 마지스터를 어리벙벙하게 만들었다.

"거, 참 이상하군." 마지스터는 어리석지 않았다. "어제 데리아에게 따질 때 너는 분명히 정상이었어. 시험실에서 내게 정면으로 맞섰던 그 강력한 마법사가 이 정도로 멍청하다니, 도무지 믿을 수가 없군."

어지간히 열을 받았을 테니 결투 시작, 공격 개시! 좋았어, 이쯤에서 한번 찔러 보자.

"그런데 그 여자는 왜 나를 여제 폐하라고 불러요?"

"뭐라고?"

"있잖아요, 우리를 테스트하던 그 만티코르 부인 말예요. 그 여자가 나한테 여제 폐하라고 불렀어요. 왜죠?"

재차 공격. 전혀 예기치 않은 질문에 마지스터는 또다시 대답할 말을 잃었다. 하지만 마지스터는 코너에 몰렸을 때 할머니가 했던 것과 똑같은 방법으로 대응했기 때문에 그가 상당히 당황하고 있다는 걸 타라는 확실히 느낄 수 있었다.

"내가 생각하기에 그건 실수인 것 같구나. 아마 랑코비트의 공주에게 말하는 거였겠지."

"아뇨." 타라는 즉시 반박했다(슬라이딩 태클, 펀치!) "무아노에겐 그냥 공주마마라고 했고, 내게는 분명히 여제 폐하라고 했단 말예요, 왜 그랬죠?"

마지스터는 긴급하게 해결할 일이 많다는 걸 갑자기 기억해냈다. 그 첫 번째 일은 입이 너무 헤픈 만티코르 부인을 소환하는 것이었다.

"너는 아침식사를 끝낸 건 같구나." 마지스터는 타라의 질문에는 답변하지 않고 빠르게 말했다. "그럼 이제 친구들에게 돌아가거라. 네가 어떻게 생각하든 나는 네가 이곳에서 지내는 것이 유익할 거라고 확신해. 그리고 입문의식을 한 뒤에 너의 모든 질문에 대답해주겠다고 약속하겠다. 바로 내일."

타라는 소름이 끼쳤지만 전혀 내색하지 않았다.

"엠무름!" 마지스터는 눈썹 하나 까딱하지 않는 타라를 뚫어져라 쳐다본 뒤에 외쳤다.

"부르셨습니까, 주인님?"

진흙먹보가 들어와 있었다.

"타라를 식당으로 데려가라. 그리고 만티코르 부인을 데려와. 지금 당장!"

"알겠습니다, 주인님. 다정하신 주인님, 훌륭하신 주인님!"

"됐다, 됐어! 어서 나가!"

진흙먹보가 자기 주인에게 고자질할지도 모르기 때문에 타라는 웃음을 꾹 참았다. 그들이 사무실에서 나와 마지스터의 거처를 떠나려고 할 때, 만티코르 부인이 불쑥 나타났다.

"아, 엠무름, 너를 찾고 있었는데 마침 잘 만났다. 보스를 볼 수 있을까? 지금 만나야겠는데."

"다정하신 주인님, 훌륭하신 주인님이 부인을 기다리고 있어요. 가세요, 지금."

만티코르 부인이 창백해졌는지 아닌지 분명히 알 수 없었지만, 어쨌든 약간 비틀거렸고, 반사경 마스크는 초록색으로 변했다.

"그래? 나를 만나겠다고 하셨어? 마침 내가 왔으니 가자!"

타라를 데려가라는 1번 명령과 만티코르 부인을 데려오라는 2번 명령 사이에서 뭘 먼저 해야 하는지 헛갈리는 진흙먹보는 머뭇거렸다. 만티코르 부인이 마지스터의 사무실을 향해 팔을 잡아끌었기 때문에 진흙먹보는 선택의 여지가 없었다.

타라는 속으로 쾌재를 불렀다.

적의 거처에 들어와 있으니 이제 엄마를 찾는 일만 남았어!

타라는 살금살금 첫 번째 방으로 들어갔다. 도서관이었다. 아이들의 손에 닿게 둘 수 없는 책들과 심지어는 어른들의 손에도 닿게 둘 수 없는 책들이 엄청났다. 악마에 관한 책이 무더기로 쌓여 있는데 모르긴 몰라도 극악무도한 마법에 관한 책들임에 틀림없었다. 타라는 혐오감으로 몸서리를 쳤다. 마지스터에 대해 예상하고 있던 그대로였다.

두 번째 방은 침실이었다. 맙소사, 검은색 마니아가 아니고서야. 욕실의 가구까지 온통 검은색 일색이었다. 그래선지 한가운데를 차지한 커다란 화강암 욕조와 황금 수도꼭지가 눈에 확 뜨였다. 이런, 이런, 마지스터는 금발이었다. 머리카락이 묻은 빗이 욕조바닥에 떨어져 있었다. 타라는 기계적으로 그 머리카락 몇 올을 채취했다. 탐정영화에서 보면 DNA 유전자 검사로 범인의 신원을 확인하는 일이 있던데 아더월드라고 안 될 리가 없겠지? 계속해서 수색하던 타라는 엄마가 말한 세 번째 방을 발견했다.

타라는 살며시 방문을 열었다. 햇볕이 드는 방에 안락의자며 탁자들이 여기저기 놓여 있는 것으로 보아 대화방으로 사용하는 곳이 틀림없었다.

타라가 들어가자 갈색머리를 한 창백한 얼굴의 아름다운 여인이 일어나더니 두 손으로 입을 가리고 달려왔다.

타라에게는 약간 서먹한 상황이었다. 그러나 곧바로 엄마의 품에 안겼다. 목을 타고 흐르는 엄마의 눈물, 오, 너무나도 그리웠던 엄마 냄새…….

"타라! 내 딸, 내 아기, 내 사랑, 타라!"

"엄마, 엄마, 오, 엄마!"

타라는 엄마를 힘껏 껴안으면서 다시는 떨어질 수 없을 것 같은 느낌이 들었다.

잠시 후, 셀레나는 딸을 자세히 보기 위해 약간 물러섰다.

"근사하구나, 타라. 네가 이렇게 컸을 줄은 생각도 못했어. 타라, 내가 너를 얼마나 그리워했는지 넌 상상도 못할 거야."

"엄마, 나도 정말 보고 싶었어요! 할머니의 사진에서 본 모습과 똑같아요. 하나도 변하지 않았어요. 엄만 정말 아름다워요."

셀레나는 딸을 품에 안고 부드럽게 흔들어주면서 오랜 세월 동안 빼앗겼던 행복한 순간을 만끽했다.

보초를 서던 갈랑은 셀레나의 패밀리어인 금빛 눈의 퓨마, 삼보르와 친하게 되었다. 페가수스와 퓨마는 아무도 못 들어가게 문 앞을 지키고 있었다.

셀레나는 마지못해 타라에게서 몸을 떼면서 이사벨라와 똑같은 그 멋진 초록빛 눈으로 딸의 쪽빛 눈을 응시했다.

"어땠니? 놈이 너를 괴롭히지는 않았어?"

"누구요, 그 상그라브요?"

"응."

"아뇨. 마법을 싫어한다고 했더니 내 머리가 진짜 이상한 게 아닌지 의문을 갖는 것 같았어요."

셀레나는 웃음을 터뜨렸다.

"네가 그런 말을 했다니 웃지 않을 수 없구나. 아주 잘했어, 타라. 그로서는 마법을 싫어하는 사람이 있다는 건 상상도 할 수 없는 일이지. 그의 눈에 마법은 곧 권력을 의미하거든."

"그럴 거라고 생각했어요."

셀레나는 입술을 깨물면서 덧붙였다.

"그 가증스러운 상그라브는 십 년 동안이나 날 가두고, 권력을 잡기 위해 자기가 꾸미고 있는 일을 얘기해주면서 희열을 느끼지. 놈이 그럴수록 난 너를 보호하기 위해서 너와 접촉하지 않기로 결심해야만 했단다."

타라는 눈살을 찌푸렸다.

"나를 보호하기 위해서 엄마가 돌아가신 걸로 믿게 했단 말예요? 그건 정말, 바보 같은 짓이에요!"

셀레나는 빙긋이 웃었다.

"맙소사, 꼭 네 할머니의 말을 듣는 것 같구나! 그때는 그게 내가 할 수 있는 최선이라고 생각했어. 마지스터가 아더월드와 지구에 가하는 위협은 아주 심각한 거니까."

"하지만 엄마는 나를 버린 거예요(타라는 격분해 있었다)! 그 작자의 위협이 어떻든 그런 건 핑계가 될 수 없어요. 엄마는 나를 버렸다고요!"

충격을 받은 셀레나는 뒷걸음쳤다.

"미안하구나, 타라. 난 도저히 탈출할 수가 없었단다. 엄마를 이해해 주렴. 그자는 네 아버지를 죽이고 나서 바로 나를 납치했으니까!"

그 말에 타라는 잿빛의 차가운 돌에 기대야 할 정도로 다리가 후들거렸다.

"그러니까 엄마도 아빠도 아마존 정글에서 사망한 게 아니란 말이에요? 그럼 왜 그런 일이 일어났죠?"

"우리는 네 외할머니와 증조할아버지와 함께 랑코비트에 살고 있었어. 네 아버지가 뭔가를 숨기고 있다는 걸 알았지만 우리에 대한 사랑에도 불구하고 끝내 나에게 털어놓질 않으셨단다. 그러던 어느 날, 넌 그때 두 살이었지. 번뜩거리는 반사경 마스크로 얼굴을 가린 남자가 우리 집에 나타났어. 내가 이층 침실에 들어가 보니, 그자가 요람에 있는 너를 훔치려고 했어. 네 곁을 지키고 있던 네 할머니의 호랑이 마아마가 공격했지만, 그자는 호랑이를 죽여버렸지. 곧바로 네 아버지가 들어와, 마스크의 남자에게 달려들었어. 두 사람은 한참을 엎치락뒤치락 싸웠고, 그 과정에서 네 아버지는 치명적인 부상을 당했지. 다른 마법사들이 달려왔을 때는 그자가 나를 강제로 끌고 도망친 뒤였단다. 나의 어머니는 내가 아직 살아 있다는 걸 모르고 계셔. 그래서 네 외할머니는 오직 너를 지키겠다는 생각밖에 없는 거야."

"하지만 이유가 뭐죠? 마지스터가 왜 아빠를 죽이고, 엄마를 납치했는데요? 또 왜 지금에서야 나를 납치한 거죠? 그리고……."

그때 엄청난 천둥소리가 타라의 말을 중단시켰다. 마지스터의 사무실에서 날카로운 비명소리가 울리더니 그 층 전체가 빨간 연기에 휩싸였다.

"어서 가거라!" 셀레나는 잔뜩 겁먹은 목소리로 속삭였다. "너무 위험해! 네가 여기 있는 걸 알아채기 전에 빨리 도망쳐. 오늘 밤에 네 방으로 찾아갈게. 사랑한다, 내 딸아."

셀레나는 딸을 포옹하고 나서 타라가 들키지 않고 무사히 도망칠 수 있도록 주변을 살폈다. 그러다 거인이 보스의 사무실을 쳐다보는 데 정신이 팔려 있는 틈을 타서 그 등 뒤로 살금살금 빠져나가게 하고는 방으로 사라졌다.

머릿속은 의문으로 가득했지만 타라는 행복한 가슴으로 돌아섰다. 돌아가신 줄로만 알았던 엄마를 만났으니! 입맞춤을 받으면서 엄마의 품에 안겼으니!

구름 위를 걷는 것 같은 기분으로 층계를 뛰어내려간 타라는 식당으로 들어갔다. 그러고는 옹고집 파프니르의 손을 잡아끌고 공원으로 나갔다. 몹시 창백한 얼굴로 가슴을 문지르고 있던 로빈과 칼, 파브리스, 무아노도 줄줄이 따라나왔다.

"너 왜 내 아침식사를 방해하는 거야?" 난쟁이가 불쾌한 어조로 따지듯 말했다.

"맞아!" 식사를 방해하는 건 절대 용납하지 못하는 칼은 한술 더 떴다. "난 아직 반도 못 먹었단 말야! 그리고 넌 지금까지 어디 있다가 이제서야 나타나서 이러냐고? 우리가 얼마나 찾아다녔는데……."

"너 지도 가지고 있어?" 타라는 다짜고짜로 파프니르에게 물었다.

난쟁이는 언짢은 얼굴로 타라를 쳐다봤다.

"그게 뭐 어쨌다는 거야? 난 절대로 너희들을 데려가지 않아."

"내가 물었잖아. 대답이나 해봐!"

"아니, 지도는 없어. 이제 됐니? 아침을 먹으러 돌아가도 될까?"

"'안젤리카는 앙갚음하려고 키미를 나에게 날려보냈다.' 오케이. 나한테는 있거든!"

난쟁이는 타라가 한 말을 이해하는 데 잠시 시간이 걸렸다.

"뭐라고, 너한테 있어?"

"이걸 봐! 엄청 놀랄걸!"

타라는 호주머니에서 지도를 꺼내서 멋진 손놀림으로 풀밭에 펼쳤다.

"아야!" 지도가 항의했다. "살살, 제발 살살! 나는 약함!"

난쟁이가 턱이 빠져라 입을 쩍 벌리고 있을 때, 타라는 지도에게 현재 그들이 있는 위치를 표시하라고 명했다. 읽거나 해독하는 것이면 뭐든 관심이 많은 파브리스는 지도에 홀딱 빠졌다.

"거봐, 간디스에 있는 거 맞네!" 지도를 유심히 살피던 무아노가 말했다. "내가 부모님과 함께 거인들의 나라에서 몇 년 동안 살았다고 했잖아."

"그래, 네 말이 맞더라고! 이 지도의 말에 의하면 황무지 늪은 그리 멀지 않대. 걸어서 이틀이나 사흘이면 되는데 난쟁이들의 나라 히믈리아와 가장 가까운 국경까지는 한 달이 걸린다는 거야!"

"맞음! 적어도 한 달!" 지도가 맞장구쳤다.

절망의 신음소리를 내면서 난쟁이는 땅바닥에 털썩 주저앉았다.

"문만 통과하면 부근에 도시가 있을 거라고 생각했는데. 그러면 절대로 집에 갈 수 없다는 거잖아! 선서를 하려면 엿새 안에 가야 하는데!"

"잠깐, 나한테 방법이 있어." 타라가 말했다.

"그래?" 난쟁이는 시큰둥하게 말했다. "네가 기적이라도 일으키겠다는 거야?"

"그보다 더 나은 거지. 나한테는 페가수스가 있으니까!"

연한 풀을 맛나게 뜯어먹던 갈랑은 자기 이름이 들리자 얼굴을 쳐들었다가…… 타라가 하는 말을 알아들은 모양이었다. 난쟁이의 몸무게를 어림잡아 보고는 푸르르 고개를 돌렸다.

"흥, 저렇게 조그만 페가수스를 갖고 무슨!" 난쟁이는 콧방귀를 꼈다.

"어디나 데리고 다닐 수 있게 타라가 축소시켜 놓은 거야." 시건방진 파프니르가 못마땅한 칼이 말했다. "원래의 형상으로 돌아가면 너 같은 애 다섯 명은 너끈히 태울 수 있다고!"

갈랑은 하늘을 쳐다보면서 킁킁 냄새를 맡았다. 다섯 명이라니, 아무리 그래도 그렇게 과장할 필요까지야!

"우리가 탈출하게 도와주면 너를 황무지 늪에 데려가고, 너네 나라에 제때에 갈 수 있도록 갈랑을 빌려줄게. 이 지도를 팔았던 상인은 페가수스를 타고 갈 경우에는 그 시간을 5분의 1로 줄일 수 있다고 했어. 흑장미를 찾고 그 즙으로 마법을 없앤 뒤에 너는 갈랑을 타고 너희 나라로 가. 도착하는 즉시 네가 셈 선생님에게 연락해주면, 선생님이 우리에게 지원군을 보내줄 거고⋯⋯ 그러면 끝나는 거야!"

난쟁이와 네 친구는 질겁한 얼굴로 타라를 쳐다보았다.

"식량도 물도 없이, 그것도 야수들이 우글거리는 거인들의 나라를 가로지르자는 거야? 너 아침에 뭐 잘못 먹었냐?" 칼이 반대하고 나섰다.

"맞는 말이야, 타라." 무아노는 진지하게 말했다. "네가 이 나라를 몰라서 그래. 여기서 살아봤어, 난. 아주 위험한 곳이야!"

"게다가 넌 마법을 사용할 수 없어." 난쟁이는 한술 더 떴다. "네가 마법을 사용하는 즉시 상그라브들이 그걸 느낄 것이고, 특히 음식이나 무기에 대한 주문을 걸면 너의 위치를 대번에 추적할 수 있으니까."

"너희들이 사태를 몰라서 그래!" 타라가 울상이 된 얼굴로 외쳤다. "우리는 가능한 한 빨리 이 요새를 탈출해야 해. 선택의 여지가 없다고! 그자는 내일부터 우리에게 악마의 마법을 감염시키려고 한단 말야. 게

다가 그자가 우리 아빠를 죽이고, 엄마를 납치했단 말야!"

"뭐?"

"뭐라고?"

칼은 이제 까탈을 부리지 않았다.

"그랬단 말야?"

"설명하자면 너무 길어! 어쨌든 탈출할 사람은 일곱 명이야."

"아예 광고 포스터를 붙이고 초대장을 보내지 그러냐!" 난쟁이는 핏대를 올렸다. "일곱 명은 불가능해!"

"그럼 너희 나라에 가서 선서할 생각은 단념해. 지도와 페가수스 없이는 탈출에 성공하지 못할 테니까!"

난쟁이는 벌떡 일어나서 눈에 쌍심지를 켰다.

"다시 한 번 말하는데 난 너희들을 데려가지 않아. 이상 끝!"

타라는 씩 웃었다. 아침부터 고집불통들만 대하다 보니 이제 이골이나 있었던 것이다.

"난 제안을 했어. 그러니까 받아들이든 말든 그건 알아서 해. 네 결정을 기다릴게. 하지만 내가 너라면 질질 끌지 않을 거야. 너한테는 시간이 엿새밖에 없으니까! 똑딱똑딱! 시계는 가고 있거든!"

난쟁이는 주먹을 불끈 쥐면서 까불지 말라는 듯 자기에게 대항하는 가냘픈 상대를 쏘아보다가…… 홱 돌아섰다.

"휴!" 무아노는 한숨을 내쉬었다. "난 쟤가 너를 갈기갈기 찢어놓는 줄 알았어!"

"그 말은 꺼내지도 마. 나도 그랬단 말야." 생각만 해도 머리가 욱신거리는 타라가 고백했다.

"와, 너 정말 대단하다!" 로빈이 감탄했다. "원하는 게 있으면 넌 아마 늪에 있는 물소도 손에 넣을 거야. 거침없이 말이야!"
아침나절에 엄마와의 감개무량한 재회로 다리가 후들거려서 타라는 풀밭에 앉아야 했다.
"그러지 말고 털어놔 봐!" 무슨 일이 있는 거라고 의심하고 있던 파브리스는 집요하게 물었다.
"'안젤리카는 앙갚음하려고 키미를 타라에게 날려보냈다.' , 이것 봐, 괜찮잖아. 말해도 돼." 무아노가 말했다.
타라는 짤막하게 말해주기로 결정했다.
"엄마를 만났어!"
"잠깐!" 파브리스가 말했다. "엄마? 엄마는 돌아가셨다면서?"
"우리는 돌아가셨다고 믿고 있었어. 그런데 실은 십 년 동안 이 요새에 갇혀 계셨던 거야. 내가 엄마와 얘기하고 있을 때 요란한 소리와 함께 빨간 연기가 피어오르더라고. 그러자 엄마는 떠났고, 나는 도망쳐 나왔어. 오늘 저녁에 엄마를 다시 보게 될 거야. 난 선택의 여지가 없어. 엄마도 우리랑 같이 탈출해야 해."
"그거야, 당연하지!" 어른이 있으면 훨씬 든든할 거라고 생각하는 칼이 찬성했다. "우리는 무엇을 하면 좋을까?"
"가능한 한 식량을 많이 모아야 해. 파프니르의 탈출 계획이 어떤 건지 아직 모르지만, 일단 밖으로 나가더라도 그리 순조롭지는 않을 거라고 생각해. 무기가 될 만한 것들이 보이면 빼앗든, 훔치든, 빌리든, 재주껏 손에 넣어. 오늘 밤까지는 준비가 되어야 해."
"활! 나한테는 활이 필요해. 사냥을 하려면 꼭 있어야 하거든." 무아노의 눈총을 아는지 모르는지 로빈은 또다시 가슴을 벅벅 긁으면서 말했다.

타라는 로빈의 건강상태에 전혀 관심을 갖지 않았음을 깨달았다.

"이런! 정말 미안해. 몸이 어떤지 물어봤어야 하는 건데 까맣게 잊고 있었어."

"몸이 가려워서 미칠 지경이야." 로빈이 픽 웃으면서 대답했다. "그것만 빼면 어제 죽을 뻔했던 사람치고는 아주 괜찮은 편이지. 그 여자 상그라브는 능력이 대단해. 잿빛 패거리만 아니면 우리 아버지에게 강력하게 추천했을 텐데!"

"그래도 좀 참아봐. 그러면 더 빨리 나을 거야." 무아노가 부드럽게 말했다.

"여길 나가서도 견딜 수 있겠어?" 타라가 로빈에게 걱정스레 물었다.

"걱정하지 마, 난 죽지 않아. 몇 시간만 주면 언제 그랬냐는 듯이 멀쩡해질 거야."

타라는 아무래도 마음이 놓이지 않았다. 로빈이 몹시 피곤해 보였기 때문이다.

"활이 필요하다고 했지." 칼이 수첩에 적었다. "또 다른 건? 도둑질에 관한 한 내가 전문이니까 담요와 배낭, 무기는 내가 맡을게. 훌륭한 대장간이 있는 것 같던데 찾아내기만 하면 무기를 빼내는 건 식은 죽 먹기지. 참, 그리고 파브리스, 네가 필요해. 나 혼자서 그런 것들을 전부 훔쳐올 수는 없잖아."

이 말을 들은 파브리스의 표정은 별로 마음이 내키지 않는 것 같았다.

"내가 너를 도울 수 있을 거라고 생각해? 너도 알다시피 난 도둑질……."

"걱정 마, 파트너." 칼이 말을 잘랐다. "단지 같이 물건을 가져오고, 망을 봐주는 공범이 필요한 것뿐이니까. 어려운 일은 내가 다 할건데, 뭐."

파브리스는 하늘을 올려다볼 뿐, 대답은 하지 않았다.

"어…… 알았어! 그럼 나는 식량을 맡을게. 내 손에 닿는 데 있는 건 싹 쓸어올게." 무아노는 동의했다.

"나는 생각하는 것 이외의 다른 일은 할 수가 없어." 로빈이 힘없이 미소를 지었다. "그러니까 우리의 탈출을 생각하면서 세밀하게 작전을 짜 볼게. 그리고 따뜻한 옷을 입고, 털신을 신어. 다른 수석조수들이 하는 말을 들었는데 며칠 있으면 추워질 거래. 감기에 걸리면 큰일이잖아."

"나는 파프니르가 항복할 때까지 어떻게든 구워삶을 거야. 그리고 특히 엄마를 구출하는 동안 상그라브들이 정신을 못 차릴 만한 교란작전을 구상해둬야 해."

전날의 사건과 만티코르 부인의 부재(타라는 마지스터의 사무실에서 들리던 천둥소리와 연기가 그 여자의 행방불명과 무관하지 않다고 의심했다)로 인해 테스트는 오후로 연기되어 있었다.

하지만 그들은 입문의식에 참가했고, 빨리 탈출해야 한다는 강박관념이 없었더라도 그들은 그 상황을 버텨낼 자신이 있었다.

요란하게 울리는 트럼펫 소리. 모든 상그라브와 수련생들이 잿빛 요새의 중앙에 위치한 입문의식을 치르는 방으로 집합했다. 거인 두 명이 그 깊이를 짐작할 수 없는 낭떠러지로 가로막힌 입구를 지키고 있었다. 흰색의 커다란 장막이 쳐 있는 걸 보면 낭떠러지 위로는 공중부양을 할 수 없는 모양이다.

타라와 친구들이 무슨 일이 일어날지 불안하게 지켜보고 있을 때였다. 머리 위에서 뭔가가 움직였다. 어둠 속에서 반짝이는 초록색 물체! 그것이 가까워지면서 엄청나게 큰 거미라는 걸 알아차린 타라는 공포에 사로잡혔다. 여덟 개의 발과 여덟 개의 눈, 전갈의 꼬리, 그리고 독이 뚝뚝 떨어지는 독침이 있는 걸 보면 평범한 거미가 아니었다. 그러고 보니 흰색 장막으로 보이던 것은 바로, 거미줄이었다.

"제기랄, 자이언트 거미야!" 칼이 속삭였다. "땅 신령들의 나라에만 사는 줄 알고 있었는데!"

행렬의 선두에 선 마지스터가 허리를 굽히면서 말했다.

"위대한 문지기, 거미여, 우리가 위험 없이 건너갈 수 있게 거미줄로 다리를 만들어달라."

"무사히 통과하려면 수수께끼를 풀어야 하죠." 멜로디 같은 음성으로 거미가 대답했다. "한 개의 낱말이며, 오답이면 죽음. 내가 수를 다 셀 때까지 수수께끼를 풀어야 하죠."

마지스터는 허리를 굽혔다.

"시작하게, 문지기."

"그럼 시작하죠." 흉측한 거미가 대답했다. "첫째, 누구나 경험한다. 둘째, 예고 없이 찾아와서 깜짝 놀라게 한다. 셋째, 소리가 나고 냄새는 없다. 무엇일까요?"

"그거야 뻔하지!" 파브리스는 코웃음쳤다.

자이언트 거미가 덧붙였다.

"내가 100까지 셀 동안 풀어야 해요."

마지스터는 답을 알고 있는 얼굴이었다.

"소리는 나는데 냄새가 없다……, 딸꾹질!"

거미는 허리를 숙이고 앞발을 구부리면서 거미줄을 타고 다시 올라갔다.

"흥!" 칼이 속삭였다. "되게 시시하네. 아무리 그래도 무슨 수수께끼가 저 모양이야. 너무 쉽잖아!"

무아노는 어처구니가 없다는 듯이 내뱉었다.

"음, 그거야 당연히 쉬운 걸 내겠지. 주인에게 독침을 쏘는 하수인 봤어? 그러니까 마지스터가 없을 때에 한 번 맞혀봐. 그것도 과연 그렇게 쉬울지 모르겠다!"

그들이 숙덕거리는 동안, 자이언트 거미는 분주하게 움직이면서 낭떠러지 위로 다리를 짓고 있었다. 자신의 줄에 매달린 채 거미는 먼저 네 개의 줄을 가지고 두 줄은 층계로, 두 줄은 양끝을 이어서 난간을 만든 뒤, 어지러울 정도로 빠르게 중앙을 지었다.

거미는 뼈다귀를 군데군데 뿌렸다. 마법사들이 끈끈이 같은 거미줄에 쩔꺽 달라붙지 않게 해주려는 배려인 모양이었다. 우웩! 저 납작한 뼈다귀들은 거미가 점심밥으로 먹은 것 중 하나가 틀림없겠지.

타라는 흔들거리는 다리를 건너면서 특히, 거미의 털북숭이 배 밑을 지나갈 때는 등골이 오싹했다.

이윽고 그들은 입문의식을 치르는 방에 이르렀다.

요새의 모든 방이 그렇듯이 그 방도 굉장히 넓었다. 그 한복판에 시커먼 옥좌와 검은 화강암 제단이 둥둥 떠 있었다.

핏빛 연기를 내면서 타는 검은 양초의 불꽃이 방을 밝히고 있었고, 번들번들한 검은색 물질로 덮인 의자들이 제단 맞은편에 주르륵 놓여 있었다. 칼은 의자에 조각된 문양을 보면서 딸꾹질을 했다. 거기 새겨진 악마들의 형상은 림보에서 보았던 괴물의 동생들이라고 하면 딱 맞을 것 같았다.

섬뜩한 냉기가 일행을 무겁게 짓눌렀다. 타라는 악당들이 흰색의 화사한 장식을 선택하는 날이 온다면, 그날은 반드시 해가 서쪽에서 뜰 거라고 생각했다.

그때 갑자기 뭔가가 움직였다. 탁자 위에 나타난 네 마리의 검은 뱀이 신경질적으로 혀를 널름거리면서 똬리를 풀고 있었다.

"전에는 뱀이 없었는데 파프니르를 입문시키려고 했을 때 잘 되지 않자 뿔다귀가 났나 봐. 어느 날 갑자기 마지스터가 추가했더라고." 파브리스가 소곤거렸다.

"뭐, 뭘 하려는 거지?" 무아노는 부르르 떨면서 속삭였다.

"내가 왜 두 번이나 탈출하려고 했는지 이제 곧 알게 될 거야." 파브리스는 벌레 씹은 얼굴을 했다.

타라와 친구들 주위에서 수련생들과 상그라브들은 조바심을 내면서 입문 후보자를 기다리고 있었다. 후보자가 나타났는데, 결투할 때 상대를 물고기로 둔갑시켰던 바로 그 소년이었다. 고개를 빳빳이 쳐들고는 있지만 소년이 두려워하는 게 느껴졌다.

마지스터의 지시에 따라 탁자까지 붕 떠오른 소년은 뱀들 위에서 잠시 주뼛거렸다. 마지스터는 마스크를 끄덕거리는 것으로 소년에게 누우라는 명을 내렸다.

소년이 복종하는 순간, 뱀 네 마리가 자리를 비켜주는가 싶더니 단번에 소년의 살에 못질을 하듯 이빨을 콱 박아서 탁자에 고정시켰다.

소년은 비명을 질렀고, 그사이에 독이 혈관 속으로 침투했다.

"너는 선택의 여지가 없다. 입문의식에 합격하든지 죽든지 둘 중의 하나다." 마지스터는 싸늘한 음성으로 말했다.

그러고는 마지스터가 검은 옥좌까지 날아가서 앉았다. 이어서 잿빛 망토를 풀어헤치면서 빨간 원이 번쩍이는 상체를 드러냈다. 그때 그 빨간 원에서 새어나오는 잿빛 연기가 서서히 소년을 타고 기어오르더니 가슴속으로 침투하는 순간, 몸이 빳빳해졌다. 어, 뭐야? 통증이 사라진 건가, 소년은 통증을 전혀 느끼지 않는 얼굴이었다.

"이제 장애물을 제거하라!" 마지스터는 망토를 여미면서 명령했다.

불안한 얼굴로 뱀들을 쳐다보고 있던 소년이 소리쳤다.

"*델리브루스의 이름으로* 썩 사라지거라, 네놈들은 더는 내게 상처를 입힐 수 없으니!"

뱀들이 유령처럼 사라졌다. 의기양양한 얼굴로 일어난 소년은 빙 둘러서서 축하해주는 이들 쪽으로 날아왔다.

그 와중에 자신을 집요하게 쳐다보는 마지스터의 눈길을 느낀 타라는 까딱도 않고 있었지만 속으로는 무서워서 덜덜 떨고 있었다. 탈출해야 해. 당장!

끔찍한 입문의식이 끝난 뒤에 상그라브들과 수련생들은 신입회원을 환영하는 성대한 파티를 준비하느라고 바빴다. 그 어수선한 틈을 이용해서 다섯 명의 친구는 다람쥐들처럼 식량이며 무기, 가재도구 등 여행에 필요한 것들을 슬쩍해서 각자의 침실에 쌓아 놓을 수 있었다.

이제 탈출하기 위해서 해결해야 할 유일한 숙제는 파프니르였다. 무슨 수를 써서라도 난쟁이를 설득해야 했다.

타라는 난쟁이가 받아들이지 않고는 배길 수 없을 만한 말을 궁리하면서 5시가 되기를 기다렸다가 파프니르를 만나러 식당으로 갔다. 타라가 맞은편에 앉자, 난쟁이는 눈을 희번덕거리면서 노려봤다.

"이제 결정했어?" 타라가 속삭였다.

"내가 어떤 결정을 내리기를 바라는데?" 파프니르가 날카롭게 받아쳤다. "내 손발이 묶였다는 걸 뻔히 알면서! 너의 도움 없이는 난 성공할 수가 없어. 그건 내가 너에게 신세를 져야 한다는 뜻이야. 그리고 신세를 져야 하는 난쟁이는 곧 그 신세라는 족쇄에 발목이 잡힌 한심한 난쟁이가 되는 거란 말야!"

"족쇄를 오랫동안 차게 되지는 않을 거야." 타라는 부드럽게 대꾸했다. "우리가 탈출하게 도와주면 네 빚은 없어지게 되니까."

"붙잡히면 내 다리가 멋지게 되고? 어쨌든 일곱 명은 미친 짓이야!"

"'안젤리카는 앙갚음하려고 키미를 나에게 날려보냈다.' 내 말 잘 들어. 우리가 성공할지 실패할지 그건 내가 장담할 수 없어. 하지만 우리는 노력해야 해. 너는 너대로 이유가 있고, 우리는 우리대로 이유가 있어. 그러니까 힘을 합하자는 거야!"

"쳇, 내가 실수하고 있다는 걸 알지만 네 말대로 난 선택의 여지가 없어. 이따가 왼쪽 탑의 지하저장소로 와. 새벽 2시에! 그때가 거인들이 조는 시간이거든. 그리고 그 못된 마지스터는 새벽 1시경에 잠자리에 들어. 그러니까 조용히 움직여야 해."

타라는 궁금해서 미칠 지경이었다.

"어떻게 할 건데?"

"보면 알 거 아냐." 난쟁이가 일어나면서 대꾸했다. "그리고 미리 얘기해두는데 너나 네 친구들이 늦으면 난 기다리지 않아. 알아들었어?"

"알았어, 이따 봐."

"좋아!"

마지막 점검을 위해 모인 그들은 탈출에 관한 세부 사항을 논의한 뒤에 헤어졌다.

밤이 되자 타라는 방에서 엄마를 기다렸다. 엄마는 희미한 이미지에 불과하지만 그 목소리는 명확히 들을 수 있었다.

"엄마? 괜찮아요?"

"그래, 내 사랑, 난 괜찮아. 하지만 시간이 별로 없구나. 난 네가 너무 걱정돼. 마지스터의 힘이 어떤지 넌 상상도 못할 거야. 그리 오랫동안 견뎌낼 수가 없을 텐데, 큰일이구나!"

"우린 오늘 밤에 떠날 거예요. 엄마도 함께 가셔야 해요."

"그건 안 돼."

계획을 설명하려고 하던 타라는 셀레나의 대답에 깜짝 놀랐다.

"네? 왜 안 돼요?"

"탈출에 성공하면 너는 셈나샤오비로다인트라쉬부와 함께 돌아와야 한다. 그분만이 나를 구속하는 주문을 풀어줄 수 있어. 그 가증스런 상그라브가 아주 특수한 주문을 나한테 걸어놨거든. 요새 밖으로 나가면 나는 즉시 크리스털 조각상으로 변해서 아주 작은 소리에도 깨지게 된단다. 그래서 내 능력을 발휘해서 정신을 통해 내 모습을 투영하는 데는 성공했지만 내게 걸려 있는 주문이 어찌나 강력한지…… 더는 어떻게 할 수가 없구나. 넌 나의 유일한 희망이야."

타라는 울컥 솟는 눈물을 꿋꿋하게 참았다.

"그러니까 엄마는 우리와 함께 갈 수 없단 말이죠? 그럼 방법을 찾아야 해요!"

"타라, 상황이 이 정도로 심각하지 않다면 난 네가 탈출하는 걸 말렸을 거야. 그런데 불행히도 그런 위험을 감수하고서라도 도망치라고 말해야 하는구나. 어떻게 할 생각인지 말해주면 엄마가 최선을 다해서 도와줄 수는 있어. 서두르거라, 시간이 없어."

"나한테 지도가 있어요. 우리는 먼저 황무지 늪으로 갈 거예요. 난쟁이 파프니르에게 꼭 필요한 것이 거기 있거든요. 그리고 난쟁이가 성인 선서식이 시작되기 전에 자기 나라로 돌아갈 수 있게 갈랑을 빌려줄 거예요. 일단 그곳에 가면 난쟁이가 셈 선생님에게 연락할 거고. 그러면 우리는 엄마를 구하러 반드시 이곳으로 돌아와요."

"아니, 그 계획은 별로 좋지 않구나. 여긴 히믈리아에서 너무 멀어. 넌 엿새 이내에 방법을 찾아야 해. 너희들이 탈출하면 마지스터는 사방으로 수색대를 보낼 것이고, 또 요새를 당장 철수하진 않을 게다. 너희들이 문명권에 이르기까지는 최소한 열흘은 걸린다고 생각할 테니까. 따라서 너는 반드시 그 기간을 줄일 방법을 찾아야만 한다. 그리고 어떻게 해서든 솀나샤오비로다인트라쉬부에게 빨리 연락해야 해. 그와 연락이 되면 방법을 알려줄 거야. 참, 먹을 것과 무기는 뭘 준비했니?"

"우리가 마법을 사용하면 상그라브들에게 이내 발각될 거라고 무아노가 주장해서 음식과 무기, 담요를 충분히 준비했어요."

"마법을 아주 드문드문 사용하는 건 괜찮아. 그리고 짐은 가급적 줄이거라, 꼭 필요한 것을 하나씩만 가져가면 돼. 요새에서 멀리 떨어졌다 싶으면 너희들의 능력을 모아서 음식이든 담요든 복제하도록 해. 계속 이동하는 상황에서는 아무도 알아채지 못할 거야. 아침이 되면 필요하지 않은 것을 모두 없애버려. 그래야 더 멀리, 더 빨리 갈 수 있어."

"고마워요, 엄마. 아주 중요한 걸 가르쳐주셨어요. 그것 봐요. 우리에겐 엄마가 필요하잖아요!"

갑자기 셀레나의 목소리에서 힘이 빠졌다.

"알아. 아직은 내 말을 주의 깊게 들어야 해. 지금부터 나는 나한테 망각의 주문을 걸 거야. 네가 탈출에 성공하면 놈이 제일 먼저 심문할 사람은 나란다. 따라서 난 너를 만났다는 걸 잊어버려야 해. 모든 것이 잘되기를 진심으로 바란단다. 너를 사랑해. 최고 마법사와 함께 빨리 돌아오렴. 안녕, 내 딸아!"

"잠깐 기다려요, 엄마! 솀 선생님을 만나게 되면 분명히 질문을 하실 거예요. 상그라브들의 보스가 누군지 아세요? 신상에 대해 알려주세요."

엄마의 목소리는 씁쓸했다.

"그자는 완전히 정신병자야. 나도 10년 동안 그의 얼굴을 본 적이 없어. 그래서 누군지 전혀 아는 게 없단다. 이제는 정말 가야 해. 조심하거라! 부디 몸조심해, 응? 사랑한다, 내 딸아."

타라가 붙잡을 겨를도 없이 셀레나는 사라졌다.

타라는 가슴이 에이는 듯 아팠다. 하지만 어쩔 수 없는 엄마의 마음을 타라도 이해했다.

시계를 보니, 벌써 1시 반! 탈출 계획을 세밀하게 짜겠다고 자청하고 나섰던 로빈의 충고에 따라 그들은 함께 움직이지 않고 10분씩 간격을 두고 지하저장소로 가기로 결정했었다. 그래야 누가 붙잡히거나 늦더라도 다른 친구들은 위험에 빠지지 않을 수 있으니까.

타라는 털 망토와 벽장에서 발견한 장화(칼이 넣어둔 게 틀림없어!)를 신고, 마지막으로 지도와 돈을 챙겨 넣었는지 다시 한 번 확인하고 나서 갈랑을 데리고 살그머니 나갔다. 갈랑은 그림자처럼 스르르 날아서 위험이 있는지 망을 보기 위해 앞장섰다.

사방이 고요했다. 파브리스는 요새의 행정관과 감독관은 어린 마법사들이 밤중에 갑자기 아프거나 무슨 문제가 생겨서 찾아가야만 마지못해 일어날 정도로 게으른 사람들이라고 말했었다. 과연 그 말대로 대부분의 어른들이 그렇듯이 그들은 코를 드르렁드르렁 골고 있었다.

타라는 복도에서 살금살금 응접실로 들어갔다가 식당을 가로질렀고, 마당을 거쳐서 마침내 지하저장소에 이르렀다. 문이 빠끔히 열려 있었다. 타라는 잠시 머뭇거리다가 삐걱거리는 소리가 나지 않길 바라면서 들어갔다. 기름칠이라도 해놓은 듯 돌쩌귀가 소리 없이 돌아가는 걸 보면 난쟁이가 빈틈없이 준비해 놓은 것이 틀림없었다.

아무도 없었다. 눈이 어둠에 익숙해졌을 때 지하실에서 무슨 소리가 들렸다. 타라가 소리가 나는 쪽으로 향하자 갈랑도 살금살금 따라갔다.

계단 밑에는 포도주와 식품이 저장되어 있는 창고가 있었다. 누군가가 커다란 칸막이 하나를 벽 쪽으로 밀어 놓았는데 그 뒤로 큼직한 구멍이 뚫려 있었다.

로빈과 파브리스는 벌써 와서 흙이 담긴 광주리를 치우느라 땀을 뻘뻘 흘리고 있었다. 타라가 온 걸 제일 먼저 알아차린 마니투가 꼬리치며 반겨주었다.

"왔구나!" 부스럭거리는 소리에 눈치를 챈 파브리스가 소곤거렸다. "어? 엄마랑 같이 안 왔어?"

"응, 엄마는 가실 수 없어. 마지스터가 주문을 걸어놨대. 요새를 나가는 즉시 엄마는 크리스털 조각상으로 변하고 아주 작은 소리에도 깨진대. 그러면 엄마는 돌아가시는 거야."

"맙소사! 낭패네. 그럼 우린 어떡해?"

"다른 방법이 없어. 무조건 도망쳐서 지원군과 함께 돌아와야지. 다음 일은 일단 여길 나간 뒤에 생각해보자. 이 광주리들에 담긴 흙은 뭐 하려고?"

"난 거의 1년 동안 갇혀 있었어." 피곤에 절은 목소리가 그들의 말을 중단시켰다. "난쟁이들은 붙잡혀 있는 걸 좋아하지 않아. 그럴 경우 뭐 하면서 지낼 것 같아? 우리들은 터널을 파지!"

그들은 소스라치게 놀랐다. 그들이 얘기를 하고 있는 동안에 온몸에 흙칠을 한 파프니르가 반 톤에 이르는 돌멩이를 지고 돌아와 있었다. 정확하게 반 톤은 아닐지도 모르지만 얼추 그 정도는 되어 보였다.

"기막힌 생각이다." 타라가 소곤거렸다. "하지만 그 많은 돌들은 다 어떻게 했어?"

난쟁이는 의뭉스런 미소를 지었다.

"거인들은 여기 돌을 아주 좋아하지. 몇 달 동안 먹어대서 배불뚝이가 된 놈들도 있다니까! 게다가 놈들은 내가 자기들하고 친하게 지내려고 돌을 주는 줄 알아!"

"그럼 이 흙은 뭐 할 거야?"

"터널을 팔 때 난쟁이들이 하는 대로 대부분의 흙은 단단하게 만들어서 천장을 받치는 데 사용했지. 나머지는 지하실 바닥에 있고. 내가 벽을 하나 다시 쌓았는데 아무도 눈치채지 못했어."

"네가 그렇게 길게 파놨단 말야?"

"이쪽은 숲과 제일 가까운 데 있어서 놈들이 나무를 베러 오곤 해. 성벽까지 이르려면 50미터를 파면되는데 이제 몇 센티미터밖에 안 남았어. 그것만 끝나면 우린 밖으로 나갈 수 있어. 그리고 그 몇 센티미터는 일부러 남겨 놓은 거야. 숲에서 산책을 하다가 어떤 놈이 구멍에 빠졌다가는 단번에 들통이 나잖아."

타라는 감탄했다. 몇 달 동안에 난쟁이가 혼자서 터널을 파고 그 많은 돌과 흙까지 감쪽같이 치웠다니!

"그럼 이제 우리는 뭘 하면 돼?"

"흙을 다 치우는 동안 네 친구들과 엄마가 오면 즉시 도망치자."

"엄마는 우리와 함께 갈 수 없게 됐어." 타라는 시무룩한 얼굴로 말했다. "무아노와 칼만 오면 돼."

"난 분명히 얘기했다!" 난쟁이가 쏘아붙였다. "걔들이 늦으면 기다리지 않고 떠난다고. 지도가 있든 없든."

"알고 있어. 걔들은 금방 올 거야."

타라는 불안했다. 2시 5분 전인데도 무아노와 칼은 나타나지 않았다. 탈출이 실패하는 일이 없도록 가능한 한 일찍 오기로 약속했었는데…….

타라가 파브리스를 돕는 동안 아직 완쾌되지 않은 로빈은 잠시 쉬고 있었다. 2시를 알리는 종이 울리자, 난쟁이가 다시 나타났다.

"이제 됐어." 일을 무사히 끝낸 난쟁이는 흡족한 목소리로 말했다. "마지막으로 밀고 올라가기만 하면 우리는 자유야! 모두 준비됐지?"

"칼과 무아노가 왜 아직까지 오지 않는지 알 수가 없어." 타라가 대답했다.

"그래도 어쩔 수 없어. 우린 지금 떠나야 해!"

"걔들을 찾으러 갈랑을 보내야겠어. 문제가 생겼는지도 몰라."

"어림없는 소리 마." 난쟁이는 딱 잘라 말했다. "걔들이 붙잡혔는데 갈랑을 보내면 우리도 발각되는 거야. 당장 떠나야 해!"

타라가 막 입을 열려는 순간, 칼과 무아노…… 그리고 안젤리카가 지하실에 들이닥쳤다.

12
황무지 늪

무아노는 폭발하기 일보 직전인 것 같았다.

"글쎄…… 얘가 우리를 염탐하고 있었어." 무아노는 안젤리카를 가리키면서 딸꾹질을 했다. "그러고는 딸꾹, 자기를 데려가지 않으면 일러바치겠다고 딸꾹, 생떼를 쓰는 거야."

"내 눈은 못 속이지. 너희들이 무슨 짓을 꾸미고 있다는 걸 내가 모를 줄 알았어?" 꺽다리가 건방을 떨면서 내뱉었다. "멍청한 상그라브들보다 내 눈이 더 빠르다는 게 너희들에게는 다행인줄 알아!"

"할 수 없지, 뭐." 타라는 마지못해서 말했다. "데리고 가는 수밖에 없겠어, 가자."

따지려던 파프니르는 타라의 성난 눈길과 마주치는 순간 단념했다. 난쟁이는 등불을 들고 터널로 들어갔다.

"조용히 따라와. 샤트릭스가 냄새를 맡았다간 뚫고 들어올 거야. 그러니까 찍소리도 내지 마, 아니면 우린 끝장이야!"

터널은 고성능 기계가 뚫어 놓은 듯했다. 벽이 어찌나 반들반들한지 등불의 빛이 반사될 정도였다. 과연 난쟁이답게 파프니르가 빠르게 전진하는 동안, 파브리스와 로빈, 안젤리카는 계속 머리를 쾅쾅 부딪히면서도 끽소리를 내지 못했다. 파프니르가 겁을 준 것이 주효했던 것이다.

얼마나 지났을까, 흙과 돌로 쌓아올린 벽이 보였다. 그들은 난쟁이들의 능력에 다시 한 번 탄복했다. 파프니르가 그 벽에 두 손을 대자 벽은 흔들흔들하는 것이 금방이라도 무너질 듯이 보였다. 마지막 돌무더기를 치우는 데는 몇 초밖에 걸리지 않았고, 그들은 드디어 밖으로 나왔다. 공원의 벽 너머로.

파프니르는 발각되지 않도록 구멍을 다시 막은 뒤에 조용히 따라오라는 손짓을 했다.

타라가 지구에서 탐험해봤던 숲과는 달리 그 숲에는 오솔길이라곤 없었다. 어두컴컴하고 나무가 빽빽한 데다 땅에 울퉁불퉁 튀어나온 뿌리에 발이 걸리기가 일쑤였고, 괴상한 소리는 또 왜 그렇게 자꾸 들리는지 소름이 쫙쫙 끼쳤다.

험난한 숲 속을 걸은 지 한 시간쯤 흐르자 난쟁이가 멈춰 서라는 신호를 했다. 밖으로 나오자마자 셔츠 안에 감추고 있던 등불을 조심스럽게 들고 파프니르는 나직한 소리로 말했다.

"지도를 보여줘. 이제부터는 늪 쪽으로 가야 해."

타라는 지도를 꺼내면서 친구들에게 엄마의 충고를 알려주고 나서……, 난쟁이의 반대에도 불구하고 통역 주문을 걸었다. 칼과 무아노, 타라, 로빈, 안젤리카는 팅가푸르에서 이미 통역 주문에 걸려 있는 상태였다. 하지만 요새를 나온 이상 그 주문이 파프니르와 파브리스와 마니투에게 작용하지 않는 데다, 설사 그들 그룹이 파프니르가 하는 말을 알아듣는다고 해도 난쟁이는 그들의 말을 알아들을 수 없기 때문이었다.

칼은 그렇게 힘들게 훔쳐온 담요와 배낭을 나눠줄 필요가 없게 된 것이 속상했다. 무엇이든 한 개씩만 가지고 있으면 되었기 때문이다. 무아노가 주방에서 어렵사리 훔쳐온 빵이며 말린 고기, 치즈, 사과도 마찬가지였다. 로빈도 치료를 받던 의무실에서 슬쩍해온 물약, 세 자루의 검이며 활과 화살을 챙겨왔었다. 그리고 난쟁이를 위해 가져온 멋진 도끼를 내밀었다. 그러자 파프니르는 즉시 '보물' 이라고 명명하고 감히 누가 내 앞길을 막느냐는 듯 성가신 나뭇가지들을 모조리 찍어댔다.

살갗이 찢어졌다느니, 발이 부르텄다느니 불평을 해대는 안젤리카를 빼놓고 모두 지도를 들여다봤다. 그들은 요새에서 그리 멀리 와 있지 않았고, 가야 할 길은 아직도 많이 남아 있었다. 하지만 상그라브들은 그들이 히믈리아의 반대쪽으로 가리라고는 상상도 하지 못할 거라고 난쟁이는 예측했다.

"이제 곧 위험지역을 벗어나게 될 거야. 내 계산에 의하면 지금부터 1시간 정도만 더 가면 숲을 나가게 돼. 이어서 산기슭과 평원을 지나면 늪이야. 지도를 갖고 있는 이상 우리는 갈 수 있어. 나는 길을 알아."

그때 갑자기 블롱딘과 마니투가 뒤쪽을 응시하면서 으르렁거리기 시작했고, 쉬바도 그 멋진 털을 곤두세웠다.

그들은 본능적으로 바짝 붙어 서서 반원을 만들었다. 로빈은 친구들에게 검을 하나씩 돌리고, 활시위를 메웠다. 영문을 모르는 안젤리카가 입을 여는 순간, 커다란 그림자 셋이 덤벼들었다. 샤트릭스들이 쫓아왔던 모양이다. 로빈이 팔의 윤곽이 흐릿하게 보일 정도로 번개같이 활을 쏘았다. 크억, 크억! 두 발 다 멋지게 명중했다.

그 순간 안젤리카가 또 한 마리의 공격을 받고 땅바닥에 나자빠졌다. 하지만 샤트릭스가 미처 물어뜯기 전에 잽싸게 달려든 쉬바가 발차기 한 방으로 놈의 숨통을 끊어버렸다. 안젤리카가 비명을 지르기 시작했다. 자신을 내려다보는 무시무시한 야수를 보고 놀란 것이다. 조금 후에야 꺽다리는 그 야수가 몸 위에 널브러진 샤트릭스를 들어올리려는 것이었음을 알아차렸다.

"무, 무아노, 너, 너 맞아?"

"당연하지!" 하고 대답하면서 무아노는 빈정거렸다. "네가 말더듬는 걸 듣게 될 날이 올 줄 알았지, 괜찮아? 다치진 않았어?"

"응, 괜찮아. 너의 표범이 내 목숨을 살려줬어."

무아노가 야수의 머리를 끄덕이면서 외쳤다.

"너희들은 어때, 모두 무사한 거야?"

나동그라진 채 죽은 샤트릭스는 눈과 심장에 화살이 하나씩 꽂혀 있었다.

하지만 파프니르의 조르기로 허리가 으스러진 마지막 한 놈은 입으로 마니투를 문 채 죽어 있었다.

간이 콩알만해진 타라가 달려갔다.

"증조할아버지!"

개는 괴물의 입에서 간신히 빠져나왔다. 마니투의 옆구리는 침과 피로 흥건했고, 순교자의 고통을 겪는 듯한 얼굴을 하고 있었다.

"아이구 아파! 아이구 아파! 이놈의 개가 이젠 나를 조정하고 있어!"

"증조할아버지, 괜찮아요?"

"걱정 마라, 난 괜찮아. 약간 충격을 받은 것뿐이다."

하지만 자신의 옆구리 쪽으로 눈길을 돌리던 마니투는 끔찍한 상태를 보고 그대로 까무러쳤다.

"맙소사. 마니투가 패밀리어가 아니라는 건 알았지만 말을 할 줄이야! 이건 진짜 충격이다!" 로빈이 소리쳤다.

"또 나타날까?" 안젤리카는 주변을 두리번거리면서 눈물을 쏟을 듯한 얼굴로 물었다. "요새에 남는 게 나을 뻔했어. 이러다 모두 죽겠어!"

"이럴 거면서 협박은 왜 했어?" 칼은 짚고 넘어가지 않을 수 없었다. "'나도 데려가, 아니면 소리지르겠어' 하면서 생난리를 치더니. 그리고 다 된 밥에 코 빠뜨릴 일 있냐? 이젠 우리가 어디로 가는지 네가 알기 때문에 요새로 돌아가게 내버려둘 수 없어. 그만 잘난 척하고 이제 현실을 직시하란 말야!"

"칼! 그만해!" 타라가 나무랐다. "지금은 마니투를 치료해야 해. 너희들은 나보다 샤트릭스에 대해 잘 알잖아. 그리고 저 세 놈이 어떻게 우리를 따라왔는지 모르겠어. 내 생각에는 다른 놈들도 있을 것 같아. 샤트릭스의 독이 다른 동물에게 어떤 영향을 주는지 너희들은 알지? 증조할아버지를 치료하려면 어떻게 해야 하는지 말해줘. 우선 그것부터 해결하고 나서 출발하자."

"또 마법을 쓰려는 거지?" 파프니르가 툴툴거렸다. "그러면 발각될 위험이 없을까?"

"응. 엄마의 말로는 아주 드문드문 마법을 쓰면 괜찮대. 그리고 계속 이동하는 상황에서는 발각될 위험이 없다고 하셨어."

로빈은 더는 시간을 낭비하지 않았다.

"*레파루스의 이름으로* 타라가 안심하도록 상처야, 아물어라!" 로빈은 마니투의 갈가리 찢긴 옆구리에 두 손을 대고 주문을 외웠다.

상처를 아물게 하는 주문이 서서히 작용하면서 살이 아물고, 뼈가 다시 붙고, 털이 다시 자라더니 이내 개는 본래의 모습으로 돌아왔다. 그래도 어쩐지 깨어나지는 않았다.

"괜찮을까? 계속 저렇게 기절해 있는 건 정상이야?" 타라가 물었다.

"샤트릭스의 독은 다른 동물에게는 절대 치명적이지 않아. 네 증조할아버지가 깨어났더라면 더 좋았겠지만." 로빈은 고개를 갸웃하면서 대답했다. "내 생각에는 갈랑에게 우리를 한 사람씩 태워서 저기 산기슭까지 날아가 달라고 부탁하는 게 좋겠어. 그러면 우린 훨씬 더 빨리 갈 수 있잖아."

"야, 너 진짜 머리 좋다." 타라가 이마를 딱 쳤다. "물론이지! 맞아, 갈랑이 있었지! 바보같이 내가 왜 그 생각을 못했을까! 갈랑은 힘이 세. 트라비아에서 외출할 때마다 나를 태우고 다녔는데 몇 시간씩 지치는 기색 없이 쌩쌩 날아다녔어. 적어도 하루는 벌게 해줄 거라고 확신해."

타라는 페가수스에게 말했다.

"갈랑, 알아들었지? 그럴 수 있지?"

갈랑은 문제없이 해낼 수 있다는 걸 정신적으로 알렸고, 타라는 페가수스를 본래의 크기로 만들었다.

"먼저 로빈과 마니투를 태워서 저기 산기슭에 내려 놓고 나서 우리를 데리러와. 그사이에 우리도 그쪽으로 가고 있을게."

로빈이 그들을 보호하려면 자기가 남아야 한다면서 반대하려고 했다. 하지만 그 순간 발톱과 이빨, 위압적인 근육을 과시하는 야수를 보면서 친구들을 보호하는 데는 자기보다 무아노가 더 강력하다는 걸 인정하고 말았다.

두려움에 추위까지 더해지자 타라는 털옷과 털신에도 불구하고 이를 딱딱 부딪치며 덜덜 떨기 시작했다. 옆에서 불평이 흘러나오는 것으로 보아 칼과 파브리스, 안젤리카도 추위에 떨기는 마찬가지였다.

반면, 파프니르와 무아노만 아무렇지도 않은 것 같았다. 한 명은 추위를 느끼지 않기 때문이고, 또 한 명은 야수로 변신한 상태라서 그 북슬북

슬한 털외투의 덕을 톡톡히 보고 있기 때문이었다.

걸음을 뗄 때마다 연신 머리를 부딪히는 것 같은 파브리스는 아더월드의 나무꾼들은 농땡이들이라고 투덜거렸다. 저렇게 많은 잔가지들을 쳐내지 않고 그냥 방치해두다니!

마침내 눈앞에 평원이 펼쳐지고, 산맥과 그 너머에 황무지 늪으로 이르는 두 번째 평원이 보였다.

숲에서 나왔으니 이제부터는 한 줄로 늘어서서 갈 필요 없이 나란히 걸어갈 수 있었다.

"저기, 말야. 샤트릭스들이 단독으로 우리의 뒤를 밟았을 거라고 생각하니?" 무아노는 불안한 얼굴로 숲을 바라보면서 의문을 제기했다.

칼은 어깨에 둘러맨 배낭을 고쳐 매면서 대답했다.

"난 그 세 마리만 우리 냄새를 맡고 뒤따라온 거라고 생각해. 놈들이 떼거리로 몰려왔다면 우리는 뼈도 못 추렸을 거다, 아마."

이 말에 안젤리카는 몸서리쳤다.

"다른 놈들이 우리의 냄새를 맡는다면? 그래서 우리를 뒤쫓아오면 어떡할 건데? 지금이라도 제발 나를 요새로 돌아가게 해줘. 절대 아무에게도 말하지 않겠다고 약속할게!"

"문제는 그게 아냐, 안젤리카." 타라는 퉁명스럽게 대꾸했다. "우리는 너를 데려다줄 수가 없어. 그런데 너 혼자 가면 샤트릭스가 아니라도 다른 야생동물의 먹이가 될 거야. 그럴 바에는 우리랑 같이 가는 게 낫지."

"다 너 때문이야(꺽다리의 어조는 어느새 공격적이라기보다 계속 되풀이되는 현실에 지친 것이었다)! 내가 여기 있는 건 너 때문이잖아!"

"잠깐!" 파프니르가 바로잡았다. "네가 여기 있는 건 타라 때문이 아니라 덕분이라고 해야 맞아. 타라가 내 발에 족쇄를 채우지 않았다면 난 너희들을 절대로 데려오지 않았을 테니까!"

"아니, 타라 때문이야." 안젤리카는 우겼다. "그 못된 상그라브가 그 별난 수집벽에 타라 덩컨을 추가할 결심만 하지 않았다면 난 지금쯤 오무아에서 세련된 사람들과 어울리고 있을 거니까!"

"낄 자격도 없는데 얼떨결에 묻어와 놓고 잘난 척하기는!" 칼이 중얼거렸다.

"뭐라고? 너 뭐라고 했어?" 안젤리카는 발끈했다. "나도 저 머저리만큼은 능력이 있어. 상그라브가 그걸 알았으니까 나도 납치했던 것이고!"

"그러면 됐지 뭐가 그렇게 불만이 많니, 넌?" 파프니르도 한 마디했다.

안젤리카는 입을 열다가…… 도로 다물었다. 칼은 고소해서 낄낄댔다.

이렇게 한바탕 입씨름을 하고 난 뒤로는 조용했다. 안젤리카는 골이 나 있었고, 파프니르는 짧은 다리를 빠르게 놀리고 있었다(칼과 타라가 힘겹게 따라가는 걸 보면 짧은 다리라고 결코 얕볼 것이 아니었다). 털북숭이 늑대처럼 둘레둘레 사방을 살피는 무아노는 킁킁 냄새를 맡으면서 『엄지동자』의 식인귀 흉내를 내고 있었다.

"스니프, 스니프킁킁거린다는 의성어…… 냄새가 나. 신선한 살 냄새가 나는 걸! 냄새가 나……. 으흠…… 스니프, 가까운 데에 먹이가 있어."

그 소리에 타라는 소름이 끼쳤다.

타라가 로빈과 마니투, 갈랑을 걱정하고 있을 때, 그림자 하나가 그들의 머리 위를 휙 날아갔다. 휴, 페가수스였다. 갈랑은 타라 옆에 가볍게 착지하고 나서 귀를 긁어달라고 머리를 숙였다.

타라가 쓰다듬어주는 동안, 페가수스는 동굴 안에 편안하게 앉아 있는 로빈과 마니투의 모습을 타라의 머릿속에 전송해주었다. 샤트릭스의 독에도 불구하고 마니투는 잘 견디는 것 같았다. 로빈은 개로 둔갑시켜 놓은 영생 마법이 마니투가 버텨내게 도와주고 있는 것이 틀림없다고 생각했는데, 샤트릭스에게 물렸는데도 두 시간 넘게 살아 있다는 것이 그 생각을 굳혀주었다.

"파프니르, 이번에는 네가 타. 아마 로빈이 보초를 서겠다고 우길 거야. 그래도 네가 교대로 보초를 서는 동안에 로빈을 자게 해줘. 그리고 칼이 도착하면 그땐 네가 자도록 해. 다시 출발하기 전에 모두들 네 시간씩은 잠을 자둬야 하니까."

"난 잘 필요 없어." 난쟁이가 쫑알거렸다. "너, 나를 약골로 취급하는 거야?"

휴, 파프니르는 왜 저리도 잘 삐치는지!

"그런 뜻이 아냐." 타라는 유창한 말솜씨로 난쟁이를 설득했다.

"너는 터널을 파느라고 엄청나게 고생을 했고, 또 늪에서 어떤 상황에 닥칠지 모르잖아. 그렇다면 너도 휴식을 취해두는 것이 더 현명하다고 생각하지 않아?"

"……알았어." 파프니르는 동의했다. "거기 가서 내가 알아서 할게. 가자."

"너는 어때, 괜찮아? 너무 힘들지 않아?" 타라가 갈랑에게 다정하게 물었다.

타라가 받은 이미지들은 원기 왕성해서 뛰노는 페가소스의 모습을 나타내었다. 타라는 빙긋이 웃었다. 그것은 문제없다는 걸 표시하는 페가수스 나름의 표현 방식이었다.

가야 할 방향을 가리킨 뒤에 파프니르가 등에 올라타는 순간까지는 갈랑의 기세 등등한 행복이 계속되었다. 하지만 장난이 아닌 몸무게에 놀란 페가수스는 무릎을 꿇으면서 바로 우거지상이 되었다.

단번에 날아오르기는 했지만 분명히 평소보다는 덜 우아한 자태였고, 높은 데를 무서워하는(모든 난쟁이들이 그렇듯이) 파프니르는 필사적으로 갈기를 잡고 늘어졌다.

페가수스는 그 비행이 끝날 때까지 제발 갈기가 아무런 손상도 입지 않기를 바란다는 이미지를 재빨리 타라에게 전송했고, 타라는 소리쳤다.

"갈기를 뽑으면 안 돼! 그렇게 꽉 매달릴 필요는 없어! 갈랑은 절대 너를 떨어뜨리지 않으니까 걱정 마!"

"나도 아는데 자신이 없어서 그래" 하고 대꾸하면서 난쟁이가 갈기를 잡고 있는 손의 힘을 빼자, 그제야 갈랑은 안도의 숨을 내쉬었다.

잠시 후 그들은 깜깜한 어둠 속으로 사라졌고, 타라는 파프니르가 주고 간 등불로 길을 밝히면서 다시 걸어가기 시작했다.

갈랑은 이내 돌아와서 남은 친구들을 차례로 태우고 날아갔다.

마침내 타라는 무아노와 둘만 남았고, 어둠이 어렴풋이 밝아지고 있었다.

갑자기 무아노가 뭐라고 툭 내뱉는 바람에 타라는 소스라치게 놀랐다.

"배고파!"

"이런, 조금만 참을 수 없겠어? 금방 동굴에 도착할 텐데."

"안 돼, 참을 수 없어. 이 야수는 신진대사가 아주 빨라서 에너지 소모도 많아. 난 단백질이 필요해."

"그럼 좋아. 빵 먹을래? 칼이 말린 고기를 가지고 있어. 그리고 나한테도 치즈가 좀 있어."

"빵? 치즈? 너 지금 농담하니? 단백질은 곧 고기를 뜻하는 거야! 난 살코기가 필요하다고!" 무아노는 코웃음을 쳤다.

야수로 변했다고 꼭 저렇게 말투까지 돌변해야 하나?

"그래? 하지만 너도 알다시피 난 지금은 너를 위해 어떻게 해줄 수가 없어."

"걱정 마. 내가 알아서 해결할 테니까. 금방 올게."

그래서 타라는 혼자 있게 되었다. 초원 한복판…… 그것도 어둠 속에. 거의 새벽 6시가 되었는데도 해는 게으름을 피우기로 작정했는지 할 일을 나 몰라라 하고 있었다. 또 하늘에 드리워져 있는 먹구름은 금방이라도 일을 낼 것 같은 기미를 보이건만, 다행히 비는 내리지 않고 있었다.

타라는 용기를 내려고 휘파람을 불면서 등불을 높이 쳐들고(무아노가 자기를 사냥감으로 혼동하는 일이 없도록) 계속 걸었다.

갑자기 엄청나게 큰 그림자가 피가 뚝뚝 떨어지는 고기 덩어리 하나를 코밑에 들이댔다.

"좀 먹을래?"

이런, 너무 일찍 일어났다가 참변을 당한 짐승인가 보다.

"아유, 깜짝이야! 고맙지만 난 배고프지 않아. 그리고 너도 알다시피 난 익힌 음식을 좋아하지 날것은 싫어해. 지금 난 크루아상, 핫 초코, 버터와 잼이 더 간절해. 그러니까 제발 너나 많이 먹어!"

무아노는 두 번 다시 권하지 않고 씹는 둥 마는 둥 고기 덩어리를 꿀꺽 삼켰다. 동물적인 본능이 돌아올 때마다 무아노는 백팔십도로 돌변해버렸다. 이윽고 포만의 만족감을 표시한 뒤에 무아노는 고양이…… 그것도 무지막지하게 큰 고양이처럼 혀로 온몸을 깔끔하게 핥기 시작했다.

마침내 활동을 개시할 시간이 되었다고 생각했는지 해가 배시시 나타났다. 초원이 일순간에 변했는데 뜻밖에도 초록빛이 아니라 파란빛 풀이었다. 가까운 숲 기슭에서 몇 그루 나무들이 살랑살랑 일렁이는 데다 키가 큰 풀숲이 어찌나 무성한지 무엇이든 공격해올 수도 있다는 생각에 타라는 몸이 오싹했다.

타라는 거기 풀숲에 사자, 표범, 하이에나 같은 포식 동물이 우글거리고 있을 거라고 추측했다. 지구에서와 똑같다면 초식동물(무아노의 위 속에서 생을 끝마친 동물)이 풀을 뜯어먹고 있을 수도 있고, 육식동물이 사냥감을 노리고 있을 수도 있었다.

타라는 조용히 걸어가고 있는 자신의 친구인 육식동물에게 가까이 다가갔다.

마침내 갈랑이 나타나서 타라는 안도하면서 올라탔다.

"조금 이따 봐. 갈랑을 보내줄게." 타라가 무아노에게 외쳤다.

"그럴 필요 없어!" 무아노는 인사말을 하기 위해 그 무시무시한 발을 흔들면서 대답했다.

"필요 없다니, 그게 무슨 말이야?" 갑자기 불안해진 타라가 고함쳤다.

무아노가 그들을 버릴 생각인가?

무아노는 엔진에 시동이라도 건 듯이 전속력으로 달리기 시작하는 것으로 대답을 대신했다. 타라 못지 않게 깜짝 놀란 갈랑은 이내 도전하는 울음소리로 무아노의 포효소리에 응했다. 야수로 변신해 있는 무아노는 껑충껑충 몇 번을 뛰더니 갈랑과 같은 속도로 달리기에 이르렀다.

탄복한 타라는 무아노가 끝까지 그 속도를 계속 유지할 수만 있다면 시간을 많이 벌게 될 거라고 생각하며 안심했다. 페가수스가 속력을 내려고 해서 타라는 얼른 못하게 막았다.

"갈랑, 이건 시합이 아냐." 페가수스의 강한 근육이 수축되는 걸 느낀 타라가 소리쳤다. "네가 무아노와 경주하는 걸 원치 않아! 함께 가면서 길을 안내하는 것으로 만족하란 말야!"

페가수스는 속도를 약간 늦추면서 타라가 알아채지 못하도록 아주 조금씩 속력을 냈다. 페가수스가 맞바람을 받는 바람에, 발동이 걸린 야수가 조금 앞서게 되었다.

바람을 피하기 위해 페가수스는 하강해서 야수 옆에서 날았다. 야수가 어찌나 힘차게 껑충껑충 뛰어오르는지 페가수스 바로 곁에서 날아가는 것처럼 보일 정도였다.

타라는 갑자기 섬뜩한 느낌이 들었다. 마치 누군가가 엿보고 있는 듯한 느낌에 순간적으로 피가 얼어붙었다. 마지막으로 그런 느낌이 들었던 때는 상그라브의 눈길이 따라다닐 때였다.

타라는 느닷없이 갈랑에게 착륙하라는 명을 내렸고, 마법을 쓰고 싶지 않았으므로 땅에 닿자마자 덤불 속에 누워 있게 했다. 전혀 눈치채지 못한 무아노는 이미 저만치 앞서서 달려가버렸다.

그렇게 몸을 숨기자마자 타라는 공중에서 휘몰아치는 소용돌이를 느꼈다. 정말 아찔한 순간이었다. 하늘에 나타난 상그라브의 희미한 이미지가 파란 초원을 살피는 것이 아닌가. 그 일대를 샅샅이 탐색하고 있는 것 같았다. 타라가 숨을 죽이고 있자, 갈랑도 덩달아 털끝하나 움직이지 않았다. 한참을 그러던 상그라브는 아무것도 발견하지 못하자 사라졌다. 갈랑이 재깍 일어나려고 할 때 타라가 붙잡았다.

"안 돼, 기다려."

타라의 판단이 옳았다. 곧 다시 나타나 둘러보다가 아무것도 발견하지 못한 이미지가 이번에는 완전히 사라졌다.

확신을 갖기 위해서 타라는 좀더 기다렸다.

타라는 하마터면 비명을 지를 뻔했다. 이빨을 다 드러낸 입이 갈기갈기 찢어버릴 듯한 기세로 눈앞에 불쑥 나타나 있었다. 어느새 되돌아온 무아노였다.

"무슨 일인데? 여기서 뭐 하고 있는 거야?"

"상그라브들이 수색대를 보냈더라고. 그래서 하마터면 우리가 발각될 뻔했어." 하도 놀라서 삼킬 뻔했던 풀을 토해내면서 타라가 대답했다.

"지독한 놈들! 그럼 이제 우리는 어떡하지?" 무아노가 외쳤다.

갈랑은 겁을 먹었으면서도 내색하지 않았다. 타라가 올라타자마자 갈랑은 무아노와의 경주를 다시 시작했다.

페가수스와 야수는 2분도 채 안 되는 간격으로 동굴에 도착했고, 앞서 들어온 페가수스는 승리의 기쁨을 감추지 않았다. 하지만 기력이 다 빠진 페가수스는 곡식을 우적우적 삼킨 뒤에 그 자리에서 잠이 들었다. 페가수스와의 경주로 기진맥진한 무아노도 곯아 떨어졌다.

칼과 로빈, 파브리스, 파프니르는 자고 있었다. 보초를 서는 안젤리카는 졸알거리면서 선잠이 든 상태에서 신음소리를 내는 마니투를 건성으로 지키고 있었다.

타라도 동굴의 보드라운 모래밭에 주저앉았다. 그들이 찾아낸 은신처는 나무랄 데가 없었다. 동굴 안에 맑은 물이 흐르고 있는 데다 바닥이 모래밭이라 로빈이 쉽게 구덩이를 파고 피워놓은 모닥불에 몸을 녹일 수 있었다. 게다가 마지막으로 무아노가 동굴에 들어온 직후에 비가 내리기 시작한 덕분에 여간해서는 발각될 위험이 없었다.

상그라브들은 그들을 찾아내지 못할 것이었다.

타라는 빵과 치즈를 억지로 씹어 넘긴 뒤에 눈을 감았다. 이내 추위를 느낀 타라가 몸을 바싹 붙이자 갈랑이 날개로 감싸주었다. 페가수스의 체온을 느끼며 타라는 그대로 잠이 들었다.

겨우 몇 분밖에 잔 것 같지 않은데 로빈이 타라를 흔들어 깨웠다. 어디서도 불평하는 소리가 들리지 않는 걸 보면 그들은 이제 손발이 잘 맞는 것이 분명했다.

잠이 덜 깬 상태로 그들은 조용히 식사를 했다. 밖에서는 놀라울 정도로 일정하게 비가 내렸고, 낮인데도 어두컴컴했다. 목적지가 점점 가까워지는 걸 보면서 난쟁이만 신이 나 있었다.

"너의 페가수스 덕분에 걸어서 하루하고도 반나절이 걸릴 시간을 벌었어. 황무지 늪에 이르기까지는 몇 시간만 더 가면 돼. 나는 몇 시간 정도는 뛰어갈 수 있으니까 먼저 출발할게. 갈랑은 너무 지쳐서 어제처럼 왕복할 수 없을 거야, 아마. 너희들의 속도로 날 뒤따라오면 5시간 이내에 도착할 거야. 그사이에 나는 흑장미를 찾아서 즙을 마시고 있을 게. 괜찮지?"

"좋아." 타라가 대답했다. "그럼 조심해서 가. 뭔가 덤벼들면 주저하지 말고 마법을 사용해. 그래야 우리가 즉시 너를 도와주지. 알았지?"

난쟁이는 커다란 양날 도끼를 흔들면서 짓궂은 미소를 지었다.

"나를 공격하는 자는 내 '보물' 의 맛을 봐야 할걸. 염려 마."

"그냥 불안해서 그래. 곤경에 처하면 괜한 고집 피우지 말고 우리에게 알린다고 약속해. 친구의 목숨을 위태롭게 하느니 상그라브들에게 붙잡히는 게 더 나아."

난쟁이는 그 귀여운 눈을 똥그랗게 뜨면서 무뚝뚝한 목소리로 대답했다.

"약속할게. 너도 조심해, 친구야. 이따가 봐!"

난쟁이가 사라지기까지는 그리 오래 걸리지 않았다.

"와, 온몸이 쑤신다, 쑤셔!" 칼이 기지개를 켜면서 중얼거렸다.

"나도 그래." 안젤리카는 처음으로 칼의 말에 맞장구쳤다.

그러고는 천연덕스런 얼굴로 덧붙였다.

"너희들, 날 동굴에 두고 떠나도 돼. 여긴 위험하지도 않고, 춥지도 않으니까. 식량만 조금 남겨두고 가면 너희들이 지원군을 데리고 올 때까지 견딜 수 있어."

"내 말 잘 들어, 안젤리카." 로빈이 진지하게 말했다. "그건 네가 샤트릭스에 대해 전혀 몰라서 하는 말이야. 지금은 낮이라서 위험이 없어 보이겠지. 하지만 여기가 안전하다는 생각은 하지 마. 상그라브가 샤트릭스들을 데리고 와서 잡아먹게 하면 넌 한입거리밖에 안 돼. 그러니까 착각하지 말라고. 넌 우리랑 같이 계속 가야 해."

안젤리카는 적의를 품은 눈초리로 째려보다가 고개를 홱 돌려버렸다.

무아노는 꺽다리를 감시하기로 했다. 어떤 면에서 무아노는 그 상황을 즐겼다. 야수의 몸으로 있는 것이 뜻밖에도 기쁨을 주고 있었다. 야수는 힘이 세고, 털가죽은 아주 따뜻했다. 무아노는 친구들이 불을 피워놓았는데도 추위에 오들오들 떨고 있는 걸 보았었다. 반면에 무아노는 잠을 푹 잤었다. 타라는 무아노가 몸을 쭉 펴다가 너무 낮은 동굴 천장에 머리를 부딪혔을 때 웃음이 나왔다. 그때 혀가 잘 안 돌아가는 목소리가 갑자기 목청을 돋웠다.

"양떼에 짓밟혀서 뭉개지기라도 했나, 내 몸이 왜 이 모양인고. 무슨 일이 있었는지 누가 말 좀 해봐라!"

생기가 도는 눈, 촉촉한 코, 네 발로 서서 조심스럽게 발을 들었다 내렸다 움직여보는 마니투를 보면서 타라는 기뻐서 어쩔 줄 몰라 했다.

"증조할아버지! 일어나셨군요! 어떠세요?"

"다리가 근질근질하고 머리가 깨질 듯이 아프구나. 삭신이 쑤셔." 마니투는 애처롭게 대답했다. "하지만 그것말고는 괜찮다. 근데 거 참 이상하네, 소름끼치는 입과 엄청나게 아팠다는 것, 그게 마지막 기억이니…… 내가 꿈을 꿨나?"

"샤트릭스에게 약간 물렸는데 로빈이 치료했어요." 칼이 설명했다. "밤새도록 독과 싸웠는데 이겨내신 걸 보게 되니 진짜 기뻐요."

"그래, 맞아. 이제야 기억이 나는구나. 내 머릿속의 개가 샤트릭스를 엄청 무서워하더니만…… 30년만에 처음으로 나한테 지휘권을 넘긴 거잖아, 이거! 놈이 이 안에 있는 게 느껴지긴 하는데 나서려고 하질 않아! 이런 날이 올 줄이야, 난 자유다!"

마니투는 너무 좋아서 사방을 팔딱팔딱 뛰어다녔다.

타라는 깔깔대고 웃었다. 증조할아버지가 얼뜨기처럼 이리 뛰고 저리 뛰어다니다니, 진짜 배꼽을 잡을 일이었다.

마니투는 사냥개의 순한 눈길로 타라를 응시했다.

"이거야 원! 털옷에 아주 폭 파묻혔구나! 그러고 있으니까 네가 수영을 배우겠다고 수영장의 가장 깊은 데로 풍덩 뛰어들던 날이 생각나는구나!"

"그래서 어떻게 됐는데요?" 기억이 나지 않는 타라가 물었다.

"물 속에서는 숨쉬기가 힘들다는 걸 너는 금방 알아차렸지! 다행히 여기 계시는 이 개가 아주 헤엄을 잘 친단 말이지. 그래서 너를 건져냈단다."

"우아, 얘깃거리가 무궁 무진하네요!" 칼이 즐거워하면서 외쳤다.

"나에 대한 이야기가 아니라도 얼마든지 많으시지." 더 듣고 있다가는 무슨 가공할 과거사를 폭로할지 몰랐기에 타라는 토라진 목소리로 말했다.

그들은 동굴을 떠나 황무지 늪으로 이르는 평원에 들어섰다. 길은 쾌적했고, 비는 그쳐 있었다. 피로가 아직 풀리지 않았고, 퉁퉁 부어서 발이 아픈데도 그들은 빠르게 전진하였다. 타라의 증조할아버지는 마치 오랜 세월 동안의 침묵을 벌충하려는 듯이 밑도 끝도 없이 이야기를 그치지 않았다. 타라는 상그라브들에게 정신을 집중하기 위해 매정하지만 그 입을 다물게 해야 했다. 정찰대의 임무를 띠고 앞장서서 가는 무아노와 갈랑, 쉬바가 몇 차례 사향소 무리가 있다는 신호를 보냈기 때문에 그들은 빙 둘러서 가야 했다. 털이 아주 긴 커다란 소들이 한가로이 파란 풀을 뜯어먹고 있었지만, 너무 가까이 다가갔다가는 공격을 받기 십상이었기 때문이다.

얼마 전에 느닷없이 샤트릭스들의 공격을 받은 일이 있었던 터라 그들은 어디인가에 괴물들이 숨어 있을 거라 의심하고 계속 주의하며 걸었다.

어린 마법사들을 발견한 흡혈파리가 갑자기 떼거리로 몰려들기도 했다.

"루우우우!" 그중 한 마리가 기쁨의 탄성을 질렀다. "이게 웬 떡이냐, 인간이 떼거리로 나타나다니! 얘들아, 밥상이 차려져 있다. 냠냠 먹자!"

완벽한 대형을 갖춘 흡혈파리 떼가 일행의 연약한 살을 향해 공격해왔다. 하지만 예지능력이 있는 로빈이 재빨리 주문을 걸어 친구들 주위에 설치한 방충망을 뚫지 못했다.

위, 아래, 옆을 공격하려고 애쓰던 흡혈파리 떼는 눈앞의 먹이가 그림의 떡이 되자 마침내 날개를 내리고 더 손쉬운 먹이를 찾아서 떠났다.

세 시간을 걸어간 뒤에 그들은 점심을 먹기 위해 잠시 멈췄다.

로빈은 신중을 기해서 빵과 치즈, 말린 고기를 복제하기 시작했다.

무아노는 친구들이라도 잡아먹고 싶은 야수의 본능을 간신히 억제하면서 슬그머니 무리에서 빠져나갔다.

이빨로 와작와작 뜯어먹을 만한 것을 찾아보려고 어슬렁거리던 무아노는 사향소와 맞닥뜨렸다. 사향소를 자극하지 않기 위해서 무아노는 조심스럽게 뒤로 물러서서…… 송아지를 노렸다. 그런데 어미가 끔찍한 울음소리를 내면서 돌진하자 나머지 소 떼도 뒤따르는 것이 아닌가.

1톤도 넘을 듯이 육중하고, 그날 아침 날을 세운 듯 뿔이 날카로운 소 여섯 마리를 뒤에 달고 돌아오는 무아노를 보면서 친구들은 아연실색했다. 무아노가 도망쳐오는 걸 깨달은 친구들도 허겁지겁 줄행랑쳤다.

초원 한복판에서 오갈병에 걸려 말라죽어 가는 나무는 여러 명의 인간이 자신의 가지에 올라앉자 화들짝 놀랐다.

"아니, 이게 무슨 짓거리들이냐! 이렇게 함부로 들어와선 안 되지!"

타라는 놀라 자빠질 뻔했다. 나무가 말을 하다니!

"저기 이렇게 침입해서 죄송하지만 소 떼에 쫓기는 바람에 그만……." 무아노가 얼른 정중하게 말했다.

그 순간 우레 같은 소리에 말은 중단되었다. 소 떼가 나무를 피해서 지나치더니 적이 사라진 것에 만족했는지 다시 평온하게 풀을 뜯어먹기 시작했다.

"나하고는 상관없는 일이다." 나무는 신경질이 나 있었다. "여기는 물이 충분하지 않을 뿐만 아니라 네 놈들은 나의 제일 아름다운 가지를 부러뜨렸어!"

당황한 칼은 방금 부러뜨린 가지를 다시 붙이려고 애를 썼지만 헛수고였다. 그러자 칼은 딴청을 피우듯 휘파람을 불면서 슬그머니 가지를 땅바닥으로 미끄러뜨렸다.

"정말 죄송합니다, 상처를 입혀서. 얼른 떠나겠어요." 무아노는 조심스럽게 말했다.

"당연하지. 내가 네 놈들을 내동댕이칠 거니까!" 나무가 으르렁거렸다.

"잠깐만 기다리세요." 타라는 필사적으로 나뭇가지에 매달리면서 재빨리 말했다. "우리는 협정을 맺을 수도 있어요."

"협정? 무슨 협정?" 나무가 소리쳤다.

"소 떼가 물러갈 때까지만 당신의 나뭇가지에 있게 해주신다면 그 대신에 우리가 물을 제공하겠습니다!"

"물(나무의 어조에 불신이 담겨 있었다)? 비가 규칙적으로 내리기는 해도 그 정도의 물은 초원에는 괜찮을지 모르지만 나한테는 새 발의 피! 나는 십수 년 동안 서서히 죽어 가는 몸이다. 그런데 네 까짓 것들이 여기서 물을 찾아주겠다? 제일 가까운 지하수층이 황무지 늪에 있는데."

"방법이 있으니까 나한테 맡기세요." 로빈이 끼어들었다.

하프엘프는 나뭇가지 사이에 조심스럽게 걸터앉더니 깊은 최면 상태에 들어갔다. 그의 정령이 땅 속 깊은 곳으로 들어갔다. 몇 분 후, 로빈은 땅 속의 물이 나무까지 이르지 못하게 화강암층이 가로막고 있음을 알았다. 암반 하나를 없앤 뒤에 압력을 높이고 기름진 흙과 물이 침투하지 않는 진흙을 벗겨내자, 맑은 물이 지표를 향해 주욱 올라가기 시작했다.

나무의 외침에 그들은 하마터면 나뭇가지에서 우수수 떨어질 뻔했다.

"물! 물이 느껴진다!"

"정말이라면 모두에게 기쁜 일이긴 하지." 아무래도 마음이 놓이지가 않는 마니투가 말했다. "하지만 너무 흥분부터 하지 말거라. 실패하면 우린 사향소의 뿔에 꿰인 꼬치구이 신세로 끝장나니까."

"조금만 있으면 다 잘될 거예요." 최면 상태에서 깨어난 로빈이 말했다.

"고맙다! 정말 고맙다!" 나무가 외쳤다. "앞으로 너희들이 원할 때는 언제든 내 나뭇가지에 올라앉아도 된다. 물을 찾아준 것에 대한 고마움의 표시로 선물을 주고 싶구나."

나뭇가지 하나가 로빈을 향해 휘어지더니 그의 손에 싹이 움튼 어린 나뭇가지 하나를 내려놓았다.

"이건 내 잔가지 중 하나란다. 너희들이 자라나게 하고 싶은 방향에 이걸 꽂아. 그리고 '*살아 있는 나무의 이름으로 즉시 자라거라*' 하고 말하면 된다. 이 나뭇가지가 너희들에게 아주 유용하게 쓰일 때가 있을 게야. 내 목숨을 구해준 데 대한 감사의 표시로 주는 내 선물이란다."

그 자세로는 허리를 굽힐 수 없는 로빈은 예의를 갖춰 정중하게 말했다.

"정말 고맙습니다. 이제 우리는 떠날게요. 물은 고갈되지 않을 거예요. 물이 아주 많지 않아서 뿌리가 썩을 염려도 없습니다. 그리고 오히려 고마운 건 우리죠."

"그럼 잘 가거라! 안녕!" 나무가 말했다.

그들은 아주 조심스럽게 나무를 내려와서 살금살금 떠났다.

"너 돌았어? 어쩌자고 그런 짓을 한 거야?" 안전한 곳에 이르자마자 칼이 무아노에게 소리쳤다.

"미, 미안해." 무아노는 그 커다란 머리를 숙이면서 사과했다.

"사냥을 하러 갔다가 엄마소와 맞닥뜨리게 되었어. 그런데 내가 자기 새끼를 잡아먹을 거라고 생각하고는 다짜고짜로 나를 향해 돌격했던 거야."

"확실하게 해둬야겠어, 무아노!" 칼이 아주 단호하게 말했다.

"응?"

"오늘 아침에는 참을 만큼 참았어. 이제부터 사냥은 절대 금지야! 식사시간에는 아무 데도 가지 말고 무조건 우리가 가지고 있는 걸 먹으란 말야. 알았냐?"

"알았어." 무아노는 어깨를 으쓱하면서 침울하게 대답했다.

"난 찬성이다." 뜀박질 연습을 별로 좋아하지 않는 마니투가 맞장구쳤다. "난 지금 영양을 섭취할 필요가 있거든. 먹을 만한 게 뭐가 있니?"

"어제하고 똑같아요. 빵, 치즈, 말린 고기." 타라는 배낭을 가리키면서 대답했다.

"이렇게 고된 여행을 하는 동안에는 영양가 높은 걸 먹어줘야 하건만!" 증조할아버지는 툴툴거렸다. "내 몰골을 좀 보거라! 이런, 실망이 이만저만이 아니구나! 아, 캐비아, 생크림이 어디 없을까? 흰 버터로 구운 연어고기와 치즈 그라탱, 오리고기와 소시지를 곁들인 스튜가 눈에 삼삼하구나. 아, 그리워라, 크리스털 잔, 번쩍번쩍한 식기 세트, 푹신푹신한 의자……. 이렇게 힘든데 시시하게 고작 빵과 치즈 조각이나 먹어야 하다니!"

증조할아버지의 어조가 어찌나 처량한지 모두 웃음을 터뜨렸다.

그들은 점심을 먹기 위해 둘러앉았고, 로빈은 그들이 충분히 포식할 정도로 몇 배로 늘렸다. 이례적으로 아주 많이.

"휴, 너 더 먹어야겠어?" 무아노가 세 개째의 고기를 게걸스럽게 먹어 치우자, 로빈이 물었다.

"로빈, 키가 3미터나 되는 거구의 몸이야, 난." 무아노가 흘겨보면서 대꾸했다. "따라서 위가 큰 건 당연하잖아. 그렇지 않아도 너희들이 내가 사냥하는 걸 원치 않아서 기분이 엉망인데 자꾸 나를 긁지 마. 그래서 더 먹을 생각이야."

"알았어, 알았으니까 제발 신경질은 내지 마! 얼마나 더 필요한지 양이나 말해줘. 해볼게. 나한테 아직 그럴 힘이 있다면."

"지금까지 먹은 양의 반 정도가 더 있으면 될 것 같아." 무아노는 짓궂게 주문했다.

로빈은 땅이 꺼지도록 한숨을 내쉬면서 말린 고기를 복제하기 시작했다. 몇 조각을 더 아귀아귀 먹어대더니 무아노는 불쌍해서 봐준다는 듯이 로빈에게 말했다.

"이제 됐다. 배고프지 않아…… 더는."
고마운 미소를 짓던 로빈은 무아노가 덧붙이는 말에 웃음이 싹 달아났다.
"……지금 당장은!"
그들은 다시 길을 나섰고, 평원이 조금씩 바뀌기 시작했다. 풀이 듬성듬성하고, 땅바닥은 점점 더 물렁물렁해졌다. 또 시냇물 때문에 걸핏하면 길이 끊겨서 그때마다 갈랑이 그들을 태우고 썩은 물위를 날아야 했다.
가도, 가도 길들이 어찌나 비슷비슷한지 타라는 길을 잘못 든 게 아닌지 확인하기 위해서 점점 더 자주 지도를 꺼내봤다.
그들이 섬에 가까워지고 있을 때, 귀에 익은 목소리가 소리쳤다.
"정지!"
땅이 하도 고르지 않아서 맨 앞에서 발을 내딛어보며 가던 마니투는 후닥닥 뒤로 물러났다. 이래서 발이 네 개인 것이 유리하다니까.
"거기서 꼼짝 마! 움직이는 모래야!" 난쟁이가 소리쳤다.
모래 속에 반쯤 파묻힌 파프니르가 빠져들지 않으려고 안간힘을 다해서 나무뿌리를 붙잡고 늘어져 있었다.
"어떻게 된 일이야?" 파브리스가 물었다.
"모래에 두 발을 내딛은 순간부터 몸이 계속 빠져 들어가고 있어. 여기서 날 꺼내 줘!"
"그런데 왜 마법을 쓰지 않았어?" 어이가 없는 칼이 조심스럽게 물었다.
"난쟁이는 위험한 상황을 벗어나기 위해 마법에 도움을 청하지 않아! 그리고 너희들이 곧 따라올 줄 알았으니까. 뭐야, 차라도 마시고 있는 거야? 계속 그러고 있을 거야? 어떡해 좀 해봐!"

“무아노, 파프니르 바로 옆에 있는 나무에 갈 수 있겠니?” 마니투가 물었다.

무아노는 파프니르 쪽으로 기울어진 나무를 보면서 몸을 최대한으로 늘리더니 갈퀴발톱을 사용해서 나무에 기댄 채 난쟁이를 끌어냈다.

그들은 움직이는 모래밭에서 나온 파프니르를 보고 경악했다. 우아악! 팔다리에 우글우글하게 달라붙어 있는 거머리들!

난쟁이가 칼을 뽑아들었다. 그러나 거머리들은 끈덕지게 살 속을 파고들었고 끈적끈적한 몸 때문에 칼이 자꾸 미끄러져 거머리들을 떼어낼 수가 없었다.

“가만히 있어. 떼어내려고 하지 말고. 걔들이 스스로 떨어져야 하니까.” 무아노가 말했다.

“그럼 나는 어떡하고?” 난쟁이는 죽을상을 지으면서 소리쳤다.

“움직이지 마” 하고 말하면서 무아노는 변신한 뒤에 외쳤다.

“*플라무스의 이름으로* 거머리들은 불에 지져지고 모조리 박멸되어랏!”

눈 깜짝할 사이에 빨간빛에서 치솟는 불길이 난쟁이를 에워싸면서 거머리들만 건드리고 있었다.

불길이 닿자 거머리들은 후드득 맥없이 땅바닥으로 떨어졌고, 파프니르의 몸에는 뻘긋뻘긋한 상처 수십 개만 남았다.

“에잇, 더러운 것들!” 하고 분통을 터뜨리면서 난쟁이는 징글징글한 거머리들을 발로 짓뭉개버렸다. “내 피를 빨아먹는 게 느껴지는데도 난 아무것도 할 수가 없었어.”

“아무리 그래도 그렇지!” 땅바닥에서 꿈틀거리는 진득진득한 거머리들을 쳐다보면서 파브리스가 소리쳤다. “마법에 도움을 청하는 것보다

생으로 뜯어 먹히는 게 더 낫단 말야? 너 진짜 그 정도로 마법이 싫은 거야?"

"마법의 마자도 싫어!" 난쟁이는 볼멘 소리로 내뱉었다. "됐으니까 이제 그만 가자! 그 말밖에 할 말이 없다. 그리고…… 어쨌든 고마워."

"별일도 아닌데 뭐. 그리고 좀더 있었으면 너 혼자서도 문제없이 빠져나왔을 거야." 무아노는 다정하게 대답했다. 난쟁이 종족은 도움 받는 걸 별로 좋아하지 않는다는 걸 잘 알고 있어서였다.

난쟁이들이 개인주의가 강하다는 건 알고 있지만, 파프니르는 한 차원 높여서 독립심이 강하다고 할 수 있었다.

감염될 우려가 있다고 걱정하는 무아노는 파프니르의 반대에도 불구하고 르파루스 주문을 걸어야 한다고 우기면서 재빠르게 상처를 사라지게 한 뒤에 야수로 변신했다.

도끼로 일일이 흙을 두들겨보면서 전진하는 난쟁이의 뒤를 따라 그들은 천천히 흑장미의 섬으로 향했다.

섬을 찾는 데는 그리 오랜 시간이 걸리지 않았다. 섬은 호수와 움직이는 모래밭의 보호를 받으면서 늪의 한 중앙에 위치해 있었다. 을씨년스런 풍경, 좀처럼 보기 힘든 휑뎅그렁한 섬이었다. 보이는 것이라고는 해골처럼 말라비틀어진 몇 그루 나무의 앙상한 나뭇가지들만 찬바람에 흔들거리고 있고, 아무도 접근하지 못하게 하려는 듯이 섬의 기슭을 에워싸는 가시가 삐죽삐죽한 시커먼 덤불밖에 없었다.

섬뜩해진 친구들은 본능적으로 바짝바짝 붙어 섰다.

"다 왔어." 난쟁이는 섬의 살풍경한 모습에 개의치 않고 흡족한 목소리로 말했다. "이제 건너가는 일만 남았어. 저 물 속에 뱀이 우글우글하다고 들었거든. 그러니까 갈랑을 타고 넘어가는 것이 현명할 것 같아."

"당연히 그래야지!" 뱀이라면 질색으로 싫어하는 타라가 찬성했다.

"난 지쳤어, 그냥 여기 남아서 너희들을 기다릴게." 나무밑동에 걸터앉은 안젤리카는 죽는소리를 했다.

그때였다. 갑자기 나무밑동이 꿈틀하더니 무시무시한 입을 쩍 벌렸다. 안젤리카는 비명을 질렀다.

"엄마야! 글루릅스*다! 사람 살려!"

대가리가 아주 갸름하고, 이빨이 장난이 아닌 초록색과 갈색의 도마뱀 글루릅스가 꺽다리를 한입에 집어삼키려고 할 때, 제일 가까이 있던 칼이 주문을 외웠다.

"*카르보누스의 이름으로* 나 너를 지져서 죽이노랏!"

칼의 손가락에서 타라의 할머니를 쓰러뜨렸던 것과 비슷한 붉은 광선이 치솟더니 글루릅스를 후려쳤다. 도마뱀은 마치 감전이라도 된 듯 소스라치게 놀라더니 물 속으로 달아났다.

안젤리카는 와락 울음을 터뜨렸다.

"진저리가 나! 이제 더는 못 참겠어. 집으로 돌아가고 싶어!"

"자, 자, 진정해!" 측은했던지 칼이 웬일로 다정하게 말했다. "이제 곧 가게될 거니까 절대로 아무 데다 앉지 마. 너네 집으로 무사히 데려다준다고 내가 약속할게."

꺽다리는 훌쩍거리고만 있을 뿐 대답하지 않았다. 시종일관 타라가 자신의 삶에 끼어든 날을 저주하고 있는 안젤리카의 얼굴엔 원망이 가득했다. 내가 무슨 잘못을 그렇게 많이 저질렀다고 이런 벌을 받아야 하냔 말야?

"대단하다!" 감탄한 로빈이 탄성을 질렀다. "네가 카르보누스 주문을 구사할 줄은 몰랐어!"

"나도 놀랐어." 칼이 고백했다. "나도 모르게 주문이 저절로 툭 튀어 나오더라고. 혹시 발각되는 거 아냐, 이거?"

"아니." 로빈은 칼을 안심시켰다. "타라의 어머니가 하신 말에 의하면 상그라브들이 그걸 느끼려면 굉장히 많은 양의 에너지가 필요한 마법을 사용했을 때야. 지금까지 우리가 쓴 마법을 다 합쳐도 위험할 정도는 아냐."

"휴!" 파브리스는 안도의 한숨을 내쉬었다. "난 네가 마법을 썼을 때, 순식간에 악당들이 들이닥칠까 봐 조마조마했어."

"그래, 알아. 하지만 안젤리카를 구해줘야지 어쩌겠냐, 안 그래?"

"그런 뜻으로 한 말이 아니라 내가 엄청 겁이 났었다, 그 말이지." 파브리스는 변명했다.

"너희들, 얘기 좀 빨리 끝내면 안 되겠니? 나는 며칠 후에 성인 선서를 해야 한단 말야. 그러니까 좀 서둘러 줘, 제발!" 파프니르는 사정을 했다.

갈랑은 물위를 날아서 그들을 섬에 내려놓기 시작했다.

그 과정에서 칼은 블롱딘을 잃을 뻔했다. 걸핏하면 공중에 있는 것이 지겹기 시작한 여우는 칼에게서 벗어나려고 버둥거리다가 그만 떨어지고 말았다. 수면에 닿는 순간 기슭에서 졸던 글루릅스들이 여우를 향해 돌진했다. 꿀꺽 집어삼킬 기세로 쩍 벌리는 입들을 보면서 비명을 지르는 블롱딘을 뭔가가 확 낚아챘다. 어, 날아가네! 여우의 꼬리털만 달랑 문 채로 다 잡은 고기를 놓친 도마뱀들의 허망한 낯짝이라니. 여우가 목숨을 구한 것은 즉각적으로 반응한 갈랑 덕분이었다. 여우가 떨어지는 걸 보면서 급강하한 페가수스는 입으로 덥석 물어서 무사히 섬에 내려놓았다.

얼마나 놀랐는지 심장이 사정없이 쿵쾅쿵쾅 뛰는 칼은 족히 10분 가량은 비명을 질러댔다.

그 결과로 쉬바는 이동하는 동안 털끝 하나 움직이지 않으려고 조심했다.

파프니르는 흑장미를 찾는 데 그리 오래 걸리지 않았다. 시커멓고 긴 가시들이 덤불을 에워싸고 있어서 난쟁이는 손이 햄버거 스테이크가 되지 않도록 담요로 팔을 둘둘 감아야 했다.

꽃들이 있는 쪽으로 엄청나게 몰려드는 가시를 보며 파프니르는 깜짝 놀랐다. 덤불이 완강히 저항하기 시작했기 때문이다. 하지만 찌르거나 말거나 파프니르는 아랑곳없이 밀고 들어갔다.

파프니르가 꽃을 따기 시작했을 때였다. 희미한 신음소리가 들렸다. 장미 덤불이 내지르는 소리인가? 흠칫 놀라서 손을 멈추자 신음소리는 사라졌다. 파프니르가 또 한 송이의 꽃을 따자 이번에는 더 큰 비명소리가 들렸다. 파프니르의 손에 묻은 장미꽃 수액은 거의 피와 흡사했다.

황무지 늪의 흑장미를 꺾는 이들에게 내린다는 저주, 전설처럼 내려오는 이야기가 기억난 파프니르는 주뼛거리다가 다시 꽃을 따기 시작했다. 동화책에나 나올 법한 이야기 때문에 중단할 수는 없지!

난쟁이가 필요한 만큼의 꽃을 따는 동안, 로빈은 모닥불을 피웠다. 그러고는 나무껍질을 벗겨서 만든 그릇에 물을 끓이기 시작했다.

난쟁이는 피범벅이 된 장미꽃을 로빈에게 건네주었다.

"자, 이 정도면 충분할 거야. 부글부글 끓여서 갈색 액이 새까만 색이 될 때까지 달여 주라."

갑자기 마니투가 외쳤다.

"뭔가 이상한 낌새가 느껴지는구나!"

"네?" 신경이 곤두선 난쟁이가 물었다.

"저기." 마니투는 100명 가량의 진흙먹보들을 발로 가리켰다. 언제 왔는지 호수 기슭에 녀석들이 득시글거렸다.

"녀석들이 건너올까요?" 파브리스는 불안한 얼굴로 물었다. 그들을 발견한 진흙먹보들이 길다란 이빨과 발톱을 드러내면서 악을 쓰고 있었다.

"아니, 저놈들은 미치광이가 아냐." 파프니르가 대꾸했다. "소금 광산과 금 광산을 걸고 장담하는데 놈들은 마지스터의 명령이 있어야 복종하거든."

"맙소사! 그럼 큰일났네!" 칼은 잿빛 눈이 휘둥그레져서 외쳤다.

"이제는 이 섬에서 꼼짝도 못하는 거잖아!"

"우리는 갇혔지만 넌 아냐, 파프니르!" 타라가 용감하게 말했다.

"어째서 난 아니라는 건데?"

"넌 갈랑을 타고 떠나야 해. 우리가 붙잡힐 경우, 넌 우리의 유일한 희망이니까!"

"지금 당장 떠난다고 해도 제때에 너희들을 도와주러 오지 못할 거야. 너희들을 두고 나 혼자만 떠난다는 건 말도 안 돼."

"……바보같이 굴지 마." 그들 중에서 난쟁이 종족을 제일 잘 아는 무아노가 진지한 어조로 나무랐다. "네가 제 시간에 돌아가서 선서를 하지 못하면 넌 영원히 추방되는 거야. 어서 가!"

대답은 간단명료했다.

"싫어."

그런데 갑자기 마니투가 어찌나 심하게 코를 킁킁거리는지 그들은 대화를 중단했다.

"이게…… 이게 뭐지? 뭔가 이상해…… 뭔가가 느껴지는데. 개의 후각은 아주 예민하단 말씀이야."

마니투는 유난히 방어가 심한 흑장미 덤불 쪽으로 다가갔다. 그러자 그 덤불의 가시들이 단도만 한 크기로 돌변했다.

"저 안에 뭔가가 있어." 마니투는 단정적인 어조로 말했다.

파프니르는 불안해서 미치겠다는 얼굴로 하늘을 쳐다봤다.

"그래서요?"

"그래서 이 코끝이 따끔거린단 말이지. 이건 분명히 강력한 마법의 신호야. 너희들 중 누가 저 속으로 들어가 보면 좋겠구나."

파프니르는 빈정거렸다.

"우리들 중에서 저 안으로 들어가기에 가장 적합한 분은 마니투 선생님인 것 같은데요. 저는 지독한 가시에 온몸이 찢겨서 더는 할 수가 없어요."

사냥개는 한숨을 내쉬고 나서 덤불 속으로 들어갔다. 그런데 이상하게도 파프니르에게는 그렇게 완강히 저항하던 덤불이 마니투를 동물로 여기기 때문인지 얌전했다. 개는 이내 뭔가를 입에 물고 나왔다. 하지만 나오자마자 흥분한 덤불이 가시 돋친 가지들을 뻗으며 개를 잡으려고 생난리를 쳤다. 다행히 개는 이미 위험지역을 벗어나 있었다.

그들은 궁금한 얼굴로 마니투를 빤히 쳐다봤다.

"이건 석영이라는 돌이야."

"뭐라고 하셨어요?"

"석영이라는 돌이라고 했다." 마니투는 반투명한 돌을 내려놓은 뒤에 말을 이었다. "그런데 묘하단 말야. 마치 덤불이 이 돌을 지키려는 듯이 내가 가져가지 못하게 막는 것 같으니……. 지금은 이물질도 많고, 균열도 많아서 보기에 흉하지만 어쩌면 이 돌을 활용할 수 있을지도 모르겠구나."

"이 돌을 어떻게 활용해요?" 지구소년 파브리스는 호기심이 가득한 얼굴로 돌을 쳐다봤다.

"이게 바로 크리스털 원석이야." 무아노가 대답했다. "우리의 텔레크리스털이 이 돌로 만들거든."

"텔레크리스털? 그러니까 아더월드의 핸드폰 말야?" 타라가 물었다.

"응, 바로 그거야." 칼이 대답했다. "하지만 지금은 쓸모가 없는 원석 조각에 불과하지. 그러니까 이걸 텔레크리스털로 만들려면 마법으로 다듬어야 해."

"흥! 또 마법이야?" 난쟁이가 쏘아붙였다. "그럼 내가 사라져주지. 난 흑장미 즙을 마시러 가겠어."

"그러면 안 되지, 지금은." 칼이 반대했다.

"왜 지금은 안 되는데?" 난쟁이가 따져 물었다.

"네가 종족으로부터 추방당하게 되면 마법을 필요로 할 가능성이 있으니까. 그때는 어쩌려고?"

"네가 아직도 뭘 잘 모르는 모양인데 난 마법을 좋아하지 않아. 마법을 아주 싫어한다고. 마법은 내 삶을 망쳐놨어. 내게서 마법을 없앨 수만 있다면 추방을 당하든 아니든 무슨 짓이든 할 거야. 금속을 다루는 내 솜씨는 마법과는 아무 관계가 없어. 솜씨는 경험과 숙련의 산물이니까. 훌륭한 난쟁이 일꾼은 생활비 정도는 너끈히 번다고. 이따가 보자."

칼이 무슨 말을 하기 전에 파프니르는 홱 돌아섰다.

그사이에 마니투는 크리스털 조각을 담요 위에 내려놓았다.

"모두 둘러앉아서 크리스털이 깨지지 않게 잘 다듬어야 한다."

"우리가 어떻게 하면 되는데요?" 안젤리카가 샐쭉거리며 물었다.

"크리스털의 응집력을 유지시키려면 마력을 이용해야 해. 커다란 틀로 고정시켜 놓은 것처럼 흔들림이 전혀 없어야 한단 말이다. 돌에는 균

열이 많아서 조금이라도 실수하면 깨질 수가 있거든. 정신을 집중해야 해. 폭발이라도 했다가는 그 반동으로 너희들이 다칠 수 있으니까. 너희들은 꼭 성공해야 한다. 아니면 우리는 끝장이야! 하지만 다듬는 데 성공하면 우리는 트라비아와 연락할 수 있고, 그들이 우리를 구하러 올 거야."

안젤리카는 열의를 보이면서 돌 옆에 앉았다. 뭐라고? 이게 이 끔찍한 지옥에서 나가는 유일한 방법인데 나만 빼고 자기들끼리만 숙덕거리고 있는 거잖아.

"너희들 뭘 꾸물거리는 거야? 빨리 하자!"

"너희들 중 누가 최고 마법사를 호출하겠니?" 마니투가 물었다.

"두말 할 것 없이 타라의 능력이 가장 강력하다고 생각해요. 어떻게 생각하세요?" 로빈이 말했다.

"그래, 훌륭한 선택이야. 어쩌다 이 꼴이 되어버리는 바람에 불행하게도 나는 마법을 걸 수가 없구나. 하지만 너희들에게 조언은 해줄 수 있다. 그러니까 로빈, 너는 돌을 다듬기 시작해. 살살, 아주 살살. 상그라브들이 우리를 찾아내지 못하게, 그리고 타라가 어떻게 하는 건지 잘 이해하도록 다듬는 단계를 하나하나 보여주거라. 그래야 타라가 쉽게 다룰 수 있어."

로빈은 마니투를 빤히 쳐다보고 있었다.

"이런 말씀드려서 죄송하지만 어르신이 노련한 마법사였다는 기억이 없습니다. 하지만 시키시는 대로 해보겠어요."

"노련한 마법사였다면 개의 몸뚱이로 바뀌는 함정에 빠지지는 않았겠지." 타라의 증조할아버지는 찔끔하는 어조로 말했다. "하지만 말이다, 크리스털 볼에 관해서는 수백 번도 더 다듬은 경험이 있단 말씀이야. 자, 어서 시작해라."

로빈은 심호흡을 하고 나서 말했다.

"좋아요, 시작할게요. 내가 돌을 다듬는 동안 너희들은 마법으로 이 돌을 에워싸고 있다고 생각해. 무엇보다도 마음을 단단히 먹어. 이 크리스털이 온전해야 하니까. 자, 이제 시작한다. 타라, 준비됐지?"

기적 같은 일이 일어났다! 타라는 자신의 정신을 로빈의 정신과 일치시키다가 질겁했다. 자신의 정신이 소년의 머릿속으로 들어갈 줄이야! 게다가 예상하고 있던 것과는 달리 로빈이 자신의 생각을 전혀 감추려 들지 않았다. 잠시 주저하다가 호기심이 동해서 두리번거리던 타라는 어떤 생각 앞에서 뒷걸음질쳤다. 어머, 로빈이 나를 예쁘다고 생각하고 있다니!

'미안해.' 얼굴이 빨개진 로빈이 정신적으로 알렸다. '정말 조심했어야 했는데 나도 모르게 그 생각이 빠져나갔어. 우리 정신을 집중하자. 내 정신을 조절하도록 노력할게.'

그런데 그게 생각처럼 쉽지가 않았다. 별의별 생각이 로빈의 머릿속을 스쳐가고 있었다. 칼과 파브리스와의 우정, 무아노에 대한 애정과 무아노가 야수의 후예라는 알았을 때의 놀라움, 다시 붙잡히면 어쩌나 하는 두려움, 또 아버지와 어머니에 대한 생각도 많이 났다. 이어서 그는 다시 타라 쪽으로 생각을 돌렸다. 그 용기하며 뛰어난 분석 능력, 근사한 쪽빛 눈……, 로빈은 타라에게 탄복하고 있었다.

이럴 수가! 그 생각을 발견했을 때 타라는 당황했다. 크리스털 볼에 정신을 집중해야 하는데……. 특히 나에 대한 로빈의 생각은 잊어야 해. 로빈을 아주 괜찮은 아이라고 생각하고 있을망정!

그러자 갑자기 머릿속이 아주 선명해졌다.

타라는 로빈의 마법이 돌을 움켜잡고 아주 조심스럽게 다듬기 시작하는 걸 느꼈다. 로빈은 자신의 능력을 수술용 메스처럼 사용하고 있었다. 돌의 모난 면들을 아주 살짝 두드려서 돌 부스러기를 담요에 떨어뜨렸다. 이어서 로빈의 정신적 줄이 꺼칠한 면을 제거하면서 크리스털을 갈았다. 로빈은 굉장히 신중했다. 돌의 내부는 균열이 아주 심해서 조금이라도 잘못 두드렸다가는 박살이 날 것 같았다. 그 순간 타라는 행여 깨질세라 잔뜩 긴장한 채 부드러우면서 단단한 손처럼 돌을 에워싸고 있는 파브리스, 칼, 무아노의 뜨거운 관심과 안젤리카의 냉랭한 관심을 느낄 수 있었다.

로빈은 끈기 있게 모든 단계를 보여주었고, 타라는 그대로 따라했다. 로빈이 모난 데의 앞면을 두드려서 줄로 투명하게 만들면, 타라는 마법으로 그 뒷면을 두드려서 번쩍거리게 만들었다. 그들이 마침내 안도의 한숨을 내쉬면서 작업을 끝냈을 때, 크리스털 볼은 밤을 밝히는 작은 등대처럼 반짝반짝 빛나고 있었다.

"와아아!" 무아노는 탄성을 질렀다. "이제껏 내가 본 것 중에서 가장 아름다운 크리스털 볼이야! 이렇게 반짝일 수가!"

"금이 간 데가 많아서 우리가 아무리 조심해도 충격을 조금만 받으면 깨질 수 있어." 로빈은 가슴이 조마조마했다. "지체없이 셈 선생님과 접촉을 시도해야 해."

타라는 등을 쭉 펴면서 오만상을 찌푸렸다.

"원래 이렇게 힘이 많이 드는 거야? 나는 너무 피곤해서 더는 못 하겠어!"

"네가 우리 중에서 가장 강력한 것처럼 잘난 척하더니 왜?" 안젤리카는 깐죽거렸다. "그러니까 엄살부리지 말고 너의 그 대단한 능력을 보여주지 그래."

타라는 꺽다리의 가시 돋친 말을 묵살해버리고 로빈을 쳐다봤다.

"실은 나도 피곤해." 뻑적지근한 어깨를 풀면서 로빈이 말했다. "잠깐 동안은 괜찮지만 너무 오래 쉴 수는 없어. 진흙먹보들 때문에 아무래도 불안하거든. 놈들이 무슨 짓을 꾸미고 있는지는 모르지만 셈 선생님과 연락하고 난 뒤에야 마음이 놓일 것 같아."

타라는 고개를 끄덕였다. 같은 생각이지만 너무 피곤하면 마법 능력을 통제하지 못할 위험을 느꼈던 것이다. 그런 변을 피하기 위해서는 우선 긴장을 풀어야 했다. 그래서 타라는 조용히 일어나서 빵과 치즈를 들고, 드문드문 난 풀을 뜯어먹고 있는 갈랑 옆에 가서 앉았다.

"어쭈, 쟤 뭐 하는 거야?" 안젤리카가 쏘아붙였다. "난 집으로 돌아가고 싶어. 지금 당장!"

"좀 쉬게 내버려두거라." 마니투가 나무랐다. "엄청나게 많은 에너지가 필요한 작업이었어. 요기를 하고 좀 쉬어야 해. 그다음에 시도하자. 안젤리카, 너는 말야, 지금 당장 시도했다가 첫 번째 시도가 피로 때문에 실패할 경우에는 우리에게 아무런 방법이 없다는 걸 알아야 해. 따라서 모든 행운이 우리편이 되도록 신중해야 한다. 기다려야 하는 것은 너보다 내가 더 질색인데도 말이다!"

검둥개가 늙은 마법사였다는 것이 기억난 안젤리카는 발을 걸어서 넘어뜨리고 싶은 마음을 꾹 참았다.

갑작스런 아우성에 그들은 소스라치게 놀랐다. 진흙먹보들이 고함을 지르고 있었다.

"아이들아! 이리 와, 위험, 위험해! 아이들아, 섬을 나와야 해, 위험, 위험해! 섬에서 자면 안 돼, 이리 와, 얼른! 우리는 아이들을 해치지 않아. 위대하신 주인님, 친절하신 주인님, 멋진 주인님에게 데려다줄게. 아이들아 이리 와, 얼른 나와."

"저 놈들이 왜 저렇게 떠들어대지?" 파브리스가 말했다.

"뻔하지, 우리가 돌아오길 바라는 거야." 끔찍한 맛의 흑장미 즙을 억지로 넘기느라고 철지난 잠과 몇 개를 먹으면서 난쟁이가 대답했다. "그래서 우리에게 겁을 주는 거야. 신경 꺼. 우리 고조부께서 100년 전에 이미 써먹었던 수법이니까."

"하지만 말야!" 안젤리카는 이미 겁을 먹었다. "만약에 밤이 되었을 때 진짜로 섬에 어떤 위험이 있거나 불길한 일이라도 생기면 어떡하지? 뭐 하고 싸워야 하는지도 우리는 모르고 있잖아!"

"너희 종족은 진짜 못 말리겠다. 이래도 걱정, 저래도 걱정." 난쟁이가 비아냥거렸다. "너희들은 왜 인생을 오는 대로 받아들이질 못하는 거야? 그게 더 간단한데! 좀 느긋하게 주워진 상황을 즐겨봐."

난쟁이는 싱글벙글 웃으면서 두 팔을 벌린 채로 팽이처럼 뱅글뱅글 돌았다.

"그만해!" 난쟁이를 유심히 살피던 칼이 외쳤다. "그 흑장미 즙이 뭐 잘못된 거 아냐?"

난쟁이는 어깨를 으쓱하면서 비틀거리다가 땅바닥에 털썩 주저앉았다.

"인생은 아름다우며, 별이 총총히 빛나는 이 멋진 하늘 아래 너희들과 함께 있어서 행복하다는 걸 깨닫게 해주었지. 날 탈출시키기 위해서 목숨까지 버릴 각오를 하고 있는 소중하고 예의바른 친구들과 함께 있어서 행복하다는 걸. 너희들이 알까? 내가 너희들을 얼마나 사랑하고 있는지!"

"무아지경에 빠졌구나!" 별을 예찬하는 시를 낭송하기 위해 일어서서 비틀거리는 난쟁이를 쳐다보면서 마니투가 중얼거렸다.

"재는 흑장미 즙이 마법을 없애줄 거라고만 했지 부작용에 대해서는 말하지 않았어요." 파브리스가 말했다.

"이럴 수가, 진짜 놀라운데!" 마니투가 외쳤다. "나한테도 흑장미를 좀 따다주면 좋겠구나. 집으로 돌아가서 몇 가지 실험을 해보면 유용하게 써먹을 수가 있을 것 같은데. 이 빌어먹을 놈의 개가 계속 나한테 지휘권을 준다면 말이다. 파프니르의 반응이 아주 흥미롭단 말씀이야."

"제가 가서 따오겠지만 보장은 할 수 없어요." 무시무시한 가시를 바라보면서 파브리스가 대꾸했다. "파프니르가 잘못되는 건 아니겠죠?"

"흑장미를 조금 달여 마셨다고 난쟁이가 잘못되는 일은 없어. 가장 튼튼한 종족이니까. 걱정하지 마라. 파프니르는 내일 아침이면 언제 그랬냐는 듯이 멀쩡할 테니. 머리가 몹시 아프긴 하겠지만 괜찮을 게야."

파프니르는 시 낭송을 끝내고, 이젠 난쟁이들의 전쟁 노래를 부르고 있었다.

부지~런한 대장장이 씨족
암컷 드래곤에게 납치된
여자 대장장이 베타니르의
아름다운 눈을 위해 전~~쟁 돌입!

"오랫동안 저럴까?" 칼이 귀를 틀어막고 있는 무아노에게 소리쳤다.

암컷 드래곤은 몸값으로 금을 원하네
그 대가는 죽~~음!

"어, 그건 모르겠어." 무아노가 소리쳤다. "내가 아는 거라곤 난쟁이들의 노래는 엄청나게 많다는 거야. 음…… 모르긴 몰라도 아마 1년은 내리 쉬지 않고 부를 수 있을걸."

난쟁이들이 암컷 드래곤을 토 막내고
피를 흘리게 해서 불에 태~울 거니까

"이러다간 내가 먼저 진흙먹보들에게 항복할 것 같아!" 난쟁이가 목청껏 뽑아대는 믿을 수 없는 괴성에 진저리를 치면서 파브리스가 한탄했다.

동~~생들아, 가자 적지로
전~~쟁을 선포하러

호수 기슭에서는 전쟁 노래에 놀란 진흙먹보들이 슬금슬금 뒷걸음질 치더니 눈 깜짝할 사이에 자취를 감췄다. 물 속에서는 도마뱀들과 물뱀들이 반대편 기슭으로 줄행랑쳤고, 흑장미 덤불도 소리의 회오리를 피하기 위해 뿌리까지 들썩거리면서 부들부들 떨었다. 타라는 두 손으로 귀를 막으면서 웃음을 터뜨렸다.
"어쨌거나 대단한 효과잖아!" 타라가 파브리스에게 외쳤다. "'비밀병기' 항목에 넣어도 될 것 같아. 하하하"
난쟁이는 아주 잠깐 노래를 멈췄다가 내뱉었다.
"그럼 이제부터는 후렴!"

창과 망~~치를 들어라
노래를 불러라, 박~~자에 맞춰 행진하라

승리를 향해 쉴새없이 몰아~~붙이자
우리 난쟁이들은 두~~렵지 않으니까!

"지금부터는 2절!"

하지만 용~감한 베타니르는
이미 망~~나니를 죽였네
대장~~장이의 쇠망치로
목~~~을 후려쳐서
비열한 암컷 드래곤은 죽~~었다
베타니르는 도망~쳤네
엄청나게 많은 보~~물을 가지고
승리의 나~~팔 불면서
베타니르는 씨~~족과
금과 은, 피~의 대가를 나누었네
그들은 그녀를 여~왕으로 삼았네
난~~쟁이들의 여왕 베타니르!

"지금부터 후렴!"

창과 망~~치를 들어라
노래를 불러라, 박~~자에 맞춰 행진하라
승리를 향해 쉴새없이 몰아~~붙이자
우리 난쟁이들은 두~~렵지 않으니까!

난쟁이가 입을 다무는 순간, 늪에 죽음 같은 정적이 감돌았다. 난쟁이는 히죽히죽 웃으면서 잠시 비틀거리다 그대로 주저앉았다. 몸이 어찌나 옹골찬지 쿵! 하는 소리가 울려퍼졌고, 그 충격에 섬 전체가 파르르 떠는 것 같았다.

"맙소사!" 칼이 외쳤다. "분명히 다쳤을 거야. 이리 와서 나를 좀 도와줘. 담요 위로 옮기자."

난쟁이를 옮기기 위해서 무아노는 다시 변신했고, 그들은 파프니르를 편안하게 눕혔다. 걱정스럽게 지켜보고 있던 그들은 코고는 소리가 들리자 안심했다.

"이제 콘서트는 끝났으니까 또 다른 일이 생기기 전에 셈 선생님과의 접촉을 시도할게." 타라가 웃으면서 말했다.

"휴, 난쟁이들이 그렇게 노래부르는 줄은 몰랐어. 귀가 아직도 멍멍해." 파브리스는 우거지상을 했다.

"아무것도 아냐, 이건." 무아노가 대꾸했다. "음, 일반적으로 난쟁이들의 노랫소리가 들리면 전쟁이 터진 것이라서 무조건 덤벼들거든. 아더월드에는 말야, 아마추어란 거의 없다는 걸 기억해둬."

파브리스는 한술 더 떴다.

"아하, 알겠다! 난쟁이들은 노래를 부르면서 먼저 상대의 혼을 빼놓고, 그다음에 마무리를 짓는 거구나. 그거 괜찮은 전술이네!"

"증조할아버지, 이제 제가 무엇을 하면 되죠?" 타라가 틀어막고 있던 귀에서 발을 떼는 마니투에게 물었다.

"얘야, 먼저 나를 그냥 할아버지, 또는 마니투라고 불러다오. 증조할아버지는 좀 긴 데다가 네가 그렇게 부를 때마다 내가 자꾸만 더 늙는 것 같구나. 그리고 파프니르가 또 다시 노래를 시작하면 내 귀를 솜으로 틀어막아야겠다. 무얼 하면 되냐고? 크리스털 볼 앞에 앉아서 통화할 사람의 호출번호를 낭송하고, 정신을 집중해서 그 사람과 통화하고 싶다고 생각하거라. 그러면 돼. 그의 모습이 만들어지는 게 보이면 그때부터 너는 통화할 수 있어."

"호출번호요(타라의 얼굴이 일그러졌다)? 맙소사, 기억력에 구멍이 났나 봐요. 호출번호가 생각나지 않아요!"

타라는 기억을 더듬었지만 생각나지 않았다. 간단한 번호 하나 기억하지 못하다니!

타라는 엉엉 울고 싶었다. 이렇게 멍청할 수가!

타라는 왔다갔다 서성이면서 중얼거렸다.

"004, 아니, 그건 아냐. 005, 003, 아냐. 008인가? 아니, 그것도 아닌데, 어머 이걸 어떡해?"

"체면을 거는 게 어떨까요?" 파브리스는 정신없이 서성거리는 타라를 눈으로 좇으면서 제안했다.

"안 돼, 그건 너무 위험하다. 방어하기 위해서 타라가 우리를 모두 죽일 수도 있어."

"그럼, 그건 안 되겠어요. 전화번호 목록을 암송하다 보면 기억이 날 텐데. 지구에서 전화번호를 외울 때 나는 그렇게 하거든요. 타라, 기억술을 사용하지 않았어?"

"응." 당황한 타라는 괴로워했다. "그냥 외웠는데 기억이 나질 않아! 게다가 트라비아에서 셈 선생님이 번호를 적어줬는데 그 쪽지를 두고 왔어."

"에이, 말하고 싶지 않았는데 어쩔 수가 없네." 칼이 중얼거렸다. "그 쪽지 여기 있어!"

칼이 드래곤 마법사의 글씨로 쓰인 쪽지를 내밀었다.

〈007 700 350 셈나샤오비로다인트라쉬부.〉

"맞아, 이거야!" 타라가 외쳤다. "그런데 이걸 어떻게 네가 갖고 있어? 알 수 없는 일이네!"

"난 대가족의 꼬맹이야." 칼은 아주 점잖게 설명했다. "내가 꼬맹이라고 하는 건 말 그대로 키가 작아서야. 형들과 누나들은 모두 나보다 키도 훨씬 크고 체격도 훨씬 좋아. 그래서 그 핸디캡을 벗어나려면 정보수집이라도 뛰어나야 했어. 최고 마법사의 개인 번호, 그건 대단한 정보거든."

"너, 그러니까 타라의 쪽지를 훔쳤다는 거야?" 무아노는 어처구니없는 얼굴로 물었다.

"훔친 게 아니라 빌린 거지!"

"아무려면 어때!" 하고 외치면서 처음으로 칼의 편을 들기는 했지만 안젤리카는 일생에서 마지막이 되기를 바라고 있었다. "타라, 그 번호로 빨리 연락해서 셈 선생님에게 내가 같이 있으며, 나를 데리러 오길 바란다고 말해!"

웃음을 참으며 타라는 환한 미소로 칼에게 고마움을 표시했다.

"원하는 게 있으면 언제든 내 것을 훔쳐도 돼!"

그렇게 말하고 나서 타라는 크리스털 볼 앞에 자리를 잡았다.

정신을 집중하기가 좀 힘들었다. 크리스털의 빛은 강렬했고 나름의 생명을 가지고 있었다. 그런데 타라의 머릿속에서 기분 좋은 음색으로 부르는 노랫소리가 들리기 시작했다.

"크리스털이 나한테 말하는 게 정상인가요?" 잠시 후에 타라는 물었다.

"뭐라고?"

"뭐?"

"크리스털이 너한테 뭘 한다고?"

"나한테 말하고 있어요. 아니, 내 머릿속에서 노래를 부르고 있어요. 날 사랑한대요. 그리고 수백 년 동안 흑장미 덤불에 갇혀 있었는데 우리가 자기를 구해줘서 아주 행복하대요. 아, 그리고 자기를 이렇게 아름답게 만들어준 로빈도 많이 사랑한대요. 자기는 이 세상의 정령에 속해 있는데 우리와 함께 있게 되어 행복하다는 노래를 하고 있어요. 본래 정령은 우리와 의사소통을 할 수 없기 때문에, 아니 아주 힘들기 때문에."

"이런, 세상에!" 깜짝 놀란 마니투가 외쳤다. "그러니까 다시 말해서 내가 살아있는 돌을 발견했단 말인가?"

"그건 대답하기가 좀 곤란한데요. 살아있는 돌에 대해 들어본 적이 없어서요." 칼이 말했다.

"아주 희귀한 돌이지. 나도 이제껏 본 적이 없어. 살아있는 돌의 광맥은 난쟁이들도 이르지 못하는 땅 속 아주 깊은 곳에 있거든. 그 땅속이 너무 뜨겁고 너무 압력이 세기 때문에 이르지 못하는 거겠지. 그 돌은 전적으로 마법의 산물이야. 아더월드에는 마법의 정령이 있는데, 가령 불과 물, 흙, 바람의 4원소, 살아 있는 나무가 그 정령들의 존재를 명백하게 표시하는 산물들이란다. 살아있는 돌 또한 그 중 하나야. 살아있는 돌을 소유하는 사람은 영원히 그 돌과 결속되지. 패밀리어와 결속되는 것과 같다고 생각하면 된단다."

그때 불만 가득한 울음소리가 마니투의 말을 가로막았다.

"갈랑! 왜 질투를 하고 그래? 얌전히 있어." 타라는 페가수스를 안심시켰다. "살아있는 돌의 말에 의하면 섬의 땅속에서 자기를 꺼내온 자는 저주받은 사람이었대요. 그자가 돌의 능력을 이용하려고 했지만 저항하자, 굴복시키려고 덤불 속에 가둬뒀대요. 하지만 그자는 마력이 없는 동물이 돌을 구할 줄은 상상도 못했던 거죠. 그래서 덤불이 할아버지가 그 돌을 가져가게 했던 거예요."

마니투는 어리둥절해 있었다

"너의 능력은 이미 아주 강력해졌어. 얼떨결에 너와 결속된 이 돌은 자연계 마법의 저장소란다. 이 돌은 네 능력의 강도를 아주 엄청나게 배가시켜줄 게다. 그러니 굉장히 조심해야 해. 셈 선생님과 연결되면 특히 정신을 집중해야 한다. 예를 들어서 너를 깨물려고 달려드는 곤충을 보면서 죽이고 싶다는 생각만 해도 너의 마력이 그 곤충은 물론 우리가 있는 이 섬, 황무지의 늪, 어쩌면 20킬로미터나 떨어진 저기 산자락까지도 파괴할 수 있어. 살아있는 돌에 대해 아주 자세히 아는 건 아니다만 돌을 깨뜨리지 않도록 조심해야 한다. 깨뜨리면 돌이 죽는 거야."

등골이 오싹해진 타라는 아주 조심스럽게 돌을 다시 내려놓았다. 갈수록 태산이야! 한 번만이라도 좀 쉽게 넘어가면 안 되나? 미치광이들의 세계에서 타라는 또다시 비정상적인 상황에 빠져 있었다. 이 세계에서 산다는 건 진짜 너무나 골치 아프네!

"알았어요. 그럼 어떻게 하면 되죠?"

"돌을 네 앞에 놓고 셈 선생님과 통신하게 해달라고 부탁해. 이론적으로는 분명히 네 말에 복종할 거야."

"이론적으로라고 하셨어요? 할아버지, 그 말은 진짜 마음에 안 드네요. 하지만 시작할 게요. 살아있는 돌아, 나를 셈나샤오비로다인트라쉬부 선생님과 연결시켜 줘. 호출번호는 007 700 350. 지금 당장!"

아무런 변화도 일어나지 않았다. 돌은 꿈쩍도 하지 않았고, 타라의 머릿속에서 노랫소리도 사라졌다. 왜 이러지? 주문을 거는 표현이 아니라서 그런가?

타라는 덧붙였다
"제발 부탁할게."
그제야 순식간에 크리스털 볼의 빛이 감당할 수 없을 정도로 강렬해졌다. 어떤 이미지가 만들어지는가 싶더니…… 어슴푸레한 어둠 속의 사무실이 보였다.
마니투는 탄식하듯 중얼거렸다.
"이런 돌을 얻기 위해서라면 나는 왕국이라도 내어줄 텐데! 어째서 나한테는 이런 일이 일어나지 않는 건지!"
"원하시면 할아버지가 하세요!" 타라가 말했다.
그들은 모두 살아있는 돌을 들여다보고 있었다. 주위에 서류와 책들이 있는 것으로 보아 드래곤 마법사는 자신의 크리스털 볼을 책상 위에 올려놓은 모양이었다. 방은 어둠에 잠겨 있었다.
타라의 지시를 기다리지 않고 능력을 확장시키면서 크리스털 볼과 통신을 시작한 살아있는 돌이 이번에는 빛을 발하기 시작했다. 이윽고 책상 옆에서 자고 있는 드래곤의 모습과 드래곤이 누운, 금과 보석으로 번쩍번쩍한 침대가 보였다. 셈 선생님이 트라비아에 돌아와 계셨구나!
칼이 짓궂은 미소를 지었다.
"마니투 선생님, 셈 선생님의 크리스털 볼의 수신 범위를 확장시키라고 돌에게 부탁하면 셈 선생님이 우리의 말을 들을 수 있을까요?"
"물론이지, 그건 왜?"
"셈 선생님이 스스로 깨어나길 마냥 기다릴 수가 없기 때문이죠. 우리에게 선생님이 필요한 건 지금이지 10시간 후에는 아무 소용없잖아요."
마니투는 고개를 끄덕였다.
"설마 셈 선생님에게 골탕을 먹이려는 건 아니겠지? 순진한 척하지

마. 네가 100킬로미터 떨어진 거리에 있다고 해도 난 네 속이 뻔히 들여다보이니까. 하지만 이번만은 네 말에 일리가 있구나. 그래, 어디 한번 해보자!"

귀에 대고 질러대는 엄청난 고함소리에 드래곤이 소스라치게 놀라는 바람에 궁전 전체가 흔들거렸다.

"셈 선생님, 일어나세요! 저예요! 칼리반! 일어나세요!"

"응, 뭐라고, 응?"

놀라서 잠을 깬 드래곤은 허둥지둥 허우적거리다가 벌떡 일어나면서 서류가 온 사방으로 휘날렸고, 제 꼬리를 밟는 바람에 중심을 잃으면서 안락의자를 으스러뜨렸다. 그러더니 드래곤은 가까스로 천장의 들보에 매달려서 소리쳤다.

"오, 조상들이시여! 이게 무슨 일입니까?"

드래곤 마법사는 방안에 아무도 없으며, 크리스털 볼에서 묘한 빛이 번쩍이고 있음을 깨달았다. 그는 다가섰다가 또다시 질겁했다.

"*내 비늘의 이름으로!*" 드래곤 마법사가 고함쳤다. "타라, 칼리반, 글로리아, 안젤리카, 파브리스, 로빈, 너희들 모두 무사한 거니? 어디서 호출하는 거니? 거기가 어디야? 그리고 내 크리스털 볼은 또 왜 이렇게 번쩍이는 거지?"

마니투의 얼굴이 크리스털 볼에 나타났다.

"납치된 수석조수들이 있는 곳을 알아냈소! 우리를 납치했던 상그라브들의 요새를 탈출해서 우리는 지금 간디스에 있는 황무지 늪의 흑장미 섬에 있소. 당신의 크리스털 볼이 번쩍이는 것은 우리가 방금 다듬은 살아있는 돌을 사용해서 연락하기 때문이오."

드래곤 마법사는 잠시 동안 그 커다란 턱뼈를 다물지 못하고 있다가 질문을 퍼부었다.

"지금 있는 데는 안전한 곳이오? 상그라브들에게 발각될 위험은 없습니까? 위험에 빠져 있는 건 아니오?"

"상그라브들이 우리를 찾을 위험은 다분히 있으며, 우리가 지금 위험에 처해 있는지 그건 전혀 알 수가 없소. 내 조언을 원한다면 시간을 질질 끌지 않는 것이 최선이오. 그리고 우리가 살아있는 돌을 가지고 있으니 계속 연락을 취합시다. 그때그때 상황을 알리겠소."

"원정대를 집합시켜야 하니 내게 10분만 시간을 주시오. 여기는 이미 비상 사태에 있소. 내 크리스털 볼은 계속 켜놓으리다. 잠시 후 연락하지요."

"잠깐만 기다리세요!"

타라의 외침에 드래곤 마법사는 멈춰 섰다.

"최고 마법사들이나 보통 마법사 몇 명을 데려와서는 소용없어요." 타라는 빠르게 말했다. "요새에는 100명 이상의 상그라브들과 최고 마법사를 부모로 둔 적어도 300명의 어린 마법사들이 있는데 대부분 악마의 마법에 감염되어 있어요!"

드래곤 마법사는 딸꾹질을 했다.

"뭐라! 악마들이 협약을 깼단 말이냐?"

"사태는 그보다 훨씬 더 심각해요." 타라는 진지하게 대답했다.

"악마들은 마지스터의 중개로 인간들도 감염시키고 있어요. 그래서 드래곤들은 악마들과 싸워야 할 뿐만 아니라 감염된 인간들과도 싸워야 해요. 이길 가능성이 전혀 없어요!"

드래곤 마법사는 치를 떨었다.

"이 모든 사태의 원인이 상그라브, 즉 인간이기 때문에 악마들만 탓할 수도 없게 되었군. 지능적인…… 아주 지능적인 놈이야. 악마들이 우리와의 동맹을 깨다니! 샨비트라미샤트린쉬부, 망구라트쉬바트린쉬부, 산트라미빈크라트린쉬바, 또 다른 드래곤들에게 즉시 알리겠다. 조금만 기다리거라!"

절박한 상황인데도 칼과 파브리스는 키득키득 웃음이 나왔다. 드래곤들은 어쩌면 그렇게도 복잡한 이름을 좋아하는지!

셈나샤오비로다인트라쉬부는 인간으로 변신한 뒤에 마법으로 목소리를 높여서 궁전의 모든 사람을 깨웠다. 살아있는 돌을 통해서 그들은 그 진행 과정을 볼 수 있었다.

셈 선생님은 환상적으로 빠르게 움직였다. 20분도 채 안 돼서 그는 싸움을 하고 싶어서 못 견디는 엘프 대대와 페가수스 군단, 감히 수석 마법사들을 납치한 놈에게 본때를 보여주겠다고 씩씩거리며 아더월드의 각국에서 속속 도착한 드래곤들을 집합시켰다. 셈 선생님은 엄청나게 분개하는 최고 마법사들의 도움은 정중하게 거절했지만 양자택일을 하라고 다그치는 드라고쉬 선생님의 도움은 거절할 수 없었다. 상그라브들의 보스와 싸우는 데 자기를 데려가든지, 아니면 사임을 하고 즉시 오무아 제국에 후임자를 추천하라는 것이었다. 셈 선생님은 한숨을 내쉬면서 이맛살을 찌푸렸지만, 선택의 여지가 없었다.

이윽고 셈 선생님은 크리스털 볼을 들고 궁전의 앞뜰로 내려갔다.

"이제 준비가 되었소. 상그라브들의 요새에서 얼마나 멀리 떨어져 있습니까?" 그는 크리스털 볼의 중개로 마니투에게 물었다.

"이틀 간 거리요." 마니투가 대답했다.

"너무 가까운 거리라서 당신이 거기서 공간이동의 문을 만드는 데는 위험이 따를 수 있으니 이쪽에서 문을 만들겠소. 섬에도 동시에 문이 나타날 게요. 마법의 힘을 충분히 만들어 통과하려면 몇 분이 더 필요하오. 거기에 생기는 문은 내가 조정할 수 없으니까 당신이 살아있는 돌을 이용해서 문을 고정시켜주시오."

"이런! 내가 개라는 걸 상기시켜야겠소. 나는 발만 있지 손이 없단 말이오. 이 모습으로는 마법을 쓸 수가 없으니 나도 유감이오!"

"오, 발두르의 창자여! 그걸 생각하지 못했군요. 그러면 타라와 친구들에게 내가 위치추적을 해서 문을 여는 동안에 살아있는 돌을 단단히 쥐고 있으라고 하시오."

"알겠소."

마니투는 불안하게 쳐다보고 있는 여섯 아이들의 얼굴을 돌아봤다. 얼마 전 공간이동의 문을 만들었다가 그 문에 빨려들어 죽는 소년을 보지 않았던가. 그 소년의 뒤를 따르고 싶은 마음이 추호도 없는 얼굴들이었다.

"겁나는 거 알아. 하지만 우리는 지금 선택의 여지가 없구나." 마니투는 엄숙하게 말했다. "최고 마법사의 도움 없이는 상그라브들의 보스에게서 도망칠 수 없어. 너희들이 내 지시를 주의 깊게 듣고 따르면 틀림없이 잘될 거야."

타라는 '틀림없이 잘될 거야'란 말이 어쩐지 마음에 들지 않았지만 아무 말도 하지 않았다. 그러고는 벌어질 일에 정신을 집중했다.

그때 갑작스런 외침에 일행은 깜짝 놀랐다.

"우리 어머니의 쇠망치에 걸고 장담하는데, 놈들이 공격해오고 있어!"

파프니르는 마치 튕겨나가려고 하는 머리를 붙잡듯 두 손으로 감싸쥔 채로 돌아서서 기슭을 응시했다.

"이제 어떡하지? 놈들이 호수를 건너고 있어!"

그들은 난쟁이 옆으로 달려갔다. 파프니르는 수면에서 움직이는 시커먼 형체들을 가리켰다.

"저거 봐, 놈들이 뗏목을 만들었어! 윽, 내 머리! 아이고, 머리야! 어찌 된 영문인지 모르겠어! 이건 정상이 아냐!"

"뭐? 머리가 그렇게 많이 아파?" 공포에 사로잡히기 시작한 파브리스가 외쳤다.

"그게 아니라 놈들이 밤인데 공격해 오고 있잖아! 놈들은 주행성이지 야행성이 아니란 말야."

진흙먹보들의 고함소리가 들려오고 있었다.

"섬에 있게 하면 안 돼, 위험! 위험! 아이들을 붙잡아서 친절하신 주인님, 훌륭하신 주인님, 강력한 주인님에게 데려가자!"

"으흠, 알겠어!" 사태를 깨달은 난쟁이는 어이가 없는 얼굴로 말했다. "놈들은 섬에 닥칠 위험이 무서워서 우리를 붙잡아서 피신시키겠다고 용기 있게 호수를 건너고 있는 거야!"

난쟁이는 다시 침착해졌다.

"방어해야 해!"

로빈은 가시덤불에 이어서 살아 있는 나무가 주었던 나뭇가지를 쳐다보면서 물었다.

"파프니르, 저 흑장미 덤불 말야, 빽빽하지?"

"빽빽하기만 하면 좋게? 그건 왜 물어보는데?" 난쟁이는 갈기갈기 찢긴 손을 보여주면서 대답했다.

"살아 있는 나무가 이 나뭇가지를 가지고 우리가 원하는 걸 자라게 할 수 있다고 말했잖아. 한번 시험해보는 게 어떨까?"

"마음대로 해." 난쟁이는 시큰둥했다. "또 그놈의 마법 타령, 그저 입만 열었다 하면 마법, 마법!"

로빈은 싱긋 웃고는 흑장미 덤불을 향해 어린 나뭇가지를 휘둘렀다.

"*살아 있는 나무의 이름으로* 이 나뭇가지는 당장 자라거라!"

나뭇가지에서 치솟은 초록빛 광선이 닿으면서 흑장미 덤불이 초록빛에 휩싸였다. 그러자 덤불이 파르르 떠는가 싶더니 로빈의 뜻에 복종하면서 쑥쑥 자라났고, 가시가 삐죽삐죽한 줄기들이 뻗어나가더니 거의 뛰어넘을 수 없는 벽처럼 섬 주위를 에워쌌다.

입을 멍하니 벌린 채, 파브리스는 저런 나뭇가지를 갖기 위해서라면 아버지는 모든 걸 다 내어줄 거라고 생각했다. 멋지게 가꾼 장미 정원을 보존하는 데는 그보다 더 좋은 것이 없지 않은가!

마니투는 좋아서 펄쩍펄쩍 뛰었다.

"잘했어, 아주 잘했어. 하지만 우리가 모두 저것에만 매달려 있을 수는 없는데. 지금은 문이 더 중요하단 말이다!"

"할아버지!" 타라는 단호하게 말을 가로막았다. "살아있는 돌을 쥐고 있는데 우리가 다 필요할까요?"

"너희들 중 세 명만 있으면 된다. 왜?"

"그럼 됐어요." 무아노가 말했다. "어, 저는 야수로 변신한 상태에서는 키가 커서 덤불 위를 볼 수 있고, 또 야수의 눈 덕분에 어둠 속도 아주 잘 보여요. 어서 시작하세요. 셈 선생님과 드래곤들을 이곳으로 오게 하세요. 나머지는 파프니르와 쉬바, 제가 알아서 할게요."

"돌멩이들을 찾아다줄래?" 파프니르가 물었다.

"저기 진창에 있는 걸 봤어. 금방 갖다줄게!"

무아노는 물과 진흙에 묻혀 있긴 해도 고맙게도 삐주룩삐주룩 나와 있는 돌들을 잠깐 사이에 제법 많이 파냈는데 묘하게도 모양이 일정했다. 섬 전체에 포석이 깔려 있음을 깨닫고 깜짝 놀란 무아노는 일단 위기에서 벗어난 뒤에 이 미스터리를 풀기로 했다.

무아노는 직사각형의 굵은 돌들을 파프니르에게 가져갔다.

난쟁이는 그중 한 개의 무게를 손으로 재고 나서 씽긋 웃었고, 덤불을 쳐다보면서 날아가는 궤도를 계산했다. 이어서 꼭 투포환 선수 같은 몸짓으로 돌을 쳐들었다가 어둠 속으로 내던졌다. 잠시 후 처절한 비명소리가 들리더니 철벙철벙 물에 빠진 몸뚱이들이 꾸르륵꾸르륵 삼켜지는 소름끼치는 소리가 잇달았다.

"한 방에 열 놈." 무아노는 절도 있게 수를 세었다.

"자, 이제 우리는 문에 정신을 집중하자!" 마니투는 아이들을 독려했다.

칼과 로빈, 안젤리카와 타라는 마니투와 함께 다시 원으로 에워쌌다. 타라는 불안한 마음으로 살아있는 돌을 쥐었다.

"드래곤 마법사는 살아있는 돌이 놓일 정확한 자리에 문을 고정시킬 거야. 돌을 한복판에 놓은 뒤에 너희들의 마력으로 돌을 움직이지 않게 해." 마니투가 설명했다. "질문 있니?"

"저요." 겁이 나서 부들부들 떠는 안젤리카가 말했다. "셈 선생님이 문을 통과하지 못하면 어떻게 되는 거죠?"

"진흙먹보들이 하는 말 들었지?"

"네."

"셈 선생이 통과하지 못하면 진흙먹보들의 아지트에 붙잡혀 있다가 잿빛 요새로 끌려가겠지."

안젤리카는 힘겹게 침을 꼴깍 삼키고는 정신을 집중했다.

마니투는 살아있는 돌을 뚫어져라 응시했다.

"셈?"

"준비됐습니까? 무슨 일이 생긴 겁니까?"

"진흙먹보들이 공격해 오고 있소. 문을 여시오. 우린 준비되었으니."

"발타자르의 뿔, 발두르의 창자, 그리솔의 충치에 걸고!" 드래곤 마법사는 그렇게 맹세한 뒤 아주 빠르게 주문을 외웠다. "*트란스페루스의 이름으로 문은 열릴지어다. 그리고 나를 이동시킬지어다!*"

드래곤 마법사 앞에 엄청나게 커다란 문이 열렸다. 페가수스를 탄 엘프 군단이 통과하기에 충분한 크기였다. 원으로 둘러선 어린 마법사들이 마력으로 고정시킨 살아있는 돌 바로 위에도 거의 동시에 똑같은 문이 나타났다. 그때 등뒤에서 갑자기 싸우는 소리가 격렬해졌다. 진흙먹보들이 섬에 발을 들여놓는 데 성공한 모양이었다. 털북숭이 진흙먹보들은 땅을 파는 강력한 발톱 덕분에 가시덤불을 헤쳐 나오고 있었다. 그 순간 무아노와 쉬바, 파프니르가 놈들에게 덤벼들었다. 파프니르는, 송곳니를 드러내며 위협하는 쉬바에게 밀려서 후퇴하는 놈들을 물 속에 빠뜨리는 것으로 다른 뗏목들을 전복시키고 있었다. 무아노는 놈들을 잡아서 두 놈씩 때려눕혔다. 하지만 그 필사적인 저항에도 불구하고 끈질긴 진흙먹보들의 공격에 밀린 그들은 조금씩 뒷걸음칠 수밖에 없었다. 그때 미처 보지 못한 한 놈에게 걸린 파프니르가 비틀거리더니 떼거리로 몰려 있는 진흙먹보들 속으로 사라졌다. 놈들은 파프니르를 꼼짝 못하게 만들었다.

공포에 사로잡힌 타라는 갑자기 마력을 조절할 수가 없었다. 타라의 눈은 이미 새파랗게 변해 있었고, 마력은 살아있는 돌을 향해 튀어나갔다. 그 순간 문이 이동시킬 준비가 되길 기다리면서 앞발을 치켜올리는 페가수스들이 보였다.

타라는 기다릴 마음이 없었다. 문이 준비가 되었는지, 아닌지 알려고도 하지 않고 타라는 랑코비트에서 대기하고 있는 드래곤들과 엘프들을 정신적으로 붙잡았고……, 순식간에 흑장미의 섬으로 그들을 이동시켰다.

잠시 후, 어리둥절한 얼굴로 땅바닥에 떨어진 셈 선생님과 페가수스를 탄 엘프 50명, 드래곤 마법사 50여 명, 드라고쉬 선생님…… 그리고 랑코비트 왕궁의 뜰 돌벽 절반이 흑장미 섬에 모습을 나타냈고, 문은 순식간에 닫혔다.

어찌된 영문인지 궁금하지만 셈 선생님은 우선 벌떡 일어나서 드래곤으로 변신한 다음, 단숨에 혼비백산한 200명의 진흙먹보들을 향해 돌격했다. 다른 드래곤들도 돌격 자세로 비상하자, 엘프 군단과 뱀파이어도 돌진했다.

그들은 일제히 얼이 빠진 진흙먹보들을 공격했다. 드래곤들은 날개로 놈들을 후려쳐서 때려눕혔고, 입에서 뿜어내는 불길로 털을 지글지글 태우고, 무시무시한 입으로 놈들을 공포에 떨게 했다. 하늘에서 지옥이 떨어졌구나, 하는 낯짝으로 멍해진 진흙먹보들은 눈 깜짝할 사이에 녹아내리거나 내몰려서 물 속 원주민들의 품에 안겼다.

엘프 군단도 소탕작업을 끝냈고, 할 일이 더는 남아 있지 않았다. 뗏목을 타지 못한 진흙먹보들은 헤엄쳐서 도망치다가 글루릅스 한 마리가 가까이 다가오자, 그곳엔 도마뱀들이 우글우글하다는 걸 알아 차렸는지 꽥꽥 괴상한 소리로 법석을 떨었다.

어둠 속이라서 아무도 덤불의 흥분을 알아채지 못했다. 날카로운 가시가 삐죽삐죽한 넝쿨이 널브러진 진흙먹보들의 몸뚱이들을 향해 뻗고 있었다. 그중 한 놈이 깨어나 아직도 얼얼한 머리를 흔들다가 동료들을 건드리는 넝쿨을 보았다. 놈은 절망의 비명을 지르면서 탈출을 시도했다.

하지만 로빈이 워낙 멋진 솜씨를 발휘해 이제는 흑장미 덤불이 섬 전체를 거의 뒤덮고 있으니 진흙먹보에게 행운이란 있을 수 없었다. 넝쿨에 쫓긴 진흙먹보는 벌렁 자빠지면서 옴짝달싹못하게 되었고, 몸뚱이는 사정없이 가시들에 찔렸다. 그런데 묘하게도 넝쿨들이 아이들과 마니투를 다치게 않게 하려는 듯 조심스럽게 피해가고 있었다.

그 순간 어둠 속에서 수천의 목소리가 동시에 터뜨리는 것 같은 불길한 웃음소리가 났다.

"자유, 나는 자유다!"

드래곤들이 송곳니가 다 드러날 정도로 함박미소를 지으며 돌아오자, 그 미스터리한 목소리가 조심스럽게 입을 다물었다.

"놈들은 내일까지 꽁지가 빠지게 도망칠 게다." 셈 선생님이 기쁨의 탄성을 질렀다. "이리들 와, 너희들을 안아줘야겠어!"

공생의 힘에 매료된 타라는 살아있는 돌과 얘기를 하느라 정신이 없었다. 로빈은 엘프 군단을 이끌고 온 자기 아버지 탕딜루스 망질의 품에 안겼다. 다른 아이들은 드래곤의 뾰족뾰족한 비늘을 불안한 얼굴로 쳐다보고 있었다.

드래곤은 그제야 알아차리고 멋쩍은 웃음을 터뜨렸다.

"이런, 이런, 미안하구나. 깜빡 잊었어. 변신하마."

드래곤 마법사가 인간의 모습으로 돌아오자, 무아노는 신이 나서 그 목에 매달렸다. 하지만 칼과 로빈은 조심스럽게 인사했고, 파프니르는 그의 옆구리를 으스러뜨릴 뻔했다. 쉬바는 환영의 울음소리를 내는 것으로 만족했다.

"너희들을 찾게 되어 정말 기쁘구나!" 셈 선생님은 입이 귀에 걸려서 고함을 질렀다. "그런데 말야, 문이 아직 가동할 준비가 되지도 않았는데 어떻게 우리를 모두 여기까지 이동시킨 거니?"

"우리는 이미 끈끈하게 형성된 결속의 힘을 이용했어요." 타라는 노래부르는 듯한 목소리로 대답했다. "우리의 세 친구를 구해야 하는 위급한 사태가 발생했거든요. 그래서 우리의 마력을 선생님의 그룹까지 확상시켰어요. 궁전의 돌벽을 부서뜨린 건 죄송해요. 그것까지는 계산하지 못했어요."

"그까짓 오래된 돌벽이야 돌아가서 복구하면 된다." 타라의 말투에 의아해하면서 셈 선생님이 대꾸했다.

그렇게 말하고 나서 마니투를 돌아보면서 속삭였다.

"저 아이가 왜 저럽니까?"

"타라는 살아있는 돌과 일체가 되어 있는 겁니다." 마니투가 대답했다. "내 생각에는 저 아이가 공생 관계를 어떻게 깨는지 모르고 있는 것 같소. 그리고 타라가 '우리'라고 말하는 건 살아있는 돌과 자기 자신을 뜻하는 것 같아요."

셈 선생님은 난처한 한숨을 쉬었다.

"이럴 수가! 살아있는 돌? 아까는 내가 정신이 없어서 제대로 알아듣질 못했나 봅니다. 내 생각에 둘 사이의 공생 관계는 깰 수 있을 거라고 보지만, 그 놀라운 능력이 우리에게는 도움이 될 것 같군요. 그래서……."

"그래서 어쨌단 말이오?" 마니투는 퉁명스럽게 말을 잘랐다.

"그래서 설사 상그라브가 타라의 마력을 아직 알아채지 못했다고 하더라도 문을 다시 만든다는 건 바보짓이 될 겁니다. 우리는 아이들을 모두 다 데려가야 합니다. 진흙먹보들이 돌아와서 아이들을 공격할지도 모르는 일이니까요."

"아이들을 페가수스에 태워서 안전한 곳으로 수송하고 엘프 전사들의 경호를 받게 하시오."
"그건 곤란합니다. 그러면 최소한 여섯 명의 엘프를 보내야 하는데 잿빛 요새를 공격하려면 엘프 군단 전원이 필요합니다."
"난 동의할 수 없소. 아이들을 위험에 빠뜨리겠다는 겁니까?" 마니투가 반박했다.
"마니투, 우리는 지금 전쟁을 하는 겁니다. 그 상그라브는 아이들을 납치했고, 악마의 마법으로 아이들을 감염시키고 있단 말이오. 요새를 정복하기 위해 아이들을 이용하려는 것이 아니라 우리와 동행하기를 바랄 뿐이오. 아이들은 요새에서 1킬로미터 떨어진 거리에 남아서 엘프 두 명의 경호를 받을 것이고, 전투에는 참여하지 않을 것이오. 이제 되겠소?"
"그건 내가 아니라 아이들에게 물어볼 말이오."
"뭐라고요?"
"여기 있는 인간들이 모두 당신의 승리를 위해서만 존재한다는 생각일랑 그만두시오, 셈. 아이들에게 의견을 물어보시오. 아이들이 싫다고 하면 어쩔 수 없는 거요."
드래곤 마법사는 떨떠름한 얼굴로 마니투를 쳐다보고 나서 어깨를 으쓱했다.
"좋습니다, 사정이 그렇다면 할 수 없지요. 타라!"
"네?" 타라는 노래부르는 목소리로 대답했다.
"네 할아버지가 방금 인간들에게도 자유의지가 있다는 걸 상기시켜 주었다. 너는 어떻게 하고 싶으냐? 우리하고 상그라브의 요새로 가겠니, 아니면 전투가 끝나길 기다리면서 어딘가에 피신해 있겠니?"
"엄마가 요새에 갇혀 있어요, 선생님. 우리는 엄마를 구하러 선생님과 같이 가야 해요."

"마니투, 당신은 타라의 어머니가……." 드래곤 마법사가 말을 끝내기도 전에 마니투가 말을 가로막았다.

"네 엄마? 하지만 네 엄마는……."

"네, 우리도 돌아가신 줄 알았죠. 하지만 그게 아니었어요. 엄마는 요새를 나올 수 없는 치명적 마법에 걸려 있는데 그 마법을 풀 수 있는 사람은 셈 선생님밖에 없어요. 따라서 우리는 선생님과 같이 가겠어요."

"타라가 가면 우리도 가요." 파브리스와 다른 친구들이 단호하게 말했다.

드라고슈 선생님이 다가왔다.

"문제가 있어요. 누가 아이들을 데려가죠?"

"나한테 생각이 있어요." 셈 선생님이 대답했다. "하지만 먼저 선발대로 보낼 엘프들이 필요합니다. 엘프들은 우리만큼 빨리 날아갈 수가 없을 거란 말이오. 그리고 그들은 갈랑의 안내를 받아야 합니다."

셈 선생님이 타라에게 말했다.

"네 패밀리어에게 엘프들이 출발하면 따라가라고 말해주렴. 요새의 위치를 알려줄 수 있지?"

"네(타라의 손짓에 지도가 나타났다). 이걸 보세요. *데타이우스의 이름으로 이곳의 위치와 내가 여기까지 이동한 길을 표시하라.*"

지도는 의무적으로 작동했고……, 몇 가지 설명을 해주지 않을 수 없었다.

"으아악! 드래곤이다!" 수다쟁이 지도는 그들이 거쳐왔던 길을 표시하면서 외쳤다. "웬놈의 드래곤이 이렇게 많담! 제발 숨을 죽이기 바람. 난 불에 붙으면 끝장임! 길을 표시해주겠음. 새의 비행속도, 아, 미안함.

드래곤의 비행속도로 날아가면 요새로 돌아가는 데 2시간은 넘지 않을 것임."

"완벽해." 셈 선생님이 눈살을 찌푸리면서 말했다. "이 지도를 좀 빌려도 될까, 타라?"

"물론이에요, 선생님."

셈 선생님은 랑코비트의 비밀정보국 국장을 향해 돌아섰는데, 그는 아직도 아들 로빈의 어깨를 끌어안고 있었다.

"탕딜루스 국장?"

"왜 그러시오, 최고 마구스?"

"여기 간디스의 지도가 있는데 길은 험하지 않겠소. 지금 출발할 건데 신중해야 합니다. 상그라브들이 알아채면 절대로 안 됩니다. 가까이 접근하되 시야에서 벗어나야 해요. 자, 여기(그는 지도에서 한 지점을 가리켰다). 그곳으로 뒤따라가겠소. 아참, 잠깐 기다리시오!"

"또 뭡니까?"

"당신들이 타고 갈 페가수스들의 색을 검은색으로 만들어야겠소(갈랑이 깜짝 놀라면서 최고 마법사가 알 턱이 없는 항의의 울음소리를 냈다). 너무 눈에 띄어서요."

일리가 있는 말이었다. 페가수스들이 검은색으로 변하자마자 어둠에 섞인 그림자가 되더니 푸드득푸드득 날갯짓을 하면서 사라졌다. 할 수 없이 갈랑도 언짢은 기분으로 뒤따라갔다.

셈 선생님은 두 손을 비볐다.

"타라, 변신해본 적 있니? 내 말은 다른 모습으로 둔갑해본 적이 있냐는 거야."

"아뇨, 선생님."

노래하는 듯한 목소리에는 놀라움도 아무런 관심도 담겨 있지 않았다. 마치 타라의 감정은 온통 다른 것에 몰두하고 있는 듯했다.

"네가 드래곤으로 변신하길 바란다. 설명해줄……."

타라는 말을 끝낼 시간을 주지 않았다.

"좋아요, 선생님."

타라는 순식간에 풍선처럼 부풀어오르기 시작했다. 깜짝 놀란 셈 선생님은 뒷걸음쳤다. 플럭! 하는 소리와 함께 날개 두 개가 소녀의 등판에 솟아났고, 살갗은 비늘이 되고, 두 손은 갈퀴발톱이 달린 발이 되고, 척추는 가시가 돋친 돌기로 뒤덮였으며, 얼굴이 쭉쭉 늘어나고, 크리스털 송곳니가 쑥쑥 자라났다. 잠시 후, 새파란 눈빛, 세 번째 눈처럼 이마에 크리스털이 박힌 금빛의 거대한 드래곤이 타라의 몸을 대신했다.

"오! 진짜 능력이 탁월하구나. 좋아, 아주 잘했어. 약간 불안정하지만 대단히 인상적이야. 이제 우리가 더 빨리 갈 수 있게 네 친구들을 수송해주겠니? 나는 안젤리카와 마니투, 드라고쉬 선생, 로빈과 파브리스를 태우고 갈 테니 넌 칼과 파프니르, 무아노, 쉬바를 태워야 해. 나의 동료 드래곤들은 너무 멋쟁이들이라서 등에 누군가를 태우는 걸 질색하거든."

드래곤들이 억울해하는 휘파람을 불면서 날아올랐다.

"네, 친구들이 우리의 등에 올라타겠다면 우린 준비됐어요."

"잠깐만 기다리세요! 저는 어떡해요?" 안젤리카가 소리쳤다.

셈 선생님은 눈을 깜박였다.

"안젤리카, 왜 그러니?"

"저는 집으로 돌아가겠어요. 마법사들의 싸움판에 끼어들고 싶지 않아요. 저를 돌려보내 주세요!"

"안 돼!"

타라의 노래부르는 듯한 목소리가 셈 선생님 대신 대답했다.

"어째서 안 돼?"

화가 치민 안젤리카는 타라의 따귀를 갈길 기세로 홱 돌아섰다가…… 아차 했다. 타라가 지금은 키가 15미터에 이르는 드래곤으로 변신해 있으니, 공룡 브론토사우루스보다도 더 크게!

안젤리카는 드라고쉬 선생님을 향해 돌아서서 애원했다.

"선생님은 동의하시죠?"

하지만 뱀파이어는 이미 드래곤의 등에 올라타 있었다.

"안젤리카, 상그라브들의 보스는 굉장히 강력해." 타라는 노래부르는 목소리로 한술 더 떴다. "우리가 공간이동의 문을 열면, 발각될 우려가 있어. 그럼 기적의 결과는 패배로 끝나. 셈 선생님의 등에 올라타. 그 괴물들과의 전쟁이 끝나는 즉시 넌 집으로 돌아갈 수 있어."

"하지만……."

"그럼 진흙먹보들하고 여기 남아 있든지. 싫으면 복종하고!"

안젤리카는 셈 선생님을 향해 돌아섰지만, 그는 자기도 어쩔 수가 없다는 손짓을 했다. 타라가 미워서 이를 부드득 갈면서 안젤리카는 늙은 드래곤에 올라탔고, 비늘을 으스러뜨렸다. 셈 선생님은 등에 올라탄 이들의 자리를 넓히기 위해 타라의 몸에 닿을 정도로 덩치를 늘렸다.

그들이 하늘로 날아오르자, 어둠 속에서 속삭이는 이상한 목소리, 섬과 흑장미 덤불은 이내 저 멀리 아득히 보이는 까만 점에 불과했다.

13
곡예비행

하늘을 유유히 날던 타라는 살아있는 돌이 그 환상적인 공생 관계를 깨는 순간, 정신이 번쩍 들었다. 눈에 들어온 건 저 밑으로 펼쳐지는 땅! 잠시 내려다보던 타라는 200미터 상공에 있음을 깨닫고 허공 속에서 미친 듯이 속력을 내다가 날갯짓을 멈춘 채로 급강하하기 시작했다.

"우와앗!" 칼이 소리쳤다. "멈춰! 멈추란 말야! 올라가! 다시 올라가!"

아찔할 정도로 지면이 가까워지는 순간, 타라는 문득 공중에서 그들을 지탱하게 해주는 것은 날개라는 걸 깨달았다. 타라는 필사적으로 날개를 휘저으면서 커다란 나무와의 충돌을 아슬아슬하게 피했다. 하지만 달려드는 나뭇가지들을 피해 간신히 머리는 쳐들었지만 날개가 그만 나무꼭대기에 걸리고 말았다.

중심을 잃으면서 흔들거렸던 타라는 또 다른 거목 밑을 지나가기 위해 날개를 접고 그 커다란 나무기둥에 기대었다. 그러고는 울창한 숲 속에 기적처럼 뚫린 틈새로 날아올라 가까스로 공중으로 다시 올라갔다.

"너 돌았어?" 파프니르는 열에 받쳐서 악을 썼다. "어쩌자는 거야? 우리를 죽일 작정이야?"

"내, 내가 날고 있는 거야?" 당황한 타라가 외쳤다. "날아가고 있어. 난 드래곤이잖아!"

"맙소사! 네가 드래곤이 된 지가 벌써 30분이 지났는데 그걸 지금 깨달았다는 거야?" 타라의 말에 어이가 없던 칼이 소리를 냅다 질렀다. "이럴 줄 알았으면 셈 선생님의 등에 올라타는 건데. 그래도 수백 년을 드래곤으로 살아온 분이잖아!"

"그런데 어, 어떻게 해야 날지?" 타라는 어물어물 말했다.

"날개…… 날갯짓을 해야지." 엉터리 비행 때문에 몸이 마구 흔들리는 무아노는 목청이 터져라 소리쳤다. "두 날개를 같이 휘저으면 훨씬 나아질 거야!"

"거기 무슨 일 있니?" 난데없는 곡예비행을 지켜보다가 너무 놀란 셈 선생님이 소리쳤다.

"내리고 싶어요! 얘가 우리를 모두 죽이기 전에 내리게 해주세요!" 겁먹은 난쟁이가 외쳤다.

그 말에 아랑곳없이 드래곤 마법사는 날아간다기보다는 공중에서 헤엄치고 있는 타라에게 명했다.

"그렇게 다리를 버둥거리지 말고…… 어떻게 된 건지 나한테 설명해봐."

"모, 모르겠어요." 날개를 잘 휘저으려고 애를 쓰면서 타라가 대답했다. "흑장미 섬에서 선생님을 기다리고 있는데 진흙먹보들이 공격해왔고, 그러고 나서…… 시커먼 구멍이 보였는데…… 내가 200미터 상공에 있는 거예요. 어지러워서 떨어질 것……."

"우리도 같이 떨어지게 생겼어요!" 칼이 소리쳤다.

"알았다!" 셈 선생님이 외쳤다. "너의 마력과 살아있는 돌의 마력이 공생에 들어가면서 어떤 충돌이 일어났던 게 틀림없어. 그래서 네가 무엇을 하고 있는지 모르고 있었던 거야. 자, 이제 나처럼 해. 중심을 잃지 않고 비행하려면 날개를 잘 펼치고 팔꿈치를 안쪽으로 구부리는 것처럼 날개를 오므려. 드래곤의 날개는 새의 날개 같은 관절이 있는 게 아니라 보조 관절이 있거든. 공기와 싸우지 말고 공기에 몸을 실어. 그리고 뜨거운 공기의 흐름을 느껴봐. 그러면 날아가는 데 도움이 될 거다."

히스테릭해진 난쟁이의 몸부림에도 불구하고 타라는 차츰 날개짓이 익숙해지자 하늘을 나는 기쁨을 느끼게 되었다. 한두 번 중심을 잃는 바람에 승객들의 기분을 엉망으로 만들어 놓긴 했어도 타라는 누구하고도 충돌하는 일 없이 일직선으로 날아갔다.

그들은 이내 엘프 군단에 합류했고, 잿빛 요새 숨겨주는 언덕 뒤편에 착륙했다.

그러나 착지는 순탄하지 않았다. 타라는 땅에 발을 딛으면서 아직 속도가 붙어 있다는 걸 잊고 있었다. 다시 날아오르려고 했지만 그러기에는 뛰어오르는 힘이 부족했기 때문에 넘어지지 않으려고 용을 쓰며 달려가다 비틀거리며 반쯤 이륙했다. 하지만 꽈당! 으아악! 드래곤은 흙구덩이에 코방아를 찧으면서 10여 미터나 되는 긴 구덩이를 파고 말았다.

착륙을 시작하는 순간부터 순조롭지 않을 거라고 예상한 무아노가 다행히 픽수스 주문을 걸었던 모양이다. 모두들 타라의 등에 딱 달라붙어 있는 걸 보면.

하지만 아직 살아 있다는 걸 믿지 못하겠다는 듯이 얼굴들은 사색이 되어 있었다.

구름 같은 먼지가 가시기 시작하자 타라의 등에서 훌쩍 뛰어내린 파프니르는 그대로 무릎을 꿇었다. 그 대단한 자존심을 던져버리고는 흐느껴 울면서 목숨을 구해준 난쟁이들의 신에게 감사하다고, 살아 있는 동안에 다시는 날짐승의 등에 올라타지 않겠다고 맹세했다.

칼과 무아노, 쉬바는 비틀거리면서 땅에 내려섰다.

드래곤 마법사는 우아한 착지에 성공했다.

"이제 다 모였으니 요새를 공격……. 조심해, 타라! 아, 아, 아, 안 돼!"

기진맥진한 타라가 하품을 하고 있었다. 셈 선생님의 고함소리에 놀란 타라가 고개를 돌리다가 또 한 번 입을 벌리는 순간, 맙소사! 이미 때는 늦었다.

타라가 입에서 뿜어낸 불길에 닿은 셈 선생님이 비명을 질렀고, 엘프 군단과 페가수스들이 뿔뿔이 흩어지면서 아수라장이 되었다. 갈기에 붙은 불을 끄려고 드래곤 마법사가 펄쩍펄쩍 이리 뛰고 저리 뛰는 사이에 모두들 타라를 슬금슬금 피하고 있었다.

엘프들은 잿빛 요새의 상그라브들이 그 연기를 보기 전에 불을 끄려고 망토를 휘두르면서 정신없이 뛰어다녔다.

"선생님! 이게 어떻게 된 일이죠?"

"드래곤이 하품을 하면 불을 뿜게 된단 말이다!" 화가 난 셈 선생님이 소리쳤다. "딸꾹질할 때도 그렇고!"

"죄, 죄송해요. 몰랐어요……."

"휴! 서커스 구경은 이제 신물이 난다. 게다가 하마터면 뼈도 못 추리고 죽거나 통닭구이가 될 뻔했으니." 칼이 하얗게 질린 얼굴로 중얼거렸다. "그러니까 또 다른 사고가 터지기 전에 빨리 변신했으면 좋겠어."

"당연히 그래야지." 드래곤 마법사는 타라에게 인간의 몸으로 돌아오는 방법을 설명했다.

하지만 살아있는 돌의 도움 없이는 그게 그리 간단하지가 않았다.

타라는 정신력으로 자신의 몸 전체에 줄어들라고 명했지만 날개만 복종했다. 그 바람에 타라는 드래곤의 몸에 조끄만 비둘기 날개를 달고 있는 꼬락서니가 되었다. 이번에는 두 발 중 하나만 다리로 변해서 하마터면 넘어질 뻔했다. 하기야 인간의 다리로 그 엄청난 몸무게를 당해낼 리 없겠지! 두 다리가 작아지기 시작하더니 꼬리가 줄어들고, 드래곤의 두상 대신에 인간의 머리를 되찾기에 이르렀다. 이어서 두 팔이 나타났다 사라졌다 하면서 몸의 부기가 빠지고 인간이 되었다. 그런데 이건 또 무슨 일이냐. 또다시 나타난 15미터나 되는 날개가 일으키는 구름 같은 먼지에 몇 미터 위로 몸뚱이가 쭉 딸려 올라가고 있으니! 타라는 얼이 빠진 얼굴로 용케 내려오기에 이르렀다.

그 광경이 얼마나 이상했으면 싸움을 좋아하는 엘프 탕딜루스 국장조차 작전 계획을 잊고 입을 멍하니 벌린 채 구경했다.

드래곤들은 노골적으로 웃지는 않았지만 웃음을 참느라고 진땀을 빼는 것 같았다.

반면, 칼과 무아노, 파브리스, 파프니르는 정말 걱정스런 얼굴을 하고 있었다.

결국 타라는 그 엄청난 날개에서 해방되어 정상적인 몸을 되찾기에 이르렀다. 타라는 찝찝한 얼굴로 한동안 온몸을 만져보고 난 뒤에야 친구를 되찾은 것에 안심하는 칼과 무아노에게 쑥스러운 미소를 보냈다.

"우리의 작전은 아주 간단해요." 탕딜루스 국장은 아직도 미심쩍은 듯 머리를 갸웃거리면서 말을 이었다. "잿빛 요새의 방어체계를 모르는 한 요새를 공격할 수 없습니다. 따라서 내가 침투해서 그들의 방어 시스템을 차단시키는 동안에 여러분은 밖에서 기다리세요. 내가 신호를 보내면 돌진해서 요새를 공격하는 겁니다. 가능한 한 소리를 내지 말고 상그라브들이 우리의 공격을 알아채기 전에 요새의 중심부로 들어가야 합니다. 아이들이 도망쳐 나온 길을 이용해서 숲 속으로 접근하는 겁니다. 질문 있습니까?"

"저요." 칼이 눈살을 찌푸리면서 소리쳤다. "면허 받은 도둑들은 돌발 사고를 좋아하지 않거든요. 그러니까 차라리 박쥐를 이용하는 게 어떨까요?"

흠칫 놀란 뱀파이어가 칼을 향해 돌아섰고, 탕딜루스 국장이 물었다.

"뜬금없이 박쥐라니?"

"뱀파이어 선생님은 변신할 수 있어요." 칼이 말했다. "본래의 모습으로 돌아가는 드래곤과는 다른 차원이죠. 선생님은 밤에 박쥐의 모습으로 트라비아의 궁전 안팎을 돌아다니는 습관이 있더라고요. 그런데 우리의 주문으로는 탐지되지 않았어요. 곤충퇴치 주문도 통하지 않았고요."

"이런, 나를 엿보고 있는 줄은 전혀 몰랐구나." 드라고쉬 선생님이 이놈 보게? 하는 얼굴로 칼을 노려보면서 내뱉었다. "하지만 이 아이의 말에 일리가 있군요. 내가 요새 안으로 들어가 보겠소. 내가 무얼 하면 될까요?"

"음, 그 방법은 생각해보지 않은 것이라서……." 드래곤 마법사가 곰곰이 생각하다가 말했다. "위험을 무릅쓸 자신 있소?"

"선택의 여지가 없질 않소." 뱀파이어는 떨떠름한 얼굴로 대답했다.

"좋습니다." 뱀파이어가 동의하기가 무섭게 탕딜루스 국장이 흡족한 얼굴로 찬성했다. "인간 보초들을 쥐도 새도 모르게 제거하고 주문의 방을 찾아보세요. 특히 방어를 위해 악마들이 공격할지 모르니까 조심해야 합니다."

"알겠소!" 뱀파이어는 벌레 씹은 얼굴로 말했다. "방금 한 말을 내가 제대로 이해한 것이라면…… 내가 무작정 적의 요새로 들어가서 맞닥뜨리는 놈들을 마법을 사용하지 말고 모조리 없애버린 뒤에 방어 시스템을 찾아내고, 나를 갈기갈기 찢어버릴 위험이 있는 악마들을 무력하게 만들어야 한다는 거 아닙니까? 휫, 휫, 휘리릭……."

뱀파이어는 입 속으로 소름끼치는 휘파람을 불더니, 펑! 하는 소리와 함께 검은색의 살찐 박쥐로 변신해서 공중에서 파드득거렸다.

"잠깐!" 드래곤 마법사가 말했다. "이 크리스털 볼을 가지고 가서 현장에 도착하면 탕딜루스 국장에게 연락하시오. 호출번호는 알고 있지요?"

박쥐는 고개를 끄덕이면서 발로 크리스털 볼을 낚아챈 다음 대기했다.

"당신이 요새에 이르는 동안, 우리도 전진하고 있을 것이오." 엘프가 뱀파이어에게 말했다. "그럼 잠시 후에 봅시다."

박쥐는 고개를 까딱하고 나서 어둠 속으로 사라졌다.

타라는 정상으로 돌아온 동반자를 보고 안심한 갈랑 위에 칼과 함께 올라탔고, 그들은 모두 어둠 속으로 날아갔다.

숲 기슭에 이르는 데는 몇 분밖에 걸리지 않았다.

그곳에 이르자, 드래곤들이 두 명의 엘프에게 어린 마법사들을 지키도록 했다.

"너희들은 당분간 여기 남아 있어." 셈 선생님이 설명했다. "우리가 너희들을 데리러 오지 않으면 우리가 진 거야. 그러면 너희들은 제일 가까운 나라 히믈리아로 도망쳐서 난쟁이들에게 위험을 알리거라. 악마들이 상그라브들을 감염시키는 것으로 인간들과 드래곤들에게 전쟁을 선포했다는 걸 아더월드 전체가 알아야 하니까. 아더월드는 이 끔찍한 위협과 싸워야 해. 아니면 모든 세계가 멸망하는 거야!"

"그렇게 하겠습니다." 로빈이 엄숙하게 말했다. "파프니르는 난쟁이들에게 알릴 것이고, 저는 엘프 형제들에게 알리겠어요. 그러면 모든 종족이 이 위협에 맞서 싸울 거예요."

"좋아." 드래곤 마법사는 미소를 지었다. "타라, 다른 종족들과 연락할 수 있게 그 살아있는 돌을 빌려주겠니? 아참! 먼저 주인이 잠시 바뀐다는 걸 알려줘. 난 뜻밖의 곤란한 사태는 원치 않거든."

'너는 셈 선생님에게 통신 중계를 해야 해.' 타라는 살아있는 돌에게 정신적으로 설명했다. '이건 아주 중대한 일이야!'

'왜?' 돌이 물었다. 인간이 '중대한 일' 이라고 말하는 것이 뭔지 간파하기 힘든 모양이다.

'요새 안에 갇혀 있는 사람들이 많이 있는데 그들을 해방시키려면 너의 도움이 필요하기 때문이야.'

'흑장미 덤불에서 나를 해방시켜주었던 것처럼 그들을 해방시켜주고 싶다는 거야? 그리고 나처럼 아름답게 만들어주기 위해서 그들도 다듬어주고 싶은 거야? 그렇다면 찬성이야! 너와 떨어져 있는 건 싫지만, 다른 크리스털 볼들의 호출을 전달할게. 그 크리스털 볼들이 형편없는 것들이라고 해도.' 살아있는 돌이 약간 잘난 척을 했다.

타라는 빙긋 웃으면서 드래곤 마법사에게 살아있는 돌을 내밀었다.

"승낙했어요, 셈 선생님."

"고맙다." 드래곤 마법사는 깨질세라 돌을 아주 조심스럽게 받아들면서 말했다. "너무 걱정하지 마라. 잿빛 똥자루들에게 질 생각은 추호도 없으니까. 그럼 이따 보자."

"선생님!" 타라는 드래곤 마법사를 붙잡았다. "우리 엄마가 요새에 갇혀 있다는 걸 잊지 마세요. 반드시 찾아내서 치명적인 주문에서 엄마를 구해주셔야 해요."

"염려 말거라. 네 어머니부터 찾을 테니까."

페가수스들이 조용히 나무 사이로 사라졌다.

녹초가 된 타라는 땅바닥에 털썩 주저앉았고, 갈랑이 옆에 누워서 타라의 팔에 코를 비벼댔다. 타라는 페가수스의 보드라운 코를 쓰다듬어 주면서 불안한 마음으로 전투를 생각했다.

침묵 속에서 몇 분이 흘렀다. 모두 파김치가 되어 있었다. 너무 예민해져서 우왕좌왕하는 무아노만 귀를 곤두세운 채 안절부절못했다. 30분쯤 후, 무아노는 마침내 지쳤는지 타라 옆에 주저앉았다.

"온몸이 쑤셔." 무아노는 얼굴을 찌푸렸다.

"나도 그래." 파브리스도 맞장구쳤다. "어서어서 끝났으면 좋겠어. 평온하고 조용한 지구에서의 생활이 진짜 그립다. 아더월드에서 살고 싶었던 마음이 이젠 흔들리려고 해."

"상그라브들이 승리하면 어디에 살든 누구도 안전하지 못해." 로빈이 씁쓸한 어조로 대꾸했다.

"그럼 왜 꾸물거리고 있는 거야!" 파프니르가 외쳤다. "다른 사람들은 우리를 대신해서 싸우고 있는데 우린 여기서 죽치고 있다니!"

"……하지만 우리가 뭘 어쩌겠어?" 무아노가 어리둥절해서 물었다.

용수철처럼 튀어나간 난쟁이는 그들을 지키고 있는 엘프 두 명의 머리를 움켜잡고 꽝, 박치기를 시켜서 기절시켰다.

"너! 그게 뭐 하는 짓이야?" 마니투와 파브리스가 동시에 외쳤다.

"잠 좀 자게 했지, 뭐." 난쟁이는 도끼를 등에 둘러메면서 대답했다.

"그건 우리도 봐서 아는 거고." 파브리스는 화를 냈다. "왜 그랬냐고?"

"날 못 가게 막았을 테니까. 난 요새로 들어가겠어. 너희들 중에서 참전하고 싶은 사람은 따라와. 하지만 두 엘프가 영원히 잠을 자는 건 아니니까 서둘러! 나중에 보자."

난쟁이는 쏜살같이 숲을 가로질러서 잿빛 요새로 향했다.

벌떡 일어난 로빈의 눈빛이 이글거렸다.

"파프니르의 말이 맞아. 우리가 필요할 거야! 가자!" 파브리스는 반대하고 나섰다.

"확신해? 난 그들에게 우리가 필요한 게 아니라 우리에게 그들이 필요한 거라고 생각해. 우리가 오히려 방해가 될 수도 있어!"

마니투는 생각에 잠겼다.

"여기 우두커니 있는 게 마음에 들지는 않지만 파브리스의 말에도 일리가 있구나. 우리가 불복하면 드래곤 마법사가 불같이 화를 낼 게다."

"할 수 없죠. 최악의 경우에는 벌을 받을 것이고, 최선의 경우에는 우리가 누군가를 구하게 되겠지요. 어쨌든 저는 무작정 여기 남아 있을 수가 없어요." 로빈은 단호하게 대꾸했다. "그래서 저는 가겠어요. 나를 따르고 싶으면 지금이 다시없는 기회예요."

"어, 저도 가겠어요." 결정을 내린 무아노는 또다시 변신했다.

"야수의 모습을 하고 있으면 어떤 놈도 함부로 덤비지 못해요."

"저는 마지스터에게서 엄마를 구하는 걸 돕겠어요." 타라가 말했다.

안젤리카는 기절한 엘프들을 지키려면 누군가 있어야 한다면서 남아 있기로 했다.

칼은 눈꼴사납다는 듯이 한 마디했다.

"엘프들을 무엇으로부터 지켜주겠다는 거야? 다람쥐들로부터?" 칼은 더는 상대하고 싶지 않다는 얼굴로 돌아섰다.

다른 친구들도 미련 없이 돌아섰다. 아주 질렸다는 얼굴로.

그들이 엘프 군단과 드래곤들에게 합류하기 위해 숲을 가로지르는 동안, 드라고쉬 선생님은 조심스럽게 잿빛 요새의 복도를 날고 있었다. 신선한 공기를 좋아하는지, 한 상그라브가 열어 놓은 창문을 통해 그는 어려움 없이 들어갈 수 있었다. 문을 열 때 약간 삐걱거리자(박쥐의 발로 하기는 쉬운 일이 아닐 테지) 그는 온몸이 얼어붙는 것 같았다. 하지만 "싫어요, 엄마. 개구리, 개구리는 싫어요!" 잠꼬대를 하면서 상그라브는 돌아눕더니 도로 잠들었다. 아휴, 놀래라! 뱀파이어는 안도의 한숨을 내쉬면서 어슴푸레한 복도로 살금살금 나간 뒤에 휙 날아올랐다. 그 잠깐 사이에 그는 두 번이나 검은 박쥐 형상에 행운을 비는 수밖에 없었다. 화장실을 가려고 나온 어린 마법사 두 명은 다행히 천장에 달라붙은 박쥐를 보지 못했다. 녀석들이 방으로 돌아가기를 기다렸다가 뱀파이어는 유령 같은 수색작업을 다시 시작할 수 있었다. 어떤 방 앞을 지나가던 뱀파이어는 갑자기 뭔가 낯익은 것을 발견했다.

태피스트리들!

잿빛 요새에 있는 공간이동의 문을 표시하는 다섯 장의 태피스트리였다.

"문이 있는 방에 와 있소." 뱀파이어는 크리스털 볼에 대고 속삭였다. "이제 무엇을 하면 됩니까?"

"이동하려면 반드시 다섯 장의 태피스트리가 필요합니다." 탕딜루스 국장이 응답했다. "그중 하나를 떼어내어 감출 수 있겠소? 그러면 아무도 그 문을 이용해서 도망칠 수 없지요."

인간의 모습으로 돌아온 뱀파이어는 유니콘을 표현한 태피스트리를 떼어낸 뒤에 다시 박쥐로 변신해서, 휙 날아올라 천장 그림자에 잠긴 들보 위에 태피스트리를 감추었다. 그 어느 놈도 여기 있는 건 모를 거다.

"감췄소. 이젠 뭘 할까요?" 뱀파이어가 크리스털 볼에 대고 속삭였다.

"주문의 방을 찾으시오. 그 방에는 분명히 보초가 있을 겁니다."

다시 날면서 보이는 방이란 방은 죄다 문을 열어보았고, 그때마다 곯

아떨어진 상그라브들을 보면서 조심스럽게 문을 닫았다. 그렇게 찾아다닌 지 15분 후, 그는 마침내 주문의 방에 이르렀다. 상그라브들은 그 방에 보초를 한 명만 세워두고 있었다. 박쥐는 잠에 취한 상그라브 등뒤로 그림자처럼 다가간 뒤에 인간으로 변신해서 한방에 때려눕혔다. 뱀파이어는 놈의 잿빛 옷을 찢어서 단단히 엮은 다음, 손발을 묶고, 입을 틀어막고, 눈을 가렸다.

뱀파이어는 흡족한 얼굴로 일어났다. 이제는 저주의 주문을 제거할 수 있는 방어 시스템을 알아내는 일이 남아 있었다.

"주문의 방에 들어왔는데 아무것도 없소. 방이 비어 있어요." 그는 크리스털 볼에 대고 속삭였다.

"방어 시스템은 사물로 유형화되는 것이 일반적이지요." 엘프 탕딜루스 국장이 응답했다. "반드시 찾아내야만 합니다, 뱀파이어 선생."

문제는 책상 하나, 푹신한 안락의자 하나, 태피스트리와 양탄자 몇 장, 조각상 몇 점, 침대의자 하나를 제외하면 특별한 물건이 전혀 없다는 것이었다.

주의 깊게 살펴보자, 조각상들에 뭔가 이상한 것이……, 뱀파이어는 가까이 다가서서 숨을 죽였다. 소름끼치는 악마를 표현한 조각상들이었다.

첫 번째 조각상은 아래턱이 무시무시한 흉측스런 벌레 형상이었는데 먹이를 잡으려고 꼼지락거리는 촉수들하며 그 속에서 삐죽삐죽 나오는 바늘 모양의 발톱이 달린 퇴화한 앞다리들, 게다가 끔찍하게도 인간의 눈이라니! 두 번째 조각상은 털이 없는 늑대였다. 머리가 두 개에 눈이 세 개, 독을 뚝뚝 흘리는 톱니 모양의 송곳니하며 몸통의 절반이 아기 괴물의 형상을 하고 있었다. 세 번째 조각상은 괴상하게 생긴 곰치의 머리에 문어의 몸뚱이를 가진 괴물이었다. 살갗에는 벌레가 우글거리고, 그 갈라진 틈새로 뾸 돋친 부리가 달린 핏빛의 수많은 입이 보였는데 그 입에 걸려들었다 하면 갈기갈기 찢겨나갈 것 같았다.

그 조각상들이 무엇인지를 깨달았을 때, 뱀파이어는 뒷걸음질쳤다. 뮤 대륙의 사라진 조각상들이 아닌가! 라냐로크라는 미치광이 악마가 조각한 작품들이 존재하고 있었다니! 이 조각상들은 대양이 신화의 대륙 뮤를 집어삼켰을 때 파괴된 것으로 모든 사람이 믿고 있었다. 그런데 상그라브들의 보스가 그 조각상들을 찾아냈단 말인가! 뱀파이어는 마지스터가 정신병자라고 확신했다. 이런 악마들을 조종한다는 것은 가장 불길하고 위험한 마법에 속하는 것이었다. 까딱 실수를 했다가는 악마의 배 속에 들어가 있게 될 판이었다!

"아마 믿지 못할 것이오." 뱀파이어는 크리스털 볼에 대고 속삭였다. "잘 보시오!"

뱀파이어는 크리스털 볼을 조각상들 앞에 놓았다. 대번에 엘프 탕딜루스와 드래곤 마법사가 놀라서 딸꾹질하는 모습이 보였다.

"그건……." 드래곤 마법사는 말을 잇지 못했다.

"맞아요. 뮤의 신전을 지키던 사라진 악마의 조각상들입니다." 뱀파이어가 대신 말을 이었다. "요새를 방어하고 있는 것이 이 조각상들이라면 보통 심각한 문제가 아니지요."

"우린 선택의 여지가 없어요." 드래곤 마법사는 대꾸했다. "그 방어 시스템을 차단해야 하오. 반드시 찾아내야 합니다!"

뱀파이어는 목숨을 내놓게 될 거란 생각에 한숨을 쉬면서 조각상들을 뚫어져라 살피기 시작했다.

악마들의 형상에서 빛나는 보석들이 깜박이고 있었다. 빛이 약하기는 해도 그 보석들이 빨간빛에서 오렌지빛, 흰빛에서 검은빛으로 이동하면서 깜박였다. 아주 일정한 리듬으로 깜박이는 보석들. 뱀파이어는 인상을 찌푸렸다. 이건 암호야! 시간이 넉넉하다면 암호를 풀 수도 있겠지만 이런 긴박한 상황에서는 불가능했다. 그는 도움이 필요했다.

"여의찮소. 조각상들의 작동을 멈추게 하는 암호가 있는데 모르겠소!" 뱀파이어는 크리스털 볼에 대고 속삭였다.

"보여주시오." 랑코비트의 비밀정보국 국장 엘프 탕딜루스가 속삭였다.

"잘 보시오."

엘프는 조각상들의 깜박거림을 유심히 살피고 나서 안도의 숨을 내쉬었다.

"아하, 암호를 알았소. 제일 먼저 검은빛, 그다음에 흰빛을 누르고, 오렌지빛과 빨간빛을 동시에 눌러야 합니다. 아주 간단한 암호요."

"알겠소." 뱀파이어는 빙긋이 웃으면서 말했다. "당장 그렇게 하지요."

뱀파이어가 첫 번째 보석에 도전하려고 할 때, 드래곤 마법사는 중단시켰다.

"잠깐! 아무것도 건드리지 마시오! 뭔가 이상한 점이 있는 것 같으니!"

뱀파이어는 재빨리 손을 뺐다.

"또 뭡니까? 뭐가 이상하다는 겁니까?"

"사피르 드라고쉬, 당신의 궁전을 보호해야 할 경우, 당신이라면 해독하기 쉬운 암호를 제어장치로 사용하겠소?"

뱀파이어는 곰곰이 생각하다가 시니컬한 미소를 머금었다.

"물론 아니지요, 함정이라고 생각하는 겁니까?"

"함정이라고 생각하는 것이 아니라 그렇다고 확신합니다! 조각상들을 다시 한 번 자세히 살피고 다른 것이 있는지 보시오."

뱀파이어는 다시 한 번 악마의 조각상들을 뚫어져라 살피기 시작했다. 자세히 들여다볼수록 어쩌나 소름이 끼치는지 그는 본능적으로 눈길을 돌리다가…… 그게 바로 의도적인 속임수라는 걸 깨달았다. 가까이 다가섰다. 맞았어! 벌레가 우글거리는 썩은 내장 같은 것 속에 거의 눈에 띄지 않는 검은 돌이 하나 있었다. 그는 드래곤 마법사에게 그 돌을 묘사했다.

"바로 그거요." 드래곤 마법사는 단언했다. "만약, 악마들이 깨어나면 전속력으로 도망쳐요. 당신은 그들과 맞서기에는 역부족이니 절대로 괜한 오기 부리지 마시오. 아무 변화가 없으면 우리는 즉시 샤트릭스들을 공격하고 당신에게 합류하겠소. 그리고 우리가 공원을 평정하는 즉시 요새의 문을 열어주시오."

"잠깐!" 함정을 예상하지 못한 것에 자존심이 상해 있던 엘프가 소리쳤다. "악마는 세 명이지 않소?"

"네, 세 명 맞아요. 그래서요?"

"그래서 세 개의 조각상을 동시에 누르는 것이 훨씬 신중할 것 같소. 내가 상그라브였다면, 그런 보호장치를 추가해놨을 거요. 손이 세 개가 아닌 한, 제아무리 날고 긴다는 명탐정도 세 개의 주문을 동시에 차단할 수 없을 거란 원리에서!"

"교묘하게 머리를 쓰긴 했는데 뭐 그리 대단한 정도는 아니군요." 뱀파이어는 얼굴을 찌푸렸다. "박쥐로 변신하면 손이 넷이 되니까! 좋아요, 내가 하겠소. 당신들은 공격 준비나 철저히 하시오."

뱀파이어는 박쥐로 변신했다. 다행히 박쥐는 아주 커서 날개를 펼치면 동시에 세 개의 돌을 건드리는 것쯤이야 아무것도 아니었다. 마음을 단단히 먹고 뱀파이어는 숨을 죽이면서 세 개의 돌을 건드렸다.

으르렁거리는 소리가 나더니 조각상들이 꿈틀거렸다. 질겁한 뱀파이어는 뒷걸음치면서 날아가려고 했지만 조각상들이 더는 꿈쩍도 하지 않았다.

박쥐는 가슴에 발을 대면서 심호흡을 한 뒤에 꺼림칙했지만 촉수들 가까이 다가섰다. 조각상들 앞을 무사히 지나치는 순간, 그는 요새 전체를 깨울까 봐 외치고 싶은 승리의 고함소리를 간신히 참았다. 돌들의 깜박거림도 정지되어 있었다!

뱀파이어는 크리스털 볼을 들었다.

"성공입니다. 악마들이 깨어나지 않았소. 시작하시오!"

그 신호를 시작으로 공격 작전이 활기를 띠기 시작했다. 뱀파이어가 조각상들에 몰두하고 있는 동안, 엘프 군단은 숲 속에서 오랑캐꽃을 꺾어서 마취 성분의 수액을 추출했다. 이어서 그 수액에 담가두었던 작은 화살들을 가지고 그들은 공원의 벽을 기어올랐다. 난쟁이나 거인과 마찬가지로 샤트릭스도 마법에 끄떡도 하지 않기 때문에 엘프 군단은 마법을 쓰지 않고 놈들을 잠들게 해야 했던 것이다. 샤트릭스가 상그라브들에게 알리기 위해 고함을 질렀다가는 작전이 수포로 돌아가는 것이었다.

냄새를 맡은 샤트릭스들이 컹컹 개 짖는 소리를 내자, 영역을 침범한 침입자들을 공격하고 싶어 몸이 단 왕초가 엘프들이 있는 벽 밑으로 샤트릭스들을 집합시켰다. 피에 굶주린 왕초는 무심코 으르렁거렸다. 그건 결정적인 실수였다.

탕딜루스 국장은 회심의 미소를 지으면서 팔을 내렸다.

그 신호에 엘프 군단이 갑자기 취관을 불자 마취 화살이 빗발치듯 샤트릭스들을 향해 날아갔다.

깜짝 놀란 검은 괴물들이 깨갱깨갱하면서 화살이 꽂힌 옆구리를 물어뜬느라고 난리를 쳤다. 이윽고 한 놈 한 놈 비틀거리면서 몇 걸음을 떼다가 픽픽 쓰러졌다. 샤트릭스들의 왕초가 상그라브들에게 비상 사태를 알릴 생각으로 입을 벌리는 순간…… 긴 화살이 그 목구멍을 관통했다.

나른 샤트릭스들은 이미 잠들어 있었다. 엘프들은 고양이처럼 사뿐히 공원으로 뛰어내려서 괴물들의 발을 묶고, 입에 망을 씌우기 시작했다.

"시작합시다!" 드래곤 마법사가 힘겹게 울타리 벽을 타고 넘어온 뒤에 속삭였다.

엘프 군단은 소리 없는 그림자처럼 공원을 가로질렀다. 잿빛 요새의 문이 열리면서 뱀파이어가 희색이 만면한 얼굴로 나타났다. 인간의 모습으로 돌아와 있는 뱀파이어는 자신이 때려눕힌 경비병을 한 손에 들고 있었다.

"이젠 맘놓고 들어가도 됩니다." 뱀파이어가 나직한 소리로 말했다. "닥치는 대로 가능한 한 많은 상그라브들을 무력화시킵시다!"

파브리스가 알려준 대로 뱀파이어가 상그라브들의 방들을 사전 답사했기 때문에 그들은 거리낌없이 소탕작업에 들어갔다.

엘프 군단이 먼저 문이란 문을 모두 열고 뛰어들어가서 안에 있는 놈들을 때려눕혔고, 갑자기 잠을 깨고 튀어나올지 모를 상그라브들을 대비해서 드래곤들이 후위를 지켰다.

3층까지는 소탕작업이 일사천리로 전개되었다.

그들이 서른다섯 명째의 상그라브를 무력화시키고 살금살금 방을 나오는 순간이었다. 불면증이라도 걸렸는지 젊은 여자가 복도 모퉁이를 돌고 있었다. 질겁해서 비명을 지르던 여자가 휙휙 날아오는 마취 화살을 맞고 쓰러지면서…… 본격적인 전투가 시작되었다.

자다가 일어난 건데도 상그라브들의 마법은 강력했다. 침략 당한 걸 재빨리 알아차린 상그라브들은 드래곤보다 상대하기가 쉬운 엘프들을 공격하기 시작했다.

후려치고, 불태우고, 때려눕히거나 죽이는 악마의 마법에 엘프들은 필사적으로 방어하면서 마법의 방패를 사용해 주문과 함께 화살을 쏘아 댔다. 화살 공격에 익숙해 있지 않은 상그라브들은 갈팡질팡하였다.

한편, 그사이에 타라와 친구들은 공원의 울타리 벽에 이르러 있었다.

전투가 시작되었음을 뜻하는 고함소리가 들려왔다. 벽의 꼭대기로 훌쩍 뛰어오른 무아노와 로빈은 공원을 지나가는 것이 위험하지 않은지 확인했다. 전투가 빠르게 전개되면서 드래곤들, 엘프들, 상그라브들이 곳곳에서 마법으로 대치하고 있었고, 마법의 충돌로 나무들이 심하게 흔들거리고 있었다.

"와, 이거 장난이 아닌데! 너희들 정말 저 안으로 들어갈 자신 있어?" 칼이 소리쳤다.

"어휴…… 공원으로 들어가는 건 안 되겠다. 단번에 통닭구이가 되고 말겠어!" 무아노는 벽에서 뛰어내리면서 말했다.

"아, 그렇지 참, 터널을 통해 들어갈 수 있을 거야." 파프니르가 말했다. "상그라브들이 나의 터널을 어떻게 해놨는지 가서 보자."

터널 입구에 이른 그들은 구멍이 막혀 있는 걸 발견하고 절망에 빠졌다. 하지만 파프니르는 그들에게 물러서라는 손짓을 하고 나서 돌과 진흙 벽에 귀를 갖다댔다.

"내가 이럴 줄 알았지." 난쟁이는 흙을 툭툭 털면서 흡족한 얼굴로 말했다. "샤트릭스들이 도망치지 못하게 놈들이 입구만 막아놨을 뿐이지 터널 전체를 막아 놓은 건 아냐."

파프니르는 웅크리고 앉아서 두 손으로 떠밀었고, 난쟁이의 괴력에 흙과 돌이 용해되었다. 잠시 후 난쟁이는 막힌 입구를 뚫었다.

타라는 갈랑을 축소시키고 그들과 함께 터널로 들어갔다. 이틀 전과는 달리 반대방향으로 전진!

열려 있는 문을 통해 들려오는 마법 주문을 거는 시끌벅적한 소란에도 불구하고 지하저장소는 아주 조용했다.

그들이 나가려고 할 때였다. 갑자기 파프니르가 움직이지 말라는 신호를 보냈다. 타라는 어깨 너머로 악몽 같은 장면을 보았다.

성난 걸음으로 입문의식의 방 쪽으로 향하는 상그라브들의 보스와 그를 따라가는 데리아, 그 뒤로 타라의 어머니가 공중에 둥둥 떠 있었다.

통로를 열기 위해서 마지스터는 드래곤과 싸우는 상그라브를 확 밀쳐버리고는 번개 같은 광선으로 두 적수에게 벼락을 치고 나서 입문의식의 방으로 이르는 계단으로 사라졌다.

타라 일행은 불안한 얼굴로 치열한 싸움이 벌어지고 있는 마당을 내다봤다.

"우린 달리 도리가 없어." 타라는 불안하게 말했다. "엄마와 데리아, 마지스터를 추적해야 해."

"두 패로 갈라지는 게 좋겠구나." 마니투가 말했다. "파프니르와 무아노, 파브리스는 나와 함께 셈을 찾아서 마지스터가 입문의식의 방에 있다는 걸 알려야 해. 그사이에 타라, 칼, 로빈, 너희들은 그자를 뒤따라가. 그리고 멀찍이 숨어서 감시하고 있어. 만일 상그라브가 너희들을 공격하면 뒷짐을 지고 앉아 있거라. 그건 너희들이 싸우지 않겠다는 표시야. 저항하지 말고 얌전히 있어. 난 너희들의 목숨이 위태로워지는 걸 원치 않아. 알았니?"

"네." 타라가 대답했다. "하지만 파프니르만 데려가세요. 무아노와 파브리스는 우리랑 같이 있게 해주세요. 얘들의 도움이 필요해요."

파프니르는 생글생글 웃으면서 도끼를 휘둘렀다.

"문제없어. 걔는 내가 잘 지킬게. 털끝 하나라도 건드리는 놈은 발기발기 찢어 놓을 테니까!"

"그래, 부탁해. 이제 가자!"

그들은 싸움터 속으로 슬그머니 끼여들었다. 상그라브들, 엘프들, 드래곤들이 마법으로 맞서고 있어서 불에 태우거나 얼어붙게 하는 파랑, 빨강, 하양, 주황, 초록의 광선들이 사방에서 교차하고 있었다. 그들은 전투원들을 피해서 포복도 하고, 달리기도 하고, 때로는 펄쩍펄쩍 뛰기도 하고, 미꾸라지처럼 빠져나가기도 하면서 기적처럼 마당 건너편에 무사히 이르렀다. 그 와중에 아슬아슬하게 스치고 지나가는 마법의 불에 마니투의 털은 눌어버렸고, 적으로 오인한 드래곤이 거는 냉동 주문을 가까스로 피한 무아노는 덜덜 떨었다. 칼은 상그라브를 공격하는 두 엘프를 피하다가 발을 삐끗하는 바람에 다리를 절었다.

파프니르는 눈을 반짝이고 있었다. 도끼의 판판한 부분을 사용해서 상그라브들을 차례로 때려눕히는 것으로 드래곤과 엘프의 목숨을 구해준 난쟁이는 싸움을 더 하라면 더 이상 바랄 게 없다는 얼굴이었다. 난쟁이에게는 모처럼 맞게 된 신 나는 싸움판이 아닌가!

입문의식의 방으로 이르는 복도에 일단 이르자, 그들은 합의한 대로 두 패로 갈라졌다.

그 방의 입구를 지키고 있던 거인 두 명은 다가오는 다섯 명의 아이들을 보고 무지막지하게 큰 검을 휘둘렀다.

"*포쿠스의 이름으로 나 너희들을 마비시키니 지체없이 우리를 곤경에서 구하라!*" 로빈이 재빨리 주문을 외웠다.

청록색 그물이 거인들을 꼼짝 못하게 옭아매고 있지만 그 몸들에 닿는 순간 지지직거리면서 그물이 오그라들었다. 거인들의 몸놀림은 여전히 자유로웠다.

한 놈이 비열한 웃음을 흘리면서 소리쳤다.

"야, 쥐방울, 우리를 그렇게 우습게 보면 안 되지. 한 발짝도 뗄 생각은 하지 않는 게 좋을걸. 그랬다간 네 놈을 토막내줄 테니."

타라는 놈들이 더는 비웃게 내버려두지 않았다.

"*얍! 녹아버려라!*" 주문 따위를 외울 생각이 없는 타라는 땅바닥을 가리키면서 외쳤다.

거인들은 방어할 겨를이 없었다. 발 밑으로 쫙 갈라진 커다란 구멍 속으로 4단 추락을 하며 내지르는 비명소리, 으악, 크억, 아아아악! 메아리로 되울려올 뿐이었다.

"대단하다!" 칼이 평가를 내렸다. "난 왜 그 생각을 못했을까. 엄청 잘난 척하더니 꼴좋군. 자, 가자. 아직도 넘어야 할 그 고약한 다리가 있어."

자이언트 거미가 기다리고 있었다. 거미는 마지스터와 데리아, 타라의 어머니를 통과시키기 위해 세웠던 다리를 이미 거둬들인 뒤였다. 거미줄을 길게 늘어뜨린 채 아래턱을 흔들면서 이를 갈고 있는 거미, 소름이 끼쳤다.

타라가 왜 파브리스와 무아노가 필요하다고 했는지 그제야 모두들 알아차렸다. 그들 중에서 수수께끼를 제일 좋아하는 사람은 파브리스고, 제일 잘 알아맞히는 사람은 무아노니까 당연히 그럴 수밖에.

그들이 낭떠러지에서 몇 발짝 떨어진 곳에 이르자, 거미가 내려와서 멜로디 같은 음성으로 주절거렸다.

"무사히 건너려면 수수께끼를 풀어라. 문장으로 이루어져 있고, 틀리면 가차없는 죽음. 내가 수를 세는 동안 너는 수수께끼를 풀어야 한다."

"어, 그러니까 우리 중 한 명만 대답할 권리가 있어." 무아노가 소곤거렸다. "문장으로 이루어져 있대."

"내가 할게." 파브리스가 용기를 내서 대꾸했다. 수수께끼를 좋아했던 걸 처음으로 몹시 후회하는 듯 약간 상기된 얼굴이다.

파브리스는 자이언트 거미에게 다가가서 목청을 가다듬었다.

"시작하자."

"그럼 문제를 내겠다! 굴러가다가 멈추고 점을 보여준다. 얼굴은 6개인데 눈은 21개. 세 걸음만 떼면 그대로 떨어진다. 모험을 시도한다. 다 합하면 운명을 하늘에 맡겨야 하는 상황을 뜻하는 표현. 이제 풀어봐!"

"이런! 지난번에는 낱말이었는데 문장을 내는 건 너무 하잖아!" 칼이 분개했다.

거미는 스멀스멀 긴 줄을 타고 약간 내려왔다.

"괜찮아." 파브리스는 입속말로 중얼거렸다. "아래턱이 나보다도 더 큰 자이언트 거미와 다투고 싶지 않단 말야. 칼, 그러니까 넌 입 다물고 있어!"

거미가 덧붙였다.

"내가 여든여덟까지 세면 너는 끝장이야."

"왜 백까지 세지 않지?" 칼이 따졌다. "지난번에는 백까지 센다고 했잖아!"

그 말에 비위가 상한 거미는 조금 더 내려왔고, 파브리스의 머리 바로 위에서 아래턱이 수를 세기 시작했다.

"하나."

"칼, 한 마디만 더 하면 거미가 아니라 내가 너를 죽인다!" 파브리스는 화를 냈다. "자, 침착하게 생각해보자. 운명을 하늘에 맡기는 상황을 나타내는 표현이라. '세 걸음만 떼면 그대로 떨어진다.' 그래, 여기서 세 걸음을 떼면 낭떠러지로 떨어지잖아. 그다음도 말이 돼. 우리가 여기 온 것 자체가 모험이잖아."

거미는 어느새 스물까지 세었고, 타라는 식은땀이 흐르기 시작했다. 친구들은 부들부들 떨고 있는데 이상하게도 파브리스는 태연했다. 문제를 푸는 데 열중해서 위험이고 뭐고 다 잊은 모양이다.

"다시 한 번 정리해보자. 운명을 하늘에 맡기는 상황……, 이건 지금 우리가 처한 상황을 뜻하는 것 같아. 이럴 때 하는 말이 뭐지? 하늘이 무너져도 솟아날 구멍은 있다."

"그럴 듯한데 아닌 것 같아." 칼이 말했다. "그럼 첫째 정의가 하늘이라는 얘긴데 맞아떨어지지가 않잖아."

"그렇다, 칼, 네 말이 맞아!" 타라가 외쳤다. "문제는 첫째 정의야. 굴러가다가 멈추고 점을 보여주는 게 뭘까?"

"점을 보여주는 것이라……." 파브리스는 생각에 잠겨 있었다. "점이 있는 게 뭐지? 치타, 표범, 두꺼비, 개구리, 달마티아의 얼룩무늬 개? 그건 아냐. 절대로 그런 종류는 아냐. 아주 쉬운 낱말인 거 같은데……."

"얼굴은 6개인데 눈이 21개. 그럼…… 눈이 있다고 해도 동물이 아니라 혹시 무생물이 아닐까?" 무아노가 말했다.

이미 마흔까지 센 거미는 조금 더 내려와 있었고, 아래턱이 파브리스의 어깨를 건드리지만 않고 있을 뿐 바로 위에 있었다.

연신 놀려대는 거미의 입과 마주하고 있는 파브리스는 침을 꼴깍 삼켰다.

"첫째 정의만 찾으면 저절로 풀릴 텐데……."

"예순다섯!" 파브리스의 허리 부근까지 아래턱을 내린 거미는 독이 뚝뚝 떨어지는 송곳니를 드러내고 있었다.

타라는 입안이 바싹바싹 마르면서 숨이 막히는 느낌이 들었다. 거미는 거의 마지막 수를 세고 있는데 그들은 여전히 알아내지 못하고 있었다.

"여든일곱!" 거미가 외쳤다.

"주사위!" 도둑이 대개 그렇듯이 도박을 좋아하는 칼이 소리쳤다. "굴러가다가 멈추고 점을 보여주는 건 주사위야. 눈금을 다 더하면 21개잖아!"

"여든여덟!" 거미가 대꾸했다. "정답을 대. 아니면 꼬마를 와작와작 냠냠 씹어먹겠다!"

"주사위가, 주사위를, 주사위는……." 머리가 빠르게 돌아가는 무아노가 얼른 중얼거렸다.

파브리스는 흉측한 거미를 향해 돌아서서 초록빛 눈을 뚫어져라 쳐다봤다.

"운명을 하늘에 맡기는 상황이라고 했지. 굴러가면서 점을 보여주는 것은 주사위. 세 걸음을 떼면 낭떠러지로 떨어져. 답을 찾아야만 다리를 지어주니까 모험을 시도하는 것이고, 지금 우리가 처한 상황이니까…… 정답은 주사위는 던져졌다."

거미가 꿈쩍도 하지 않아서 그들은 답이 틀렸다는 생각에 등골이 오싹했다. 그런데 거미가 뒷걸음질치더니 퉁명스럽게 선언했다.

"수수께끼를 풀었으니 다리를 지어주겠다."

자이언트 거미는 독이 뚝뚝 떨어지는 송곳니가 있는 입을 다물고, 거미줄을 타고 스르르 다시 올라갔고, 양쪽 기슭을 잇는 다리를 짓기 시작했다.

그때였다. 갑자기 빨간 광선이 번쩍하더니 거미줄이 뚝 잘려나가는 것이 아닌가! 괴성을 지르면서 쭈르르 낙하한 거미는 이미 지어 놓은 다리의 거미줄을 낚아채려고 애를 썼다. 하지만 몸무게에 못 이긴 줄이 끊어지면서 자이언트 거미는 낭떠러지로 사라졌고, 배 속이 뒤집어질 정도로 요란한 소리를 내며 으스러졌다.

깜짝 놀란 다섯 명의 아이들은 광선이 발사된 반대편 기슭을 돌아봤다. 데리아가 서 있었다.

"건너올 생각은 하지 않는 게 좋아! 내가 방금 공중부양을 막는 주문을 낭떠러지에 걸어놨거든. 애써봐야 소용없어. 괜히 까불다가 큰코다치지 말고 어서 돌아가! 나의 보스에게 가서 거미가 죽었다고 보고할 거니까 건널 생각은 하지 말란 말야!"

데리아의 목소리에 극도의 불안감이 배어 있었다. 마치 그들을 보호하려고 애쓰는 것처럼. 설마 그럴 리야 없겠지만. 어쨌든 타라는 달리 뾰족한 수가 없었다. 마지스터가 엄마를 붙잡아두고 있는 이상, 설사 지옥의 모든 악마와 맞서야 할지라도 이대로 물러설 순 없지!

데리아가 어둠 속으로 사라지자, 다섯 명의 친구들이 서로를 쳐다봤다.

"너 어떻게 할거야?" 칼이 타라에게 물었다. "저쪽으로 건너갈래, 아니면 셈 선생님을 기다릴래?"

"네 생각은?" 타라가 되물었다.

"에이, 차라리 물어보지 말걸!" 칼이 쫑알거렸다. "모두 힘내. 또 내가 전문기술을 발휘하는 수밖에!"

자이언트 거미가 추락하면서 다리의 앞부분이 부서졌지만, 거미줄들은 아직 벼랑을 따라 건들건들 늘어져 있었다. 칼은 그중 한 개를 붙잡아서 충분한 길이가 될 때까지 잡아당겨서 그 끝을 잘랐다. 이어서 호주머니에서 쇳조각 두 개를 꺼내더니 그것들을 거미줄에 묶어 갈고리 모양으로 만들면서 투덜거렸다.

"미치겠네, 너무 끈끈해서 자꾸만 손가락에 들러붙어."

칼은 거미줄을 잡아당기면서 탄력을 시험했다. 강철처럼 튼튼한 거미줄. 나무랄 데 없는 밧줄이 생긴 것이다!

입이 떡 벌어진 친구들을 보면서 칼은 씩 웃었다.

"에헴, 내가 이래봬도 연장 없이는 절대 밖에 나다니지 않는단 말씀이야. 상그라브들이 나한테서 압수하지 않은 걸 보면 이게 쓰잘데없는 고철조각이라고 생각한 거야. 푸하하하, 그런데 요건 몰랐을 거다."

칼은 천장에 쳐 있는 거미줄의 높이를 측정하고 나서 로빈에게 물었다.

"난 키가 너무 작아서 거미줄까지는 도저히 이걸 던져 올릴 수 없겠어. 넌 엘프니까 나보다는 힘이 셀 거 아냐? 갈고리를 빙빙 돌리다가 저 위로 던질 수 있겠지?"

"난 하프엘프에 불과하지만 그 정도는 할 수 있어"

로빈은 거미줄에 매달린 갈고리를 움켜잡고 잠시 흔들다가 날쌘 동작으로 내던졌다.

갈고리는 거미집에서 10센티미터 정도 못미쳤다. 로빈은 여러 번 시도했지만 성공하지 못했다.

"아이, 창피하네!" 로빈은 이런 망신이 없다는 얼굴로 말했다. "나도 키가 모자라. 누군가의 어깨를 딛고 올라가야 할 것 같아."

"할 수 없지, 뭐." 짐꾼을 하면 딱 좋을 근육질 체격의 파브리스가 체념하는 듯한 어투로 말했다. "내 어깨에 올라서."

로빈이 어깨에 날렵하게 올라서자, 파브리스는 움직이지 않으려고 애를 썼다.

로빈은 갈고리를 빙빙 돌리다가 던졌다. 이번에는 높이가 있어서인지 갈고리가 거미줄에 걸렸다. 로빈은 조심스럽게 여러 번 잡아당겨 봤다. 단단히 걸려 있는 것 같았다.

"먼저 건너갈게, 내가. 파브리스의 어깨를 이용해서 뛰어올라볼게. 간다!"

있는 힘을 다해서 훌쩍 뛰어오른 로빈은 거미줄을 움켜잡고, 마치 타잔처럼 우아한 곡선을 그리면서 낭떠러지를 건너뛰었다.

"좋았어! 높이 점프하면 문제없이 건너뛸 수 있어. 그 옆에 있는 바위에 올라서면 추진력을 얻을 수 있을 거야."

친구들의 점프대 노릇을 하게 생겼다고 예상하고 있던 파브리스는 그 말에 안심했다.

파브리스가 두 번째로 통과했고, 무아노와 타라도 무사히 건넜다. 타라는 그들이 낭떠러지를 뛰어넘는 사이에 데리아가 방해를 할까 봐 걱정했지만, 그녀의 흔적은 온데간데없었다.

"간다아아!" 마지막으로 칼이 소리쳤다.

로빈이 보내준 줄을 펄쩍 뛰어서 움켜잡은 칼은 건너편을 바라보면서 중심을 잡고 있었다. 하지만 그들 중 누구도 갈고리가 거미줄을 조금씩 뚫고 있다는 걸 알아차리지 못했었다. 거미줄은 거미의 먹이들을 붙잡아두기에는 충분히 질길지 몰라도 그들을 모두 통과시키기 위한 추의 움직임을 견디기에는 역부족이었다.

칼이 점프를 하자, 갈고리는 남은 거미줄을 파고들었고, 칼이 낭떠러지 위를 지나가는 순간에 거미줄은 그만 툭, 끊어지고 말았다.

한순간 칼은 공포의 비명을 지르면서 낭떠러지로 사라졌다. 끄아아아악! 사람 살려!

14
지킴이들

"칼!!!" 친구들이 동시에 외쳤다.

"빨리 내려가야 돼. 가서 도와줘야 해!" 타라가 소리쳤다.

"진정해." 로빈은 막무가내로 낭떠러지를 내려다보려고 하는 타라의 팔을 붙잡으면서 말했다. "너무 미끄러워서 이 상태로는 내려갈 수가 없어!"

"*플라무스의 이름으로* 나 불을 원하니, 적당한 크기의 불로 냉큼 나타나라!" 무아노가 주문을 외웠다.

그러자 낭떠러지 바닥에서 제법 큰 불길이 일었고 수북히 쌓인 뼈다귀와 큼직한 바위 위에 축 늘어진 칼의 몸뚱이가 보였다.

칼은 미동도 하지 않았다.

아무것도 해줄 수 없다는 걸 깨달은 타라는 그대로 주저앉아서 목놓아 울었다. 파브리스와 무아노, 로빈은 타라 옆에 둘러앉아서 멍한 얼굴을 했다.

"너희들을 데려오지 말았어야 했어." 타라는 딸꾹질을 하면서 울먹였다. "정말 미안하다. 내 잘못으로 칼이 죽었어."

“바보 같은 소리하지 마.” 로빈이 단호하게 말을 잘랐다. “칼은 위험하다는 걸 알고 있었어. 네가 지금 이렇게 포기하는 걸 보면 제일 먼저 화를 낼 사람이 칼이라고. 그리고 자신의 희생이 헛되지 않도록 너의 어머니를 구해야 한다고 말할 거야!”

“난 그럴 수 없어.” 죄책감 때문에 괴로운 타라는 후회가 막심한 얼굴이었다. “칼의 목숨과 엄마의 목숨을 바꿀 수는 없어. 여기 남아서 셈 선생님을 기다렸어야 했는데……. 선생님과 같이 왔다면 칼은 죽지 않았을 거야.”

무아노와 로빈, 파브리스는 어떤 말로도 타라를 설득할 수 없었다. 전적으로 타라의 잘못이 아닌 건 분명하지만, 그들은 일단 드래곤들이 올 때까지 중단하기로 결정했다.

친구의 죽음을 슬퍼하고 있던 그들은 엄청난 고함소리에 벌떡 일어났다.

그들은 한순간 공격을 받는 것이라고 생각하고 입문의식의 방 입구를 향해 돌아섰다. 하지만 아무도 없었다. 그 소리는 그들의 등뒤에서 들려왔다.

“발두르의 뜨끈뜨끈한 창자와 크라크덴트의 썩은 입도 이 냄새보다 지독하지는 않겠다아!”

그들은 한 가닥 희망에 가슴을 졸이면서 낭떠러지를 내려다봤지만, 무아노가 피웠던 불은 꺼져들고 있었다. 어, 저게 뭐야?

바위에 앉은 칼이 몸에 들러붙은 것을 떼어내느라고 정신이 없었다.

“칼! 너 괜찮은 거야?” 파브리스가 외쳤다.

“괜찮아.” 칼은 씹어뱉듯이 대답했다. “이 더러운 거미의 배 위에 떨어졌다는 것과 온몸이 창자와 거미의 액으로 뒤덮였다는 것만 빼놓으면!”

“웩!” 무아노는 토할 것 같은 소리를 냈다. “메스꺼워!”

"어쨌거나 거미가 네 목숨을 구해준 거네!" 로빈이 말했다. "바위라고 생각했는데 그게 거미의 몸이었구나. 그 위로 떨어지면서 충격이 완화된 거야."

타라는 기뻐서 펄쩍펄쩍 뛰었다.

"칼, 올라올 수 있겠어?"

"잡을 데가 아예 없는 건 아니니까 그럴 수 있을 것 같아. 하지만 벽이 더럽게 미끄러워서 위에 올라가면 도움이 필요하겠어."

원숭이처럼 민첩하게 벽을 타고 올라오는 어린 도둑을 보면서 그들은 감탄했다. 다리를 잡아주는 파브리스의 도움을 받아 로빈은 낭떠러지를 향해 몸을 숙이고 팔을 뻗었고, 칼은 그 손을 잡고 무사히 올라왔다.

칼은 푸르뎅뎅한 액을 줄줄 흘리면서 욕설을 퍼부었다. 무아노와 타라는 그의 목에 매달리고 싶었지만, 뭉개진 거미의 내장을 보고는 도저히 가까이 갈 수가 없었다.

칼은 재빨리 몸을 깨끗이 씻어주고 말리는 네토이우스 주문을 걸었다.

"이게 뭐야! 시간이 그렇게 조금밖에 안 흘렀나. 오른쪽으로 1미터, 아니 왼쪽으로 1미터밖에 못 갔잖아. 왜 아직도 여기 이러고 있는 건데? 내가 영원히 사라질 뻔한 대가가 고작 이거란 말야?"

"그러니까 셈 선생님을 기다리자." 감정을 추스르기 시작한 타라는 진지하게 말했다. "난 더는 쓸데없이 너희들의 목숨이 위태로워지는 걸 원치 않아."

"너 농담하는 거야? 이렇게 빨리 포기하면 안 되지!" 칼이 외쳤다. "우리가 해야 할 일은 상그라브들의 보스가 무슨 짓을 꾸미는지 살피는 거야. 그 방 부근에 숨어서 셈 선생님이 도착할 때까지 꼼짝도 하지 않고 동태를 살피는 거란 말야. 내 말 알아들었어?"

칼의 격려에 타라는 머뭇거리지 않았다.

"좋아. 가자. 입문의식의 방이든 어디든 난 겁나지 않아! 아까 어찌나 놀랐던지 앞으로 한 20년 동안은 하늘이 두 쪽이 난다고 해도 눈썹 하나 까딱하지 않을 거 같아."

"나도!" 몸을 떨면서도 무아노가 말했다.

그들은 살금살금 입문의식의 방으로 들어갔지만, 아무리 봐도 쥐새끼 한 마리 없었다.

"어어, 놈이 없잖아!" 파브리스가 속삭였다.

"하지만 이 방에는 출구가 하나밖에 없어!" 로빈이 말했다. "다른 출구가 있다면 자이언트 거미가 있을 필요가 없지!"

"혹시라도 다른 출구가 있다면 그걸 찾을 적임자는 칼이야. 설마 또 위험한 일이 생기지는 않겠지?" 타라가 말했다.

"난 방금 수십 미터를 추락해서 자이언트 거미의 배 위로 떨어졌던 사람이야." 어린 도둑이 진저리를 치면서 대꾸했다. "또다시 공포에 떨 생각은 없어. 단언하는데 비밀출구를 찾으면 너희들에게 먼저 알려줄게. 그때 다시 얘기하자."

문제는 눈 씻고 찾아봐도 비밀출구라곤 없다는 것이었다.

그들은 온 방을 돌아다니면서 두드려도 보고 냄새도 맡아봤지만 아무것도 없었다.

그때 머리 위에 둥둥 떠 있는 검정 화강암 석판을 발견한 타라는 관람석으로 올라가서 유심히 살폈다. 석판 중앙에 뭔가 반짝이는 것이 있었다. 밝은 빛의 원. 호기심이 동한 타라는 관람석에서 그 화강암 석판 위로 펄쩍 뛰어서 집게손가락으로 원을 건드렸다.

"타라, 너 뭐 하는……?" 타라가 감쪽같이 사라지는 걸 보면서 칼이 외쳤다. "빨리 따라가자. 타라가 비밀출구를 찾아냈어!"

무작정 훌쩍 뛰어오른 칼이 빛의 원을 건드렸고, 이번에는 칼이 사라졌다!

"무아노, 파브리스, 너희들은 여기 남아 있다가 셈 선생님에게 알려! 나는 간다!" 로빈이 외쳤다.

무아노와 파브리스가 반대할 겨를도 주지 않고 로빈도 사라졌다. 착지를 하는 순간 유연하게 데굴데굴 구르면서 일어난 로빈은 만일의 경우를 대비해서 공격 자세를 취했다. 하지만 눈앞의 광경에 어찌나 놀랐는지 로빈은 아연실색한 얼굴로 꼼짝하지 못했다.

……사방이 바다?

그들은 거대한 소용돌이의 중심에 있었다. 발 밑의 돌은 해초와 이끼가 덮여 있어서 미끌미끌했다. 그 함정에 걸려든 물고기 몇 마리가 물구덩이 속에서 죽어가고 있었다. 하늘 높이 두둥실 떠 있는 커다란 달의 창백한 빛이 그 풍경을 비추고 있었다.

"여기가 어, 어디지?" 칼이 말을 더듬었다.

"확실하진 않지만 지구에 있는 것 같아." 타라는 눈살을 찌푸리면서 대답했다. "저 위에 보이는 달이 꼭 지구의 달 같단 말야. 그리고 주변에 있는 것이 바닷물 속에 잠겼다는 그리스 신전과 굉장히 비슷한 것도 그렇고!"

해초와 산호로 뒤덮여 있긴 해도 흰색의 거대한 대리석 조각상들이 받침대 위에서 그들을 응시하고 있었다. 대도시의 중앙광장으로 보이는 끝자락에 원기둥이 줄지어 선 신전도 눈에 띄었다. 그들을 포위한 소용돌이가 만들어내는 물기둥을 통해 폐허가 된 도시를 돌아다니는 물고기며 문어, 상어가 어른거렸다.

갑자기 등뒤에서 나는 목소리에 그들은 심장이 멎는 것 같았다.

"아틀란티스에 온 걸 환영한다. 오, 얼마나 오랫동안 고대하던 순간인가!"

그들은 돌아섰다.

상그라브들의 보스?

타라가 무의식적으로 어느새 손을 들고 번개를 발사하려는 순간, 마지스터는 다급히 중지시켰다.

"잠깐! 난 너와 싸우고 싶지 않아. 그리고 넌 나를 해칠 수가 없다. 너 나할것없이 여기서는 불가능하지. 지킴이들이 허락하지 않을 테니까."

신중한 타라가 손을 든 채로 공격 기회를 엿보고 있을 때, 로빈이 물었다.

"지킴이들이라니요?"

"그들은 아틀란티스의 수호자들이지!" 마지스터는 짤막하게 답했다.

그 말이 떨어지기가 무섭게 삼지창으로 무장한 지킴이들이 물에서 나오더니 그들을 둘러쌌다. 물갈퀴가 달린 손, 삐죽삐죽 날카로운 이빨, 초록색과 파란색을 섞어 놓은 듯 묘한 톤의 살색. 키는 2미터가 넘고, 번쩍거리는 비늘로 덮인 아름다운 인어의 모습이었다. 로빈과 칼이 불안해서 바짝 긴장하고 있는 반면에 타라는 왠지 모르게 불안하지 않았다.

갑자기 황금 왕관을 쓴 지킴이 한 명이 와서 허리를 굽히는 바람에 타라는 깜짝 놀랐다.

"**살구빌, 잉글라티브 블람불루, 블루글릴.**" 지킴이가 알아듣지 못할 언어로 타라에게 말했다.

무슨 말인지 모르겠다고 대답하려는 순간, 타라의 머릿속에서 땡! 하고 종이 울리는가 싶더니 불현듯 그 말의 의미가 이해되었다.

그 지킴이는 후계자에게 환영인사를 한 것이었다.

"너를 알아보고 있잖아." 마지스터는 기뻐했다. "따라서 내가 성공했구나!"

"뭘 성공했다는 거죠? 내가 인어와 말하게 만드는 데?" 타라가 차갑게 말했다.

"그보다 훨씬 더 중대한 거지요, 여제 폐하." 마지스터는 비아냥거렸다. "그는 방금 네가 최고 마구스 데미데루스 탈 바르미의 후계자라는 걸 알아본 것이다. 따라서 너는 첫 번째 방어선을 넘은 거야!

"그가 나를 알아보지 못했다면 무슨 일이 일어나죠?"

"지킴이들이 우리 모두를 죽였겠지." 마지스터는 간단하게 대답했다. "지킴이들에게는 우리의 마법이 전혀 통하지 않고, 우리는 저들에 대한 방어력이 없으니까. "

"난 무슨 말을 하는 건지 전혀 모르겠어. 그러니까 누가 뭐라고 얘기 좀 해줘!" 칼이 투덜거렸다.

마지스터는 억지 미소를 지으면서 서슴없이 자신이 알고 있는 정보를 쏟아냈다.

"타라는 오무아 제국을 계승할 마법사 여제야. 데미데루스의 직계니까. 타라의 아버지는 여제의 남동생 단비우 탈 바르미 압 산타 압 마루 황제였다."

아연실색한 칼은 입을 벌렸다가…… 도로 다물었다. 칼만 그런 게 아니었다. 로빈과 타라도 미치광이를 보듯 마지스터를 멀거니 쳐다만 볼 뿐이었다.

"저 신전을 들어갈 수 있는 사람은 오무아 제국의 여제와 타라 너밖에 없어." 마지스터가 설명했다. "지킴이들은 첫 번째 방어선이고, 심판관들은 그 두 번째 방어선이지. 이 방어책은 수천 년 전, 드래곤들과 최고 마구스들이 악마들을 물리쳤을 때 만들어졌다고 한다. 우리는 지금 지구와 림보를 연결하는 지각단층 위에 있는 거야. 악마들이 지구 침략을 시도했던 데가 바로 여기거든. 드래곤들은 악마들을 물리친 다음에 아틀란티스를 바다 속으로 사라지게 하는 쪽을 택했는데, 그건 통로를 뚫으려는 온갖 시도로부터 단층을 지키기 위해서였다. 실루르의 옥좌가 있는 곳도 여기니까!"

"실루르의 옥좌? 그건 내가 알아." 칼이 말했다. "마왕의 옥좌이자 환상적인 힘의 저장소를 뜻하는 거야. 5인의 최고 마구스들은 악마의 능력을 가진 것들, 다시 말해서 악마들의 힘을 상징하는 사물들을 감춰 놓았는데, 그 사물들엔 5인의 최고 마구스들의 후계자들만 접근할 수 있대."

"악마들은 영리하질 못했지" 마지스터는 신랄하게 말했다. "복수를 하겠다고 5인의 최고 마구스들의 후계자들을 죽일 계획을 세웠으니까. 그런데 그렇게 되면 자기들 스스로 죽음을 자초하는 것임을 깨닫지 못했던 거지. 그래서 결국, 여제와 너만 남았다. 신전으로 들어가서 내가 심판관들의 방어선을 통과하게 도와다오."

"헛소리 집어쳐!" 돌변한 타라가 거칠게 응수했다. "글라부일 블라티르 글랑디르!"

명이 떨어지자마자 지킴이들이 마지스터를 체포했다.

"이제 당신은 우리의 포로야." 타라는 비웃음을 던지면서 말했다. "당신을 아더월드로 데려가겠어. 그러면 정체가 드러날 것이고, 당신은 내 가족에게 저질렀던 모든 죄에 대한 심판을 받게 될 것이다."

"이런, 이런!" 마지스터는 비열하게 웃었다. "난 그렇게 생각하지 않는데 이걸 어쩌나. 내가 내린 임무를 이행하기 위해서 데리아는 이미 다른 영역으로 떠났고, 네 어머니는 지금 신전 안에 있거든. 내가 그 치명적인 주문을 여기까지 확장시켜 놨으니 네 어머니가 유리로 변하지는 않겠지. 하지만 지금쯤 심판관들이 그 존재를 알아챘을 것이 틀림없고, 곧 박살을 내고 말 게다. 네가 어머니를 구할 수 있는 시간은 이제 몇 분밖에 안 남았다!"

"이, 이, 극악무도한 놈!" 타라는 이를 악물고 외쳤다.

"알려줘서 고맙구나." 마지스터는 코웃음쳤다. "그러니까 네 하인들에게 날 놓아주라고 말해. 아니면 심판관들이 미처 박살낼 겨를도 없이 네 어머니는 죽을 테니까."

타라는 하는 수 없이 지킴이들에게 마지스터를 놓아주라고 명했다. 마지스터는 매무새를 고치고 나서 빈정거리듯 허리를 굽힌 자세로 타라에게 앞장서라고 말했다.

로빈과 칼은 언제든 개입할 기세로 마지스터 뒤에 섰다.

타라는 가슴을 졸이면서 신전으로 들어갔다. 물이 흥건한 돌 바닥이 어찌나 미끄러운지 조심조심 발을 떼었다. 그들은 묵묵히 조각된 원기둥 사이를 지나 건물의 중심에 이르렀다.

정면에 우뚝 서 있는 거대한 조각상. 그 옛날에 전능했던 잊혀진 신이 왼손에는 번개를, 오른손에는 창을 휘두르고 있었다.

그 신 앞에 제단이 놓여 있고, 그 제단 위에 타라의 어머니가 앉아 있었다.

그리고 그 주위에 위협적으로 둘러선 심판관들.

지킴이들이 유형의 존재들이라면 심판관들은 무형의 정령들이었다. 공중에 떠 있는 투명한 형상들, 그들을 돌아보는 눈 없는 얼굴들. 하지만 날카로운 송곳니와 갈퀴발톱이 있다는 건 언제든 유형화되어 흉악하게 돌변할 수 있다는 뜻이었다.

타라는 허리를 굽히면서 단호한 음성으로 말했다.

"나는 단비우 탈 바르비 압 산타 압 마루의 딸이자 데미데루스 탈 바르미의 후손인 타라틸랑넴 탈 바르미 압 산타 압 마루다. 나의 어머니 셀레나 덩컨은 이 인간 마지스터 때문에 강제로 이곳에 끌려와 있는 것이니 정의의 심판을 요청한다."

"넌 네가 원하는 걸 요구할 수 있어." 마지스터는 능청스럽게 말했다. "저들은 행동을 심판하는 자들이 아냐. 심판관들이 여기 있는 것은 오직 악마들이 후계자의 허락 없이 단층을 다시 여는 걸 막기 위해서니까. 자, 이제는 네가 과연 저들을 만족시킬 정도의 순수한 핏줄인지 알아볼까!"

그 말이 끝나기가 무섭게 정령들이 갑자기 주위를 빙빙 돌기 시작해서 타라는 공포에 사로잡혔다. 이윽고 아무런 통고도 없이 정령들이 타라의 머릿속으로 들어갔다.

타라는 비명을 지르면서 쓰러졌다.

칼과 로빈이 달려들려고 할 때, 마지스터가 말렸다.

"절대 움직이지 마. 아니면 우리 모두 죽는 거야! 심판관들에게 맡겨. 타라가 후계자라는 걸 알아보게 되면 해를 끼치지 않을 테니까."

"그렇지 않으면요?" 로빈이 발끈했다.

"그럼 우리가 살 수 있는 희망이 일촉즉발의 위기에 처하겠지."

"비열한 놈!" 칼이 외쳤다. "내가……."

그때였다. 느닷없이 눈을 번쩍 뜬 채 솟구쳐 오른 타라의 몸에서 찬란한 빛이 사방으로 퍼졌다. 그리고 그 밑에 있는 제단이 갈라지는 순간, 로빈은 의식을 잃고 누운 타라의 어머니를 가까스로 구해냈다. 아주 절묘한 타이밍이었다!

시커먼 옥좌, 악마와 기형 동물들이 조각된 흉측한 옥좌가 솟아올라서 정확하게 방의 한가운데로 이동하더니 타라 밑에서 빨간색의 뜨거운 열기를 뿜어내기 시작했다.

"오, 실루르의 옥좌! 드디어!" 마지스터는 감탄사를 연발했다.

타라의 몸에서 떨어진 빛이 옥좌를 건드리자, 이번에는 옥좌에서 빛이 퍼지기 시작했다. 옥좌 상단에 조각된 악마의 기괴한 얼굴, 그 흉물스런 악마의 입에서 치솟는 불타는 빨간 광선이 저 높이 우뚝 선 잊혀진 신의 눈을 건드렸다.

그 순간 귀청이 터질 듯이 삐걱거리며 조각상이 고개를 쳐들었다. 이어서 그 눈에서 나온 광선이 천장에 그려진 마법사를 비추자, 신전의 지붕이 서서히 열리더니 반으로 쩍 갈라졌다.

이번에는 달이 나타나서 빛을 뿌리자 그 차가운 달빛에 잠긴 옥좌에서 불그스레한 광채가 흘렀다. 몸에서 퍼지던 빛이 사그라지면서 타라는 새처럼 사뿐히 내려섰다. 타라는 의식을 완전히 잃은 것이 아니었다. 마지스터가 아무런 관심도 기울이지 않는 걸 보면서 타라는 로빈이 원기둥 뒤에 뉘어 놓은 어머니에게 달려갔다.

"괜찮으셔?" 타라가 눈물을 쏟을 듯한 얼굴로 물었다.

"응. 의식이 없는 것뿐이야." 로빈이 속삭였다. "이제 어떻게 해야 하지?"

"그사이에 심판관들이 말해줬는데 이제 신전이 열렸으니 마지스터는 단층을 열기 위한 주문을 외울 거야. 단층이 열리면 그자는 악마의 힘을 차지하는 것이고, 또 동시에 악마들에게 통로를 열어주게 되는 거래. 그자가 권력을 차지하든 말든 그건 상관없어. 문제는 그렇게 되면 림보에서 풀려난 악마들이 지구에서 활개를 치게 된다는 것이고, 그러면 세상의 종말이 오는 거니까. 악마들이 지배하면 인간들은 그들의 노예가 되는 것이고 우리 인간은 멸종하게 돼. 그러니 난 그걸 막을 방법을 찾을 거야. 그래서 너희들이 나를 지켜줬으면 해. 난 완전히 무방비 상태가 되거든. 그래줄 수 있겠어?"

"넌 아무 걱정 말고 네가 해야 할 일이나 해. 난 너를 위해서 목숨을 내놓겠어." 로빈이 먼저 입을 열었다.

타라의 얼굴이 발그레해졌다.

"난 오늘 이미 두 번이나 죽을 뻔했어." 칼은 어깨를 으쓱하면서 덧붙였다. "그런데 뭐가 겁나겠어. 죽기 아니면 까무러치기겠지! 밀고 나가자!"

마지스터는 옥좌 밑에 서 있었다. 조각된 돌에 닿은 달빛이 빨갛게 변하고 있었다. 마지스터는 마력을 사용해서 달의 광선들을 움켜잡아 물질로 만들었다. 그 순간 실이라도 되듯 달빛을 엮어서 만든 문이 신전의 벽에 뚜렷이 나타나고 있었다.

심호흡을 하면서 타라는 마법의 방패를 만들어낸 두 친구 뒤에 섰다.

정신을 집중하면서 내민 타라의 두 손에서 파란 광선이 솟구쳤다. 한순간 타라가 자기를 겨냥하고 있다고 생각한 마지스터도 본능적으로 방패를 만들었다. 하지만 광선은 그의 머리 바로 위를 지나쳐서…… 실루르의 옥좌를 후려쳤다.

마지스터를 이길 수 없다는 걸 깨달은 타라는 그가 노리고 있는 대상을 공격했던 것이다. 또한 옥좌가 속에 지닌 악마의 에너지로 이글이글 불타고 있음을 간파했기 때문에 타라는 불의 광선이 아니라 얼음 광선을 발사했던 것이다. 얼음 광선을 맞은 옥좌에서 구름 같은 연기가 치솟았다.

"안 돼! 안 돼!" 마지스터는 미친 듯이 고함쳤다. "그럴 순 없어! *데스트룩탐의 이름으로* 이 아이들을 없애버릴지어다. 여기서 사라지게 할지어다!"

극도로 흥분한 마지스터의 파괴력이 칼과 로빈의 방패를 무시무시하게 후려쳤지만, 어린 마법사들은 모두 힘을 합쳐 싸우면서 용케 버텨내었다.

한편 타라는 힘을 키우기 위해서 두려움과 분노를 증폭시키려고 애를 쓰고 있었다. 그러자 갑자기 혈관 속으로 힘이 몰려들면서 타라의 눈이 또다시 새파랗게 변했다. 그 순간 얼음 광선이 커지면서 옥좌는 푸르스름한 빛에 휩싸였다. 내부의 열기와 광선의 냉기로 인한 온도차를 고통스러워하면서 돌이 비명을 질러댔다.

어린 마법사들과 싸우고 있을 때가 아님을 깨달은 마지스터는 다시 주문을 외우면서 악마의 힘을 차지하기 위해 타라와 사투를 벌였다.

마지스터의 극악무도한 의지에 달의 광선들은 굴복하여 이미 통로를 거의 완성해 놓고 있었다. 그에 따라 림보에서 시커먼 빛의 물결로 빠져나오는 악마의 에너지가 옥좌를 후려친 다음에 마지스터의 몸을 휘감으며 힘을 실어주었다. 그 순간 불행히도 벌어진 구멍으로 악마들이 모여들고 있었다. 뚜렷이 나타나는 악마의 그림자들. 갈기갈기 찢어발길 듯한 갈퀴발톱과 무시무시한 송곳니.

타라는 절망적이었다. 이대로 가면 여지없는 패배였기 때문이다. 그때 난데없이 하얗고 파란 두 번째의 광선이 발사되었다! 그건 타라에게 힘을 보태기 위해 어머니 셀레나가 발사한 광선이었다!

의식을 찾은 셀레나는 실루르의 옥좌를 파괴하기 위해 싸우고 있는 소녀가 누군지 처음에 알아보지 못했었다. 그런데 타라를 만났다는 걸 잊기 위해서 자신에게 걸었던 기억의 장막이 서서히 부서지면서 그 소녀가 자신이 그렇게 그리워하던 딸임을 한순간 깨달았다. 그리하여 앞뒤 생각할 것 없이 셀레나는 곧바로 싸움판에 뛰어든 것이다.

화가 불같이 난 마지스터는 또다시 주문을 외쳤다. 악마 둘이 튀어나오자, 이번에는 절망에 빠져 있던 타라가 분노의 고함을 질렀다.

"*얼어버려라!*"

얼어붙은 옥좌의 검은 돌이 고통스러운 소리를 내더니…… 우르릉 쿵쾅, 폭발!

검은 현무암 조각들이 사방으로 파바박 튀면서 문을 파괴하고, 문어 몸뚱이에 개의 머리를 가진 악마 둘을 시커멓게 태워버렸다.

칼과 로빈이 만든 방패가 그 엄청난 파괴력으로부터 타라와 셀레나를 지켜 주었다.

하지만 정통으로 얻어맞은 마지스터는 바닥에 나동그라졌다.

순간 달빛이 약해졌다. 조각상의 눈에서 빛이 꺼지면서 신전의 지붕이 서서히 닫히기 시작했다.

"아아아, 안 돼!" 마지스터는 절규했다. "*은빛 달 에테블리에의 이름으로 나 너에게 깨어나라고 명한다!*"

그 소리에 흠칫 놀란 지붕이 멈췄고…… 달빛이 또다시 잊혀진 신의 눈을 비췄다.

"**누구냐? 누가 감히 나를 깨우느냐?**" 조각상의 목소리가 쩌렁쩌렁 울려퍼졌다.

"저 아이!" 마지스터는 타라를 가리키면서 외쳤다. 마지스터는 너무 화가 난 나머지 타라를 필요로 하는 사람이 자기라는 것조차 잊은 모양이었다. "당신을 깨운 건 바로 저 계집애다! 악마들에게 지구를 침략하게 하려고 단층을 열려고 한다! 저 계집애를 없애야 한다!"

"저런 나쁜 놈! 거짓말이에요!" 발끈한 칼이 소리쳤다. "당신을 깨운 건 바로 그자예요. 우린 아무런 짓도 하지 않았어요!"

하지만 잊혀진 신은 칼의 말을 듣지 않았다. 삼지창이 삐걱거리더니 받침대에서 떨어져 나온 조각상이 타라를 찌르려고 창을 휘둘렀다.

공포에 사로잡혀서 옴짝달싹못하는 타라가 무시무시한 죽음의 창을 망연히 쳐다보고 있을 때, 칼이 휙 날아갔다. 칼은 고양이처럼 사뿐히 신의 어깨에 내려섰고, 벗어 젖힌 마법복을 휘둘러서 잽싸게 조각상의 눈을 가렸다.

조각상의 눈구멍을 비추던 달빛이 차단되자마자 신은 돌처럼 꿈쩍하지 않았다. 타라의 심장 바로 앞에서 창도 그대로 멈췄고, 신전의 지붕도 다시 닫히기 시작했다.

마지스터는 칼의 옷을 없애려고 했지만, 이번에는 셀레나가 더 빨랐다.

"그렇게는 안 되지!" 셀레나가 외쳤다. "*리지디푸스의 이름으로* 저 마법사를 없애버리고, 그의 마법은 다시는 힘을 쓰지 못할지어다!"

셀레나의 마력이 마지스터를 죽이기에는 충분하지 않을지 몰라도 오랫동안 그를 꼼짝도 못하게 만들기에는 충분했다. 신전의 지붕도 덜커덩 하는 소리와 함께 완전히 닫혔다.

그러자 옥좌가 파괴되면서 마침내 지각단층도 닫혔다.

다시 일어난 마지스터는 타라를 향해 손을 내밀었지만, 이번에는 심판관들이 개입했다. 무형의 몸들이 그를 단번에 에워쌌고, 어슴푸레한 어둠 속에서 그들의 갈퀴발톱과 송곳니들이 번뜩였다. 심판관들이 후계자를 공격하게 내버려두지 않으리라는 걸 깨달은 마지스터는 아직도 연기가 나는 현무암 조각 한 개를 움켜잡고 자신의 팔을 찔러 상처를 내면서 외쳤다.

"아직 끝난 게 아냐, 타라! 실루르의 옥좌만 있는 게 아니거든! 등뒤를 잘 살피거라. 난 결코 멀리 있지 않을 것이다!"

이어서 마지스터는 자신의 피로 그 주위에 원을 그린 뒤에 주문을 외우면서 연기처럼 사라졌다.

휘말려 들어오는 물결을 저지하기 위해 만들어졌던 소용돌이가 쪼그라들면서 엄청난 물이 다시 몰려들기 시작했다.

빨리 벗어나지 않으면 수압에 으스러져서 이대로 죽는 거잖아!

"어떻게 해야 되지?" 소용돌이가 무시무시한 소리를 내면서 다가오자 칼이 외쳤다.

"후계자를 앉혀라. 후계자를 제단 위에 앉혀라." 심판관들이 한목소리로 읊조렸다.

그들은 제단을 향해 돌진해서 그 위로 뛰어올랐다.

이미 뒤쪽에서는 포효하는 물이 신전을 휩쓸고 있었다.

덮칠 듯 달려드는 물기둥에 놀란 칼이 공포의 비명을 지르자, 심판관들이 주문을 걸었고……, 모든 것이 사라졌다.

잠시 후, 그들이 입문의식의 방에 이르렀을 때, 셈 선생님과 탕딜루스 국장, 무아노, 파브리스, 마니투, 파프니르는 아연실색한 얼굴로 쳐다봤다.

타라에게 무작정 달려든 무아노는 그제야 타라가 흠뻑 젖었다는 걸 알아차렸다.

"얼마나 걱정했는지 몰라. 어, 근데 왜 이렇게 젖었어? 칼은 또 왜 팬티 바람이고?"

당황한 칼은 부랴부랴 마법복을 입으면서 참지 못하고 웃음을 터뜨리는 로빈을 흘겨봤다.

"응, 그게 말야……." 타라는 빙긋이 웃었다. "내가 흠뻑 젖은 것이며 칼이 팬티 바람이 된 이유는 말야, 나중에 셈 선생님이 마지스터의 치명적인 주문에서 엄마를 해방시켜주면 전부 다 얘기해줄게."

어떻게 된 건지 물으려고 하던 셈 선생님은 얼른 입을 다물고 셀레나의 주위를 빙빙 돌면서 유심히 살피기 시작했다.

"에헴!" 셈 선생님은 다소 거만한 표정으로 말했다. "아주 고약하고, 아주 복잡한 주문을 걸어놨군. 하지만 불가능한 건 아니지. 주문은 아주 오랜 옛날 언어를 사용해야겠군. *일란두스 콘트라리안트 안니힐루스 모르티페라 상글라루스 포흐!*"

셀레나의 입과 눈에서 새어나온 시커먼 구름이 공중으로 흩어졌다.

셀레나는 기쁨의 환호성을 질렀다.

"난 자유야! 이제 됐어! 난 자유야!"

그러면서 셀레나는 거기 있는 모두를 포옹했다. 로빈과 파브리스, 칼은 약간 놀라서 눈을 깜박였지만, 무아노와 셈 선생님은 그녀의 포옹을 뜨겁게 받아들였다. 반면에 파프니르는 몹시 놀랐는지 아무런 내색도 하지 않았다.

사실 셈 선생님은 거미가 지은 다리에 이르렀을 때, 낭떠러지에 떨어져 죽은 거미와 입문의식의 방에 무아노와 파브리스만 있는 걸 보면서 거의 미칠뻔 했다. 하지만 온갖 노력에도 불구하고 그들은 아틀란티스로 이르는 통로를 찾지 못했었다. 시간이 흐를수록 그들은 점점 더 초조해지는 마음으로 타라 일행이 돌아오길 무작정 기다리고 있을 뿐이었다.

타라와 셀레나, 칼, 로빈이 실루르의 옥좌를 파괴했다는 걸 알았을 때, 셈 선생님의 표정은 떨떠름했다. 악마의 능력을 가진 사물들은 악마들 못지 않게 드래곤들에게도 중요한 것이기 때문에 파괴하지 않고 있었던 것인데…….

이어서 타라가 오무아 제국의 후계자, 단비우의 딸이라는 걸 알았을 때는 셈 선생님은 눈이 휘둥그레졌다. 소스라치게 놀라기는 셀레나도 마찬가지였다. 그런 사실을 전혀 모르고 있던 셀레나는 그제야 남편 단비우가 자신에게 신분을 감췄던 이유를 깨달았다. 단비우는 아내가 제국의 후계자라는 신분 때문이 아니라 있는 그대로의 자신을 사랑한다는 걸 확신하고 싶었던 것이다. 이윽고 셀레나는 한숨을 내쉬면서 고개를 떨구었다. 아니, 그 해석에는 뭔가 석연치 않은 구석이 있어. 남편은 아주 중요한 뭔가를 감추기 위한 또 다른 이유가 있었던 게 틀림없어!

마지막으로 타라는 마지스터가 또 다른 악마의 사물들이 있는 위치를 탐지해낸 것 같고, 거기에 이르기 위해 자기를 이용할 생각인 것 같다고 말하면서 셈 선생님이 경악을 감추지 못할 거라고 생각했다.

"어림도 없는 소리! 내가 네 곁에 스물여섯 시간을 붙어 있는 한이 있더라도 그 개 같은 상그라브(마니투, 당신을 두고 하는 말이 아니니 용서하시오)가 너의 머리털 하나 건드리지 못하게 할 테다!"

"당연히 그러셔야죠." 온종일 최고 마법사와 붙어 지내야 하는 모습을 상상하기도 싫은 타라가 대답했다. "이제는 여길 나가는 게 좋겠어요. 정말 닭살이 돋는 곳이에요."

그들이 잿빛 요새의 마당에 이르렀을 때, 저주의 주문에 걸린 상그라브 수련생들과 수석조수들이 엘프들에게 포위되어 있었다. 그들은 마지스터가 도망치는 순간에 상그라브들이 일부 사라졌다는 걸 알았다.

한 어린 마법사가 끌려나오자마자, 드래곤들은 소년의 몸에서 악마의 저주를 몰아냈다. 그들의 가슴에서 빨간 원과 함께 악마들의 힘이 차례로 사라져갔다.

타라는 웃음을 참을 수 없었다. 느닷없이 턱에 붙은 긴 수염이라든가 생쥐, 낙타, 개로 변신해 있는 자신들의 모습에 놀라는 드래곤들이 더 웃겼다. 악마의 저주로 감염된 비유법은 아직 사라지지 않았어!

석방된 '비마' 들은 마지스터의 노예에서 풀려난 걸 기뻐하면서 집으로 돌아갔다.

최고 마법사의 얘기를 들은 탕딜루스 국장은 잿빛 요새를 샅샅이 뒤지기로 했고, 드라고쉬 선생님도 합류했다. 얼마 후에 심상치 않은 것들을 발견했는지 그들의 얼굴빛이 어두웠다. 마지스터의 사무실에 계획서들이 있었다. 정복 계획서들과 특히 어떤 리스트. 셈 선생님은 탕딜루스 국장이 가져온 리스트를 보면서 아주 당혹스러운 얼굴로 중얼거렸다.

"오, 조상들이여! 놈이 다른 것들도 찾아내다니!"

"다른 것들이라니요?" 뱀파이어가 물었다.

"타라의 말이 맞았소. 우리가 악마들에게서 빼앗았던 악마의 사물들이 있는 위치를 그 미치광이가 알아낸 모양이오. 하지만 방어책이 그 5인 최고 마구스의 후계자들만 통과시키게 되어 있으니, 놈이 타라를 이용하려고 또다시 납치를 시도할 거란 뜻이란 말이오! 악랄한 놈!"

"마지스터를 무력화시켜야 합니다." 뱀파이어가 중얼거렸다. "놈들이 내 가족에게 무슨 짓을 했는지 알지요? 그자가 다시는 타라에게 접근하게 둬서는 절대로 안 됩니다."

"내가 최선을 다해서 타라를 보호하겠소." 드래곤 마법사가 결연히 대답했다.

"최선책은…… 불씨를 아예 없애는 것이 아닐까요?"

드래곤 마법사는 쳐다보던 리스트에서 얼른 눈을 들었다.

"당신이 방금 한 말을 잘못 알아들었기를 바라오."

뱀파이어는 물러서지 않았다.

"우리와 림보 사이에 있는 모든 것이 저 아이의 목숨에 달려 있는 거라면 나는 주저하지 않겠소." 뱀파이어는 으름장을 놓았다.

드래곤 마법사는 노려보면서 뱀파이어에게 다가섰다.

"이보시오, 친구, 저 아이는 악마의 세계에 이를 수 있는 열쇠일 뿐만 아니라 거대한 제국의 후계자란 말이오. 싸움을 걸기 전에 그 점을 명심하시오!"

뱀파이어는 꼬리를 내렸다. 하지만 반짝이는 그 눈빛에 드래곤 마법사는 속지 않았다. 뱀파이어는 할 수만 있다면 주저 없이 밀어붙일 사람이었다.

셈 선생님이 얘기를 끝내고 나갔을 때, 타라와 어머니, 그리고 어린 마법사들은 마당에서 기다리고 있었다. 그들에게 다가가면서 셈 선생님은 슬그머니 리스트를 감췄다.

"이제는 트라비아의 왕궁으로 돌아가도 된다." 셈 선생님은 기쁘게 외쳤다. "가서 우리의 승리와 소생한 타라의 어머니를 축하하는 파티를 열자."

"최고 마구스, 유니콘 태피스트리를 설치해놔서 문이 작동하고 있어요. 언제든 궁전으로 돌아갈 수 있습니다." 작전을 지휘하는 탕딜루스 국장이 알렸다.

"좋습니다! 수상쩍게 보이는 것은 뭐든 샅샅이 수색해서 보고해주시오. 나는 여기에서 더는 지체하고 싶지 않소. 자, 갑시다!"

"저기…… 선생님?" 타라가 개입했다.

"응? 타라, 무슨 일이니?"

"파프니르를 히믈리아로 데려다줄 수 있으세요? 마법 능력을 무력하게 만든다는 흑장미 즙을 마셨어요. 그리고 엑소르드라는 성인 선서식이 곧 시작될 거예요."

"흑장미 즙?"

셈 선생님은 충격을 받았다.

"이런, 진짜 마법이 싫은 게로구나." 셈 선생님이 난쟁이에게 말했다.

"마법은 여러분에게나 좋은 거예요. 정직한 난쟁이는 그런 흉계를 사용할 일이 전혀 없으니까요."

"뛰어난 수석 마법사를 한 명 잃는 거지만 친구는 한 명 얻는구나." 셈 선생님은 아쉬움을 표시했다. "우리와 같이 생활했으니 돌아가서 마법을 무조건 거부하는 건 잘못이라는 걸 네가 동포들에게 이해시켜주길 바란다. 마법은 아주 유익한 것이기도 해!"

"요즘 여러분의 유익한 마법 때문에 겪었던 것을 생각하면 의심의 여지가 없죠. 이제 저는 갈게요!"

셈 선생님은 따뜻한 미소로 응했다.

"그럼 잘 가라, 파프니르. 건강하게 지내. 그리고 너의 쇠망치가 맑은 소리로 울리기를!

"고맙습니다. 선생님의 모루가 맑은 소리로 되울리길 빌게요."

난쟁이는 친구들을 향해 돌아섰다.

"작별인사를 해야겠어. 난 이제 떠날게."

"우리를 위해 해준 모든 것에 대해 고마워." 타라는 난쟁이를 포옹하면서 말했다. "넌 정말 천재야. 다시 만나게 되길 바랄게!"

난쟁이는 얼굴을 약간 찡그리다가…… 타라를 끌어안았다.

"그래도 너무 일찍 만나지는 말자. 넌 자석이 쇠붙이를 끌어당기듯 재앙을 끌어당기는 느낌이 들거든. 너의 행운을 빌게. 너의 쇠망치가 맑은 소리로 울리기를!"

"너의 모루가 맑은 소리로 되울리기를!" 난쟁이 세계의 의례적인 인사말을 잘 기억하고 있다가 타라는 대답했다.

난쟁이는 로빈과 칼, 파브리스, 무아노와도 작별인사를 했다. 그리고 셈 선생님이 엘프를 보내서 문의 대합실로 데려온 안젤리카에게는 고갯짓만 까딱했다.

"이제 우리가 떠날 차례야. 트라비아로 돌아가자." 셈 선생님이 말했다.

그들의 귀향은 요란뻑적지근했다. 대낮이었고, 수석조수를 찾으러 엘프 군단과 드래곤들이 원정을 떠났다는 걸 알고 있어서 모두들 몹시 초조한 마음으로 기다리고 있었다. 그들이 트라비아의 문 대합실에 들어섰을 때, 왕과 왕비를 비롯해 많은 궁인들이 몰려와 있었다.

일행 모두가 밤을 꼴딱 세운 탓에 모두 피로에 지쳐 있으므로 셈 선생님은 저녁식사를 들기 전에 낮잠을 자라고 지시했다.

타라는 감개무량한 마음으로 자신의 방으로 들어갔고, 어머니 셀레나는 그리 멀지 않은 방에서 귀빈 대접을 받았다.

한숨 자고 일어난 타라는 어머니가 있는 방으로 달려가, 잃어버렸던 십 년이란 세월을 되찾기 시작했다.

모녀는 눈물을 조금 흘리다가…… 행복한 웃음을 만면에 터뜨렸다. 기적의 순간이었다! 모녀의 기쁨을 알아차린 궁전은 그들을 즐겁게 해줄 마음으로 아더월드에서 가장 아름다운 풍경을 펼쳐주었다.

일단 감정을 추스른 모녀는 왕과 왕비가 주재하는 연회에 참석하기 위해 내려갔다.

모녀가 제일 마지막으로 들어갔고, 그들이 착석하자마자 셈 선생님이 말했다.

"여섯 명의 용감한 수석조수들과 타라 덕분에 우리가 상그라브들의 소굴을 찾아냈고, 납치되었던 수석조수들과 십 년 동안 갇혀있던 타라의 어머니를 구하는 데 성공했음을 기쁜 마음으로 알려드리는 바입니다!"

우레 같은 박수에 그의 말이 묻혔다.

"고맙습니다, 고맙습니다! 칼리반, 로빈, 타라, 글로리아, 파브리스, 안젤리카(자신은 특별히 한 일이 없는데도 그 속에 포함된 것이 몹시 기쁜 꺽다리는 타라에게 억지 미소를 보냈다), 그리고 난쟁이 파프니르가 납치범들의 계획을 좌절시켰습니다!"

이번에는 엄청난 환호성에 그의 말이 묻혔다.

"고맙습니다, 고맙습니다." 셈 선생님은 겸손하게 말을 이었다. "나는 별로 한 일이 없습니다. 이 아이들이 영웅입니다. 자, 이제 만찬을 즐깁시다!"

불행하게도 타라와 친구들은 말 그대로 완전히 포위되었다. 배고파서 죽는다고 칼이 신음을 하거나 말거나 모두들 무슨 일이 있었는지 궁금하다고 아우성이었다. 그래서 그들은 접시에 손도 대지 못한 채 대답부터 해줘야 했다.

몇 주일 전만 해도 타라를 아예 무시하거나 두려워서 슬슬 피하던 이들이 아닌가. 그런데 지금은 진짜 영웅으로 타라를 축하해주었다.

마침내 되찾은 어머니와 소중한 친구들에게 둘러싸인 타라는 정말 행복했다.

칼은 익살맞은 묘사로 사람들을 웃기고 있었다.

최고 마법사들은 수석조수들에게 일주일의 휴가를 주었고, 타라는 최고 마법사 두 명의 보호를 받으며 마침내 지구로 돌아가게 되었다. 타라의 인생에서 최고로 멋진 순간임에 틀림없었다.

만찬에서 키디코이를 음미하던 타라는 등골이 서늘해졌다. 내심 막대사탕에서 다음과 같은 예언을 기대했었다. '이제 끝났으니 즐겁게 지내기를!' 하지만 눈앞에 나타난 글귀는 그게 아니었다. 전혀!

사냥꾼이 너를 엿보고 있으니 죽음을 각오하라.

앞서의 예언들이 가차없이 들어맞았던 걸 의식한 타라는 체념하듯 어깨를 으쓱했다. 사냥꾼이 뒤쫓고 있다니, 아직은 끝난 게 아니구나.

……그래, 좋아, 올 테면 와보라지 뭐!

마음을 단단히 먹으면서도 타라는 땅바닥에 주저앉고 싶은 심정으로 침을 꼴깍 삼켰다.

2권에서 계속……

아더월드의 용어 해설

아더월드_ 아더월드는 지구 표면적의 1.5배에 이르는 마법 행성으로 태양 주위를 자전하며, 하루 26시간, 1년 454일, 14개월로 이루어졌다. 위성으로는 두 개의 달 마딕스와 타딕스가 아더월드의 주위를 돌고 있으며, 춘 · 추분에 조수간만의 차가 몹시 크다.

아더월드의 산들은 지구의 산보다 훨씬 더 높으며, 채굴되는 광물은 대체로 마법의 폭발성이 있어 추출하는 것이 상당히 위험하다. 지구(육지 29%, 바다 71%)보다 바다가 차지하는 비율은 적으며(아더월드:육지 45%, 바다 55%의 비율), 그 중 두 개의 바다는 민물이다.

아더월드를 지배하는 마법은 동물상과 식물상과 마찬가지로 기후에도 영향을 미친다. 그로 인해 계절은 예측하기가 아주 힘들다(아더월드에서는 한여름에도 폭설이 내려 1미터나 되는 눈에 덮일 수도 있다!). 정상적인 경우에 1년은 7계절이 될 수 있다.

아더월드에는 인간, 난쟁이, 거인, 트롤, 뱀파이어, 땅 신령, 꼬마도깨비, 엘프, 유니콘, 키마이라, 타트리스, 드래곤 등 수많은 종족들이 살고 있다.

아더월드의 나라들과 종족

랑코비트_ 인간이 지배하는 가장 큰 왕국으로 수도는 트라비아. 왕 베어와 왕비 티타니아가 통치하고 있다. 왕국의 문장은 은빛 초승달에 올라탄 금빛 뿔의 하얀 유니콘.

오무아_ 인간이 지배하는 가장 큰 제국으로 수도는 팅가푸르. 여제 리스베스틸랑넴 탈 바르미 압 산타 압 마루와 여제의 이복동생인 황제 산도로 탈 바르미 압 마르치 압 브레비스가 통치하고 있다. 제국의 문장은 100개의 금빛 눈을 가진 주홍빛 공작.

히믈리아_ 난쟁이들의 나라로 수도는 미나트. 대장장이 씨족이 통치하고 있다. 나라의 문장은 광산 지하의 전쟁용 모루와 쇠망치. 키와 몸통 폭의 길이가 똑같은 단단한 체구가 난쟁이들의 신체적 특징이다. 아더월드의 광부, 대장장이로 활동하고 있으며, 뛰어난 금속 가공업자, 보석 세공인도 거의 난쟁이들이다. 또한 성격이 몹시 까다로운 것으로 알려져 있으며, 마법을 싫어하며 아주 길고 복잡한 노래를 즐겨 부른다.

간디스_ 거인들의 나라로 수도는 제오폴. 세력 있는 그로아르 가문이 통치하며 흑장미 섬과 황무지 늪이 있다. 나라의 문장은 '주문방지' 돌로 쌓은 벽에 아더월드의 태양이 올라앉은 형상이다.

☞ **크랑카르_** 트롤들의 나라로 수도는 크리아. 나라의 문장은 나무 꼭대기에 몽둥이가 걸려 있는 형상이다. 트롤은 거대한 몸집에 납작한 이빨이 있는 초록빛 털북숭이로 채식주의자다. 먹고살기 위해 나무를 마구 죽이며(이것이 엘프들의 울화를 치밀게 한다), 쉽게 자제력을 잃어버리는 성향이 있어서 한 번 성질이 나면 닥치는 대로 짓뭉개버리기 때문에 평판이 나쁘다.

☞ **크라살비_** 뱀파이어들의 나라로 수도는 우를라. 나라의 문장은 천문관측의 위에 무한을 상징하는 누운 8자와 별이 올라앉은 형상이다.
뱀파이어는 총명하고, 인내심이 많으며 학식이 깊다. 수명이 아주 길고, 수학과 천문학에 몰두하며, 대부분의 시간을 명상하는 데 보내면서 삶의 의미를 추구한다.
오로지 피만 먹고살기 때문에 가축을 키운다. 브르르르아아아, 모오오오우우우, 지구에서 수입한 말, 염소, 양 등. 하지만 몇몇 피는 금지되어 있다. 유니콘이나 인간의 피를 먹으면 미치게 되며, 수명이 절반으로 줄기 때문이다. 반면에 뱀파이어에게 물리면 독이 퍼지게 되며, 뱀파이어에게 물린 인간은 그들의 노예가 된다. 게다가 독성 피가 전이되면 뱀파이어가 되는데 이 경우의 뱀파이어는 파괴적이고 악독하기 때문에, 저주에 희생된 뱀파이어는 동족은 물론 아더월드의 모든 종족으로부터 쫓겨다닌다.

☞ **스몰컨트리_** 땅 신령, 꼬마도깨비, 요정, 고블린들의 나라. 땅 신

령들은 작달막하고 단단한 체구며 털가죽은 오렌지색이다. 돌을 먹고 살며, 난쟁이들과 마찬가지로 광부들이다. 그들의 털가죽은 고성능 가스 탐지기이다. 털이 곤두서면 별 탈이 없지만, 털이 내려앉는 순간부터 땅 신령은 광산에 가스가 있다는 걸 알아채고 도망치기 때문이다. 또한 알 수 없는 이유로 인해 땅 신령들만 '진실의 입' 들과 교감할 수 있다.

스몰컨트리의 익살꾼들인 꼬마도깨비 파보들은 키디코이라는 막대 사탕을 만들어낸 이들이다. 착시 현상을 일으키거나 일시적으로 보이지 않게 할 수도 있으며 금을 좋아해 비밀주머니에 숨겨둔다. 그 주머니를 찾아낸 자는 두 가지 소원을 빌 수 있고, 귀한 금을 회수하려면 반드시 그 소원을 들어줘야 한다. 하지만 꼬마도깨비들은 반대로 해석하는 데 선수여서 예측불허의 결과가 일어날 수 있으므로 소원을 비는 것에는 항상 위험이 따른다.

☞ **셀렌다**_엘프들의 나라로 수도는 세보른. 엘프들은 마법사들과 마찬가지로 마법에 재능이 있다. 겉모습은 인간이며 뾰족한 귀와 고양이의 눈처럼 동공이 수직으로 움직이는 맑은 눈을 가졌다. 아더월드의 숲과 평원에서 살며 가공할 만한 사냥꾼이다. 엘프들은 전투와 싸움, 상대를 유인하는 온갖 종류의 게임을 좋아하기 때문에 그들의 에너지를 적절히 이용하기 위해 경찰국이나 보안국에 고용된다. 하지만 엘프들이 옥수수나 마법의 귀리를 경작하기 시작하면 아더월드의 종족들은 불안해한다. 그건 엘프들이 전쟁을 시작할 거란 뜻이기 때문이다. 실제로 전시에는 사냥할 겨를이 없기 때문에 엘프들은 곡식을 재배하고 가축을 기르며, 전쟁이 끝나면 예전의 생활로 돌아간다.

또 다른 특성으로 아이들이 걸어다닐 수 있을 때까지 수컷 엘프들은 배에 달린 육아낭 같은 작은 주머니에 아기를 넣고 다닌다. 여자 엘프는 남편을 다섯 명 이상 가질 수 없다.

멘탈리르_ 동쪽의 광활한 평원이며 유니콘들과 켄타우로스들의 나라.

유니콘은 생김새와 크기가 말과 같고, 이마에 나선형 뿔이 하나 있으며 발굽은 갈라져 있고 털은 흰빛이다. 지능이 떨어지는 유니콘도 간혹 있지만, 대부분은 영리하며 그 지능은 드래곤들의 지능에 견줄 수 있다. 유니콘의 이 특성을 어떤 종족의 지능이나 동물의 지능으로 분류하기는 힘들다.

켄타우로스는 반은 남자 혹은 여자의 형상, 반은 말의 형상을 하고 있는데 두 종류가 있다. 상반신은 인간, 하반신은 말의 형상을 한 켄타우로스와 상반신은 말, 하반신은 인간의 형상을 켄타우로스. 켄타우로스가 어떤 마법에 걸려 있는 것인지는 알 수 없으나 소금이나 향유 같은 생필품을 얻기 위해서가 아니면 다른 종족들과 섞이기를 싫어하는 까다로운 종족이다. 사납고 거칠어서 영역을 침범하는 이방인들을 발견하면 가차없이 화살을 쏘아댄다. 켄타우로스의 샤먼 부족은 평원에서 하얗고 파란 맹독성 개구리 플로프들을 잡아 그 등을 핥는 것으로 미래를 점친다고 전해진다. '찌르레기 대전' 이 벌어지는 동안 켄타우로스들이 엘프들에게 몰살되었다는 건 이 방법이 100퍼센트 믿을 만한 것은 아닌 듯하다.

☞ **림보**_ 악마의 세계로 악마들의 영역. 림보는 동심원이라고 불리는 여러 세계로 나뉘어져 있으며, 동심원에 따라 악마들의 능력과 학식이 차이 난다. 제1, 2, 3 동심원의 악마들은 거칠고 아주 위험하다. 제4, 5, 6 동심원의 악마들은 마법사들이 도움을 교환하는 범위 내에서 자주 구원을 빌고 있다(마법사들은 필요한 것을 악마에게서 얻을 수 있으며 악마들의 경우도 마찬가지다). 제7 동심원은 마왕이 군림하는 동심원이다. 림보에 사는 악마들은 저주받은 태양이 제공하는 악마의 에너지를 먹고 산다. 다른 세계로 가기 위해 림보를 나갈 경우엔 생명력이 강한 존재의 살과 정신을 먹어야 한다.

전세계를 침략하던 중 갑자기 나타난 드래곤들과의 전쟁에서 패배한 뒤로 악마들은 림보에 갇히게 되었고, 마법사나 마법 능력이 있는 존재의 긴급 요청이 있어야만 다른 행성으로 갈 수 있게 됐다. 악마들은 이런 활동범위 제한을 견디기 힘들어서 끊임없이 해방될 방법을 모색한다.

☞ **타트란**_ 타트리스들의 나라로 수도는 시티빌. 타트리스는 머리가 둘인 특성을 가지고 있다. 관리 능력이 뛰어난 데다 신체적 특성 덕분에 행정관이나 정부 상층부에서 일하고 있다. 타트리스들은 오로지 일을 중요하게 여기면서 헛된 꿈을 꾸지 않는 현실주의자들이다. 타트리스들은 꼬마도깨비 파보들이 즐겨 놀리는 대상 중 하나며, 이 장난꾸러기들은 유머가 결핍된 종족이라는 소리를 듣지 않기 위해 수세기 동안 끈질기게 타트리스 종족을 웃기려고 애쓰고 있다. 게다가 파보들은 웃기는 데 성공한 자들 중에서 1등에게는 상까지 수여하고 있다.

드래곤_ 드래곤들의 행성은 아더월드가 아니라 드란보우글리스 펜쉬르다. 지능이 높은 거대한 파충류인 드래곤은 마법 능력을 타고나서 어떤 형상으로든 변신할 수 있으며, 대체로 인간으로 변신해 있다. 세계의 영토를 점령하기 위해 악마들과 대립하면서 드래곤들은 지구의 마법사들과 충돌하는 순간까지는 알려져 있는 모든 세계를 정복했었다. 끊임없이 악마들과 싸워야 하는 드래곤들은 지구인 마법사들과 전쟁을 벌인 뒤에 지구인들과 동맹을 맺는 것이 유리하다는 결론을 내렸다. 지구를 지배하겠다는 계획은 포기했지만, 마법사들이 지구를 지배하는 것도 인정할 수 없는 드래곤들은 지구의 마법사들에게 아더월드에서 더 많은 마법사들을 양성하고 훈련시키자고 제안했다. 수년 동안 드래곤들을 경계하면서 고심한 끝에 지구의 마법사들은 결국 그 제안을 받아들이고 아더월드에 정착하였다.

아더월드의 동물상과 식물상

스파슌_ 금빛의 자이언트 칠면조인데 시종일관 울음소리를 내면서 거드럭거리고 다니는 통에 사냥하기가 아주 수월하다. 흔히 '스파슌처럼 어리석다' 또는 '스파슌처럼 거드름피운다' 고 표현한다.

크라크덴트_ 트롤의 나라 크랑카르 원산의 장밋빛 털북숭이 동물. 앞뒤가 분간되지 않지만, 세 배 크기로 늘어나는 입을 갖고 있어 무엇이든 거의 한입에 덥석 집어삼키므로 상당히 위험하다.

모오오오우우우_ 뿔은 없고 머리가 둘 달린 고라니. 머리 하나가 먹을 때 다른 하나는 약탈자들을 감시한다. 이동할 때는 게처럼 옆으로 걷는다.

브르르르아아아_ 어마어마하게 큰 소. 털은 숱이 아주 많아서 거인들이 그 털가죽으로 옷을 지어 입는다. 몹시 공격적이고 움직이는 것이 있으면 뭐든 덤벼든다. 제 그림자를 쫓다가 녹초가 된 브르르르아아아를 보게 되는 것은 그 때문이다. 흔히 고집불통인 사람을 '브르르르아아아 같다' 고 표현한다.

크라켄_ 시커먼 발들이 위협적인 자이언트 문어. 엄청난 크기 때문에 아더월드의 바다에서 발견되지만, 민물에서도 살 수 있다. 크라켄은 뱃사람들에게는 위험한 존재로 널리 알려져 있다.

☞ **플로프**_ 맹독성의 하얗고 파란 개구리로 멘탈리르의 평원에서 볼 수 있다.

☞ **페가수스**_ 날개 돋친 말. 지능은 개의 지능에 가깝다. 발굽은 없지만 갈퀴발톱이 있어 어디든 쉽게 올라앉을 수 있다. 키가 무려 200미터에 이르고 몸통의 원주가 50미터에 이르는 자이언트 강철나무 꼭대기에 둥지를 친다.

☞ **브르리르**_ 흰빛과 금빛이 어우러진 고양이과 동물로 다리가 여섯 개. 특히 브르리르를 사랑하는 오무아 제국의 여제는 이 동물들이 궁전에 갇혀 있다는 생각을 하지 않도록 주문을 걸어놨다. 그래서 브르리르들에게는 가구와 침대의자가 나무와 편안한 바위로 보인다. 브르리르에게는 궁인들이 안 보이며, 궁인들이 쓰다듬어주면 바람에 털이 살랑살랑 흩날리는 것이라고 생각한다.

☞ **스팔렌디탈**_ 일종의 전갈이며 스몰컨트리가 원산지다. 땅 신령들은 스팔렌디탈을 길들여서 말처럼 타고 다니며, 가죽이 아주 질기기 때문에 유용하게 사용한다. 새를 좋아하는(미각적인 의미에서) 땅 신령

들은 스몰컨트리의 서식동물을 절멸시킴으로써 곤충과 다른 동물에게 생태적 지위를 열어주었다. 천적들에게서 해방된 스팔렌디탈들은 위험 없이 자라면서 그 개체 수는 점점 더 늘어났다. 땅 신령들 때문에 스몰컨트리는 결과적으로 자이언트 전갈, 자이언트 거미, 자이언트 다족류에게 점령되었다.

☞ **자이언트 거미_** 스팔렌디탈과 마찬가지로 스몰컨트리가 원산지이다. 땅 신령들이 말처럼 타고 다니며, 그 거미줄은 아주 질긴 것으로 유명하다. 여덟 개의 발과 여덟 개의 눈, 전갈처럼 독침이 있는 꼬리가 달려 있는 것이 특징이다. 아주 영리하며, 잡아먹기 전에 먹이에게 수수께끼를 내는 것이 취미이다.

☞ **글루릅스_** 머리가 아주 갸름한 초록색과 갈색의 도마뱀으로 호수와 늪에서 서식한다. 식욕이 왕성하며, 물속에서 숨을 쉬지 않고 몇 시간을 견딜 수 있어서 목을 축이러 오는 순진한 동물을 잡아먹는다. 물가의 은신처에 굴을 파놓고 살며, 호수 바닥의 구멍 속에 먹이를 숨겨놓는다.

☞ **흡혈파리_** 물리면 통증이 몹시 심하다.

☞ **트라둑_** 살코기와 털가죽을 얻기 위해 켄타우로스들이 키우는 동물. 악취를 풍기는 특성이 있어서 포식동물들로부터 자신을 보호한다.

그러나 트라둑의 냄새를 맡지 않기 위해 콧구멍을 막을 수 있는 늑대 크르르렉은 예외다. 아더월드에서 '병든 트라둑 같은 악취가 난다' 라는 표현은 모욕으로 받아들여진다.

☞ **사카트**_ 맹독성의 공격적인 빨갛고 노란 곤충으로 아더월드에서 특히 좋아하는 꿀을 생산한다. 미식가들인 난쟁이들만 사카트의 애벌레를 먹을 수 있다. 다른 종족이 먹었을 경우에는 애벌레의 딱지가 인간이나 엘프의 소화액에 용해되지 않기 때문에 배 속에서 벌떼를 분봉할 위험이 있다.

☞ **칼로르나**_ 숲에 피는 매혹적인 꽃. 달콤한 장밋빛과 흰빛 꽃잎으로 아더월드의 초식동물과 모든 동물에게 특선요리를 만들어준다. 멸종을 피하기 위해서 칼로르나는 세 개의 꽃잎을 포식동물의 접근을 감지할 수 있는 탐지기로 만들었다. 커다란 눈 모양의 이 꽃잎들 덕분에 칼로르나는 재빨리 모습을 감출 수 있다. 그런데 불행히도 호기심이 많은 칼로르나는 그 꽃잎들을 세우고 있다가 포식동물을 제때에 피하지 못하는 경우가 종종 있다. 호기심이 많은 사람을 보고 '칼로르나 같다' 고 말하는 것은 바로 그 때문이다.

작품 해설

『타라 덩컨』의 작가 소피 오두인 마미코니안은 축복받은 작가임이 틀림없다. 그녀의 명함에는 'HRH 소피 오두인 마미코니안, 아르메니아 왕위 계승을 요구하는 공주' 라는 문구와 함께 태양과 마주보는 청록색 두 마리 사자, 아르메니아 왕가를 상징하는 활과 화살을 가진 독수리 문양과 'semper puri(늘 순수하게)' 라는 라틴어 명구가 보인다.

아르메니아의 왕자 마미코니안(러시아 궁정의 정신과의사이자 니콜라스 차레비치의 주치의)과 러시아의 공주 안나 다비도프의 증손녀로 아르메니아 왕가의 혈통을 잇는 소피 오두인 마미코니안은 렉스프레스와 르 주르날 뒤 메드생 문학 담당 기자와의 인터뷰를 통해 이렇게 말했다.

"우리 집안은 아주 유서 깊은 아르메니아 가문 중 하나입니다. 『타라 덩컨』은 작가를 열다섯 명이나 배출한 가문의 유산이라고 할 수 있습니다. 나의 할아버지와 증조할아버지는 유명한 영화감독이었고, 특히 프랑스에 살고 있는 삼촌 프랑시스 베베르는 작가이자 영화감독으로 나를 스필버그에게 소개해, 그가 『타라 덩컨』의 판권을 사는 데 결정적인 역할을 한 분이에요."

『타라 덩컨과 아더월드의 마법사』는 기상천외한 마법 소재들과 거기에 얽히는 모험들이, 작가가 15년간의 습작을 걸쳐 만들어낸 아더월드라는 마법 세계를 무대로 펼쳐지는 방대한 규모의 판타지 소설이다.

주인공 타라 덩컨은 악의 힘에 의해 살해된 부모의 운명을 피하게 하려는 할머니 때문에 자신에게 마법 능력이 있다는 것도 모른 채 평범한 삶을 살아가지만, 어느 날 실수로 친구를 공중으로 날려 보내면서 숨겨진 능력이 있음을 깨닫게 된다. 그러던 어느 날 자신의 능력을 이용하려는 악당 마지스터(그는 타라 부모님을 살해한 원수이다)의 공격을 받은 타라 덩컨은 개로 변해버린 증조할아버지와 함께 마법과 모험이 숨쉬는 아더월드로 여행을 떠난다.

열두 살 때부터 드래곤과 뱀파이어에 관한 글을 쓰기 시작했던 소피 오두인 마미코니안은 열네 살 때 공상과학소설에 빠져들어 15,000여 권의 SF 작품을 읽은 독서광으로, 결혼 후 첫 딸 디안을 낳고 무료한 시간을 보내던 중 셰익스피어의 『한여름 밤의 꿈』을 읽다가, 작품에 등장하는 오베론, 타이테니아, 퍽이 다른 세상에서 왔다면, 그들이 마법의 세계에서 우리의 지구에 도착한 것이라면, 마법이 지구에 미치는 영향과 지구가 아더월드에 미치는 영향은 어떨까, 라는 생각을 하게 되었다. 그것이 바로 『타라 덩컨』의 시작으로 새로운 마법의 세계에 영감을 얻은 작가는 하루가 26시간이고 1년이 454일에 7계절이 존재하고, 랑코비트 왕국, 오무아 제국, 난쟁이들의 나라 히믈리아, 거인들의 나라 간디스, 트롤들이 사는 크랑카르, 뱀파이어들이 사는 크라살비, 엘프들의 나라 셀렌다 등 수많은 종족의 나라들이 존재하는 거대한 마법 행성 '아더월드' 를 만들어낸다.

하지만 부모 없이 자란 마법사 어린이가 주인공이라는 기본 설정으로 인해 『타라 덩컨』은 '해리포터의 여동생' 혹은 '치마입은 해리포터' 라는 등 『해리포터』와 비교되는 숙명에서 벗어날 수 없었다. 그러나 살아 움직이며 기분에 따라 색깔을 바꾸는 궁전을 비롯하여, 자기만의 색깔을 찾아가는 등장인물들, 마법사들이 교감을 나누는 '패밀리어' 라는 동반자, 가공의 괴물, 기발한 식물들을 통해서 새로운 세상에 대한 관심과 열정을 가지게 하는 발상은 『타라 덩컨』만의 매력을 분명히 보여준다.

또한 '셈나샤오비로다인트라쉬부' 라는 국적 불명의 이름과 컴퓨터 키보드 위에서 손가락이 흘러가는 대로 만들어낸 것 같은 단어들은 독자들에게 생경한 단어들을 보는 즐거움을 주려는 작가의 바람으로, 해괴한 단어들을 바꾸자는 출판사의 의견을 단호하게 거절한 그녀의 고집이 느껴진다.

사실 소피 오두인 마미코니안은 『타라 덩컨』을 1987년부터 쓰기 시작했지만 『해리포터』가 세상에 나오면서 많은 요소를 변경해야 했다. 『해리포터』 때문에 줄거리 확장을 비롯해 구성도 완전히 수정했고, 이미 설정해두었던 마법 학교를 삭제하는 등, 15년에 걸쳐 작품의 모든 장면을 수정하였다.

원하는 결과를 얻을 때까지 한 가지 줄거리를 수도 없이 변경했던 작가의 노력 덕분인지 『타라 덩컨 1: 아더월드와 마법사』는 출간 당시 4만부 판매, 6주간 일반도서부분 베스트셀러 1위라는 경이적인 기록을 세웠고, 미국, 독일, 이탈리아, 스페인, 일본 등 여러 나라의 언어로도 출간되었다.

강력한 마법 능력을 가졌지만 평범한 소녀로서의 삶을 꿈꾸는 타라 덩컨과 강한 우정으로 뭉쳐진 칼, 로빈, 무아노, 파브리스, 파프니르의 멋진 활약을 담은 『타라 덩컨』 시리즈는 2015년까지 1년에 한 권씩 독자들을 찾아갈 예정이다.

이원희

타라 덩컨에 쏟아진 세계 언론의 찬사

기발한 아이디어, 서스펜스, 유머, 판타지로 넘치는 소피 오두인 마미코니안의 작품은 분명 마법 같은 매력을 발휘한다. 흥행의 귀재 스티븐 스필버그도 지대한 관심을 갖고 영화 제작을 신중하게 검토하는 중이다. 타라는 초인적인 능력을 가진 괴짜 소녀지만 타라를 탄생시킨 작가 역시 평범한 인물은 아니다. 작가 자신이 바로 아르메니아의 왕위 계승자로 추대되는 공주이기 때문이다. 「마취 드 파리」

한 번쯤 생각의 힘만으로 사물을 들어올리는 꿈을 꿔보지 않은 사람이 있을까? 마법사가 되기를 꿈꿔보지 않은 사람이 있을까? 현실을 벗어나 다른 세상으로 도망치는 꿈을 꿔보지 않은 사람이 있을까? 평범한 소녀가 아니라 마법사라는 사실을 막 알게 된 타라 덩컨과 함께 그 꿈이 이뤄진다. 「르 몽드」

아르메니아의 왕위 계승자 소피 오두인 마미코니안이 창조해낸 타라 덩컨, 상상을 초월하는 매혹적인 아더월드를 탐험하러 떠나다. 책을 펼치는 순간 신 나는 마법의 세계에 빠져서 책을 손에서 놓으려면 강력한 주문이 필요할 것이다. 『렉스프레스』

타라 덩컨은 치마 두른 해리포터가 아니다. 어린 독자들만 매료시키는 것이 아닌 이 놀라운 책에 작가는 상상 세계의 영역을 확장했다. 「르 쿠리에 프랑세」

어린이들의 영상 세계(텔레비전, 영화)를 참조하면서 많은 공상소설에서 빌려온 수많은 요소를 뒤섞어놓은 듯한 타라 덩컨 시리즈는 어린 독자들에게 이보다 더 유쾌하고, 재미있는 기쁨을 줄 수 없을 것이다. 「피가로」

사건의 변화가 많고 유머러스하고 흥미로운 이야기들로 가득 찬 호감이 가는 작품이다. 첫 독자였던 두 딸들과 환상적인 커플이 되어 작가는 아더월드라는 마법 세계의 지도와 독특한 어휘와 함께 상상을 초월하는 세계를 펼쳐놓았다. 해리포터의 누이동생의 이야기를 읽는 것 같다. 하지만 프랑스 문화 속에서 성장한 작가는 닫힌 공간에 특권을 주는 영국의 완곡 어법보다는 미국 문학의 과장법과 광활한 공간에 매료되어 있다. 「라 리브르」

이 소설 십여 페이지에서 영화 3편을 찍을 수 있을 거라고 한 어느 감독의 말이 결코 지나친 과장은 아닐 듯하다. 10권 시리즈의 제1권은 어린 독자들을 서스펜스와 판타지, 유머, 우정이 마음을 사로잡는 공상의 세계로 유혹한다. 「프랑스 수아르」

마법사이자 모험가인 열두 살 소녀, 타라 덩컨. 해리포터와 반지의 제왕이 뒤섞인 듯한 손에 땀을 쥐게 하는 흥미진진한 소설, 이건 이제 시작일 뿐이다. 「라 리베르테」

Photo, Didier Pruvot © Editions Flammarion

소피 오두인 마미코니안
Sophie Audouin-Mamikonian

아르메니아 왕위 계승자인 소피 오두인 마미코니안은 파리의 아사스 대학에서 법학을 전공했으며, 두 딸을 둔 어머니이다. 할머니와 어머니에게 러시아의 독특한 이야기를 들으며 자란 그녀는 열두 살 때 복막염을 앓으면서 꼼짝할 수 없게 되자 시간 죽이기 요량으로 처녀작 「샹들리에, 황금 불사조」를 썼으며, 15,000여 권의 공상과학 소설을 읽은 독서광이기도 했다. 15년이라는 오랜 작업 끝에 1권이 출간된 『타라 덩컨』의 주인공 소녀는 두 딸의 성격을 합해서 만들어낸 캐릭터라고 한다. 캐나다, 일본 등 26개국에서 번역된 『타라 덩컨』 시리즈는 2015년 12권으로 완결될 예정이다. 그 외 작가의 주요 작품으로 『뚱보들의 저녁식사』, 『인디아나 텔러』 시리즈 등이 있다.

옮긴이 이원희

프랑스 아미앵 대학에서 「장 지오노의 작품 세계에 나타난 감각적 공간에 관한 문체 연구」로 석사학위를 받았다. 현재 전문 번역가로 활동 중이며 역서로는 아민 말루프의 『사마르칸트』와 『마니』, 앙리 지델의 『코코 샤넬』, 생텍쥐페리의 『야간비행』, 칼릴 지브란의 『예언자』, 다이 시지에의 『발자크와 바느질하는 중국소녀』, 장 크리스토프 뤼팽의 『붉은 브라질』, 안니 뒤페레의 『파티』, 기욤 프레보의 『시간의 책』(전 3권), 피에르 보테로의 『에월란의 모험』(전 3권) 등 다수가 있다.

Illust 스튜디오 가게 studiogage.com